GW00394187

BLAISE PASCAL OU LE GÉNIE FRANÇAIS

Jacques Attali est né le 1er novembre 1943. Polytechnicien, énarque et ancien conseiller spécial du président de la République François Mitterrand pendant dix ans, il est le fondateur de quatre institutions internationales : Action contre la faim, Eureka, BERD et Positive Planet. Cette dernière a apporté son appui à plus de 10 millions de micro-entrepreneurs. Jacques Attali a rédigé plus de 1 000 éditoriaux dans le magazine *L'Express* et est l'auteur de 67 livres vendus à 7 millions d'exemplaires et traduits en 22 langues. Il a également dirigé plusieurs orchestres à travers le monde (Paris, Grenoble, Londres, Jérusalem, Shanghai, Astana).

JACQUES ATTALI

Blaise Pascal
ou
le Génie français

FAYARD

« *La vanité est si ancrée dans le cœur de l'homme qu'un soldat, un goujat, un cuisinier, un crocheteur se vante et veut avoir ses admirateurs, et les philosophes mêmes en veulent, et ceux qui écrivent contre veulent avoir la gloire d'avoir bien écrit, et ceux qui les lisent veulent avoir la gloire de [les] avoir lus, et moi qui écris ceci ai peut-être cette envie, et peut-être que ceux qui le liront...* »

(Pensées, fr. 520)

Plan de Paris, 1ère moitié du XVIIe siècle. Gravure BNF. © Roger Viollet et plan cité au bas de l'index III.

1 - Bastille
2 - Place Royale
3 - Hôtel de Roannez
4 - Hôtel de Ville

5 - Carré des Minimes
Rue de Touraine
Mme de Sévigné
Mme du Bellay
6 - Rue Beaubourg
Rue Brisemiche

7 - Saint-Eustache
8 - Hôtel de Rambouillet

9 - Louvre
10 - Palais-Royal

Le Paris de Pascal
et les itinéraires des carrosses à cinq sols, 1662.

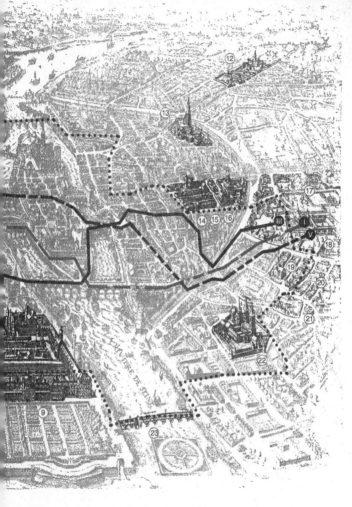

11 - Saint-Roch
12 - Port-Royal de Paris
13 - Saint-Etienne-du-Mont
14 - Rue des Fossés Saint-Jacques
15 - Sorbonne

16 - Auberge du Roi David
17 - Rue des Francs-Bourgeois-
    Saint-Michel
18 - Palais du Luxembourg
19 - Hôtel de Condé

20 - Rue Neuve-Saint-Lambert
21 - Salon de Mme Sainctot
22 - Abbaye Saint-Germain-des-Prés
23 - Pont Royal

INTRODUCTION

> « *Pourquoi ma connaissance est-elle bornée,
> ma taille, ma durée à cent ans plutôt qu'à mille ?
> Quelle raison a eu la nature de me la donner
> telle et de choisir ce milieu plutôt qu'un autre
> dans l'infinité, desquels il n'y a pas plus de rai-
> son de choisir l'un que l'autre, rien ne tentant
> plus que l'autre ? »*

(fr. 227)

Nous sommes tous choisis par une langue maternelle. Elle nous est imposée par les conditions mêmes
de notre naissance. À cela nul ne saurait échapper. Et
même si, chaque jour, des hommes se battent et meurent pour agrandir leur espace de liberté politique,
personne ne peut espérer ni même revendiquer sérieusement comme un droit futur la liberté de choisir sa
langue maternelle. Comme on ne peut pas non plus
choisir de ne pas être né, ni dans quelle famille, ni dans
quel pays, ni dans quelle classe sociale, ni avec quel
sexe ou quelle couleur de peau, on ne peut davantage
choisir quelle langue parler en premier. Aucune utopie
ne permettra sans doute jamais de modifier cette
contrainte, même si, en avançant dans la vie, il devient
possible de la dépasser.

Dans l'Algérie du premier tiers du xxᵉ siècle, la
langue maternelle de la famille de mon père et de celle
de ma mère était l'arabe. C'est en arabe qu'ils étudiè-
rent l'hébreu à l'école religieuse. L'un et l'autre eurent

la chance, inespérée étant donné leur milieu social, de fréquenter l'école publique française, et d'étudier le français avec d'excellents instituteurs laïcs et avec leurs frères et sœurs aînés. Puis ils choisirent de vivre en français et d'en faire la langue maternelle de leurs enfants ; alors qu'ils auraient pu en choisir deux autres ; poussant même l'amour de la France jusqu'à interdire à mon frère, à ma sœur et à moi d'apprendre l'arabe, qu'ils parlaient souvent entre eux devant nous — interdiction que je regrette, cela va sans dire, aujourd'hui. Ma vie, à l'évidence, eût été toute différente s'ils avaient fait un autre choix.

Ce désir de France, ce désir du français, ils me l'ont inculqué jour après jour. C'était une famille où, quand les enfants jouaient, ils s'entendaient reprocher : « Tu n'as rien à lire ? » Alors qu'il en est tant aujourd'hui où, quand un enfant lit, les parents s'indignent : « Tu n'as rien d'autre à faire ? » C'est donc tout naturellement que les mots de cette langue ont organisé mon univers, qu'ils sont ensuite devenus mes compagnons les plus familiers, avec lesquels je passe, aujourd'hui encore, beaucoup plus de temps qu'avec les personnages que ma vie publique m'amène à fréquenter.

D'autres, demain, placés dans les mêmes circonstances, choisiront-ils encore le français ? Ou bien se déprendront-ils de cette langue pour épouser celle des nouveaux maîtres du monde, l'anglais ; ou encore celles des nostalgies, des identités perdues ?

Dans un monde de plus en plus bouleversé par des technologies multipliant les occasions de communiquer, parler le français sera-t-il un atout ou bien un handicap ? Que deviendrait le monde si en disparaissaient cette langue et son génie si particulier ?

Pour répondre à ces questions, et surtout pour rendre hommage à cette langue qui m'a appris à penser, j'ai souhaité faire comprendre le moment clé de l'histoire de sa splendeur. En racontant la vie de celui qui, plus qu'aucun autre à mon sens, a contribué à son génie : Blaise Pascal.

Il y aurait cent raisons de s'intéresser à lui : ses réflexions sur la condition humaine, ses découvertes scientifiques, ses illuminations mystiques, sa fougue implacable de pamphlétaire. Elles composent un formidable feu d'artifice d'intelligence et de foi, d'amour et de solitude, d'effort et de miracle, d'humilité et d'orgueil, de gloire et de persécution où l'éclat de la langue française s'est trouvé porté à son meilleur.

L'histoire commence avec la naissance de La Fontaine en 1621 et celle de Molière en 1622, et s'achève en 1663 sur le choix par le souverain du Soleil comme emblème. Entre les deux : la régence de Marie de Médicis, Louis XIII, Richelieu, Anne d'Autriche, Mazarin, la Fronde, Louis XIV jeune, Port-Royal, Jansénius, Descartes, Fermat, La Rochefoucauld, Cyrano de Bergerac, Racine, Boileau et Corneille...

Durant cette brève période, que Pascal illumine de son génie, se joue une bataille à mort entre la science et l'Église, les princes et le roi, les provinces et l'État, l'économie et la politique, l'universalisme et le particularisme, la liberté et la prédestination, l'orgueil et la soumission, la propriété collective des âmes et l'autonomie des corps, le baroque et le classique, la langue et la censure, la vérité et la calomnie. Et se constitue cette exception : le « génie français ».

Mais, d'abord, qu'est-ce que le « génie » ? Le mot apparaît pour la première fois en 1532 chez Rabelais, à la fois pour définir les aptitudes et les talents et pour désigner, comme le latin *genius*, la divinité tutélaire de chacun : le génie peut être bon ou mauvais. Puis il désigne un être surnaturel, doué de pouvoirs magiques ; ou encore un homme d'exception doté de dons particuliers. C'est en 1640 qu'il apparaît chez Corneille pour qualifier ceux d'un peuple, c'est-à-dire pour décrire la personnalité de chacune des nations qui émergent alors du magma européen. Au même moment, les hasards du lexique font voisiner « génie » avec « ingénieur », transformant « -génie » en suffixe désignant la capacité de produire.

Depuis, chacun y est allé de sa définition. Et chaque peuple s'est vu reconnaître son génie, bon ou mauvais — la plupart du temps mauvais, quand la notion ne vise qu'à dénigrer celui des autres pour s'en prémunir, pour rester « pur » ; parfois bon, quand il désigne l'apport de chaque peuple à la diversité du monde.

Aujourd'hui, le génie d'une nation est de plus en plus difficile à cerner et à définir : la mondialisation, le métissage, les progrès dans les technologies de la communication, la demande d'autonomie des collectivités et des individus, le nomadisme réel et virtuel dissolvent les identités nationales et les réinventent sans cesse. Le génie ne réside plus dans un mode de vie, ni dans un système politique, encore moins dans une « race », mais dans l'art d'organiser une collectivité solidaire parlant une même langue, partageant des valeurs, un passé, et peut-être un avenir.

De tous ces points de vue, Pascal est un génie. À douze ans, il redécouvre à sa façon les mathématiques ; à seize, il invente la géométrie projective, aujourd'hui encore nécessaire à la mécanique et aux sciences de l'ingénieur ; à dix-neuf, il met au point la première machine à calculer, dont s'inspirent encore tous nos ordinateurs ; à vingt-trois, il invente la physique expérimentale, calcule la pesanteur de l'air, conçoit la presse hydraulique et fait s'écrouler une théorie multimillénaire, selon laquelle la nature aurait « horreur du vide ». À vingt-huit, il invente le calcul des probabilités, pilier de toutes les sciences sociales et physiques d'aujourd'hui. À trente, il contribue à fixer la langue française et crée le journalisme polémique. À trente-cinq, souffrant le martyre, il résout l'un des plus difficiles problèmes mathématiques jamais posés, tout en inventant en passant le calcul intégral. Et, dans la plus belle langue, une prose française telle qu'on ne l'a encore jamais maniée avant lui, il écrit des pages immortelles sur la condition humaine, sur les relations

entre science et foi, liberté et imagination, bonheur et
compassion, pouvoir et force, mêlant sans cesse le
hasard et la loi, la nature et la coutume, l'esprit et le
cœur, la science et l'expérience, l'ici-bas et la mystique... Avec l'obsession de dévoiler, classifier, expliquer les causes cachées des plus insignifiantes
mesquineries humaines comme des plus grands événements.

Tout cela sans projet, sans plan préconçu, sans vouloir rien publier ni laisser de traces, si ce n'est en se
dissimulant derrière sept identités distinctes, chacune
dotée de sa propre personnalité. Seulement pour relever les défis de l'intelligence que l'amitié et le hasard
mettent sur sa route. Dans l'obsession de la pauvreté,
du retrait, de l'anonymat, du salut.

Un génie particulièrement français dans toutes ses
dimensions : l'intellectuel, le marginal, le journaliste,
le polémiste, le rebelle, l'homme d'action, soucieux
d'universel, certes, mais aussi le délateur, l'arrogant,
le jaloux, le menteur...

En même temps qu'un génie prophétique : car personne, mieux que cet homme du XVIIe siècle, n'a
compris les questions qu'allait se poser l'homme du
début du XXIe. Il est l'un des premiers à avoir fait de la
précarité de la condition humaine la clé du comportement des foules, et à avoir prévu que la peur de la mort
entraînerait à fuir dans la distraction et l'indifférence
— on dirait aujourd'hui le spectacle et l'individualisme. L'un des premiers encore à avoir vu que
l'homme était capable, sous prétexte du retrait de Dieu,
de perpétrer les pires barbaries. Et d'autres encore,
aussi abominables, au nom de Dieu. Un des premiers
aussi à clamer, avant le siècle qui les a vues se fracas-
ser, sa haine des utopies. Un des premiers, enfin, à
avoir cerné, bien avant Marx, Freud, Heidegger ou
Sartre, les frontières indécises entre la liberté et l'aliénation, qu'elles soient tracées par Dieu, par l'ordre
social, par le déterminisme génétique ou par la
sexualité.

Le lire, ce n'est donc pas découvrir l'« effrayant génie » dont parle Chateaubriand avec l'emphase de l'écrivain romantique réhabilitant l'ennemi posthume de Voltaire. C'est approcher un être infiniment séduisant dont la vie entre en résonance avec bien des destins possibles : un autodidacte, un intellectuel, un mondain, un homme d'affaires, un scientifique, un bricoleur, un mystique, un écrivain, un désespéré, un cynique, un humoriste, un malade, un marginal, un ermite. Un roc fragile. Un solitaire sans fortune, sans titre, toujours masqué, follement épris d'une sœur sans doute aussi géniale et refoulée que lui, oscillant sans relâche entre un désespoir hautain et une espérance naïve.

On est prévenu : nul n'est jamais sorti indemne d'une rencontre avec Blaise Pascal.

Remarques bibliographiques

Toute biographie relève nécessairement du roman comme toute vie est d'abord une histoire qu'on se raconte à soi-même.

J'ai donc fait ici des hypothèses sur les personnages de ce récit et sur leurs relations. On ne manquera pas de les contester. J'ai en particulier considéré que Blaise et sa sœur Jacqueline forment un couple ambigu, où chacun porte une des dimensions d'un génie commun.

J'ai bien sûr lu, étudié toute l'œuvre de Pascal : les écrits philosophiques et religieux, les lettres, les essais physiques, les essais mathématiques. Ces derniers me furent les plus difficiles à pénétrer, non en raison de leur niveau théorique, dont j'ai encore la clé, mais parce que la langue scientifique de l'époque, que Pascal, en génial autodidacte, invente pour l'essentiel, est très éloignée de la nôtre. Au cours des siècles qui nous séparent de lui, on a en effet démontré des milliers de théorèmes, formalisé d'innombrables concepts ; et pour énoncer la même chose, on a désormais besoin de beaucoup moins de mots que lui : quelques symboles, quelques théorèmes, et tout est dit. Même si Pascal est soucieux, pour des raisons de logique et d'esthétique, de la brièveté de ses textes, lire ses mathématiques reste une tâche malaisée. C'est pourtant fondamental : la langue de Pascal et son discours philosophique se forgent dans les mathématiques. Il y trouve simplicité, clarté et rigueur. Même *Les Provinciales* ne se comprennent bien que si l'on a perçu comment le raisonnement de chacune d'elles est construit comme un théorème. Beaucoup de ses biographes oublient ou négligent cet aspect, peut-être parce qu'ils sont rebutés par ses mathématiques. Après d'autres, j'ai tenté de rendre au contraire à ses écrits scientifiques toute l'importance qu'une approche exclusivement littéraire ou théologique de l'œuvre pouvait négliger.

Mais de quelle œuvre s'agit-il ?

Sous son nom et de son vivant, il n'a publié qu'un texte d'une page (l'*Essai pour les coniques* en février 1640), une *Lettre dédicatoire au chancelier Séguier de la machine arithmétique*, suivie de l'*Avis nécessaire à ceux qui auront curiosité de voir la machine arithmétique et de s'en servir*, soit dix-huit pages imprimées en 1645, un petit livre de trente pages *(Expériences nouvelles touchant le vide)* en 1647, enfin un *Récit de la grande expérience de l'équilibre des liqueurs*, de vingt pages, publié en 1648. Moins de cent pages au total ! Le reste a circulé sous plusieurs pseudonymes, ou pas du tout. Depuis, bien des choses ont été publiées, mais de nombreux manuscrits ont disparu et on discute aujourd'hui encore sur l'attribution de nombreux textes. Ainsi du *Discours sur les passions de l'amour* qu'on lui a longtemps prêté avant de reconnaître qu'il est sans doute de Loménie de Brienne.

J'ai eu le privilège de pouvoir consulter, à la Bibliothèque nationale de France, ses manuscrits à l'écriture précise, hautaine, malaisément déchiffrable. J'ai également lu l'essentiel de ce qui a été publié sur lui. D'abord les biographies écrites par les membres de sa

famille : sa sœur Gilberte [431], sa nièce Marguerite [432] et
son neveu Étienne Périer [430], qui ont cherché à faire
croire à une existence coupée en deux par la révélation
de la foi. Puis les travaux de Victor Cousin [130] au milieu
du XIXe siècle et les très grandes biographies rédigées
au tournant du dernier siècle et juste après la Première
Guerre mondiale, où l'absurdité de la mort de masse
parut redonner une urgence immédiate à son œuvre :
Brunschvicg [65], Strowski [494], Steinmann [491]. Puis tout ce
qui a été écrit depuis lors, en particulier les travaux de
Jacques Chevalier [94] le chrétien devenu vichyste,
d'Henri Lefebvre [284] le marxiste et surtout de Jean Mesnard [339] et de Dominique Descotes [152]. Enfin, s'il n'y a
pas eu, ces dernières années, de biographie vraiment
exhaustive — ce à quoi je voudrais tendre ici —, il
existe en revanche des travaux considérables sur des
points extrêmement précis de l'œuvre : des centaines
de pages ont pu ainsi être écrites sur trois mots ou une
phrase des *Pensées* ou des *Provinciales*. Autour de
Jean Mesnard — qui a encore retrouvé des fragments
inconnus des *Pensées* en 1962 — s'est constituée une
admirable école d'érudits pascaliens travaillant pour
l'essentiel autour de Philippe Sellier, de Michel Le
Guern et de Dominique Descotes, dont le centre est
aujourd'hui à Clermont-Ferrand. Il existe aussi d'ex-
cellentes biographies romancées [7], nourries aux meilleures sources. Près d'une centaine de sites Internet
sont par ailleurs consacrés à l'auteur des *Pensées*. Pour
la plupart à l'étranger.

J'ai consulté, annoté, comparé, cité tous ces livres ;
pour donner ici sans prudence inutile mon analyse personnelle, de première main, des textes et des sources.

On trouvera la liste de tous les travaux consultés
dans la bibliographie figurant en fin de volume et dont
j'ai trop conscience, malgré sa longueur, qu'elle est
loin d'être exhaustive.

Une biographie d'écrivain doit, entre autres choses,
donner à lire l'auteur et donner envie de le lire. J'ai

donc choisi de publier ici quelques extraits, toujours
en les replaçant dans le contexte qui les explique.

Les fragments des *Pensées* cités ici le sont conformément au classement de Philippe Sellier[481], qui me
semble le plus probant. Les autres citations de Pascal
renvoient à l'édition de Louis Lafuma[401]. Toutes les
autres notes renvoient aux ouvrages où se trouvent les
faits ou les phrases cités, quand j'ai pu en vérifier l'origine, ou, à défaut, à des livres qui les citent lorsque je
n'ai pu retrouver l'origine exacte d'une citation. Souvent, en effet, jusqu'à une date assez récente, la tradition universitaire n'exigeait pas que l'on fournisse en
détail les références d'une source. Pour certaines
lettres, en particulier celles de Jacqueline, j'ai dû parfois me fier — en les citant — à des sources qui n'indi-
quaient pas les leurs.

CLARTÉS

(1623-1650)

1

Les enfants prodiges

(1623-1640)

> « *Qu'on s'imagine un nombre d'hommes dans les chaînes, et tous condamnés à la mort, dont les uns étant chaque jour égorgés à la vue des autres, ceux qui restent voient leur propre condition dans celle de leurs semblables, et, se regardant l'un l'autre avec douleur et sans espérance, attendent à leur tour !* »

(fr. 686)

Par sa naissance, en 1623, dans une de ces obscures familles de la petite noblesse de province qui ne survivent qu'en s'employant au service du roi à des activités subalternes, Blaise Pascal semble promis au même sort que son père, son grand-père, son arrière-grand-père : servir l'État dans un de ses multiples avatars locaux. Et sans doute l'eût-il fait si une succession de hasards n'avait révélé à son père qu'un au moins de ses enfants était exceptionnel. Vraiment exceptionnel. Et si ce père, tout aussi extraordinaire à sa façon, fantasque et cultivé, plus attiré par les mathématiques que par la justice ou l'administration, n'avait décidé de tout sacrifier pour devenir le seul et unique précepteur de son fils, lui épargner l'école et son obscurantisme dogmatique, et fournir à cet enfant aux dons si particuliers tous les moyens d'aiguiser et satisfaire sa curiosité, sans obligation d'obtenir un diplôme ni d'apprendre un métier.

Pour celui qui réfléchira si longtemps à l'influence du destin et de la grâce sur la vie des hommes, il ne pouvait y avoir meilleur sujet d'étude que lui-même : la grâce, quel que soit son nom, il l'avait reçue en partage. Il lui appartenait de la faire fructifier. Ce qu'il fit.

La naissance et la sorcière (1623-1626)

Un sociologue moderne dirait qu'au moment de la naissance de Blaise, les Pascal étaient des petits-bourgeois. Un historien les décrirait comme de modestes aristocrates appartenant à la noblesse de robe. Pour d'autres encore — tel Sainte-Beuve dans son *Port-Royal*, sur lequel j'aurai à revenir —, cette famille « était de condition et d'état recommandables plutôt que de qualité, et faisait partie du haut tiers état »[463]. Pour les marxistes — par exemple Henri Lefebvre qui, frais émoulu de l'université et de la guerre, consacra à Blaise Pascal une thèse étonnante, pleine d'analyses fulgurantes noyées dans un galimatias aujourd'hui bien dépassé —, « sa famille faisait partie de cette bourgeoisie qui, à force d'abstinence, avait réussi l'accumulation primitive du capital »[284].

La famille Pascal fait en tout cas partie de cette humble élite de province qui se résigne à convoiter des charges impopulaires, dans des instances sans avenir, tout en voyant les hautes charges et les meilleurs privilèges lui échapper pour échoir aux familles de la Cour. « En haut lieu, on les estimait, on leur confiait des missions délicates, on les reléguait en province, loin du cynisme des gens de Cour qui détenaient le pouvoir[284]. »

Dans ces familles, on sert sans états d'âme ni passion, même s'il faut pour cela s'opposer à ses semblables, les faire torturer ou condamner au bûcher. On se révolte rarement. On se distrait en écrivant ou en

philosophant. On croit en Dieu et l'on défie parfois le
luxe aristocratique par l'ostentation de la charité.

De toutes les façons qu'on les aborde, les Pascal
sont auvergnats. En 1345, on trouve trace d'un certain
Durand Paschal qui s'engage à payer chaque année,
pour le salut de l'âme de ses aïeux, cinq deniers aux
chanoines du chapitre de Cournon, situé entre Clermont et Pont-du-Château [491]. Selon les archives de ce
chapitre [7], un ancêtre de la mère de Blaise apparaît sous
Louis XI sous le nom de Pascal de Mons — on retrouvera ce nom quand Blaise en fera l'amorce d'un de ses
pseudonymes, Louis de Montalte. Vers le milieu du
XVᵉ siècle, la famille de son père s'installe à Clermont.
L'arrière-grand-père paternel de Blaise, Jehan Pascal
l'aîné, est échevin de la ville, c'est-à-dire magistrat
municipal nommé par le seigneur. Les générations suivantes conserveront des fonctions du même genre. On
trouve trace en 1584 du grand-père de Blaise, Martin,
en tant que receveur du talion, en quelque sorte contrô-
leur des impôts. Comme beaucoup de bourgeois et
petits nobles d'Auvergne, il a un temps été tenté par
la Réforme, puis, effrayé par ce qu'on rapportait des
massacres de la Saint-Barthélemy en 1572 dont les
ondes de choc menacèrent toute la province, il a abjuré
le protestantisme et épousé, devant un prêtre catholique, Marguerite Pascal de Mons, laquelle sera la
grand-mère de Blaise. Martin est trésorier de France,
conseiller et général des finances du roi Henri III pour
la généralité de Riom. Marguerite donne naissance en
1588 à Étienne, futur père de Blaise, puis à sept autres
enfants. La famille est croyante sans être mystique.
Elle a conservé de son passage par la Réforme un esprit
critique et une distance avec les autorités politiques et
religieuses que Blaise retrouvera, à sa façon, dans son
affrontement avec le roi et le pape.

On n'a conservé d'Étienne Pascal ni portrait ni
lettres, hormis quelques rares autographes montrant
l'extraordinaire ressemblance de l'écriture de son fils

avec la sienne[94], comme si l'un avait marqué l'autre jusque dans la matérialité de son expression — on comprendra bientôt pourquoi. Étienne semble avoir manifesté très tôt du goût pour la spéculation intellectuelle, en particulier pour les mathématiques, les sciences et les langues anciennes. Pour ces dernières, rien de bien étonnant : elles étaient très en vogue à l'époque. Plus surprenant est son attrait pour les mathématiques et les sciences, que personne n'enseignait encore vraiment en Europe — sauf à Oxford — et que les lettrés considéraient plutôt comme des curiosités pour comptables, sans véritable valeur intellectuelle.

Vers 1608, Étienne vient étudier à Paris. Il est le premier des Pascal à le faire. Naturellement, ce ne peut être, pour son père Martin, que le droit et la théologie. Étienne s'inscrit donc à la Sorbonne. Il est fasciné par le Paris d'Henri IV. Non pour la beauté des femmes ou les intrigues de Cour. Ni même pour la qualité de l'enseignement du droit, qu'il apprend vite à remettre en cause, méprisant l'université et tout ce qu'on y enseigne. Mais pour tout ce que la capitale recèle d'esprits bizarres, de mathématiciens amateurs, de traducteurs du grec, de l'hébreu, du latin. Il envisage même de s'y installer, mais l'assassinat d'Henri IV en 1610 ouvrant une période incertaine, Martin le rappelle. À la mort de celui-ci, Étienne est à Clermont. Le peu de fortune qui lui reste après le partage avec ses frères et sœurs (chez les Pascal, on lègue aussi aux filles, ce qui n'est pas si fréquent à l'époque) lui permet d'acheter l'office de « conseiller élu par le roi en l'élection du Bas-Auvergne à Clairmont », charge parlementaire relativement importante sur le plan régional : celle d'une sorte de magistrat ayant à connaître des contentieux fiscaux entre l'administration royale et les sujets.

Devenu ainsi titulaire d'un office provincial, austère et consciencieux, mais sans souplesse ni esprit d'intrigue, Étienne ne se mêle pas de politique. Il continue d'étudier quelques curiosités mathématiques et reste en correspondance avec plusieurs des mathématiciens qu'il a rencontrés lors de son séjour parisien.

Il a vingt-huit ans quand, en 1616, il épouse Antoinette Begon, fille d'un parlementaire et d'Antoinette Fontfreyde ; elle est la sœur de Jehan Begon, successeur de son père, lui aussi membre du Parlement de Clermont. Le couple s'installe d'abord à Clermont-en-Auvergne, comme on disait au XVIIᵉ siècle, ville d'environ 9 000 habitants, près de la place de la Victoire, dans une maison qui « comprenait deux corps de logis réunis par une vieille demeure du XVᵉ siècle, la maison Chardon du Ranquet »[94]. L'année suivante naît une première fille, Antonia, qui meurt peu après. En 1620, naît Gilberte, puis Blaise le 19 juin 1623.

On dispose d'assez nombreux détails sur la vie de Blaise, au moins par les récits de trois témoins directs : sa sœur Gilberte et deux des enfants de celle-ci, Étienne et Marguerite, au destin si particulier sur lequel on aura l'occasion de revenir. Il ne faut évidemment pas prendre au pied de la lettre ces témoignages largement hagiographiques, rédigés juste après la mort de l'homme illustre, et qui visaient à constituer sa légende. Mais, malgré leur parti pris et leur finalité — créer un Blaise Pascal conforme aux intérêts circonstanciels du parti janséniste —, ils contiennent néanmoins de très précieux éléments biographiques et peuvent, une fois recoupés avec ceux d'autres sources, aider à cerner la vérité historique, si elle existe.

En 1624, Étienne Pascal achète pour 30 000 livres une charge beaucoup plus importante que la précédente, celle de deuxième président à la cour des aides de Montferrand, c'est-à-dire le tribunal qui connaît en appel des contentieux fiscaux. Ses connaissances mathématiques — en tout cas arithmétiques — vont pouvoir être mises en pratique. Il déménage avec sa famille dans le haut Clermont, à l'hôtel de Vernines, près de la cathédrale, maison qui existait encore au début du XXᵉ siècle et que, dit-on[491], Maurice Barrès

visita en se bouchant le nez, la décrivant comme une
« bâtisse lépreuse, insalubre et malpropre » à la cour
traversée par une « rigole infecte ». Bien que très
occupé par sa charge, Étienne Pascal ne renonce ni à
ses études de mathématiques, ni à ses lectures en
langues anciennes, ni aux soins portés à ses enfants
— devenus trois avec la naissance de Jacqueline, le
5 octobre 1625.

Dès sa première année, si l'on en croit les récits
familiaux, Blaise se fait remarquer par un comportement particulier. « Il tomba, écrira sa nièce Marguerite
Périer, dans une espèce de langueur, accompagnée de
deux circonstances étranges : il ne pouvait souffrir la
vue de l'eau, non plus que l'approche de son père et
de sa mère ensemble. Cette maladie dura une année, et
l'on crut le perdre [432]. » D'autres sources décrivent les
circonstances de ces troubles de façon légèrement différente. Il semble, pour dépeindre ces symptômes de
façon plus moderne, que Blaise soit pris de temps à
autre de très violentes et spectaculaires convulsions.
Le nouveau-né entre comme en transes. Curieusement,
alors que l'époque n'est pas à l'analyse des causes
naturelles de ce type de symptômes, Étienne cherche à
en identifier l'origine. Chaque fois que l'enfant s'agite
ainsi, il observe ce qui, dans l'environnement, pourrait
être commun avec les circonstances de la crise précédente. Il trouve deux facteurs déclenchants : le spectacle de l'écoulement de l'eau et celui de ses parents
s'embrassant. Certains psychanalystes contemporains
interpréteraient de tels symptômes comme la manifestation d'un traumatisme lié à la sexualité. Voire d'un
refoulement hystérique. Mais, à l'époque, on n'en
saura rien : silence total de la famille sur ce qui est
enfoui là. On verra que tout, dans cette famille, de la
sexualité, est caché, masqué, censuré. Une seule chose
est certaine : à ce traumatisme il n'échappera jamais.
Bien plus tard, on verra s'en dévoiler les causes.

Rien ne guérit l'enfant. Malgré son désir de science,

Étienne constate avec rage que la médecine, engoncée dans son prétentieux galimatias, ne peut rien pour son fils. Or il adore cet enfant, il le prouvera à maintes reprises. Il est prêt à tout pour lui. En désespoir de cause, il est même prêt à sacrifier son esprit rationnel. Lorsqu'on lui parle de sorcellerie, de sort jeté, il ne repousse pas l'idée : si une sorcière a fait cela, ne peut-elle pas le défaire ?

L'époque est encore très imprégnée de magie. Le début du XVIIᵉ siècle connaît même un vigoureux regain de ces croyances. Tout le monde, y compris les autorités scientifiques et religieuses, pense qu'il est possible de « jeter un sort » à quelqu'un. L'année même de la naissance de Blaise, le pape Grégoire XV en personne reconnaît croire au pouvoir des sorciers de jeter des sorts mortels, et réclame le bûcher pour de tels crimes. L'astrologie est une science officielle dont vit, par exemple, le grand Kepler (« Chaque animal, écrit-il lucidement, a reçu de la nature un moyen de pourvoir à son existence : ainsi l'astronome a reçu l'astrologie... »), tout comme l'astronome Tycho Brahé, employé en qualité d'astrologue du roi du Danemark, Frédéric II. Cela restera vrai au moins jusqu'à Newton, dernier des grands alchimistes secrets et premier physicien moderne.

Aussi, quand on suggère à Étienne que la maladie de son fils pourrait être la conséquence d'un sort jeté par une vieille femme à laquelle son épouse Antoinette aurait refusé l'aumône, il la fait rechercher. On la retrouve. Il la questionne, elle nie. On la menace du bûcher — conformément aux prescriptions pontificales —, elle avoue tout ce qu'on veut. Pressée de trouver un remède au crime qu'elle a commis, elle propose de transférer le sort de l'enfant à un chat noir. On la prie de se hâter. Quelques passes, quelques décoctions, quelques prières au diable. Seul résultat : la mort du chat. Blaise ne guérit pas. Plus que jamais au bord du bûcher, la vieille femme confectionne alors un cataplasme avec neuf feuilles de trois plantes différentes, qu'elle a fait cueillir à la pleine lune par un enfant de sept ans [491]. À l'instant où elle l'applique à Blaise, celui-ci est pris d'une autre crise, plus terrible que toutes les précédentes. Il entre en catalepsie. Fou de chagrin et de colère, Étienne accuse la vieille femme de vouloir assassiner son fils. Il la frappe. On crie, on hurle, on pleure. On se prépare au pire... quand l'enfant sort du coma. Il rouvre les yeux. Il sourit. La sorcière le déclare guéri. Peu convaincu, le père ose faire couler de l'eau devant son fils. Rien ne se passe. Il serre sa femme dans ses bras. Rien non plus. On applaudit.

Mais la sorcière, en guérissant l'enfant, a démontré la puissance de ses sorts. Si Étienne lui en est reconnaissant, d'autres témoins de la scène le sont moins et la dénoncent aux autorités religieuses. On l'arrête, on la juge, on veut la conduire au bûcher. Étienne intervient. Il obtient qu'elle soit relâchée, expliquant que la bguérison de son fils est naturelle et que la brave femme n'y est pour rien. En sauvant celle qui a guéri son fils, il peut redevenir le sceptique qu'il aurait aimé pouvoir ne jamais cesser d'être. « C'est un vice naturel, comme l'incrédulité et aussi pernicieux. Superstition. » (fr. 219), notera un jour Blaise.

Ainsi né sous le signe du prodigieux, Blaise sera toute sa vie pris en tenailles entre la raison et la foi, la sagesse et la folie. Incapable de contrôler son corps, il échappera souvent par des convulsions à chaque crise majeure qu'il devra traverser.

A peine est-il remis de cette première tragédie qu'une autre vient bouleverser la famille : sa mère meurt au milieu de 1626. D'avoir mangé trop de cerises, dira-t-on [7]. Sans doute sera-t-il informé plus tard de cette version familiale, et cela nourrira-t-il son sentiment aigu de la fragilité et de l'absurdité de la condition humaine. Il écrira un jour, pensant peut-être à sa mère : « Tout nous peut être mortel, même les choses faites pour nous servir, comme dans la nature les murailles peuvent nous tuer, et les degrés nous tuer, si nous n'allons avec justesse. Ainsi, dans la grâce, la moindre action importe par ses suites à tout, donc, tout est important. » (fr. 756)

Étienne se retrouve seul avec trois enfants en bas âge. Il a trente-huit ans, âge mûr en ce temps. Au lieu de se remarier aussitôt — ce qu'aurait fait à sa place tout autre bourgeois —, il décide de confier le soin des enfants à une gouvernante, Louise Delfaut. Ce n'est pas une gouvernante ordinaire : issue d'une famille petite-bourgeoise en relation avec celle de Jean de La Fontaine[390], elle ne quittera plus la famille Pascal jusqu'à sa mort. Et deviendra sans doute — si elle ne l'est pas déjà — la maîtresse d'Étienne, qui n'aura jamais d'autre femme dans sa vie.

Le magistrat n'a plus en effet qu'un seul projet : apprendre et transmettre.

Clermont-Ferrand (1626-1631) : l'éducation du père

Ses enfants n'iront pas à l'école. Ni les filles, ce qui est fréquent, ni le garçon, ce qui est plus rare. Il sera leur maître unique. Élève lui-même des bonnes écoles clermontoises et de l'Université parisienne, Étienne a connu leurs ravages. À l'éducation il a par ailleurs beaucoup réfléchi. Il a même mis au point des méthodes pédagogiques incroyablement en avance sur l'époque, inspirées de Rabelais et Montaigne qu'il a sans doute lus, au moins en partie. Il enseigne d'abord à ses enfants — surtout à Blaise, mais il semble que Jacqueline ait eu droit aux mêmes exercices — à lire le français avec des lettres en carton patiemment assemblées, et non pas directement dans des recueils de textes religieux. Il leur inculque ensuite la grammaire, non pas en leur faisant apprendre par cœur des règles qui leur paraîtraient arbitraires, mais en leur montrant, au hasard de la conversation, la nécessité de

distinguer les sujets des compléments, les substantifs
des adjectifs, les verbes et les temps de leur conjugai-
son, etc. Tout doit venir naturellement. Étienne n'enseigne rien d'autorité. Il souhaite éveiller et cultiver
chez ses enfants le désir de comprendre, de trouver
eux-mêmes une réponse, de réinventer un savoir. Rien
n'est enseigné qui n'ait sa cause et sa fonction. Rien
n'est donné à apprendre dont on n'ait compris la raison
d'être. Il explique celle des langues avant d'énoncer
la nécessité d'une grammaire, et donc d'une syntaxe
spécifique. Il a compris qu'il vaut mieux initier à ce
qu'on n'appelle pas encore la linguistique avant d'enseigner les langues elles-mêmes, et introduire à la
logique avant d'aborder la linguistique.

Avant même que le français ne soit entièrement maî-
trisé, vers l'âge de sept ans, Blaise commence le latin.
Là encore, rien d'imposé. Étienne consacre aussi des
heures à susciter chez ses enfants de l'intérêt pour
l'histoire et la géographie, et il en fait les sujets principaux de conversation lors des repas familiaux. Comme
il ne voit pas comment rendre naturel l'enseignement
des mathématiques — dont il n'existe pas alors d'ap-
plications concrètes autres que comptables —, il décide
de ne les enseigner que plus tard, quand les enfants
sauront les langues et pourront trouver une certaine
justification à l'abstraction. Gilberte note : « Mon père
lui parlait souvent des effets extraordinaires de la
nature, comme de la poudre à canon et d'autres choses
qui surprennent lorsqu'on les considère. Mon frère prenait grand plaisir à ces entretiens, mais il voulait savoir
la raison de toute chose [431]. »

Cette éducation n'implique presque aucun contact
avec des livres ; elle est principalement orale et s'appuie exclusivement sur le raisonnement. La bibliothèque d'Étienne ne contient d'ailleurs que des
grimoires mathématiques, des commentaires religieux,
Montaigne sans doute, Rabelais peut-être. Blaise peut
certes s'y promener, mais son père ne l'y pousse pas.

Pas davantage de contact avec la nature, ni d'exercice du corps. Blaise ne gardera d'ailleurs aucun souvenir précis des paysages d'Auvergne et ne parlera jamais de la campagne autrement que comme d'un cadre d'observation scientifique ou d'un objet de distractions.

Croyant par tradition plus que par conviction, Étienne Pascal ne mêle pas la religion à l'éducation. Pour lui, la foi n'est pas une science qu'on enseigne, mais un objet pour le cœur. Il apprend donc à ses enfants à croire à l'une sans la discuter, et à ne rien croire de l'autre sans le comprendre. À ce propos, Étienne Périer, le neveu de Blaise, écrira après la mort de son oncle, dans sa préface à la première édition des *Pensées* : « Et, ce qui est assez extraordinaire à un esprit aussi curieux que le sien, il ne s'était jamais porté au libertinage pour ce qui regarde la religion, ayant toujours borné sa curiosité aux choses naturelles. Et il a dit plusieurs fois qu'il joignait cette obligation à toutes les autres qu'il avait à M. son père, qui, ayant lui-même un très grand respect pour la religion, le lui avait inspiré dès l'enfance, lui donnant pour maxime que tout ce qui est l'objet de la foi ne saurait l'être de la raison, et beaucoup moins y être soumis [430]. »

Blaise ne se rebellera jamais contre cette éducation dont il gardera toujours la nostalgie. Il y a appris « ce juste milieu et ce parfait tempérament [qui] ne permet que de décider des choses évidentes et qui défend d'assurer ou de nier celles qui ne le sont pas » [401], ainsi qu'il l'écrira lui-même en 1648 à l'un de ses amis les plus libertins — au sens de l'époque, c'est-à-dire incroyants —, Le Pailleur.

Étienne comprend très vite que, parmi ses trois enfants, deux sont hors du commun. Si Gilberte ne retient pas grand-chose de ce qu'il lui enseigne, les deux autres s'intéressent, posent des questions, veulent tout savoir. Blaise semble *a priori* plus curieux que Jacqueline, mais celle-ci, élevée dans le souci de la modestie qu'on impose alors à son sexe, est elle aussi tout à fait exceptionnelle. Plus passionnée par la littérature que son frère, lisant les rares livres que son père lui laisse approcher, elle compose des vers dès qu'elle est en âge de tenir une plume.

Tout en enseignant à ses enfants, Étienne n'a pas tout à fait renoncé à ses ambitions. En 1631, cinq ans après la mort d'Antoinette, il cherche à acquérir la charge de premier président de la cour des aides. Du fait de la conjonction d'une cabale locale et de pressions venues de Paris, il n'obtient pas la charge. C'est le tournant de sa vie : décidément, il n'est pas fait pour ce type de fonctions. L'amertume ne le quittera plus. Sans doute a-t-il fait alors comprendre à son fils combien la justice des hommes lui paraissait injuste. Et combien était scandaleux le gaspillage d'un talent comme le sien.

Étienne prend alors une nouvelle décision, extraordinaire pour l'époque. Il vend sa charge à l'un de ses frères, lui aussi prénommé Blaise, quitte Clermont et part s'installer à Paris. Non pour y mener grand train ou y chercher une autre épouse, mais pour se faire admettre dans les cercles scientifiques et philosophiques les plus fermés de la capitale, qu'il a observés de loin quinze ans plus tôt. Pour y apprendre et surtout pour avoir plus à apprendre à Blaise.

Il va y réussir au-delà de toute espérance.

Ces années-là, le monde...

Le Paris où débarquent Étienne et ses enfants est en pleine crise.

D'abord parce que la situation matérielle du royaume est difficile. Le centre de gravité de l'économie européenne a depuis longtemps basculé de la Méditerranée vers la mer du Nord. En 1621, à l'issue d'une grave crise financière, Gênes a perdu son rôle de

pôle bancaire mondial. C'est Amsterdam, ville de
faibles proportions à l'échelle des pays qui l'entourent,
dernière cité-État face aux monstres bureaucratiques
des monarchies et des empires, qui domine l'écono-
mie-monde, laissant les puissants monarques s'entre-
déchirer pour la gloire[55]. Sur un territoire étriqué, sans
moyens de nourrir sa population, la ville est nécessairement tournée vers l'extérieur. Elle est au cœur du
commerce maritime de toutes les épices et importe
dans ses entrepôts d'immenses quantités de blé qu'elle
redistribue vers l'ensemble du continent[55]. Alors que
la puissance économique des États se mesure essentiellement à leurs capacités maritimes et que le contrôle
des routes de navigation et des terres lointaines est dis-
puté entre les marines des Pays-Bas, d'Espagne, de
Gênes, de Venise et d'Angleterre, la France reste une
nation rurale, sans force navale, mais riche de ses productions agricoles. Avec 20 millions d'habitants, elle
est le pays le plus peuplé d'Europe. Elle en a même le
quart de la population. Elle est « le royaume de Dieu »,
dit le juriste hollandais Grotius[164]. Paris, qui n'est pas
un port, n'est pas même la capitale économique du
pays : celle-ci est toujours Lyon, au confluent des
routes qui relient les deux mers marchandes, la Méditerranée et la mer du Nord. Mais alors qu'elle dispose
de terres arables d'une superficie quatre-vingts fois
supérieure à celle de la Hollande, sa richesse n'est que
du triple[55]. Pénalisée par sa grande taille, elle ne possède ni grand port ni liaisons intérieures. Et comme
elle n'a besoin de presque rien de l'extérieur, elle n'est
pas incitée à produire pour vendre au reste du monde.
Aussi, quand les récoltes sont mauvaises, le royaume
n'a-t-il pas toujours les moyens d'importer de quoi se
nourrir. La France, puissance agricole, est donc paradoxalement beaucoup plus vulnérable à la disette
qu'une ville-État.

Quand, en 1628, des conditions climatiques désas-
treuses ruinent les récoltes — au point que les mois-

sons de la Beauce, grenier de l'Île-de-France, n'atteignent que le quart de celles de 1620 —, la famine gagne le pays entier. Comme toujours, les épidémies frappent les affamés. De 1629 à 1641, la peste tue plus d'un million et demi de personnes. Il n'y a plus grand monde pour payer un impôt qui dépasse le revenu agricole. À Paris, en Normandie, dans les Cévennes, les « croquants » se soulèvent. Bourgeois et nobles ne sont pas davantage satisfaits. Les officiers (propriétaires de leurs charges) en province sont les premières cibles de ces révoltes. En particulier ceux qui sont en charge des impôts.

D'autant plus que la monarchie n'est pas solide. Depuis l'assassinat du roi Henri IV, la régence exercée par Marie de Médicis est devenue insupportable à tous. En 1614, juste avant la majorité du roi Louis XIII, les princes dirigés par le comte de Soissons — un des Condé, héritier de la couronne après les deux fils d'Henri IV —, Guise, Nevers et Bouillon, se révoltent contre la reine, contre sa favorite, Leonora Galigaï, et contre le mari de celle-ci, Concini. Ils obtiennent la convocation d'états généraux (ce seront les derniers avant ceux de 1789). Mais ceux-ci ne débouchent que sur de vagues promesses à propos de la vénalité des charges. Un certain Richelieu, évêque de Luçon, délégué du clergé aux états généraux, se fait remarquer par la reine mère et par Concini, qui le nomme en 1616 secrétaire d'État à la Guerre et aux Affaires étrangères, grand maître de la Navigation et du Commerce. Mais le jeune roi, devenu majeur, veut saisir les rênes du pouvoir. Il manœuvre bien, divise les ordres, fait assassiner Concini par un groupe dirigé par le duc de Luynes [164] (dont le fils deviendra un ami de Pascal) et prononce la disgrâce de sa propre mère qui part en exil avec Richelieu à Blois. Louis XIII dispose désormais du pouvoir effectif et l'organise. Un règlement précise les compétences de quatre secrétaires d'État, véritables ministres d'un Conseil du roi (gouvernement) dont il confie la direction à Luynes, devenu son favori. Quand, le 29 avril 1624, Richelieu réconcilie Marie de Médicis avec son fils, celui-ci accueille l'évêque au sein du Conseil qu'il présidera dès le 13 août en remplacement de Luynes, tué à la guerre contre les protestants du Midi [164]. Richelieu se révélera désormais le plus fidèle soutien du roi qui l'a banni.

Les deux hommes poursuivent ensemble la construction de l'État centralisateur. En 1626, le roi ordonne la destruction des châteaux fortifiés et interdit les duels. Pour y avoir manqué, en 1627, deux grands seigneurs, Montmorency-Bouteville et Des Chapelles, sont exécutés, au grand scandale de l'Europe des princes. En 1628, les états provinciaux du Dauphiné — assemblée de notables chargée de voter les impôts — sont supprimés, ce qui renforce le contrôle royal sur la région. En 1629, Richelieu est nommé « principal ministre d'État ». En 1630, la « poste aux lettres » est généralisée à l'ensemble du royaume, facilitant la centralisation du pouvoir en même temps qu'une plus libre circulation des idées.

Si Richelieu développe une politique industrielle, maritime et coloniale en autorisant les nobles à commercer sans déroger, ni la noblesse ni la bourgeoisie ne s'en contentent. Certains se rebellent. Le 11 novembre 1630, Marie de Médicis, qui n'a jamais assouvi sa haine contre son fils aîné, et Gaston d'Orléans, son second fils et frère du roi, fomentent un complot contre Richelieu ; ils échouent : c'est la « journée des Dupes ». Leur homme de confiance, le comte de Chalais, est arrêté et exécuté à Nantes [164]. Le Parlement de Paris crée une chambre de justice contre les partisans de la reine mère, dénoncés comme « perturbateurs de l'ordre public ». Ils sont éliminés. En 1631, l'écrivain Guez de Balzac publie *Le Prince*, qui se veut une justification de l'absolutisme. L'année suivante, c'est le Parlement de Paris lui-même qui est rappelé à l'ordre : le Conseil du roi réaffirme son droit de casser ses arrêts s'il les juge contraires aux intérêts de la couronne.

En dix ans, la monarchie a reconquis et même accru tout le terrain perdu. De cette crise où elle aurait pu disparaître, elle a su tirer parti pour rétablir un État fort, affaiblir les grands seigneurs qui ne voulaient l'autonomie que contre le souverain, et encourager au contraire celle des grands bourgeois qui n'y aspiraient que pour la mettre à son service. Ainsi se constitue, bien avant que le futur Roi-Soleil n'en tire tous les bénéfices, la réalité politique de la France moderne.

Richelieu peut maintenant définir une nouvelle diplomatie fondée sur l'alliance avec les Provinces-Unies, grande nation marchande huguenote, en tenant le pape hors des affaires temporelles du royaume. L'Espagne se tourne alors vers l'Angleterre, où Charles Ier devient roi. Ce renversement d'alliances n'empêche pas la France d'être prise dans la guerre de Trente Ans. Celle-ci s'est déclenchée en 1618 comme une guerre de religion. Et une guerre très compliquée, dont l'essentiel, pour notre histoire, est que la France choisira à un moment d'être l'alliée des princes protestants contre le Roi Catholique. L'engrenage qui y conduit est d'une grande complexité. Il tient à ce que, depuis la Réforme, l'Europe oscille entre la fragmentation nationale, que veulent les protestants, et l'unification continentale, dont rêvent l'Empire et Rome. La France, à la fois nation indépendante et puissance catholique, est tiraillée entre les deux camps. La priorité, pour Richelieu, est de ruiner les Habsbourg des Flandres et d'Espagne. La France tire d'abord bien son épingle du jeu dans cet imbroglio en restant à l'écart, mais elle va devoir ensuite entrer directement en guerre contre l'Espagne et tout faire pour séparer les Habsbourg d'Espagne de leurs possessions du Nord.

Ces guerres de religion mêlent guerres civiles et guerres internationales. Avec leurs alliés anglais, les huguenots français sont assiégés dans La Rochelle par l'armée de Louis XIII et doivent capituler le 29 octobre 1628.

« Ils aiment mieux la mort que la paix, les autres aiment mieux la mort que la guerre. Toute opinion peut être préférable à la vie dont l'amour paraît si fort et si naturel » (fr. 63).

La seule question philosophique qu'on a encore le droit de se poser est celle du salut. Mis à part quelques libertins, personne ne pense sérieusement à autre chose qu'à ce qui l'attend après la mort. Nul n'ose songer ouvertement que le bonheur sur Terre suffit à fonder une conduite. L'essentiel est de savoir si on passera l'éternité en Enfer ou au Paradis, l'un et l'autre étant décrits par certains comme une minutieuse reproduction de la meilleure ou de la pire existence terrestre, et par d'autres comme une abstraite béatitude ou une souffrance indicible provoquées par une éternelle proximité ou un infini éloignement du Seigneur.

Si la France est demeurée pour l'essentiel catholique — les protestants français ne dépassent jamais le million —, c'est parce que ses paysans et ses intellectuels le sont restés [94]. Le catholicisme est même en pleine renaissance. Deux saints venus de la Savoie et des Landes, François de Sales et Vincent de Paul, lui confèrent un lustre nouveau. De grands théologiens — Bérulle, Olier, Condren, Bourdoise, etc. [94] — renouvellent la doctrine. Des couvents, des ordres se multiplient pour combler la soif de foi du peuple. L'Église est encore capable de faire pièce au pouvoir de l'argent, de s'opposer au prêt à intérêt qui ruine les paysans et enrichit les marchands. De se dresser même, parfois avec quelque succès, contre le pouvoir royal.

Mais, par ailleurs, l'Église et le roi se liguent contre leurs ennemis, les protestants et les libertins. Une grande partie des privilèges politiques et militaires reconnus aux protestants par l'édit de Nantes sont supprimés par l'édit de grâce d'Alès.

La Réforme et la Renaissance ont remis en cause

certains dogmes ; les guerres civiles et les grands chambardements économiques et sociaux ont sapé les certitudes[94]. Depuis un siècle, la découverte de civilisations nouvelles, d'autres religions, d'autres façons de penser l'univers, ajoute encore au désarroi[481]. Depuis que les Hollandais se sont installés à Formose et ont fondé outre-Atlantique, le 27 mars 1625, la Nouvelle-Amsterdam ; depuis que l'Afrique, l'Amérique du Sud et du Nord, l'Asie ont commencé à être explorées, l'humanité ne se réduit plus à quelques terres immédiatement accessibles ; on découvre encore de nouveaux peuples ayant vécu des histoires multimillénaires, ayant leurs propres rites et croyances et qui ne connaissent ni Dieu ni Jésus. Depuis plus d'un siècle, l'Europe chrétienne est donc perplexe : pourquoi le Très-Haut aurait-il laissé tant d'êtres humains dans l'ignorance de Lui-même ? Pourquoi existe-t-il aussi tant de peuples dont les Écritures ne parlent pas, qui n'ont jamais entendu parler ni de Dieu, ni du Christ, ni de l'Ancien ou du Nouveau Testament, et dont les calendriers remontent à une époque bien antérieure au Déluge ?

Toutes les thèses commencent à être défendues à mots plus ou moins couverts, de l'agnosticisme à l'athéisme, du stoïcisme au scepticisme[94]. Et ce qui nourrit l'inquiétude[481] revigore et entretient aussi l'esprit critique, d'où surgit un désir de science.

Mais, en province plus qu'à Paris il ne fait pas encore bon se proclamer libertin. Quand, en 1622, trois poètes venus de Bordeaux et de Rouen, Théophile de Viau, Boisrobert et Saint-Amant, de familles protestantes récemment converties au catholicisme, proclament l'un (de Viau) que « l'homme doit jouir de son être » et un autre (Boisrobert) qu'il doit vivre « suivant le libre train que Nature prescrit », ils sont pourchassés par l'Église et par les tribunaux, et ne doivent leur salut qu'à la fuite[94]. Théophile de Viau est condamné par contumace à être brûlé vif[94] pour avoir expliqué que « la Providence, les miracles et l'immortalité de l'âme sont des erreurs ou des mensonges de témoins, sous l'influence de drogues ». Pour s'être vanté de savoir qu'une société secrète d'athées se partagera un jour le monde, Vanini, médecin et prêtre italien, auteur des *Secrets de la Nature*, est condamné en 1619 à avoir la langue arrachée avant d'être brûlé [284].

À Paris, la situation est un peu plus tolérante. Les libertins y sont plusieurs milliers au temps de Louis XIII. Dans les salons, la vie intellectuelle échappe un peu à cette pression moyenâgeuse. Grâce aux femmes, qui, depuis le début du siècle, jouent un rôle notable, renonçant à leur rivalité avec les hommes en échange d'une maîtrise de la vie mondaine [284]. Les hôtels de Condé, de Clermont, de Ventadour et surtout de Rambouillet, animé pendant trente ans (de 1620 à 1650) par Catherine de Vivonne et ses filles, reçoivent tout ce qui pense à Paris. Fille d'un ambassadeur de France à Rome et d'une princesse italienne, Catherine de Vivonne épouse en 1600 Charles d'Angennes, futur marquis de Rambouillet. En 1604, elle achète et rénove l'hôtel de Halde, rue Saint-Thomas-du-Louvre. Elle y reçoit d'abord seule, puis avec ses filles, Julie et Angélique. Richelieu, Villars, le prince de Guiche, la princesse de Conti, Mme de Sablé, Mme de Clermont, Malherbe, Vaugelas, Chapelain sont de ses habitués [164]. À partir de 1625, on y rencontre le duc d'Enghien (futur Grand Condé) et sa sœur Mlle de Bourbon, Marcillac (futur duc de La Rochefoucauld) et une nouvelle vague de lettrés et d'artistes : Voiture, Georges et Madeleine de Scudéry, Godeau, Ménage, Cotin, Benserade, Scarron, Pierre Corneille. Dans un autre salon, Mme de Sablé reçoit La Rochefoucauld, Bussy-Rabutin, l'abbé d'Ailly.

Ces salons sont le lieu de rencontre de la grande bourgeoisie avec la noblesse : pour y être admis, il faut montrer des « manières douces », faire l'apologie de la lucidité, de la maîtrise de soi, de la réserve et de la distinction. On nomme cette « dictature de la forme »[284] le « naturel » de l'« honnête homme ». Blaise Pascal notera plus tard : « On n'apprend point aux hommes à être honnêtes hommes, et on leur apprend tout le reste. Et ils ne se piquent jamais tant de savoir rien du reste comme d'être honnêtes hommes. Ils ne se piquent de savoir que la seule chose qu'ils n'apprennent point. » (fr. 643)

D'autres cercles réunissent des érudits et des philosophes qui discutent librement de ce que la censure religieuse ou politique leur interdirait d'écrire ou d'exprimer publiquement. Ainsi, à partir de 1628, le cercle des frères Dupuy — l'un est conseiller d'État, l'autre est ecclésiastique —, érudits et bibliophiles, où se retrouvent Gassendi, Guy Patin, La Mothe Le Vayer et Naudé[94]. Après Rabelais, Montaigne et bien d'autres, ils pensent que le progrès des sciences permettra d'expliquer la nature de l'homme et de trouver une morale sans qu'on ait besoin de recourir à la peur de l'Enfer pour la justifier.

On continuera néanmoins à risquer sérieusement le bûcher pour hérésie jusqu'en 1660. Et c'est dans cette fermentation des esprits, cette inquiétude des cœurs, cette ignorance angoissée qu'un art nouveau s'installe — ce sera l'« art classique » —, proposant une image ordonnancée et sereine du monde, une réponse consolante, rassurante, harmonieuse, assimilant le beau à l'ordre, fixant un idéal de goût et de mesure. On dessine des jardins, on ouvre des fenêtres, on vénère la symétrie, même si on dessine encore des labyrinthes végétaux.

C'est dans cet univers d'inquiétude et de désordre, où se développe une grande fringale d'ordre et de savoir, que débarque la famille Pascal.

Arrivée des Pascal à Paris ;
révélation du prodige (1631-1637)

Au début de 1631, Étienne Pascal s'installe dans une maison modeste du quartier du Temple, rue de la Tixeranderie, à côté du quartier du Marais alors en construction. Blaise a huit ans, Gilberte dix et Jacqueline six. Louise Delfaut est là pour leur « servir de mère », écrira Gilberte [431]. Blaise est un enfant fragile, très proche de son père et de sa plus jeune sœur.

Cette année-là, le roi consolide son pouvoir. Marie de Médicis doit quitter la France et Louis XIII se fait construire à Versailles un pavillon de chasse autour duquel s'édifiera quarante ans plus tard le château du Roi-Soleil. L'année suivante, il fera décapiter le duc de Montmorency, amiral de France, meneur d'un soulèvement avorté en Languedoc.

Dans les premiers temps, Étienne ne se plaît pas à Paris. En 1632, il tente même à nouveau d'obtenir la charge de premier président de la cour des aides de sa province [7]. Mais il échoue encore : son absence n'a pas servi sa cause. Il est affreusement déçu. Il doit renoncer à la réussite sociale et à la gloire. « La plus grande bassesse de l'homme est la recherche de la Gloire. Mais c'est cela même qui est la plus grande marque de son excellence ; car, quelque possession qu'il ait sur la terre, quelque santé et commodité essentielle qu'il ait, il n'est pas satisfait s'il n'est dans l'estime des hommes. » (fr. 707)

Puisqu'on ne veut pas de lui, il renonce à tout emploi : il ne sera plus qu'un rentier à vie, partageant son temps entre l'éducation de ses enfants et ses efforts pour se faire admettre dans les meilleurs cercles scientifiques de la capitale. Un tel mode de vie coûte cher : il faut pouvoir recevoir, faire des cadeaux, se livrer à des expériences. Pour ne pas avoir à s'occuper de son patrimoine, Étienne le place tout entier en obligations d'État, plus précisément en rentes sur l'Hôtel de Ville, ce qui lui assurera de quoi vivre décemment. Rien de plus.

Il hésite à envoyer Blaise dans un de ces collèges de jésuites alors florissants, avec des programmes de qualité et par où passent les meilleurs esprits de l'époque, tels Descartes, La Rochefoucauld, Bossuet. Mais il préfère poursuivre l'enseignement qu'il a commencé à lui dispenser à Clermont, à l'instruire lui-même en latin, histoire et français. Il débute aussi avec lui un enseignement de physique, c'est-à-dire essentiellement alors de chimie minérale, d'acoustique et d'hydraulique.

Blaise, à qui il consacre l'essentiel de ses efforts, est ainsi habitué à comprendre avant que d'apprendre, à raisonner à partir de grandes catégories, à tout ramener à des figures simples ou à des problèmes généraux, à redécouvrir plutôt que répéter, à chercher en tout les causes — la « raison des effets », dit-on alors.

Plus tard, en autodidacte qu'il est, Blaise sera enclin à défendre bec et ongles sa paternité sur toutes les idées qu'il aura exprimées. D'où, souvent, ce qui passera pour une extrême confiance en soi, une vive conscience de ses talents, une grande rage contre ceux qui prétendront avoir eu les mêmes idées avant lui. Comme l'écrit l'un de ses biographes du début du XXe siècle, Fortunat Strowski : « Quoi que dise Pascal dans les *Pensées*, il a toujours le cri de Christophe Colomb découvrant l'Amérique [497] ! »

La contrepartie de cette éducation exceptionnelle, c'est l'isolement. Blaise n'apprend rien des relations humaines. Ni de la tendresse, dont Étienne se montre très avare. Presque cloîtré dans une maison dont il ne sort qu'en compagnie de son père, il a pour seules compagnies sa gouvernante et ses sœurs ; et d'abord Jacqueline avec qui il développe une relation très intense. On ne lui connaît aucune activité sportive, sinon peut-être le jeu de paume [7] dont il fera plus tard une superbe métaphore, justement pour défendre l'originalité de son œuvre : « Qu'on ne dise pas que je n'ai rien dit de nouveau : la disposition des matières est nouvelle. Quand on joue à la paume, c'est une même balle dont joue l'un et l'autre, mais l'un la place mieux... » (fr. 575)

En 1635, Blaise a douze ans. Étienne Pascal décide qu'il sait assez de latin pour l'utiliser. On parlera donc cette langue à la maison quatre jours par semaine, les lundi, mardi, jeudi et vendredi. Gilberte écrira de son frère : « Durant ce temps-là, il continuait toujours d'apprendre le latin, et il apprenait aussi le grec, et outre cela, pendant et après le repas, mon père l'entretenait tantôt de la logique, tantôt de la physique et d'autre part de la philosophie, et c'est tout ce qu'il en a appris, n'ayant jamais été au collège, ni eu d'autres maîtres pour cela non plus que le reste [431]. »

Quand il ne s'occupe pas de ses enfants, Étienne s'efforce de s'introduire dans les cercles scientifiques parisiens. Tâche difficile : il n'a aucun parrain, aucune œuvre à exposer dans ce domaine, aucune correspondance avec un grand savant à faire valoir.

La science qu'il vient étudier à Paris est en plein bouleversement. La science reine — la plus dangereuse aussi, parce qu'il y est question de Dieu — reste l'astronomie. Si la connaissance de l'univers demeure limitée au système solaire et à son voisinage, on commence à se demander ce que sont ces étoiles que l'invention du télescope permet d'observer. On comprend que la Lune n'est pas, comme on le croyait, une image fixe clouée au firmament, mais une sorte de Terre, avec des montagnes et des plaines. Aux premiers qui l'observent au télescope, la planète Jupiter apparaît comme entourée elle-même d'autres planètes qui tournent autour d'elle, comme la Terre tourne autour du Soleil, risquent les plus audacieux. Naît l'idée qu'il peut exister d'autres terres habitées, que Dieu n'a pas parlé qu'aux hommes, que la vie pourrait se trouver ailleurs, ainsi que Giordano Bruno l'a crié sur le bûcher dès 1600. En 1614, les tables de nombres établies à partir de la fonction logarithme introduite par le mathématicien écossais Napier facilitent considérablement les calculs des astronomes en transformant la multiplication en addition. En 1615, Kepler pose les lois du mouvement des planètes, transformant les cercles ptoléméens et coperniciens en ellipses. La réaction de l'Église ne se fait pas attendre : en 1616, les œuvres de Copernic, écrites au siècle précédent, sont mises à l'Index, et l'Inquisition défend à Galilée d'enseigner à Florence. En 1623, celui-ci fait pourtant paraître *Il Saggiatore* (L'Essayeur), dédié au pape, où il ose affirmer, après Giordano Bruno, que « le monde [...] est écrit en caractères mathématiques »[195]. En 1632, il publie *Sur les deux systèmes du monde*, mais, en 1633, un procès du Saint-Office le réduit au silence, comme d'autres avec lui : ainsi, Descartes, réfugié en Hollande pour pouvoir philosopher en toute liberté, renoncera à la publication de son *Traité du monde* dans lequel il affirme après Galilée la rotation de la Terre autour du Soleil.

La connaissance du corps et du vivant progresse elle aussi. Le microscope permet de laisser penser qu'on est au bord de la découverte du plus petit vivant. En Angleterre, Harvey identifie la circulation sanguine et en Hollande Rembrandt peint *La Leçon d'anatomie*.

Au passage, les mathématiques continuent leurs lents progrès. En 1635, le jésuite Cavalieri, disciple de Galilée, expose, dans sa *Geometria indivisibilibus*, une méthode des « indivisibles » dont se composent, selon lui, les surfaces et les volumes, et qui devrait permettre leur détermination. C'est, après Kepler, la première intuition du calcul intégral. Il faudra attendre vingt ans pour que Pascal la transforme en une théorie qui bouleversera la mesure des surfaces et des volumes, le calcul des trajectoires et des mouvements.

Tous ces travaux ne sont pas le fait d'universitaires puisqu'on n'étudie pas les sciences à l'Université, mais de marginaux qui, pour la plupart, échangent librement leurs résultats. Le partage des connaissances est entre eux de règle, la confrontation et la création collective sont coutumières, même si certains de ces amateurs commencent à vouloir faire reconnaître par les autres l'originalité de leurs travaux. Il n'est pas encore vraiment question de brevets ; il s'agit plutôt de joutes dans lesquelles les savants mettent en concours leurs propres découvertes [66].

Les mathématiques constituent un cas particulier : quand tel ou tel trouve une façon de résoudre un problème (par exemple, un problème de comptabilité utile aux marchands), il la garde en général pour lui afin de ne pas être livré en pâture à la critique. Ainsi, Fermat se refusera toujours à publier ses résultats ; il ne fait circuler que des questions, afin de défier les autres. Voilà qui change de Cardan qui, un peu plus tôt, publiait une méthode de résolution de certaines équations du troisième degré qu'un certain Tartaglia lui avait enseignée dix ans plus tôt sous le sceau du plus grand secret...

Des journaux — et d'abord *La Gazette*, hebdomadaire d'informations de Théophraste Renaudot, lancée le 30 mai 1631 avec l'appui de Richelieu qui y voyait un instrument de propagande — et des libelles, imprimés par des artisans sans cesse menacés de censure et de prison, servent de supports à cette extraordinaire prolifération intellectuelle. Des sociétés savantes et des académies scientifiques débattent de ces résultats et font circuler ces publications entre différentes villes quand la sécurité des transports et des postes le permet. Ces sociétés rassemblent, selon des règles floues de cooptation, des gens du monde et des bourgeois, tous savants amateurs.

Dans le Paris où s'installent les Pascal existent une quinzaine d'académies de ce genre [94]. L'une d'elles deviendra, par lettres patentes de Louis XIII le 29 janvier 1635, un organisme officiel sous le nom d'Académie française. Celle qui attire particulièrement Étienne est la plus célèbre et la plus active d'alors : l'*Academia parisiensis*. Préfiguration de l'Académie des sciences française et de la *Royal Society* britannique qui seront fondées vingt ans plus tard, elle est animée par Marin Mersenne [164]. Toujours vêtu de l'habit noir de l'ordre des Minimes dont il fait partie, il s'intéresse à toutes les sciences, et d'abord aux mathématiques et à l'astronomie. Esprit incroyablement libre et inventif, il est le premier à évaluer la vitesse du son et la longueur du pendule battant la seconde ; il imagine et prévoit le télégraphe acoustique, le sous-marin et l'avion [94]. Il s'intéresse aux travaux des sourciers et n'est pas rebuté par ceux des spirites que l'Église assimile pourtant aux sorciers [491] ; ses travaux de musicologie font aujourd'hui encore référence. La science lui semble faite pour servir la foi et il conseille même aux prédicateurs de l'Église de « choisir quelques belles propositions d'Euclide » pour en tirer argument dans leurs sermons contre les « libertins ». Sa résidence, au couvent des Minimes, place Royale (aujourd'hui place des Vosges), devient le lieu de rendez-vous hebdomadaire des savants du temps, le pôle de référence scientifique de l'Europe entière. Il encourage les savants à échanger leurs résultats et pour ce qui le concerne transmet tout à tout le monde, même ce qu'on lui a communiqué sous le sceau du secret. Les membres de son académie, informelle et souple, sont cooptés selon son seul bon vouloir, avec un incroyable talent pour détecter les meilleurs esprits. Blaise Pascal dira de Mersenne : « Il avait l'art particulier de former de belles questions. » Il fait figure de « secrétaire de l'Europe savante » [491]. Au point qu'on pourra dire que toute découverte faite alors en Europe a passé par lui. Chez lui, on croise le philosophe et astronome Gassendi, bientôt professeur de philosophie au Collège royal, aussi célèbre que Descartes dont il combat l'influence et qui entend concilier épicurisme et christianisme ; Cyrano de Bergerac, son disciple ; Desargues, l'architecte et géomètre lyonnais et surtout propriétaire d'une vigne à Condrieu [344] ; un intendant des fortifications, ancien commissaire provincial de l'Artillerie, l'ingénieur du roi Petit ; l'opticien Mydorge ; les physiciens Bourdelot et Gilles Personne, dit Roberval [164], fils de paysans devenu professeur de mathématiques au Collège royal, le seul professionnel des sciences ; enfin le fantasque Le Pailleur. Mersenne correspond avec les savants à travers toute l'Europe — ainsi avec Leibniz, Descartes ou Fermat — et leur fait un rapport hebdomadaire des réunions tenues chez lui.

Le vin de Desargues inspirera un jour à Blaise cette pensée sur la diversité : « La diversité est si ample que tous les tons de voix, tous les marchers, toussers, mouchers, éternuers [sont différents]. On distingue des fruits les raisins, et entre ceux-là les muscats, et puis Condrieu, et puis Desargues, et puis cette ente. Est-ce tout ? En a-t-elle jamais produit deux grappes pareilles ? Et une grappe a-t-elle deux grains pareils ? etc. » (fr. 465)

1634 va être une année faste pour la famille Pascal. Étienne passe de la rue Neuve-Saint-Lambert (aujourd'hui rue de Condé), près de Saint-Sulpice, à proximité de l'hôtel de Condé où il a emménagé en 1632, pour une maison près du cloître Saint-Médéric, à l'angle de la rue Brisemiche et de la rue du Cloître-Saint-Merry ; exactement en face habite une famille aristocratique qui va jouer un rôle considérable dans la vie de Blaise Pascal : Arthus de Gouffier, duc de Roannez. Étienne rencontre alors Roberval qui devient son ami. Le physicien produit peu et rédige mal ; il admire la vaste culture et les connaissances mathématiques d'Étienne. Il l'introduit chez Mersenne qui l'admet tout de suite, car il manque de mathématiciens. Et parce que Richelieu a demandé au père minime de lui trouver un mathématicien pour siéger au sein d'une commission de huit savants qui doit « examiner les titres à une récompense d'un professeur au Collège royal, Jean-

Baptiste Morin, pour une théorie, d'apparence assez suspecte, concernant la détermination des longitudes »[94]. Voilà Étienne Pascal repéré par Richelieu dès son admission à l'académie Mersenne !

Si l'on en croit la geste familiale[431], cette même année 1634 est faste aussi dans la mesure où Blaise aurait écrit alors son premier texte. Comme tout enfant (il a onze ans), il aime à jouer à table, à faire sonner les plats et les verres avec un couteau. Il note que les verres tintent différemment et moins longtemps si l'on pose la main sur eux. Au lieu de se contenter de faire du bruit pour s'amuser, il cherche à comprendre l'origine du phénomène, comme son père le lui a enseigné en étudiant les langues. Il s'interroge sur la cause qui se cache derrière l'anecdote — la « raison des effets », dira-t-il plus tard. Il recommence avec du bois, du fer et de nombreux autres matériaux ; il souhaite comprendre non seulement d'où vient le bruit, mais comment il se propage. À cette fin, il descend même, paraît-il, dans un puits pour crier. Et, comme son père est moins souvent là pour répondre à ses questions, il les écrit, avec ses réponses. Sa sœur Gilberte note à ce propos : « À toute occasion, les enfants demandent : Pourquoi ? Blaise alors interrogeait les choses. Quelqu'un ayant à table frappé devant lui un plat de faïence avec un couteau, il prit garde que cela rendait un grand son, mais qu'aussitôt qu'on avait mis la main dessus, le son s'arrêtait. Il voulut en savoir la cause et comment, sans s'épuiser, une si petite source pouvait répandre tout ce bruit[431]. » Selon la tradition familiale, il en tire un *Traité des sons* dont il ne reste aucune trace écrite.

Il est toujours sous la coupe de son père, même s'il lui arrive sans doute de se disputer avec lui. Étienne qui l'adule reproche à son fils de l'aimer moins qu'il ne l'aime. Blaise notera : « Les pères craignent que l'amour naturel des enfants ne s'efface. Quelle est donc cette nature sujette à être effacée ? La coutume est une seconde nature, qui détruit la première. Mais qu'est-ce que nature ? Pourquoi la coutume n'est-elle pas naturelle ? J'ai grand peur que cette nature ne soit elle-même qu'une première coutume, comme la coutume est une seconde nature » (fr. 159).

À cette époque, Blaise n'a toujours pas commencé l'étude des mathématiques. Toujours dans l'idée qu'il ne convient jamais de s'attaquer à des choses trop difficiles, de peur de s'en dégoûter, Étienne tient à ce que son fils se perfectionne encore en physique, en latin et en grec. Mais seul, en cachette de son père, l'enfant les découvre. Et c'est un coup de foudre.

Les chroniques ont conservé de cette découverte deux versions assez différentes. Ce qui est commun à l'une et à l'autre est qu'en rentrant un soir d'une réunion chez Mersenne, Étienne découvre son fils assis par terre, « absorbé dans la contemplation de cercles, angles et parallèles »[431]. Blaise « avoue à son père être en train de démontrer que la somme des trois angles d'un triangle est égale à celle d'un angle plat »[431]. L'enfant se révèle même capable de démontrer d'autres propositions de base de la géométrie euclidienne. Pour les expliquer, il désigne les lignes comme des « barres », et les cercles comme des « ronds ». Mais, curieusement, il établit ses démonstrations à partir de ce qu'il nomme des « axiomes » et des « définitions », mots dont son père ne lui a pas encore appris le sens ni même l'existence. Comment sait-il tout cela ?

D'après la première version de cette histoire, celle de sa sœur Gilberte, il a découvert, sans les avoir jamais lues nulle part, toutes les propositions des *Éléments de mathématiques* d'Euclide, jusqu'à la trente-deuxième qui établit justement que la somme des angles d'un triangle est toujours égale à deux droits[431]. Gilberte précise qu'avant d'être surpris par son père, Blaise s'était longuement exercé à faire des figures justes, des ronds parfaits, des lignes bien parallèles[431].

Selon une autre version, consignée dans ses *Histo-

riettes[500] par un contemporain, Tallemant des Réaux, ami du futur cardinal de Retz et assidu du salon de Mme de Rambouillet, Blaise aurait trouvé dans la bibliothèque de son père un livre de mathématiques publié en 1545, contenant une traduction en latin des *Éléments*, soit douze pages résumant les bases de la géométrie en trois cent cinquante-cinq propositions. Comme son père lui a interdit les mathématiques, il ne feuillette ce livre qu'en cachette et n'y comprend pas grand-chose ; il le repose aussitôt de peur d'être surpris[527]. Mais il a pu au moins déchiffrer sur la page de titre le sous-titre *(Definitiones et axiomata)*, et il emploie ces deux mots tout en redécouvrant certaines des propositions qu'il vient de parcourir, mais non pas dans l'ordre où les a énoncées Euclide[66]. Brunschvicg ajoute : « Il est difficile d'admettre qu'il [Pascal] ait inventé cet ordre, comme tendrait à le faire croire le récit de sa sœur Gilberte, car l'ordre euclidien est un ordre factice, lié à une longue élaboration méthodologique de résultats qui ont d'abord été obtenus empiriquement et fragmentairement[66]. » Déjà, pour lui, tout ce qu'il trouve est neuf, puisqu'il ne l'a lu nulle part...

Devant ce signe évident d'extrême précocité, Étienne demande à Mersenne l'autorisation de laisser son fils assister en observateur muet à leurs réunions. Amusé, le savant accepte. Voilà Blaise, à douze ans et demi, admis à côtoyer les plus célèbres mathématiciens de son temps. Un enfant prodige accepté aux séances de l'*Academia parisiensis*... Il connaît déjà certains membres que son père recevait rue Brisemiche. Il discute avec Pierre Gassendi qui lui expose une vision du monde inspirée d'Épicure, où l'homme vient de la nature pour mieux y retourner : « Ainsi, dit-il, cet homme que vous voyez était peut-être, il y a soixante ans, une touffe d'herbe dans mon jardin[164]... » Blaise entend aussi évoquer la dispute entre Descartes et Fermat qui ont découvert en même temps, en 1637, les principes de la géométrie analytique. Premières contestations de paternité de découvertes... Première rencontre, aussi, avec les travaux de Descartes qui, malgré une amitié affichée, le poursuivra toute sa vie de sa jalousie, de sa méfiance et de son mépris.

Au cours d'une des premières séances auxquelles il est donné à Blaise d'assister, Mersenne, Roberval et Étienne Pascal discutent de deux livres de Descartes qu'ils viennent de lire, la *Dioptrique*[147] et les *Météores*[150]. Ils en apprécient ce qu'ils appellent « de nouvelles déductions intéressantes », mais trouvent qu'ils manquent de démonstrations. On s'interroge : faut-il en faire part au maître ? Personne n'ose. Aussi est-il décidé[53] que Fermat, de Toulouse, adressera anonymement à Descartes un texte, *De maximis et minimis*, qui comblera les lacunes de ses ouvrages, démontrant ce qui peut l'être, écartant ce qui est faux. Descartes, recevant la missive, reconnaît la main de Fermat, seul capable d'un tel travail. Il le prend très mal, se plaint à Mersenne de ce qu'il tient pour une mauvaise manière. S'ensuit une vive polémique dans laquelle Roberval et Étienne Pascal prennent le parti de Fermat.

Ce n'est pas un milieu triste, loin de là. Les comiques de la bande sont un certain Le Pailleur, honnête mathématicien, bon poète, mélomane, danseur et amant de la maréchale de Thémines, et son ami d'Alibray qui se pique de poésie[94]. C'est à ces gens-là que Blaise songera lorsqu'il écrira bien plus tard : « On ne s'imagine Platon et Aristote qu'avec de grandes robes de pédants. C'étaient des gens honnêtes et comme les autres, riant avec leurs amis. Et quand ils se sont divertis à faire leurs Lois et leurs Politiques, ils l'ont fait en se jouant. C'était la partie la moins philosophe et la moins sérieuse de leur vie, la plus philosophe était de vivre simplement et tranquillement. S'ils ont écrit de politique, c'était comme pour régler un hôpital de fous. Et s'ils ont fait semblant d'en parler comme une grande chose, c'est qu'ils savaient que les fous à qui ils parlaient pensent être rois et empereurs. Ils entrent dans leurs principes pour modérer leur folie au moins mal qu'il se peut... » (fr. 457)

À treize ans, Blaise lit et écrit le latin ; et apprend, semble-t-il, le grec et l'hébreu. Pour autant, il ne lit pas beaucoup de livres. Il écoute les amis de son père pour qui réfléchir est beaucoup plus important que lire. Dans la bibliothèque paternelle, il ne s'intéresse qu'aux traités de mathématiques qu'on lui laisse désormais étudier. Il ne connaît pas les Anciens, et ne les connaîtra plus tard que par ce que Montaigne dit d'eux. Sa vie se réduit au travail. Il reste un enfant fragile, garçon unique, choyé et admiré par son père et ses deux sœurs. Il est nerveux, souffre de migraines. On ne lui connaît aucun ami, hormis peut-être, déjà, le fils des voisins, Arthus — de trois ans son cadet —, futur duc de Roannez, dont il rencontrera aussi plus tard la sœur Charlotte — de dix ans moins âgée que lui. Certaines sources soutiennent que les Pascal et les Roannez se rencontrent alors. D'autres prétendent que cela n'aura lieu que bien plus tard, en 1653. Leur voisinage plaide pour une rencontre précoce.

Charlotte, Jacqueline, Blaise, Arthus : entre ces quatre enfants se nouera une extraordinaire relation, faite d'amitié amoureuse, de désir et de douleur, d'effusions et de rivalités, où le monde, la science, les affaires, le corps et la foi joueront chacun leur partition. Une histoire intense qui dictera les choix essentiels de leurs quatre vies. Une histoire d'où, pourtant, la sexualité sera, au moins en apparence, bannie. Une histoire de fidélité et d'engagement mutuel et qui durera jusqu'à la mort du dernier des quatre.

Étienne ne se contente pas de la compagnie des savants. Il fréquente les salons, comme celui de Mme Sainctot dont les filles jouent avec Gilberte et Jacqueline. On y parle théâtre, on va écouter les bateleurs sur les tréteaux des foires de Saint-Germain et Saint-Laurent. En 1636, ils assistent tous quatre à une représentation de la *Comédie des Tuileries* et de la

Comédie des Comédiens de Scudéry[476], puis à l'une des premières représentations du *Cid* dans lequel le rôle de Rodrigue est tenu par un célèbre comédien de l'époque, Étienne Mondory. Ils se lient d'amitié avec l'acteur, auvergnat comme eux, qui leur fait connaître Pierre Corneille, venu de Rouen où il habite encore.

Jacqueline est bouleversée. La poésie, le théâtre, elle en est sûre, seront toute sa vie. Elle en parle à son frère qui, lui, voit dans l'art de la poésie et de la comédie comme un rival dans sa relation avec sa sœur. Plus tard, dans l'un de ses très rares textes sur l'amour, il écrira : « Tous les grands divertissements sont dangereux pour la vie chrétienne. Mais entre tous ceux que le monde a inventés, il n'y en a point qui soit plus à craindre que la comédie. C'est une représentation si naturelle et si délicate des passions qu'elle les émeut et les fait naître dans notre cœur, et surtout celle de l'amour, principalement lorsqu'on le représente fort chaste et fort honnête, car plus il paraît innocent aux âmes innocentes, plus elles sont capables d'en être touchées. [...] Ainsi, l'on s'en va de la comédie le cœur si rempli de toutes les beautés et de toutes les douceurs de l'amour, et l'âme et l'esprit si persuadés de son innocence, qu'on est tout préparé à recevoir ses premières impressions, ou plutôt à chercher l'occasion de les faire naître dans le cœur de quelqu'un pour recevoir les mêmes plaisirs et les mêmes sacrifices que l'on a vus si bien dépeints dans la comédie. » (fr. 630)

Pour Jacqueline, il s'agit d'une passion dévorante. Elle écrit des vers, apprend par cœur des pièces entières. Rien d'autre ne semble plus compter pour la fillette.

Personne ne sait encore que cette passion d'enfant va sauver son père d'une prochaine ruine et orienter à jamais la vie de toute la famille.

La fuite à Clermont (1638)

La situation politique ne s'est pas améliorée. Depuis 1635, la France est engagée dans la guerre de Trente Ans. Partout, paysans, nobles et bourgeois se soulèvent contre l'augmentation de la pression fiscale et la dictature bicéphale de Richelieu et Louis XIII. Pour combler ses énormes besoins financiers, en mars 1640, le pouvoir diminue plusieurs fois de suite les intérêts versés aux détenteurs d'emprunts d'État et retarde le paiement de ses échéances. Finalement, le chancelier Séguier en suspend le paiement. Il s'en prend même aux rentes de l'Hôtel de Ville en faisant sauter, au début de mars 1638, le paiement d'un trimestre d'intérêts de ces rentes.

Étienne Pascal, qui a investi là l'essentiel de son patrimoine et en tire tout son revenu, est furieux de ce « retranchement ». Il proteste. À la fin du même mois, il manifeste même, avec quatre cents autres rentiers, rue Saint-Antoine, devant l'hôtel du puissant garde des Sceaux. Tallemant des Réaux écrit : « M. Pascal [Étienne] et un nommé de Bourges, avec un avocat du Conseil firent bien du bruit et, à la tête de quatre cents rentiers comme eux, ils firent grand-peur au garde des Sceaux Séguier[500]. »

La police identifie les meneurs, dont Étienne. Trois d'entre eux sont enfermés à la Bastille. Craignant d'être à son tour arrêté, Étienne Pascal s'enfuit de chez lui et se cache en ville, chez des amis de l'académie de Mersenne, confiant ses enfants à Louise Delfaut. Il se fait raser la barbe, qu'il avait longue, et revient certaines nuits dormir chez lui. Quelques-uns de ses amis, bien introduits, cherchent à le faire revenir en grâce. On plaide qu'il se trouvait là par hasard, ou bien pour calmer les émeutiers. En vain. La police le pourchasse, le traque, retrouve sa trace ; il fuit juste à temps. Il quitte Paris, y laissant ses enfants, et se réfugie en Auvergne. La justice des hommes l'a condamné alors qu'il ne faisait que défendre son bon droit. « Comme la mode fait l'agrément aussi fait-elle la justice. » (fr. 95)

Blaise réfléchit au sort de son père. Dans un de ses plus célèbres textes, il dénoncera la relativité de toute justice : « On ne voit rien de juste ou d'injuste qui ne change de qualité en changeant de climat. Trois degrés d'élévation du pôle renversent toute la jurisprudence. Un méridien décide de la vérité. En peu d'années de possession les lois fondamentales changent. Le droit a ses époques. [...] Plaisante justice qu'une rivière borne ! Vérité au-deçà des Pyrénées, erreur au-delà ! » (fr. 94)

La situation financière des enfants devient catastrophique. Gilberte écrit pourtant à son père pour le rassurer : « Monsieur mon père, je me réjouis de ce que toutes les fois que j'ai le bien de vous écrire, je suis contrainte de vous dire toujours la même chose, qui est le bon état auquel est, Dieu grâces, toute la maison qui n'a pour le présent d'autre envie que celle d'avoir l'honneur de vous voir revenir[7]. »

Cette année-là (1638), bien d'autres choses adviennent, qui joueront un rôle déterminant dans la suite de ce récit et dont on aura à reparler : on a arrêté l'abbé de Saint-Cyran[164], inspirateur de Cornelius Jansen, dit Jansénius, évêque d'Ypres, auteur de l'*Augustinus*, qui se meurt dans sa ville. Un peu plus tard dans l'année naît à Saint-Germain-en-Laye celui qui deviendra Louis XIV, et à La Ferté-Milon celui qui se fera connaître comme Jean Racine.

Tous les principaux acteurs du Grand Siècle sont désormais en scène. On ne va pas tarder à les retrouver.

Pendant ce temps, comme pour se protéger de la réalité, Blaise s'absorbe dans les mathématiques. Il découvre la géométrie et y travaille désormais seul, sans son père. Et sans les maîtres de l'académie où il ne se rend plus.

En septembre, la situation de la famille empire encore : Jacqueline est atteinte par la variole, dite alors

« petite vérole », maladie à l'époque presque toujours mortelle pour un enfant de cet âge. C'est l'affolement. Seule à Paris avec les trois enfants, la bonne Mme Delfaut ne sait que faire. Elle prévient Étienne qui, en novembre, revient en secret de Clermont à Paris pour soigner Jacqueline, malgré les menaces d'arrestation. L'enfant guérit mais gardera quelques marques sur le visage. Étienne retourne ensuite en Auvergne, désespérant d'obtenir une amnistie qu'on lui refuse encore.

Sans savoir que sa fille, par son seul talent, va l'obtenir de Richelieu en personne.

Jacqueline et Richelieu (1636-1638)

Jacqueline est aussi une enfant prodige. Depuis qu'elle est allée au théâtre, elle improvise des vers avec une facilité déconcertante, à la façon de Le Pailleur, ce poète mondain et mathématicien qu'elle a rencontré chez son père. En 1637, une voisine des Pascal et amie du duc de Roannez, Mme de Morangis, née Philberte de Montigny, entend parler par Arthus des dons d'improvisation de Jacqueline. Elle invite chez elle la fillette (qui a alors douze ans) et lui demande de se risquer à confectionner un acrostiche sur son propre nom. Selon certaines sources, Jacqueline improvise celui-ci [129] :

Poétiques pensers qui ranimez ma veine,
Ha ! vous me surmontez : hélas, je n'en puis plus.
Je m'abandonne à vous, ma résistance est vaine.
Les soins que vous prenez ne sont point superflus.
Bons dieux d'où me renaît cette insolente envie,
Eh quoi ! puis-je hasarder à mal louer Sylvie ?
Retirez-vous, pensers... Non ! vous m'avez charmée.
Tout obstacle aisément je pourrai supporter.
Enfin vous me rendez tout à fait enflammée.

Mme de Morangis applaudit, en redemande et présente l'enfant à tous ses amis de passage comme un petit animal de foire. Quelques mois plus tard — à la fin du printemps 1638, juste après l'affaire des rentes de l'Hôtel de Ville et les émeutes qui ont coûté si cher à Étienne —, elle décide d'emmener Jacqueline à la Cour, à Saint-Germain, et de la présenter à la reine à qui elle a vanté les talents de la jeune poétesse. Une audience est aussitôt accordée : preuve d'extrême fluidité de la circulation des élites dans le Paris du temps. Jacqueline hésite à s'y rendre : son père vient de prendre la fuite, il se cache dans Paris. Blaise, à quinze ans, ne saurait être chef de famille. Informé, Étienne demande à sa fille d'obtempérer, pensant qu'elle pourra peut-être se faire assez bien voir de la reine pour obtenir sa grâce.

Le jour de juin 1638 où Jacqueline arrive à Saint-Germain, un léger tremblement de terre vient de secouer au matin la capitale et les courtisans murmurent au passage de la fillette qu'Anne d'Autriche, enceinte, vient de percevoir en son sein un mouvement de l'enfant qu'elle attend — la grossesse en est à sept mois. Le moment est mal choisi pour recevoir une jeune prodige.

Il faut dire que l'accouchement royal est on ne peut plus attendu : après vingt ans de mariage, Louis XIII n'a toujours pas de descendant, et il a fait le vœu solennel de consacrer son royaume à la Vierge si celle-ci veut bien implorer le Christ de donner un héritier au trône et si elle veut bien repousser les envahisseurs espagnols. Le vœu a été enregistré par lettres patentes au Parlement de Paris. Peu de temps après, la reine est tombée enceinte. Pour que cela soit un garçon, comme l'exige la loi salique, le souverain a renouvelé son vœu en instituant à perpétuité une procession à la date du 15 août. Une médaille de la Vierge est frappée à cette occasion et une toile de Philippe de Champaigne érigée au-dessus de l'autel de Notre-Dame de Paris.

C'est dire toute l'importance de cette période à la Cour. La reine est entourée de multiples attentions. Mme de Morangis demande à Jacqueline d'improviser quelques vers en l'honneur de la souveraine. En quelques minutes, l'adolescente, qui a entendu les murmures autour d'elle, se risque à une *Épigramme sur le mouvement que la reine a senti de son enfant* [129] :

Cet invincible enfant d'un invincible père
Déjà nous fait tout espérer ;
Et quoiqu'il soit encore au ventre de sa mère,
Il se fait craindre et désirer.
Il sera plus vaillant que le dieu de la Guerre
Puisque, avant que son œil ait vu le firmament,
S'il remue un peu seulement,
C'est à nos ennemis un tremblement de terre.

On applaudit après avoir vérifié qu'elle ne savait rien des mouvements de l'enfant avant d'arriver à Saint-Germain. La reine demande ensuite qu'elle improvise des vers pour Mlle de Montpensier, la fille de Monsieur, qui a onze ans. Jacqueline ne trouve rien à dire ; et, comme pour se moquer d'elle-même, elle ose [129] :

Muse, notre grande princesse
Te commande aujourd'hui d'exercer ton adresse
À louer sa beauté. Mais il faut avouer
Qu'on ne saurait la satisfaire,
Et que le seul moyen qu'on a de la louer,
C'est de dire en un mot qu'on ne saurait le faire.

On rit, on applaudit. Anne d'Autriche est sous le charme. Elle veut avoir Jacqueline à tout moment près d'elle. Chaque matin, des mousquetaires viennent chercher l'enfant à Paris et la raccompagnent chaque soir [7]. La fille du proscrit est devenue la coqueluche de la reine. Mme Delfaut en informe Étienne qui revient à

Paris en cachette et fait imprimer à ses frais les vers
de sa fille que Jacqueline, avant la fin juin 1638, remet
à Anne, de la part de son père dont elle vante les
mérites et narre les déboires.

Jacqueline est remplie d'espoir : la reine va sans nul
doute régler sa situation. Elle le fait savoir en vers à
Étienne [181] :

> *C'est en vain qu'ils te font la guerre.*
> *Ils peuvent bien ravir ta présence à nos yeux,*
> *Mais ton âme à jamais vivra dedans les cieux*
> *Et ton renom dessus la terre.*

Pourtant, rien ne vient. La reine est tout occupée
à préparer la naissance du Dauphin, qui a lieu en
septembre 1638. On présente alors Jacqueline à
Louis XIII. Rien de nouveau non plus pour son père.
Elle désespère. D'autant plus qu'en octobre la petite
vérole lui ferme les portes de la Cour. Elle guérit et ne
renonce à rien. Ni à plaire ni à sauver son père. Elle
se sait exceptionnelle ; elle n'ignore sans doute pas non
plus que seul son sexe lui interdit d'être reconnue
comme l'un des poètes les plus prometteurs de son
temps. Mais elle voit dans sa guérison un signe du ciel,
le signe d'une élection. Elle écrit encore un poème,
Pour remercier Dieu au sortir de la petite vérole [181] :

> *Ainsi l'on voit qu'en vérité*
> *Grand Dieu ! votre bénignité*
> *S'est montrée en moi bien extrême,*
> *Me garantissant d'un péril*
> *Où, sans votre bonté suprême,*
> *Mes ans allaient finir dans leur plus bel avril.*

Toujours aidée par Mme de Morangis, elle cherche
une autre voie pour obtenir la grâce de son père. Il
s'en présente une par l'intermédiaire de Mondory, le
comédien auvergnat. Il doit donner une représentation

de *L'Amour tyrannique*, de Georges de Scudéry[476], devant le cardinal de Richelieu, au sommet de sa puissance et qui raffole de théâtre. Le comédien accepte de plaider la cause d'Étienne après la représentation. Jacqueline veut y aller elle-même et proposer de jouer un rôle dans la pièce. Mondory hésite : comment admettre cette enfant dans sa troupe, elle qui n'a jamais joué la comédie et en présence du maître de la France ? On ne peut le faire sans quelque appui intérieur, proche du Cardinal. Les Morangis ont accès à lui par sa nièce, Mme d'Aiguillon. L'idée l'amuse ; elle se laisse convaincre : elle aidera. Il est convenu que Jacqueline jouera le rôle de Cassandre.

La représentation a lieu au début d'avril 1639, en présence de Blaise et de Gilberte, venus avec les Morangis. C'est un succès. Le Cardinal applaudit l'enfant que Mondory lui présente comme la fille d'un homme injustement poursuivi pour participation à une émeute qu'il a en réalité tout fait pour empêcher. On lui présente aussi le fils de l'exilé. Mme d'Aiguillon se joint au comédien pour plaider la cause de l'ami des Morangis. Mais le Cardinal ne s'intéresse qu'à Jacqueline. À treize ans, malgré la très récente petite vérole qui lui a marqué le visage, elle a un charme, une vitalité, un sourire hors du commun. Son Éminence est séduite : « Le Cardinal la prit sur ses genoux et la baisa plusieurs fois, car elle était bellotte »[500], écrit Tallemant des Réaux. Jacqueline lui murmure alors à l'oreille des vers qu'elle a préparés d'avance à son intention[129] :

> *Ne vous étonnez point, incomparable Armand,*
> *Si j'ai mal contenté vos yeux et vos oreilles.*
> *[...]*
> *Mais pour me rendre ici capable de vous plaire,*
> *Rappelez de l'exil mon misérable père.*

Le Cardinal applaudit. Il est stupéfait : non seulement cette jeune fille est ravissante, mais elle est bonne comédienne et aussi poétesse. Il accepte tout ce qu'elle lui demande. Il est prêt à amnistier Étienne Pascal à condition qu'il vienne le voir en compagnie de ses enfants. Il veut revoir Jacqueline.

Tout cela, on le sait par les souvenirs de Gilberte et par d'autres sources familiales [491] ; bien que les jansénistes, qui contrôleront ces Mémoires, aient haï Richelieu qu'ils tenaient pour responsable du martyre de leur héros, Saint-Cyran, alors enfermé au donjon de Vincennes. On n'a donc pas de raisons de douter de ces témoignages [491].

Dès son retour de la Cour, le 4 avril 1639, Jacqueline informe son père de la bonne nouvelle : « De toutes ces faveurs, je me sens extrêmement obligée à M. Mondory, qui a pris un soin étrange. Je vous prie de prendre la peine de lui écrire par le premier ordinaire pour l'en remercier, car il le mérite bien. Pour moi, je m'estime extrêmement heureuse d'avoir aidé en quelque façon à une affaire qui peut vous donner du contentement. C'est ce qu'a toujours souhaité avec une extrême passion, Monsieur mon père, votre très humble et très obéissante fille et servante, Jacqueline [181]. »

Étienne Pascal revient alors à Paris. Il est reçu par le Cardinal à Rueil dès le mois de mai 1639. Richelieu le félicite pour les talents de sa fille. L'éclipse de sa carrière prend fin.

Les coniques et la nomination à Rouen (1639)

De retour chez lui, Étienne constate que Blaise a mis à profit cette année de solitude pour travailler. L'adolescent (il a maintenant seize ans), laissé à lui-même, aurait pu découvrir la paresse ou le jeu. Il a étudié. Il n'aime pas ce qui lui est incompréhensible : « Tout ce qui est incompréhensible ne laisse pas d'être. Le nombre infini, un espace infini égal ou fini. » (fr. 182)

En partant de quelques manuscrits d'un autre membre de l'académie de Mersenne, — le vigneron et géomètre Desargues, qui travaille pour les besoins de tailleurs de pierre sur la façon de représenter les plans des cadrans solaires, appelés aussi « gnomons » —, Blaise Pascal est arrivé aux principes de la projection sur un plan de figures tracées dans l'espace. Et il en a par là même inventé une nouvelle branche des mathématiques : la géométrie projective. Personne avant deux siècles n'en comprendra les extraordinaires débouchés possibles : tracer les plans de machines[36]. Il montre ses réflexions à son père, qui en parle à Desargues dont Blaise lui a dit s'être inspiré. Desargues lit puis observe longuement l'enfant en silence. Il a travaillé toute sa vie sur les perspectives et les projections ; deux ans plus tôt, il a été l'arbitre d'un débat entre Descartes et Fermat sur la construction de tangentes ; il vient de publier un premier texte[164] sur la projection des coniques et son usage dans les perspectives ; texte ultracompliqué du fait qu'il y utilise ses propres vocabulaire et symboles ; c'est de ce texte que Blaise s'est inspiré. Desargues comprend l'importance de l'avancée de Pascal et invite l'adolescent à présenter son travail devant l'académie tout entière. C'est ainsi qu'Étienne assiste, en septembre 1639, avec une immense fierté, à la présentation par ce garçon malingre d'un *Essai pour les coniques*, c'est-à-dire sur les projections sur un plan de cercles tracés dans l'espace. Dans ce très bref essai, est rédigé un théorème dont l'adolescent donne la démonstration, un théorème aujourd'hui encore connu comme le « théorème de Pascal » ou « hexagramme mystique », d'où découle toute la géométrie projective des XIXe et XXe siècles sans laquelle il n'y aurait sans doute eu ni architecture moderne ni dessin industriel possibles. Blaise expose : « Les points de concours d'un hexagone inscrit dans une section conique soit trois en ligne droite »[401]. Les conséquences défilent à toute vitesse[401] : « Si un quadrilatéral est inscrit dans une conique, une droite coupe les côtés en ABCD et la conique en P et Q de telle sorte que :

$$\frac{PA \times PC}{PB \times PD} = \frac{QA.QC}{QB.QD}$$ »[401]

On ne possède plus aujourd'hui que l'énoncé du théorème et des corollaires, non leur démonstration par Pascal ; on ne connaît l'existence de celle-ci avec certitude que par le témoignage de Leibniz : il aura en main bien plus tard, on le verra, une copie du manuscrit d'un traité général sur les propriétés des sections du cône qui, dit-il, « explique les propriétés remarquables d'une certaine figure composée de six lignes droites, qu'il appelle "hexagramme mystique" et où il fait voir par le moyen des projections que tout hexagramme mystique convient à une section conique et que toute section conique donne un hexagramme mystique »[292]. Ce traité est aujourd'hui perdu.

Cette présentation fait grande impression sur l'assistance. Tout comme l'aplomb du jeune homme, conscient d'être, selon ses propres mots, « le premier inventeur ». Desargues, dont Pascal s'est inspiré, appelle tout de suite la propriété découverte de l'hexagone inscrit « la Pascale ». Dans son compte rendu, Marin Mersenne, qui préside la séance, explique que l'enfant en tire « quatre cents propositions couvrant l'ensemble de la géométrie des coniques », et « passe sur le ventre à tous ceux qui avaient traité le sujet »[94]. « Ce garçon, dit l'un des académiciens, produit plus de corollaires qu'un prunier ne porte de prunes. Il suffit de le secouer un peu pour qu'ils pleuvent autour de lui. » « On disait que, depuis Archimède, on n'avait rien vu de cette force »[431], conclura Gilberte, résumant non sans emphase la situation.

Mersenne écrit immédiatement à tous ses correspondants en Europe, dont Descartes, le 12 novembre 1639, pour leur annoncer ce prodige. Dans sa réponse du 1er avril 1640, soit juste après la publication de l'énoncé de son théorème par Pascal, Descartes y dénonce un plagiat : « Avant que d'en avoir lu la moitié, j'ai jugé que l'auteur avait appris de M. Desargues, ce qui m'a été confirmé incontinent après par la confession qu'il en a faite lui-même [7]. » Il continue : « Je ne trouve pas étrange qu'il y en ait qui démontrent les coniques plus aisément qu'Apollonius... Mais on peut bien proposer d'autres choses, touchant les coniques, qu'un enfant de seize ans aurait de la peine à démêler [66]. » La jalousie suinte déjà, qui pourrira tous leurs rapports.

Ce triomphe académique ne nourrit pas la famille. Étienne est maintenant ouvertement à Paris, mais les rentes, elles, ne sont pas revenues à leur valeur initiale et on a du mal à joindre les deux bouts. On songe à se replier en Auvergne, ce qui serait une tragédie, car le père aussi bien que le fils souhaitent continuer à travailler avec Mersenne, à l'académie, où ils se sentent maintenant parfaitement intégrés. Et Jacqueline, elle, veut écrire des poèmes, peut-être même du théâtre. Aucun ne pense s'employer à autre chose.

Étienne et Blaise s'installent dans une situation de rentier et de fils de rentier. À aucun autre moment de sa vie, le second ne pensera d'ailleurs à exercer ni même à apprendre un métier. C'est pour lui un choix de liberté. « La chose la plus importante à toute la vie est le choix du métier : le hasard en dispose » (fr. 527), écrira-t-il.

C'est paradoxalement l'aggravation de la situation financière du pays qui va sauver celle des Pascal en obligeant Étienne à reprendre une fonction en province. Partout, la lourdeur des impôts entraîne des émeutes. D'abord, en 1636 et 1637, en Limousin, en Poitou, en Charente, dans le Bordelais. Le 16 juillet

1639, dirigés par un certain Jean Va-nu-pieds, qui est peut-être un curé déguisé en mendiant, des paludiers (récoltant nu-pieds le sel dans les marais salants d'Avranches) se révoltent contre les collecteurs de la gabelle [164]. L'émeute s'étend à Coutances, au Cotentin, puis à toute la Basse-Normandie. L'« armée de souffrance » (ainsi se nomme-t-elle elle-même) jette à la rivière des *traitants*, c'est-à-dire des financières liés au roi par un contrat pour lever l'impôt. À Rouen, où les curés et la noblesse se joignent aux émeutiers, on incendie les maisons des percepteurs et les bureaux des recettes. On massacre un commis de la gabelle et sa famille. L'intendant résidant dans la ville, où il représente le monarque avec les pouvoirs de justice, de police et de finance, Claude de Paris, est terrorisé ; il se réfugie à Gisors d'où il demande des secours [7].

Pour Richelieu, il n'est pas question de céder : Rouen commande l'approvisionnement de la capitale. Une crise en cet endroit, et c'est la royauté qui serait menacée d'asphyxie. Il faut faire un exemple qui effraiera la France entière. Il envoie cinq mille hommes de troupe, allemands et écossais, venus de Picardie. Le Cardinal donne au chancelier Séguier, garde du sceau royal et chef de tous les Conseils du roi, mission d'aller lui-même juger les trois cents principaux mutins, avec la consigne d'être impitoyable. Mais il lui faut, pour l'accompagner, un commissaire — c'est-à-dire un agent nommé du roi — à poigne. Il pense à Étienne Pascal qui lui doit tout et qui a eu à connaître d'affaires fiscales en Auvergne. Depuis des siècles, les monarques français aiment d'ailleurs muter dans d'autres provinces des serviteurs un peu rebelles. En général, la promotion assure la fidélité. Richelieu va agir ainsi avec Étienne Pascal. En octobre, il lui propose d'accompagner Séguier — celui-là même contre qui il avait manifesté quelques mois plus tôt ! — à Rouen avec le titre d'adjoint de l'intendant du roi pour la Normandie et de « commissaire député de Sa

Majesté pour l'impôt et la levée des tailles ». Le Cardinal compte sur ce bon mathématicien pour faire rentrer
les impôts pendant que d'autres materont la population.

Étienne hésite, puis accepte. En fait, il n'a pas le
choix. Il a encore des ambitions intellectuelles, mais il
faut bien vivre, et le poste est prestigieux. Il n'est d'ailleurs pas si différent de celui qu'il rêvait d'obtenir en
Auvergne. Et Rouen est autrement plus riche que Clermont. Une ville de cent mille habitants, le premier
débouché du royaume sur la mer, le port dont dépend
l'approvisionnement de la capitale, c'est un poste stratégique et de confiance. Et puis, Paris n'est pas loin, il
pourra y revenir de temps à autre et se rendre à l'académie de Mersenne.

Dans sa jeunesse, Étienne espérait obtenir par lui-
même ce que son fils appellera plus tard une « grandeur naturelle », c'est-à-dire une œuvre personnelle. Il
n'aura eu droit qu'aux « grandeurs d'établissement » :
« Il y a dans le monde deux sortes de grandeurs ; car
il y a des grandeurs d'établissement et des grandeurs
naturelles. Les grandeurs d'établissement dépendent de
la volonté des hommes, qui ont cru avec raison devoir
honorer certains états et y attacher certains respects.
Les dignités et la noblesse sont de ce genre. [...] Les
grandeurs naturelles sont celles qui sont indépendantes
de la fantaisie des hommes, parce qu'elles consistent
dans les qualités réelles et effectives de l'âme ou du
corps, qui rendent l'une ou l'autre plus estimable,
comme les sciences, la lumière de l'esprit, la vertu, la
santé, la force [401]. »

Installation à Rouen : la main du roi (1640)

Le 2 janvier 1640, Étienne arrive à Rouen avec le
chancelier Séguier, venu lui-même diriger les représailles. Ce lettré, protecteur de l'Académie française,
n'hésite pas à se faire tortionnaire. Pascal écrira à son

propos : « Le chancelier est grave et revêtu d'orne-
ments, car son poste est faux. Et non le roi : il a la
force. Il n'a que faire de l'imagination. Les juges,
médecins, etc. n'ont que l'imagination » (fr. 121). Les
meneurs sont arrêtés et pendus, leurs partisans
repoussés vers Avranches où ils sont encerclés et mas-
sacrés [164]. Séguier menace même de raser l'hôtel de
ville de Rouen. La région est terrorisée. Les bourgeois
rouennais négocient, transis de peur, et s'en tirent avec
une amende de 150 000 livres tournois. Les membres
du Parlement de Rouen, accusés d'être responsables
des troubles, sont interdits de charges et remplacés par
des agents directs du pouvoir. La rébellion a tourné au
désastre.

Étienne s'installe dans une belle maison de la rue
des Murs-Saint-Ouen. Il a maintenant un train de vie :
carrosse, équipage, serviteurs. Même s'il ne s'occupe
que des impôts, commissaire royal, il participe à la
répression que Séguier dirige pendant des mois
encore : emprisonnement, galères, tortures. La population le hait, même si (dira beaucoup plus tard Marguerite Périer, la nièce de Blaise) les échevins lui font
présent en étrennes d'une bourse de jetons d'argent
frappés de l'agneau pascal [432].

Blaise n'a pu ignorer la révolte des Va-nu-pieds et
le rôle de son père dans la répression. Mais il l'accepte : le monde est une pourriture, la guerre civile un
indéfendable fléau et même son père vénéré est tenu
d'y collaborer. D'où sa haine des luttes fratricides, et
son scepticisme envers la politique. Il écrira huit ans
plus tard, après une autre guerre civile, celle de la
Fronde : « Le plus grand des maux est les guerres
civiles. Elles sont sûres, si on veut récompenser les
mérites, car tous diront qu'ils méritent. Le mal à
craindre d'un sot qui succède par droit de naissance
n'est ni si grand, ni si sûr » (fr. 128). Il évoque les rois
qui entrent dans les villes « accompagnés de gardes, de
hallebardes ; ces trognes armées qui n'ont de main et

de force que pour eux, les trompettes et les tambours qui marchent au-devant, ces légions qui les environnent » (fr. 128) et « font trembler les plus fermes ». Ces « trognes » — certains, on le verra, ont longtemps voulu croire qu'il avait écrit ces « troupes » —, il les a vues obéir à son père.

Une fois installé à Rouen, Blaise Pascal fait imprimer son *Essai pour les coniques*, écrit à Paris, annonçant des démonstrations futures sans les produire : « Si l'on juge que la chose mérite d'être continuée, nous essaierons de la pousser jusques où Dieu nous donnera la force de la conduire [401]. » Il rend aussi hommage à son inspirateur, « M. Desargues, Lyonnais, un des grands esprits de ce temps et des plus versés aux mathématiques, et entre autres aux coniques » [401].

Dans la capitale normande, la vie culturelle et mondaine est alors très intense. Rouen est un foyer de stoïcisme et on se vante même qu'il « n'est de bon poète que normand ». Étienne Pascal reçoit beaucoup, rue des Murs-Saint-Ouen : des poètes comme Roux de Vély, des avocats comme Jacques Coquerel, dit Bouche-d'Or, Pierre Le Guerchoys, Malherbe, Boisrobert, l'archevêque François de Harlay qui dispose d'une imprimerie dans son château [7].

Il reçoit aussi Pierre Corneille [164] qu'il a déjà rencontré chez Mondory à Paris. L'auteur dramatique est titulaire depuis 1628 d'un office d'avocat du roi pour les contentieux relatifs aux eaux et forêts de Rouen. Jacqueline, âgée de quatorze ans, retrouve ainsi son poète préféré déjà rencontré à Paris. Une étrange relation se noue entre eux deux. Le dramaturge semble, comme d'autres, fasciné par l'adolescente. Il lui lit des scènes de *Polyeucte* et de *Cinna*, auxquelles il travaille. Blaise est parfois associé à leurs discussions. Corneille sera d'ailleurs, avec Homère, le seul poète cité dans les *Pensées*, dans un très célèbre fragment où il est aussi question, on le verra, du nez de Cléopâtre (fr. 32).

L'auteur du *Cid* encourage la jeune fille à écrire. Elle
lui lit quelques vers : il les trouve excellents, meilleurs
même que les siens, dira-t-il. Dès le printemps 1640,
il l'invite à concourir pour le prix de poésie de la Ville
de Rouen, le prix du Puy des Palinods, dont le thème
est *La Conception de la Vierge* — « qui est le jour
qu'on donne des prix ». La Vierge est la protectrice de
la France depuis la naissance du Dauphin et les prix
de ce genre se sont multipliés dans toutes les villes.
Jacqueline hésite, puis accepte et envoie un poème par
l'intermédiaire de Corneille, tout en restant anonyme :

> *... Si donc une arche simple et bien moins nécessaire*
> *Ne saurait habiter dans un profane lieu,*
> *Comment penseriez-vous que cette sainte mère*
> *Étant un temple impur, fût un temple de Dieu* [181] *?*

Le 8 décembre 1640, les jurés du concours, réunis
au couvent des Carmes, attribuent le premier prix de
poésie à cette jeune fille que Corneille dévoile comme
étant Jacqueline Pascal. Elle ne se rend pas à la remise
des prix. Pierre Corneille reçoit les lauriers en son nom
et prononce un remerciement à sa place [129] :

> *Pour une jeune Muse absente,*
> *Prince, je prendrai soin de vous remercier.*
> *Et son âge et son sexe ont de quoi convier*
> *À porter jusqu'au ciel sa gloire encor naissante.*
> *De nos poètes fameux les plus hardis projets*
> *Ont manqué bien souvent d'assez justes sujets*
> *Pour voir leurs muses couronnées.*
> *Mais c'en est bien un beau qu'aujourd'hui*
> *Une fille de douze années*
> *A, seule de son sexe, eu sa part sur ce Puy.*

En cette même année 1640 est enfin publié l'*Augustinus* de Jansénius, disparu deux ans plus tôt. Georges
de La Tour peint *Le Tricheur à l'as de carreau*. Le

marquis de Boisy, duc de Roannez, est tué dans les Flandres devant Saint-Iberquerque. Son fils Arthus, âgé de quatorze ans, le voisin et ami de Blaise, devient duc.

2

La machine à penser

(1641-1650)

> *« L'homme n'est qu'un roseau, le plus faible
> de la nature, mais c'est un roseau pensant. Il ne
> faut pas que l'univers entier s'arme pour l'écra-
> ser ; une vapeur, une goutte d'eau suffit pour le
> tuer. Mais quand l'univers l'écraserait, l'homme
> serait encore plus noble que ce qui le tue, puis-
> qu'il sait qu'il meurt et l'avantage que l'univers
> a sur lui. L'univers n'en sait rien. »*

(fr. 231)

Blaise a maintenant dix-huit ans, l'âge où souvent les enfants prodiges déçoivent, se rebellent contre ce qu'on leur a appris, s'enferment dans un autisme dont rien ne peut les faire sortir, ou se résignent à exercer un métier sous les ordres de moins doués qu'eux. Le fils d'Étienne échappera à tous ces schémas : pas de rébellion contre le père, pas de métier contraint, pas de résignation. Juste l'épanouissement d'une aptitude à répondre aux questions les plus difficiles, à penser libre, à écrire simple.

Le pouvoir à Rouen (1641-1642)

Étienne Pascal est maintenant l'un des plus hauts personnages d'une province stratégique. Richelieu peut compter sur lui : il s'acquitte avec rigueur de sa tâche

déplaisante, calcule et organise la collecte des impôts.
Par la force, s'il le faut. Dans la grande maison de la
rue des Murs-Saint-Ouen, près de l'abbaye de Saint-
Ouen, il vit avec Mme Delfaut, ses trois enfants et un
jeune cousin, Florin Périer, conseiller à la cour des
aides de Clermont, qu'il a fait venir pour lui prêter
main-forte. Blaise les aide aussi dans leurs calculs. On
ne sait rien de ses ambitions de l'époque ; elles
devaient être de continuer à nourrir sa curiosité et peut-
être de prendre un jour la relève de son père comme
magistrat ou agent du roi, à Rouen sans doute, puisque
la tradition familiale semble interrompue du côté de
Clermont.

La collecte des impôts est de plus en plus difficile.
Le Cardinal en a pourtant le plus grand besoin. Il
presse les intendants, les menace de tous les feux de
l'Enfer s'ils ne font pas rendre gorge aux contri-
buables. Depuis qu'en 1635 la France est entrée en
guerre contre sa voisine d'outre-Pyrénées, le sort des
armes reste incertain. Les armées françaises commencent par perdre toutes les batailles, puis, à partir de
1640, en gagnent certaines. Elles prennent Arras aux
Espagnols, Louis XIII est proclamé comte de Barce-
lone. La guerre est dans toutes les conversations. Pascal en notera un jour l'absurdité : « "Pourquoi me tuez-
vous ?" — "Eh quoi, ne demeurez-vous pas de l'autre
côté de l'eau ? Mon ami, si vous demeuriez de ce côté,
je serais un assassin et cela serait injuste de vous tuer
de la sorte. Mais puisque vous demeurez de l'autre
côté, je suis un brave et cela est juste." » (fr. 84)

Le Cardinal profite de cette embellie militaire pour
renforcer son autorité sur la noblesse, qui ne l'aime
pas. Cinq-Mars, ancien favori de Louis XIII, et son
ami de Thou sont exécutés pour avoir comploté contre
lui.

Pendant qu'en France la monarchie renforce son
emprise sur la société, celle d'Angleterre perd le pouvoir. En janvier 1641, dans une grande remontrance, le

Parlement dénonce les prétentions absolutistes de Charles Ier qui riposte en février en le dessaisissant de toutes les affaires de l'État. Le peuple de Londres prend le parti du Parlement, se soulève et force le monarque à s'enfuir en août 1642. Un roi d'Europe est contraint de céder devant l'émeute. Le pouvoir ne tient donc qu'à la force ; rien d'autre ne le légitime.

Le cousin Florin Périer s'est bien plu dans la famille Pascal. Il a même séduit Gilberte, qu'il épouse le 13 juin 1641. L'abbé Maignart les marie en l'église Sainte-Croix-Saint-Ouen. Rien ne change dans la vie quotidienne de la famille : les nouveaux époux ne quittent pas la maison d'Étienne qui ne pourrait se séparer de Florin, si indispensable à son travail.

La même année, Blaise est transpercé par de violentes douleurs : maux de tête et d'estomac, rages de dents incessantes ; il se retrouve paralysé « depuis la ceinture en bas », ses pieds sont devenus « froids comme du marbre »[431]. Désormais, il marchera avec des béquilles et ne pourra en général manger que liquide. Sa sœur Gilberte écrira plus tard : « Depuis l'âge de dix-huit ans, il n'avait pas passé un jour sans douleur[431]. »

Il ne se plaint pas. Il est dur à la douleur, même s'il s'évanouit parfois. Ses sœurs sont inquiètes. On essaie sur lui tous les remèdes possibles. En vain. Ses souffrances se calment, puis reviennent. Défilent chez Étienne tous les médecins de la ville. Ils ne peuvent rien pour le garçon. Celui-ci a le temps de bien les observer : « Et si les médecins n'avaient des soutanes et des mules et que les docteurs n'eussent des bonnets carrés et des robes trop amples de quatre parties, jamais ils n'auraient dupé le monde, qui ne peut résister à cette montre si authentique. S'ils avaient la véritable justice et si les médecins avaient le vrai art de guérir, ils n'auraient que faire de bonnets carrés. La majesté de ces sciences serait assez vénérable d'elle-même. Mais n'ayant que des sciences imaginaires il faut qu'ils prennent ces vains instruments, qui frappent l'imagination, à laquelle ils ont affaire. Et par là en effet ils attirent le respect. » (fr. 78)

Ses biographes ne semblent pas remarquer la coïncidence entre l'apparition de ses douleurs et le mariage de sa sœur, comme une réminiscence des transes qui le prenaient, enfant, en voyant son père embrasser sa mère. Ce n'est pas la dernière fois que je relèverai une telle coïncidence : dès qu'une émotion forte l'affecte, dès qu'un membre de sa famille manifeste le désir de s'occuper de quelqu'un d'autre que lui, Blaise réagit au plus profond de son corps. Il somatise, dirait-on aujourd'hui. Et même s'il n'est pas très proche de sa sœur aînée, même s'il sera toujours distant avec elle, ce mariage, qui le laisse en tête-à-tête avec sa sœur préférée, a dû le toucher.

À la fin de 1642 naît Étienne Périer, premier fils de Gilberte et Florin. Malgré l'insistance d'Étienne, de plus en plus débordé de liasses et de calculs, le jeune père ne peut rester davantage à Rouen ; il doit reprendre sa charge au Parlement de Clermont. Le couple regagne l'Auvergne en laissant quelque temps le petit Étienne à la garde de son grand-père pour qu'il l'éduque comme Blaise. Celui-ci perd alors la compagnie de sa sœur aînée ; il reste avec Jacqueline, sa préférée, et ce petit neveu qui le distrait. Le départ de Gilberte ne semble pas provoquer chez lui le moindre trouble. Son énergie est occupée à autre chose : sa machine à penser est en marche.

La machine d'arithmétique (1642-1645)

À la même époque, Richelieu et le roi sont tous deux moribonds. Richelieu disparaît le premier, le 8 décembre 1642, à cinquante-sept ans, d'une pleurésie. Les Pascal s'inquiètent : ils perdent là l'un de leurs hauts protecteurs, celui qui leur a permis d'échapper à la ruine, qui a procuré à Étienne ce poste inespéré, révocable à tout instant. Ne restent plus que la duchesse d'Aiguillon, le chancelier Séguier, dont le pouvoir grandit, et la reine à laquelle Jacqueline envoie encore de temps à autre de ses poèmes [129].

Richelieu, mourant, conseille au roi de le remplacer par Mazarin, diplomate pontifical, ecclésiastique par hasard, négociateur hors de pair [211]. Un grand de France, Marcillac, aurait rêvé de remplacer Richelieu. Il n'aura pas le poste et deviendra La Rochefoucauld, l'auteur des *Maximes* [281].

Si Étienne souhaite conserver son emploi, il va lui falloir prêter grande attention à la qualité de son travail. Le nouveau maître, Mazarin pourrait attribuer la charge à l'un de ses propres favoris. L'Italien n'est pas connu pour aimer la comédie. Sentant l'inquiétude de son père, Blaise prend conscience de la précarité de leur situation. Pourtant, il ne fait rien pour trouver lui-même un emploi ou gagner sa vie d'une façon quelconque. Même aux pires moments de son existence, quand il se retrouvera seul, désargenté, abandonné de tous, gagner sa vie ne lui paraîtra jamais une option imaginable.

La situation politique du pays est très mauvaise. Les émeutes contre la disette reprennent ici et là. Les impôts rentrent mal. Dès son arrivée au pouvoir, Mazarin envoie des troupes [164] contre les émeutiers de Saintonge, du Rouergue, de l'Armagnac et même de Basse-Normandie, chez les Pascal.

Les routes sont peu sûres. Le courrier passe de plus en plus mal. Gilberte écrit toutes les semaines à Rouen. Il arrive que ses lettres se perdent. Le 31 janvier 1643, Blaise Pascal s'en plaint : « De Rouen, ce samedi dernier, je trouvai une lettre que tu m'écrivais, où tu me mandes que tu t'étonnes de ce que je te reproche que tu n'écris pas assez souvent, et où tu me dis que tu écris à Rouen toutes les semaines une fois. Il est bien assuré, si cela est, que tes lettres se perdent, car je n'en reçois pas toutes les trois semaines une [401]. »

Le 20 avril 1643, Louis XIII, sur le point de rendre l'âme à son tour, désigne sa femme Anne d'Autriche régente du royaume jusqu'à la majorité du Dauphin pourvu qu'elle prenne en toutes circonstances les avis d'un « Conseil de conscience » dont il nomme les membres. Et ce monarque « chargé de conquêtes et de victoires quitte son sceptre et sa couronne avec aussi peu de regret que s'il laissait une botte de foin »[211]. Il meurt le 14 mai 1643.

À la surprise générale, la reine — espagnole — laisse Mazarin — italien — poursuivre la guerre de la France contre l'Espagne. Cinq jours après la mort du roi, son armée, aux ordres de son cousin Condé, duc d'Enghien, écrase les Espagnols à Rocroi. L'Espagne a perdu toutes ses terres d'Europe du Nord, que vont se partager la France et les Provinces-Unies[164]. L'alliance contre nature entre le Très Chrétien et les bourgeois protestants, qui fait tant grincer des dents les catholiques français, met fin à la toute-puissance d'une monarchie ibérique épuisée depuis un siècle par l'expulsion de ses élites et par ses possessions coloniales.

Louis XIV a alors cinq ans. Pas question, évidemment, de le laisser gouverner. Anne, devenue régente, ayant confirmé Mazarin comme son principal ministre, fait casser par lit de justice du Parlement le testament de Louis XIII qui restreignait son pouvoir. Le Parlement enregistre avec docilité : la reine est ainsi, croit-il, son obligée[212].

Le peuple a été tenu au courant de tous les événements de la Cour. Grâce aux canaux d'information disponibles, qui passent pour l'essentiel par les prêtres, on a suivi les agonies croisées du roi et de son ministre. On a espéré la mort du second, la guérison du premier. On a ajouté foi à la rumeur annonçant celle-ci. On a pleuré le trépas du souverain. De Rouen, Jacqueline[129] écrit à Anne d'Autriche un sonnet, *Sur la guérison apparente du Roi*, puis un autre, après le décès de Louis XIII, *Sur la Régence de la Reine*. Dans ce dernier texte de circonstance, il y a bien sûr le désir de complaire à un puissant qui peut décider du sort de la famille. Mais on sent aussi percer la révolte d'une jeune fille consciente de ses dons et de ses ambitions intellectuelles face à la monopolisation de tous les pouvoirs par les hommes [129] :

> *Commencez, grande Reine, un règne de merveilles*
> *Puisque notre bonheur ne dépend que de vous.*
> *Semez par l'univers vos vertus sans pareilles,*
> *Rendez de vos beaux faits les plus grands rois jaloux [...]*
> *Politique indiscret, parle sans violence ;*
> *Ne dis plus, pour troubler notre heur dans sa naissance,*
> *Qu'une douceur de femme est un faible soutien.*
> *Apprends à respecter ton illustre princesse*
> *Dont l'esprit tout divin sait joindre avec adresse*
> *La douceur de son sexe à la force du tien.*

Bien plus tard, dans des circonstances tragiques, elle retrouvera les mêmes accents pour dire sa rage de voir les hommes se conduire si mal avec les femmes. Et son mépris envers ceux qui ne lui auront pas permis de donner toute sa mesure. Ici, déjà, ce n'est pas de la reine qu'elle parle, c'est d'elle-même. Elle rêve d'étonner le monde ; elle sait que, si on la laissait exprimer « la force et la douceur » qu'elle sent en elle, elle pourrait rendre « les plus grands rois jaloux » de ses exploits.

Elle aurait sans doute aimé rester à Paris, continuer d'écrire, fréquenter les salons, la Cour et la reine. Peut-être aurait-elle fait un très beau mariage. En sauvant son père, en lui obtenant ce poste à Rouen, elle savait sans doute qu'elle tirait d'une certaine façon un trait sur son propre avenir. Mais elle a trop d'énergie et de talent pour ne pas encore vouloir faire de sa vie quelque chose d'inouï. Ce ne sera pas à la Cour, ni dans les salons ni sur les planches. Ce sera donc autre chose, dont elle a déjà l'idée. Quelque chose que son père ne pourra lui refuser.

De tout cela elle ne parle qu'à la seule amie qu'on lui connaisse à l'époque, Judith, une jeune protestante avec qui elle passe l'essentiel de ses journées quand elle n'est pas avec son frère.

Celui-ci continue d'étudier les mathématiques pour son plaisir. Et de lire les quelques textes religieux qui lui passent par les mains. La bibliothèque de son père à Rouen n'est pas plus fournie qu'à Paris. Chez les Pascal, on écrit, on réfléchit, on cherche, on dispute, on ne lit toujours pas beaucoup.

Blaise a aussi remplacé Florin Périer auprès de son père. Pour les besoins de l'administration fiscale, il arpente la province, en carrosse plus qu'à cheval du fait de son état de santé. Sans doute va-t-il parfois jusqu'à la mer[7] : « La nature agit par progrès, *itus et reditus*. Elle passe et revient, puis va plus loin, puis deux fois moins, puis plus que jamais, etc. Le flux de la mer se fait ainsi, le soleil semble marcher ainsi. » (fr. 636)

Il accompagne Jacqueline chez Corneille quand il arrive au maître de venir de Paris. Et aussi, semble-t-il, à une représentation donnée cette année-là — 1643 — à Rouen par Jean-Baptiste Poquelin, dit Molière, qui vient de s'associer avec la famille Béjart pour fonder l'Illustre Théâtre.

On ne peut exclure qu'il ait assisté à la même époque au supplice de franciscains de Louviers accusés de possession, condamnés au bûcher et brûlés vifs sur le parvis de la cathédrale de Rouen après avoir fait amende honorable. Ils sont parmi les derniers relaps à avoir été ainsi suppliciés[491]. Plus tard, Blaise griffonnera sur un bout de papier deux lignes définitives contre la peine de mort, reprises de saint Paul : « Faut-il tuer pour empêcher qu'il n'y ait des méchants ? C'est en faire deux au lieu d'un. » (fr. 543)

Puis un coup de tonnerre vient le frapper. Un événement considérable, passé quasi inaperçu de la plupart de ses biographes, bien qu'il soit cité par plusieurs sources de l'époque. En 1644, un jeune homme de la paroisse Saint-Sauveur, Antoine Hérembert, fils d'un homme de loi, demande la main de Jacqueline. Elle a dix-huit ans et deux mois. Elle hésite. Blaise réalise alors combien il tient à elle. Il semble même[7] qu'il tombe alors très malade. Une troisième fois, une contrariété sentimentale le bouleverse. Étienne n'est pas davantage enthousiaste de ce mariage, car la fortune du jeune homme n'est pas considérable. Mais Jacqueline a le visage grêlé et on ne saurait trop faire les difficiles. Blaise déploie toute son ingéniosité pour dissuader sa sœur. Il lui dit du mal du jeune homme ; il lui explique que c'est trop tôt, qu'elle doit rester avec lui encore un peu ; qu'il est lui-même trop jeune pour rester seul (il a vingt ans !...). Il lui vante tout ce qu'elle pourra faire encore chez leur père et qui lui deviendra impossible chez un mari.

Jacqueline hésite, puis écarte le prétendant. Blaise guérit. La jeune fille écrit même des *Stances contre l'amour* ; elle a résisté à la tentation et en est fière[129] :

> *Imprudent ennemi, vainqueur des faibles âmes,*
> *Qui n'a pour nous dompter que d'impuissantes flammes,*
> *Déité sans pouvoir comme sans jugement,*
> *Amour, quitte cet arc dont tu veux me combattre :*
> *Son usage inutile, en ton aveuglement,*
> *Ne peut blesser que ceux qui se laissent abattre...*

Un autre mariage l'attend.

On prête[129] à Blaise des vers qu'il aurait composés à cette époque. Des mots d'amour — une des rares preuves, si ces vers sont authentiques (ce qui n'est pas établi), que Blaise sait parler d'amour... En tout cas essayer, car le résultat est plutôt pitoyable[7]. Trop même, à mon sens, pour qu'on puisse le lui attribuer. À moins que cette mièvrerie ne s'adresse à Jacqueline et évoque son possible mariage ?

Que me sert de penser à mes malheurs passés ?
Philis veut que je meure, et voit mon innocence.
Mourons, mon cœur, sans résistance,
Philis l'ordonne, c'est assez.
C'est ainsi que nos feux seront récompensés ;
Mais cette plainte est vaine, et Philis s'en offense.
Mourons, mon cœur, sans résistance,
Philis l'ordonne, c'est assez.

En juillet 1644, la famille apprend que Gilberte, à Clermont, vient de donner le jour à une fille qui portera le même prénom Jacqueline, désignée comme marraine. C'est l'occasion de faire le point sur l'étendue et les ramifications de la famille. À Clermont, un petit-cousin (homonyme de Blaise) se donne d'ailleurs pour mission d'établir l'arbre généalogique de la famille en remontant jusqu'au grand-père d'Étienne. Lourde tâche ! Il recense plus de six cents personnes. Il fait imprimer l'arbre pour le distribuer à toute la parentèle. Quand Gilberte, en 1645, en informe son frère, c'est l'occasion d'en apprendre un peu plus sur la généalogie des Pascal : « Notre petit-cousin, qui se nomme aussi Blaise Pascal — il y en a quatre ou cinq dans la famille —, conseiller et secrétaire du Roi, fils d'un autre Étienne Pascal, le frère de notre aïeul Martin, a voulu suivre le conseil de sa mère Jeanne Enjobert. Et c'était de faire dresser une table sur parchemin où figureraient tous nos parents en remontant jusqu'à Jean Pascal, époux de Lucque Debort, grand-père de Monsieur notre père Étienne. Et devraient y paraître tous ses neveux et nièces, dont elle établit personnellement le compte à 469 vivants. Elle-même, notre grand-tante par alliance, mourut il y a quatre ans sans avoir vu l'achèvement de cette table pascaline. Mais, à présent, son fils le conseiller vient d'en venir à bout. Il l'a fait graver et imprimer sur une grande feuille où l'on voit les dix-sept branches issues de Jeanne Enjobert. Nous figurons au bout de la branche Martin Pascal, qui porte

six ramures grandes et vingt-deux petites. Le tout mer-
veilleusement orné de fleurons et d'armoiries, formant
un très joli tableau à suspendre. Vous le verrez céans
quand vous aurez l'occasion de revenir, au-dessus de
notre cheminée. J'ajoute que les neveux et nièces sont
à présent 506 ; et que leur nombre croît comme Dieu
l'a recommandé. Si les choses vont de ce train, notre
descendance, pareille à celle d'Abraham, se multiplie-
rait comme les étoiles du ciel et le sable de la mer[431]. »

En 1645, premier vrai chagrin : Judith, la seule amie
de Jacqueline, meurt. Jacqueline écrit une *Consolation
sur la mort d'une huguenote*[129]. On y lit une obsession
du salut et la crainte que son amie protestante n'ait pas
droit au Paradis. Crainte et obsession banales à
l'époque. Dans ces vers médiocres, c'est toute la discussion sur la grâce qui transpire. Cette discussion qui
fera la gloire de Blaise dix ans plus tard[129] :

> Philis, apaisez vos douleurs ;
> C'est assez répandu de pleurs
> Pour la perte de votre amie.
> Cessez ce violent transport
> Qui, s'attaquant à votre vie,
> Livrerait la mienne à la mort [...].
>
> Mais ce que peut mieux excuser
> La douleur que vous peut causer
> Sa perte trop inopinée,
> C'est qu'en mourant, le ciel voulut
> Que son hérésie obstinée
> Laissât douter de son salut.
>
> Mais non. Sans doute qu'à la mort,
> Son esprit devenu plus fort
> Reçut la céleste lumière,
> Et qu'étant presque détaché
> Du poids de sa masse grossière
> Il reconnut d'avoir péché...

Étienne Pascal est fatigué. Il n'est plus tout jeune (il a cinquante-six ans). Mettre de l'ordre dans les rôles d'imposition de dix-huit cents paroisses [7] exige des calculs incessants et très compliqués. Il faut ajouter sols, deniers, livres en des additions à sept chiffres et autant de retenues. Il faut multiplier assiettes et taux. Puis tout transcrire en chiffres romains, comme l'exige l'administration des finances à Paris [126]. Toute erreur est très sévèrement punie. On n'a d'autre moyen de le faire qu'à la main, en s'aidant de jetons de couleur et de bouliers, ce qui ne soulage pas vraiment la mémoire. Étienne craint de ne plus avoir l'agilité d'esprit nécessaire. Il faut pourtant tenir, donner le change. Sinon, c'est la vie de la famille tout entière qui basculerait. Blaise observe son père : il ne reconnaît plus le pédagogue sophistiqué qui lui a tout appris, le mathématicien admiré de l'académie de Mersenne, il ne voit plus qu'un homme fatigué, affamé de réussite.

« On charge les hommes, dès l'enfance, du soin de leur honneur, de leur bien, de leurs amis, et encore du bien et de l'honneur de leurs amis. On les accable d'affaires, de l'apprentissage des langues et d'exercices. Et on leur fait entendre qu'ils ne sauraient être heureux sans que leur santé, leur honneur, leur fortune et celles de leurs amis soient en bon état, et qu'une seule chose qui manque les rendra malheureux. Ainsi on leur donne des charges et des affaires qui les font tracasser dès la pointe du jour. Voilà, direz-vous, une étrange manière de les rendre heureux. Que pourrait-on faire de mieux pour les rendre malheureux ? » (fr. 171)

Blaise s'ennuie. À Rouen, il n'y a pas beaucoup d'occasions de disputes intellectuelles ni de défis théoriques. Il cherche alors dans le travail fastidieux dont son père se décharge sur lui de quoi nourrir une activité mentale. Très vite, il trouve là un enjeu à sa mesure : automatiser le calcul des impôts. Personne au monde n'a encore essayé de mécaniser ce travail ni même aucune autre tâche intellectuelle. Non seulement parce que les systèmes sont très difficiles à concevoir, mais avant tout parce que c'est économiquement inutile : les comptables ne coûtent pas assez cher pour justifier qu'on s'en passe. Il existe seulement, quelque part en Europe du Nord, un procédé connu depuis le début du siècle sous le nom de « réglettes de Napier », qui permet, dit-on, de réduire la multiplication à une addition, mais en laissant la retenue à la charge de l'opérateur [126]. Certains ont entendu parler d'une autre machine qu'aurait réalisée en 1624 un dénommé Guillaume Schickart, correspondant de Gassendi, mais nul ne l'a jamais vue fonctionner.

Pascal commence à réfléchir à sa « machine d'arithmétique ». Il a dix-huit ans et son cerveau de découvreur a besoin d'un objet de recherche. En voilà un que le hasard lui fournit.

Il se fixe d'emblée comme projet d'automatiser l'addition et la multiplication, d'abord de nombres de six chiffres, puis de huit. Il observe le processus de chaque opération. Son père lui a appris à comprendre la structure d'un raisonnement avant de le mettre en œuvre ; il décompose donc l'addition et la multiplication en phases, et bute sur la plus difficile à théoriser : la retenue. Il faut faire passer un chiffre d'un rang au suivant. Comment y parvenir de façon automatique ? Personne n'a réussi avant lui. Il a l'idée d'utiliser un système analogue à l'horlogerie pour additionner, soustraire, organiser les retenues, transformer les multiplications en une série d'additions. Une pièce, le « sautoir », permet d'ajouter une unité à la dizaine supérieure. Travail complexe : il faut dessiner, imaginer des roues dentées, des engrenages. Il commence par s'inquiéter de la réalisation concrète — on dirait aujourd'hui la faisabilité — de sa machine. Il étudie la structure des horloges, les premières machines automatiques. Il faut aussi vérifier si c'est techniquement possible. Il interroge les horlogers de la ville, en parle aussi avec son père, se faisant expliquer la nature exacte de ses opérations. Étienne a compris que Blaise est au bord d'une invention majeure, au moins aussi importante que son *Traité sur les coniques* qui remonte à deux ans. En quelques mois, Blaise met au point « par la plume et par le compas »[401] un schéma théorique dans lequel chaque roue ou verge d'un ordre, en tournant de dix chiffres, entraîne le mouvement d'un seul chiffre de la roue ou verge suivante[66]. Le principe de la machine à calculer — c'est-à-dire, d'une certaine façon, celui de l'ordinateur — est trouvé.

Blaise rature et amende encore ses croquis, discute avec des horlogers de la possibilité de réaliser son schéma. Puis il se lance et fait fabriquer ce qu'il appelle son « crayon », c'est-à-dire sa première machine à faire des opérations avec des nombres à six chiffres : une cassette de palissandre ornée de six roues de laiton, capable d'additionner les pistoles, les écus, les livres et les deniers[302]. La somme apparaît par six petites ouvertures placées sur le dessus. Déception : la machine ne marche pas parfaitement. Elle se grippe, les chiffres ne sautent pas comme prévu. Les roues dentées se bloquent. Quand on la transporte, elle se dérègle. Enfin, six chiffres, ça ne suffit pas : il en faut huit. Deux cyclindres de plus sont gradués, de 0 à 11 pour les deniers et de 0 à 19 pour les sols[302]. Blaise réunit alors une équipe d'ouvriers que son père finance. Et il recommence. Ça ne marche pas encore. À son troisième essai, il trouve l'idée déterminante : placer des ressorts sur les roues pour faciliter leur passage d'une unité à l'autre lors des retenues. Le modèle fonctionne enfin. Il écrira, en présentant le modèle : « J'avais commencé l'exécution de mon projet par une machine très différente de celle-ci et en sa matière et en sa forme, laquelle (bien qu'en état de satisfaire à plusieurs) ne me donna pas pourtant la satisfaction entière ; ce qui fit qu'en la corrigeant peu à peu j'en fis insensiblement une seconde en laquelle, rencontrant encore des inconvénients que je ne pus souffrir pour y apporter le remède, j'en composai une troisième qui va par ressorts et qui est très simple en sa construction [401]. »

Au début, la machine n'obtient qu'un succès de curiosité. Elle coûte cher, pose énormément de problèmes d'alliage, d'usinage, de réglage. Il s'acharne. En deux ans, entre 1642 et 1644, il en fait fabriquer plus de cinquante modèles « tous différents, les uns de bois, les autres d'ivoire et d'ébène, et les autres de cuivre, avant que d'être venu à l'accomplissement de la machine que maintenant je fais paraître » [401]. Un jour, il découvre qu'un horloger rouennais l'a copié et a essayé de vendre son modèle sans passer par lui. Il est furieux, claque la porte, renvoie tout le monde. Puis se reprend. Mais il n'aura pas de mots assez durs pour le faussaire : « L'aspect de ce petit avorton me déplut au dernier point et refroidit tellement l'ardeur avec laquelle je faisais lors travailler à l'accomplissement de mon modèle qu'à l'instant même je donnai congé à tous mes ouvriers, résolu de quitter entièrement mon entreprise [401]... »

Pour éviter une nouvelle mésaventure, il décide de faire reconnaître son droit de propriété sur l'invention et de la commercialiser. Pour cela, il lui faudrait un privilège royal qui garantirait que seules seraient autorisées à la vente les machines construites par lui ou portant sa garantie. Étienne et Blaise viennent à Paris présenter la machine à l'académie Mersenne. On discute du mécanisme, on les applaudit. Les Pascal demandent l'aide de leurs amis parisiens pour se faire reconnaître un droit de propriété sur leur découverte. Ce n'est pas dans les usages de Mersenne, plus habitué à échanger des idées qu'à garantir des brevets. Il refuse de se mêler de ce qui constitue à ses yeux une abomination mercantile. Le 26 février 1644, Étienne réussit à faire présenter un exemplaire à six roues à Henri II de Bourbon, père du futur Grand Condé. Gros succès de curiosité, encore une fois, mais rien de plus : qu'aurait à faire un duc d'une machine accomplissant des tâches aussi subalternes que compter ? Alors Étienne pense que le seul capable de leur obtenir quelque garantie est leur protecteur, celui avec qui ils sont venus s'établir à Rouen et qui continue d'être tout-puissant à Paris : le chancelier Séguier, membre du Conseil de régence, désormais très proche de Mazarin.

Blaise fait fabriquer spécialement pour lui un magnifique prototype à huit roues (qui existe encore) et le lui envoie, en 1645, avec une *Lettre dédicatoire* dans laquelle il sollicite la protection de sa propriété (« Les inventions qui ne sont pas connues ont toujours plus de censeurs que d'approbateurs : on blâme ceux qui les ont trouvées, parce qu'on n'en a pas une parfaite intelligence [401]. »). Cette lettre est très intéressante par ce qu'elle révèle du caractère de Blaise à l'époque : sûr de son génie, conscient d'avoir réussi quelque chose d'exceptionnel que son jeune âge rend plus exceptionnel encore, conscient d'être en somme un prodige, il est désireux de se faire reconnaître à sa juste valeur. Qu'on entende sa voix d'alors : « J'ai déjà la satisfaction de voir mon petit ouvrage non seulement autorisé de l'approbation de quelques-uns des principaux en cette véritable science [...], mais encore honoré de leur estime et de leur recommandation [...]. C'est le coup d'essai d'un homme de vingt ans [...]. Je m'attends bien que, parmi tant de doctes qui ont pénétré jusque dans les derniers secrets des mathématiques, il s'en pourra trouver qui d'abord estimeront mon action téméraire, vu qu'en la jeunesse où je suis, et avec si peu de forces, j'ai osé tenter une route nouvelle dans un champ tout hérissé d'épines, et sans avoir de guide pour m'y frayer le chemin [401]... »

Derrière la fausse humilité, on sent poindre l'orgueil, le défi lancé à tous ces barbons qui ne sont arrivés à rien, le besoin d'être reconnu, la soif de gloire. Au demeurant, cette missive, il la signe du nom de *Blasius Pascal Patricius Arvernus Inventor* (Noble, d'Auvergne, Inventeur), qui résume bien l'image qu'il entend donner de lui. Plus tard, à l'inverse, il fera tout pour se dissimuler derrière des pseudonymes.

Il attend beaucoup de Séguier, si riche qu'il pourrait acheter mille machines sans même écorner ses revenus d'un jour. Mais rien ne vient. Alors, sans plus espérer de réponse, il organise un véritable réseau de distribution. Il sait qu'à Paris il trouvera des clients : les amateurs d'automates et de belles horloges, les services financiers du roi, les autres intendants de province lorsqu'ils passent par Paris[126]. Mais, comme son père n'entend pas le laisser venir s'établir seul à Paris pour s'en occuper, Blaise se cherche un distributeur. Et il en trouve un, excellent, en la personne de Roberval, illustre professeur au Collège royal, qui accepte même d'en faire la démonstration aux clients : « Il leur fera succinctement et gratuitement la facilité des opérations, en fera vendre et en enseignera l'usage. Ledit sieur de Roberval demeure au Collège Maître Gervais, rue du Foin, proche les Mathurins. On le trouve tous les matins jusques à huit heures, et les samedis toute l'après-dînée[401]. »

Sûr de tenir un formidable succès, Blaise annonce son invention dans une sorte de prospectus publicitaire, le premier connu pour un produit industriel, intitulé *Avis nécessaire à ceux qui auront curiosité de voir la machine d'arithmétique et de s'en servir*, dans lequel il vante les qualités de sa machine à un client à qui il s'adresse en le tutoyant : « Ami lecteur, cet avertissement servira pour te faire savoir que j'expose au public une petite machine de mon invention, par le moyen de laquelle seul tu pourras, sans peine quelconque, faire toutes les opérations de l'arithmétique et te soulager du travail qui t'a souventes fois fatigué l'esprit lorsque tu as opéré par le jeton ou par la plume[401]... » Il met en garde l'acheteur éventuel contre les contrefaçons : « Je te conjure d'y porter soigneusement l'esprit de distinction, te garder de la surprise, distinguer entre la

lèpre et la lèpre et ne pas juger des véritables originaux
par les productions imparfaites de l'ignorance et de la
témérité des ouvriers : plus ils sont excellents en leur
art, plus il est à craindre que la vanité ne les enlève par
la persuasion qu'ils se donnent trop légèrement d'être
capables d'entreprendre et d'exécuter d'eux-mêmes
des ouvrages nouveaux, desquels ils ignorent et les
principes et les règles ; puis enivrés de cette fausse persuasion, ils travaillent en tâtonnant [401]... »

Quelques amateurs commandent. En 1646, la nouvelle reine de Pologne, Louise-Marie de Gonzague,
fille de Charles Ier, duc de Nevers et de Mantoue, en
emporte deux à Varsovie. Mais il est malaisé de se
procurer des pièces de rechange, et « il n'y a qu'un
ouvrier, qui est à Rouen, qui la sache faire, et encore
faut-il que Pascal y soit présent » [500], note Tallemant
des Réaux.

Un voyageur anglais, Balthasar Gerbier, écrit en
1646 à un encyclopédiste polonais installé à Londres,
Samuel Hertlib, une des rares critiques connues de « la
Pascaline » :

« On peut voir ici un rare ouvrage inventé par
M. Pascal, fils d'un président de ce Parlement. C'est
une boîte avec diverses roues, trente au moins ; elle
sert pour l'arithmétique. Vous trouverez ci-dessous un
dessin en échange duquel je serais heureux de voir un
dessin d'un petit instrument qui a été inventé en Angleterre il y a quelque vingt-quatre ans [...]. Mais on doit
d'abord être au point en arithmétique avant de pouvoir
se servir de cet instrument, qui coûte 50 pistoles, et il
faut deux de ces machines pour effectuer une règle de
trois ; elles ne sont pas portatives [126]... » La machine,
ajoute Gerbier, ne sait pas faire les multiplications et
les divisions compliquées, sauf en commettant un
grand nombre d'erreurs. Elle est trop lourde, trop
chère, et suppose une excellente connaissance de
l'arithmétique. Et comme il n'en voit pas d'autre fin
que l'apprentissage de l'arithmétique, il l'a trouvée mal
adaptée à cet usage [126], et donc inutile.

Pourtant, le premier dans l'histoire humaine, Pascal a automatisé la manipulation de signes et réalisé une machine programmant des règles opératoires. Mais il est en avance de trois siècles. Sa machine arithmétique restera longtemps un simple objet de curiosité. La seconde machine du même genre ne sera imaginée qu'en 1920 par l'Anglais Babbage. Elle ne marchera pas. En fait, tous les ordinateurs d'aujourd'hui ne sont que des perfectionnements de la machine de Pascal, une fois passé du système décimal au binaire, ce dont d'ailleurs il parlera lui-même, comme on va le voir, un peu plus tard...

Les ressorts de la machine humaine :
découverte du jansénisme

Par hasard, encore une fois, Pascal va maintenant rencontrer une question qui ne cessera plus de le hanter : celle du salut et de la responsabilité de chacun sur ses actes. Avant de raconter l'anecdote qui provoque ce rendez-vous, tentons de résumer l'enjeu aussi simplement que possible.

Depuis le début des années 1640, un débat a envahi l'Europe, et personne, même à Rouen, n'y échappe. Un très ancien débat, aussi vieux que le monde, mais qui vient d'être renouvelé par un livre à scandale. De fait, il y a tout, dans cette histoire, pour faire scandale : un livre, un homme, des femmes.

À cette époque, il n'est pas question encore de considérer que le but de la vie est d'être heureux sur terre. La seule ambition qui vaille est de s'assurer de la qualité de son après-mort. Terrifiés par la perspective d'une éternité dans les flammes de l'Enfer, les hommes cherchent à savoir s'ils peuvent s'en prémunir par des actes ou des prières. Là intervient le grand clivage.

Si le sort de l'homme est entièrement déterminé par

Dieu, à l'avance ou par caprice, sans qu'il doive être jamais jugé sur ses actes, il ne sert à rien de croire ou d'être moral. Si, au contraire, l'homme peut influer sur la nature de son au-delà en proposant à Dieu de le juger objectivement sur sa conduite, il est un peu responsable de son éternité. Autrement dit, si Dieu est tout-puissant, il décide de tout à l'avance, et les hommes ne sont que des machines programmées ; s'il n'est pas tout-puissant, mais laisse les hommes libres de faire le bien et le mal, alors il n'est pas vraiment Dieu. En somme, soit Dieu n'est pas tout-puissant, soit l'homme n'est qu'une machine. La plupart des religions se sont trouvées confrontées à ce dilemme et chacune y a apporté sa réponse ; c'est même de cela que dispute l'essentiel des livres sacrés de l'humanité.

À chacun de nous, aujourd'hui, ces questions peuvent paraître désuètes, même si, en réalité, nous en parlons toujours en usant d'un autre vocabulaire, en cherchant par exemple à savoir si nous sommes déterminés par notre environnement social, familial, sexuel ou génétique, si nous sommes responsables et libres ou aliénés et irresponsables. Nous ne cherchons plus de déterminants extérieurs de notre avenir éternel, mais nous traquons des déterminants intérieurs de notre présent terrestre.

Depuis Luther et Calvin, cette question est omniprésente. On en débat sous toutes les formes, dans tous les styles : sommes-nous libres d'être heureux ? Notre vie n'est-elle qu'un bref passage qui décide d'un éternel destin ? Si Dieu décide de tout, à quoi sert-il de prier ? À quoi sert-il de croire ? À quoi sert l'Église ? À quoi sert-il d'être moral ?

À l'époque, pour l'Église de France comme pour le roi de France, la réponse à toutes ces questions est fondamentale parce que la légitimité du pouvoir en dépend : si Dieu décide de tout, on n'a plus besoin d'Église. Mais si les hommes sont libres devant Dieu, pourquoi ne le seraient-ils pas devant leur monarque ?

En fait, chaque fois qu'on parle du salut, on commence à comprendre que c'est aussi du pouvoir que l'on parle. Du pouvoir terrestre, détenu par des institutions concrètes, avec tous les privilèges qui s'y attachent. Mais aussi du droit à la libre conscience pour sauver l'âme, même si cela exige de désobéir au Prince.

Sur ces sujets, la position de l'Église a beaucoup varié. Certains, dès le IVe siècle, comme Pélage, avaient soutenu que l'homme disposait de son libre arbitre et pouvait décider de son propre salut. Ils niaient la nécessité de la grâce. Pour eux, chaque individu pouvait assurer son salut de par sa seule volonté. Pélage fut immédiatement condamné par les papes Innocent Ier et Zosime. D'autres, au contraire, après lui, comme Augustin, un érudit laïc d'Afrique du Nord devenu évêque sur le tard, expliquèrent que la grâce de Dieu est donnée gratuitement à certains hommes et que personne ne peut rien pour l'obtenir, la mettre en œuvre ou la refuser. L'Église retint officiellement la position d'Augustin tout en affirmant que sa propre mission et celle du pouvoir temporel (« la Cité de Dieu »[462]) étaient de favoriser la réception de cette grâce par l'homme ; elle-même est donc l'intercesseur entre l'homme et Dieu. Pour saint Augustin, Dieu a décidé du sort de chaque être avant même la création de l'univers ; la grâce est toujours « gratuite » et irrévocable, décidée à l'avance, « efficace », c'est-à-dire qu'elle force l'homme à faire le bien[140]. Rien n'est libre chez lui. Même l'obéissance est un don de Dieu, tout comme la charité. Croire aussi est accordé par la grâce. Et nul ne sait pourquoi. Faire le mal, c'est suivre sa volonté ; faire le bien, c'est obéir à Dieu et accéder ainsi à la Vie éternelle. Autrement dit, la prédestination n'est qu'une autre façon de désigner la prescience de Dieu. Et Dieu a voulu que la plupart des hommes restent dépourvus de la grâce pour que « la foule, si grande soit-elle, de ceux qui sont justement damnés ne compte pour rien aux yeux du Dieu juste »[462].

À partir du XVIᵉ siècle, le mouvement de transformation économique entraîne les progrès de la liberté intellectuelle et spirituelle. Une éthique séculière, bourgeoise, individualiste, remet en cause saint Augustin et la tradition qui s'en réclame. Même les théologiens les plus orthodoxes s'attachent de plus en plus à jeter un pont avec la pensée grecque remise à l'honneur par la Renaissance. Ils citent longuement Platon ou Aristote et leurs émules modernes — Marsile Ficin, Pic de La Mirandole. L'homme assume un peu de liberté.

Puis, avec Luther et Calvin, on en revient à Augustin : les hommes sont condamnés d'avance à l'Enfer par le péché originel ; ils ne peuvent espérer qu'en une grâce que Dieu décide arbitrairement d'accorder à l'un ou à l'autre selon des critères incompréhensibles à l'esprit humain. Personne ne peut rien pour son propre salut, sinon accepter ou refuser la grâce de Dieu pour autant que celle-ci se manifeste. Aux yeux de Calvin — qui, pour désigner la grâce, emploie seize qualificatifs différents —, Dieu a choisi ceux qu'il a destinés à ne pas être sauvés. Une telle thèse, qui rend l'Église inutile, ne peut laisser le Saint-Siège sans réaction[239]. Un concile s'ouvre à Trente, en décembre 1545, sous Charles Quint ; il ne s'achèvera qu'en décembre 1563, sous Philippe II. Il affirme tout à la fois le libre arbitre et la nécessité de la grâce. L'homme peut l'accepter ou la refuser et se faire aider par la pénitence et les autres sacrements administrés par les prêtres[140]. D'où une exigence confirmée d'obéissance des fidèles à une hiérarchie de l'Église centralisée autour du pape, et la création d'un réseau de nouvelles institutions pour mieux former les prêtres et mieux assurer l'influence de l'Église.

En France, l'Oratoire, créé par Bérulle en 1611, compte soixante et onze maisons en 1631[433]. Bérulle s'oppose à la laïcisation de l'Église[37] : « En cet égarement de la nature, quelques-uns vont prendre un chemin différent et s'élever plus haut en tenant des maximes impossibles [31]. » D'autres congrégations d'origine espagnole, la Compagnie de Jésus et le Carmel, s'implantent aussi en France. En 1633, Vincent de Paul, aidé par Louise de Marillac et approuvé en 1635 par le pape Urbain VIII, fonde les Filles de la Charité, religieuses d'un type nouveau, non cloîtrées, entièrement vouées au service des pauvres et à l'instruction des filles. À ces ordres le travail concret, aux jésuites le travail théologique ; ils expliquent que la faute originelle n'empêche pas l'homme d'obtenir son salut par la pratique des sacrements, de la prière et des vertus.

Pour les grands seigneurs existe encore une sorte d'ersatz d'éternité terrestre : ils se pensent comme les meilleurs représentants de la nature humaine, son avant-garde. Ils méritent donc de ne pas être oubliés des générations suivantes, et peuvent tabler sur une certaine forme d'éternité terrestre, qu'on appelle la gloire. C'est en tout cas ce que veut croire l'aristocratie. Et c'est ce qu'acceptent en général, résignés, la bourgeoisie et le petit peuple. C'est aussi ce que théorisent les théologiens qui font de la gloire et de la grandeur de l'homme une manifestation de la gloire et de la grandeur divines : Dieu est grand puisqu'il a produit de telles créatures.

Le débat va prendre une tournure particulière en France pour au moins deux raisons. D'abord parce que le « roi très-chrétien » est l'« oint du Seigneur », qui s'est engagé par son sacre à chasser les hérésies dénoncées par l'Église [239]. Ensuite parce qu'un homme d'exception va justement porter ce débat au cœur du pouvoir en promouvant une doctrine donnant un sens très particulier à la maîtrise de soi et au libre arbitre. Une doctrine dont il est l'inspirateur, même si elle est signée d'un autre.

Lui, c'est l'abbé de Saint-Cyran. L'autre, c'est Cornelius Jansen. La nouvelle doctrine est donc le jansénisme. Elle va jouer un rôle considérable à travers l'Europe et particulièrement en France, pendant un siècle et demi, à la fois sur les plans politique, économique et religieux.

Duvergier de Hauranne [164], devenu abbé de Saint-Cyran en 1620, est né en 1578 à Bayonne, ville rattachée à la France en 1451. On connaît de lui un très beau portrait par Philippe de Champaigne, qui donne la mesure de sa force et son ascendant. Les biographes ont utilisé bien des épithètes pour le caractériser : « calomniateur de la vie » [385], « tyran des âmes », « contempteur du corps », « halluciné de l'arrière-monde », « bourreau des consciences » [284]. Pour un de ses meilleurs connaisseurs et adversaires du début du XXe siècle, l'abbé Henri Bremond, c'est un « mégalomane » [56], un « esprit malade » [56], un esprit enfantin, un illuminé, obsédé par l'idée d'une mission grandiose, avec le « constant souci de se peindre en saint, cette sorte de charlatanisme dévot » [56], « une hérédité psychopathique assez accusée » [56], un « déséquilibre mental [qui] éclate jusqu'à l'évidence » [56]. Un orgueil démesuré, en tout cas. Saint-Cyran écrit par exemple [239] : « J'ai été contraint de m'avancer un peu pour la défense des vérités catholiques que je ne puis désavouer pour telles sans me crever les yeux et les fermer à la lumière universelle [466]. »

Saint-Cyran a au moins deux qualités incontestables : c'est un organisateur, une sorte de « génie de l'action spirituelle » [284] ; il est doué d'une exceptionnelle intuition des individus, d'un « sens du cas particulier de chaque être humain, de son péché propre et constitutif, de sa déchéance personnelle et de sa maladie intime » [284]. Il considère chaque âme, chaque corps — en particulier celui des femmes dont il a une grande connaissance — comme un monde à part, rendu malade par le péché [284], à guérir et sauver en lui inspirant le dégoût du monde. Saint-Cyran écrit : « Pour cette vie mortelle, il faut être malade dans l'âme et possédé de quelque passion mauvaise pour l'aimer[466]. » C'est avant tout un formidable directeur de conscience, quelque chose comme un analyste avant la lettre, décidant des cures, imposant à ses « dirigés » de longues périodes d'isolement entre la confession et l'eucharistie[389]. Pour lui, « s'humilier, souffrir, c'est toute la vie chrétienne »[466].

D'une prodigieuse érudition, il entend régénérer l'Église de France et marginaliser la hiérarchie au profit du curé de paroisse chargé de la cure des âmes. Il se pique aussi de politique, déteste Richelieu et dénonce les alliances nouées avec les Pays-Bas protestants et certains princes allemands, protestants eux aussi, contre l'Espagne catholique. Pour agir, il ne veut créer ni un ordre, ni un parti ; seulement infiltrer les esprits de ceux qu'il dirige et conseille : des grands de l'Église comme des grands de ce monde. En particulier au couvent de Port-Royal — on y reviendra.

Peu d'hommes auront exercé autant d'influence sur autant de gens influents en aussi peu de temps.

Saint-Cyran commence par aider en 1623 Bérulle, le fondateur de l'Oratoire, à rédiger son ouvrage principal, les *Discours de l'État et des Grandeurs de Jésus*. Il en favorise la diffusion et le fait traduire en latin par son neveu Barcos[389]. La même année, il retrouve un ancien étudiant en théologie qu'il avait connu à Paris en 1609, le Flamand Cornelius Jansen, qui travaille à une somme de la pensée augustinienne[239].

En 1629, à la mort de Bérulle, Saint-Cyran devient directeur de conscience d'un nombre croissant de puissants. Grands seigneurs, parlementaires, gens de lettres, évêques et autres dignitaires ecclésiastiques se pressent chez lui. Ses « dirigés » le vénèrent. Il estime désormais son pouvoir sans limites ; il se croit même capable de manipuler Louis XIII et Richelieu à l'intention de qui il prononce des sermons obséquieux. Il conseille au roi de bannir de France « tous les pauvres, c'est-à-dire de voir établir un tel ordre et une telle police qu'il n'y ait plus de pauvres mendiants en cet

État » [56]. Richelieu, qui le connaît depuis longtemps, dit de lui : « Monsieur de Saint-Cyran est plus dangereux que six armées [239]. » Il le fait suivre, fait ouvrir son courrier. Le Cardinal apprend ainsi que Saint-Cyran correspond par un code secret avec Jansénius, installé au cœur des Pays-Bas, pour comploter contre la France, pense-t-il : le nom de code du complot serait « Pilmot »...

En réalité, c'est celui d'un livre sur lequel ils travaillent ensemble depuis 1620 ! L'un et l'autre souhaitent retrouver l'Église des origines, la ramener à sa pureté première, du temps des catacombes, restituer aux évêques leur dignité et leur grandeur passées. Ils regrettent que les papes modernes n'aient ni l'autorité ni le désir de contredire ceux des siècles écoulés. Aussi le livre se présente-t-il principalement comme un commentaire de l'œuvre de saint Augustin, pour en rappeler la doctrine et la faire appliquer [239] (« Je ne me mets pas en peine, dit Jansénius, si les maximes que je produis dans mon livre sont vraies ou fausses, mais seulement si elles sont de saint Augustin [239]... »). En 1632, les jésuites découvrent ce que préparent Saint-Cyran et Jansénius, devenu professeur de théologie et d'écriture sainte à Louvain, où une importante école de pensée augustinienne est en place et où les jésuites ne sont pas bien vus : l'un d'eux, Leonius, qui a critiqué saint Augustin, n'est sauvé du bûcher que par l'intervention du pape Sixte Quint. Pour les jésuites, le projet de Jansen est épouvantable : ils comprennent parfaitement bien qu'il s'agit d'utiliser saint Augustin contre eux. « L'abbé devint à leur égard non seulement un hérétique, mais un hérésiarque abominable qui voulait faire une nouvelle Église, et renverser la religion de Jésus-Christ », écrira Racine dans son *Histoire de Port-Royal* [443].

La correspondance entre les deux théologiens se prolonge, l'un inspirant l'autre, jusqu'à ce qu'en 1635 la guerre interrompe les communications entre Paris et les Pays-Bas. L'*Augustinus* est alors achevé : mille trois cents pages serrées sur deux colonnes. En 1636, devenu évêque d'Ypres par le bon vouloir de son maître le roi d'Espagne, Jansénius publie un premier livre, un pamphlet intitulé *Mars Gallicus*[252], critiquant la France et la politique du cardinal de Richelieu, dénoncée comme inspirée de considérations laïques et indépendantes de Rome, soumises aux seules exigences de la raison d'État[239]. Richelieu reconnaît là l'influence de Saint-Cyran. Il décide de mettre un terme à ce qui est bel et bien, pour lui, un complot. Au reste, Saint-Cyran a trop de prestige à Paris auprès de ceux dont il est le directeur de conscience...

Quand Jansénius meurt de la peste, le 6 mai 1638, l'impression de l'*Augustinus* n'est pas commencée. Une semaine plus tard, Richelieu offre un évêché à Saint-Cyran, qui refuse. Le 14 mai suivant, il le fait alors arrêter et transférer à Vincennes. Saint-Cyran écrit : « La voie étroite m'a obligé à épouser une prison plutôt qu'un évêché[466]. » Mais la prison n'est pas hermétique : il correspond encore avec ses « dirigés » et par lettres, rallie même plusieurs nouvelles grandes dames à ses thèses, comme Mme de Guéméné[7]. Mais la détention ravage cet homme de soixante ans. Sa seule consolation est de savoir que Richelieu est au moins aussi malade que lui.

Pendant ce temps, l'université de Louvain se demande quoi faire de cet énorme manuscrit dont l'auteur vient de mourir. Ceux qui l'ont lu en ont compris la force et souhaitent le publier. Jansénius y explique que tous les théologiens après saint Augustin, notamment les scolastiques, se sont trompés en appuyant la religion sur la raison au lieu de la fonder sur la seule mémoire de l'Histoire révélée.

Pour lui, saint Augustin est la seule autorité en la matière. Il faut donc le suivre quand il explique que le péché originel est un fait historique et qu'il détermine toute l'histoire des hommes. Souillé physiquement, moralement et métaphysiquement, irrémédiablement corrompu depuis la Chute, séparé de Dieu, l'homme ne sait plus aimer son Créateur. Il croit aimer son prochain, mais n'aime en réalité dans autrui qu'une image de lui-même. L'amour de l'infini s'est changé chez lui en amour-propre et en une quête toujours plus insatiable de gloire et d'honneurs. Et la crainte de l'Enfer ne suffit pas à réformer l'homme. Pour le délivrer de sa condition, il doit donc mourir à ce monde et renaître en Dieu. Là seulement réside son salut. Mais l'homme ne peut avoir ce désir « authentique » de salut par sa seule volonté ; il ne peut l'éprouver que s'il a reçu la grâce. Et cette grâce vient arbitrairement de Dieu qui la donne à qui il veut. Alors, comme la grâce décide de tout, l'Église et ses mécanismes d'intermédiation avec Dieu ne sont plus indispensables. Sans menace, plus besoin de protecteur.

Tout est donc mis à mal dans cet énorme manuscrit : l'Église, qui n'est plus nécessaire ; les confesseurs, qui ont tort de se montrer trop conciliants ; les protestants, qui n'ont rien compris ; les libertins, qui croient au bonheur ; les scientifiques, qui croient en la raison. Rien ne trouve grâce à ses yeux, si ce n'est saint Augustin et l'espérance en une grâce inconnaissable qu'il faut se tenir prêt à saisir si on a la chance de l'avoir reçue.

Se fondant sur une décision de Paul III en 1611, interdisant de rien publier touchant la grâce, les jésuites tentent d'empêcher la publication de l'*Augustinus* et d'en faire détruire le manuscrit. Mais les autorités de la faculté de théologie de Louvain [140] démontrent que cette décision ne leur a jamais été officiellement signifiée. Le livre est donc publié sous la signature de Jansénius en 1640. Saint-Cyran le lit en prison en 1641. Il y retrouve sans surprise ses propres idées : il en a inspiré l'essentiel. À la Cour, on lui en fait d'ailleurs porter la responsabilité. Cette année-là se forme le mot « jansénisme ».

On murmure à présent que la publication de l'*Augustinus* fait partie d'un complot visant à abattre l'Église catholique pour lui substituer un horrible « déisme » [94]. Ce complot se serait noué en 1621 à la chartreuse de Bourgfontaine (près de Villers-Cotterêts) entre Saint-Cyran, Jansénius, Arnauld, les évêques de Nantes et de Belley, et un conseiller du Grand Conseil [94].

Énorme scandale dans toute l'Europe. Immédiatement, à la demande de Richelieu, le Saint-Siège rappelle l'interdiction d'écrire quoi que ce soit sur la grâce, que ce soit pour ou contre : c'est la stratégie de l'étouffement par le silence. Pauvre succès : la moitié des ouvrages édités à Paris entre 1643 et 1645 traitent de questions religieuses, et d'abord de celle-là.

Au lendemain de la mort de Richelieu, Mazarin poursuit la politique de son prédécesseur sur ce sujet comme sur les autres. Le 19 janvier 1643, la bulle *In eminenti* d'Urbain VIII condamne l'*Augustinus* et tous les écrits pour et contre. Saint-Cyran sort de prison le 6 février 1643, soit un mois avant la mort de Louis XIII, et décide de parler en chaire pour Jansénius : « *Tempus tacendi et tempus loquendi...* » Le 4 mars 1643, Jean-François de Gondi, archevêque de Paris, réitère l'interdiction de traiter en chaire des problèmes touchant à la grâce. C'est à l'évidence à Saint-Cyran que cette interdiction s'adresse.

Parmi les livres publiés au cours de cette année 1643 en défi au pape et aux jésuites, celui d'un brillant « dirigé » de Saint-Cyran dont on aura beaucoup à reparler, le jeune Antoine Arnauld, *De la fréquente communion* [11], est l'un des premiers ouvrages théologiques rédigés directement en français (et non plus en latin), ce qui en permet l'accès à de nombreux lecteurs. Il détermine, écrit Sainte-Beuve, « comme une révolution dans la manière d'entendre et de pratiquer la piété [...]. Il proclame et divulgue en un instant au-dehors cette doctrine restaurée de la pénitence [...], il en informe le public, les gens du monde, les étonne, les fait réfléchir, les édifie. La France de 1643 est prête à accepter sans résistance la doctrine janséniste »[463]. Arnauld propose aux confesseurs de ne point accorder un trop rapide pardon à leurs fidèles, et de mettre un certain délai entre la confession des péchés et l'absolution. Il enjoint aux hommes de fuir le monde. Il écrit : « Dieu ayant eu égard en faisant [le monde] aux suites du péché qui devait être commis [...], Il ne l'a fait qu'afin qu'il serve à l'homme de sujet de vertu en le fuyant, en le haïssant, en le ruinant autant qu'il est possible[11]. » Son livre connaît un énorme succès. Beaucoup, au sein de l'Église, s'en inquiètent, en particulier les jésuites qui craignent que sa thèse n'éloigne les fidèles des confessionnaux[239]. Racine écrira : « Les jésuites parlaient de ce livre comme d'un ouvrage abominable qui tendait à renverser la Pénitence et l'Eucharistie ; et de l'auteur comme d'un monstre qu'on ne pouvait trop tôt étouffer, et dont ils demandaient le sang aux Grands de la Terre[443]. » Cette malédiction poursuivra les Arnauld et, avec eux, Jacqueline et Blaise Pascal, ainsi qu'on va le voir, jusqu'à leur dernier souffle.

Saint-Cyran, libéré, revient à Port-Royal. Il y reçoit, entre autres, la visite du père Maignart, venu de Rouen : celui-là même qui a naguère marié Gilberte et Florin[7]. Mais il meurt le 11 octobre 1643 ; des disciples fanatisés découpent son corps, trempent des linges dans son sang ; la poussière de ses os est répartie dans des urnes. Seuls ses viscères sont enterrés[7]. « Les funérailles de Saint-Cyran furent honorées de tout ce qu'il y avait alors à Paris de prélats plus considérables », écrira Jean Racine[443]. « Tu n'auras pas de vérité récente », énonce son épitaphe[392].

Très vite, le jansénisme devient une doctrine. Non à cause du livre de Jansen, que nul, même dans le public lettré, ne lit vraiment, mais par les pamphlets, sermons, discours qu'il inspire. Et parce que son message est aussi clair que simple : l'homme ne peut pas se sauver seul. Il ne peut même pas tenter d'atteindre Dieu en ce monde, car ce ne serait qu'un « raffinement d'orgueil ». Pour se sauver, il ne doit surtout pas se contenter de se confesser, mais chercher à se connaître, s'analyser, aller au fond de son abjection pour se mettre en situation d'attendre la grâce, si elle vient. Et, pour cela, se faire aider d'un directeur de conscience qui lui montrera sa turpitude, s'interdire toute distraction telles que le théâtre, la danse, le cabaret. Il doit même s'interdire d'avoir des fleurs dans son jardin, de « jouir de la contemplation de la Trinité »[392], de prendre plaisir à la musique sacrée, de regarder des églises trop belles[391]. Seule la conscience de sa misère le rendra libre. Seule la pauvreté et le retrait du monde le sauveront, si la grâce est sur lui. Seule la pureté est un idéal.

Tout cela peut nous paraître à des années-lumière des préoccupations de notre siècle. Le salut n'est plus au centre des conversations. Beaucoup ne croient plus que chacun reçoit de Dieu, en naissant, une forme de grâce, ou qu'il en est privé. Et que cette grâce déciderait à l'avance de l'accès à l'éternité.

Pourtant, nous continuons à ne parler que de cela. D'une part, chacun reconnaît aux autres le droit de croire, et même le plus athée considère la foi comme un don extérieur, qui ne se décide pas. D'autre part, la question de savoir si nous sommes responsables de nos actes, si nous devons en être récompensés ou punis est au cœur de la modernité ; il ne s'agit plus de savoir si nous serons dignes du Paradis ou voués à l'Enfer, mais si notre existence terrestre est déterminée par des circonstances extérieures à notre libre arbitre. Non plus par la grâce, mais par la classe sociale, la sexualité ou la génétique, qui prédétermineraient pour chacun le rôle ou la place de l'hôpital ou de la prison. Aucune société, ancienne ou moderne, n'échappe en fait à cette discussion, à ce marchandage entre liberté et contrainte, détermination sociale et esprit d'initiative,

volonté et pulsion, inné et acquis. Plus l'homme se
pense contraint et plus il veut se révolter contre cette
contrainte. L'histoire de l'humanité, jusqu'à aujour-
d'hui, peut se lire comme celle de la lente émancipation des anciennes contraintes et de toutes celles qui
sont venues les remplacer.

Au XVIIᵉ siècle, c'est de Dieu que les marchands
cherchent à s'émanciper par les voyages et la recherche
du bonheur. Contre ces courants, les jansénistes entendent ramener l'homme à sa réalité spirituelle, l'empêcher de devenir un être de pouvoir et d'argent, lui
rappeler qu'il est une créature de Dieu soumise aux
caprices de son Créateur.

Le pouvoir politique se méfie aussitôt d'une doctrine
qui, en affirmant le devoir moral, prétend s'opposer à
la raison d'État. Le pouvoir religieux n'aime pas non
plus qu'on veuille remettre en cause son pouvoir d'absoudre par la confession, et qu'on lui rappelle que le
concile de Trente a imposé aux prêtres de célébrer la
messe lentement, de marcher les yeux baissés, de vivre
pauvrement. Un des premiers évêques devenus jansénistes, l'évêque d'Alet, Nicolas Pavillon, se contente
d'une petite cellule sommairement meublée. Il impose
la présence continuelle de son clergé dans le diocèse,
lui interdit de fréquenter cabarets, danses et fêtes profanes [239].

Au total, le jansénisme n'est pas une doctrine pour
les masses : le peuple ne peut apprécier cette apologie
de la pauvreté qui est déjà son lot quotidien, ni cette
désignation d'une élite inconnaissable de graciés, sorte
de nouvelle aristocratie aussi loin de lui que l'autre.
Très vite, le langage courant prête d'ailleurs au mot
« janséniste » le sens de celui qui prône une sévérité
excessive envers soi et les autres.

Mais le jansénisme a tôt fait d'attirer une élite poly-
morphe : tous ceux qui, de là où ils sont, voient la
barbarie des mœurs se mêler à la plus exquise des étiquettes, et qui refusent la centralisation des pouvoirs,

que ce soit à Paris ou à Rome. Des évêques, des prêtres, des bourgeois, des nobles, des médecins, des juristes et des philosophes [210] s'y intéressent d'emblée [56]. Chacun veut se débarrasser du « vieil homme » qui est en lui. Ils veulent se purifier. Chez Mme de Sablé, par exemple, les discussions, dès 1643, sont pour moitié précieuses, pour moitié jansénistes, et aboutiront plus tard au genre littéraire des maximes qu'illustreront bientôt le duc de La Rochefoucauld et l'abbé d'Ailly [31].

Toute la vie sociale s'en trouve profondément ébranlée. Des maisons jansénistes apparaissent à Saint-Germain-des-Prés, aux Blancs-Manteaux, à Reims, à Verdun, à Saumur ; à Châlons, l'abbaye sert de relais entre Port-Royal, la Hollande et la Lorraine.

Certains, parmi les nobles, en déduisent qu'il ne sert à rien de se préoccuper d'autre chose que de vivre puisque le salut est prédéterminé. On peut se contenter d'une « impiété tranquille » [313]. « Avant toutes ces questions-ci, dit l'un d'eux, quand les Pâques arrivaient, [les mondains] étaient étonnés comme des fondeurs de cloches, ne sachant où se fourrer et ayant de grands scrupules. Présentement, ils sont gaillards et ne songent plus à se confesser, disant : ce qui est écrit est écrit. Voilà ce que les jansénistes ont opéré à l'égard des mondains. Pour les véritables chrétiens, il n'était pas besoin qu'ils écrivissent tant pour les instruire, chacun sachant fort bien ce qu'il faut faire pour vivre selon la loi [19]. »

D'autres, parmi les bourgeois et les grands seigneurs, en concluent que, pour défendre sa chance de salut, il faut se retirer du monde, ne plus frayer avec lui ou à tout le moins s'installer dans une obéissance passive et désabusée [140]. C'est cette version du jansénisme qui va atteindre les Pascal à Rouen en 1646.

L'accident d'Étienne Pascal (1646-1647)

Tout ce qui est important dans la vie de Pascal lui arrive par accident. En janvier 1646, alors qu'il est entièrement pris par les développements de sa machine d'arithmétique, un accident survenu à son père lui fait rencontrer le jansénisme.

Un soir de verglas, Étienne Pascal doit se rendre à un duel dont il est témoin. Il ne peut utiliser son carrosse, faute de fers à glace pour équiper les chevaux. Il se précipite, chute et se casse la jambe. Pour le soigner, on fait appel à deux frères, chirurgiens connus dans la région. Nés sous le nom de Deschamps, ils ont été anoblis, l'un sous le nom de Des Landes, l'autre sous celui de La Bouteillerie. Comme c'est souvent la coutume en province chez des nobles, des médecins ou des magistrats choqués par la façon dont le pouvoir ignore la misère, chacun d'eux héberge sous son toit une vingtaine de pauvres.

Étienne Pascal les trouve si bons médecins qu'il leur demande de passer quelque temps chez lui. Des Landes et La Bouteillerie, qui ont pour directeur de conscience un certain Guillebert, curé de Rouville, parlent à leur hôte d'un certain Jean Duvergier de Hauranne, abbé de Saint-Cyran, mort deux ans plus tôt et connu, disent-ils, comme un théologien d'exception qui aurait rénové cette discipline avec un évêque d'Ypres, nommé Jansénius. Ils le comparent au Polyeucte de Corneille que Blaise vient d'écouter avec Jacqueline sur une scène de la ville[491]. Ils ne sont pas les seuls à se dire jansénistes en Normandie. L'année précédente (1645), un magistrat normand, Maignart, s'est fait connaître par la publication de *Relations* sur la misère du peuple en Normandie, et on murmure même que le chef de la police de Rouen serait lui aussi janséniste[94].

Étienne, puis Jacqueline commencent à lire les ouvrages que leur recommandent Des Landes et La Bouteillerie : le *Discours sur la réformation de l'homme intérieur*, de Jansénius [253] ; *De la fréquente communion*, d'Arnauld [11] ; les *Lettres spirituelles* [466] et *Le Cœur nouveau* [467], de Saint-Cyran. Ils y découvrent un univers qui les passionne et les révulse à la fois, parce qu'il prône une vie de renoncement à tout ce qui n'est pas la foi.

Peut-être torturé par ce qu'il a vu pendant toutes ces années d'exercice des responsabilités, Étienne y puise une sorte de paix intérieure : une quête de pureté, un rigoureux devoir d'obéissance, cette fois non envers le roi, mais envers Dieu. Il ne s'agit au fond que de changer de maître, sans renoncer à obéir : cela lui convient. Sans se détacher des devoirs de sa charge, il s'absorbe dans les lectures que lui recommandent ses nouveaux amis et passe avec eux de longues soirées de discussions théologiques. Les deux frères doivent trouver l'asile agréable : ils restent trois mois chez Étienne Pascal.

Blaise s'intéresse assez peu à ces discussions, si ce n'est par simple curiosité intellectuelle. La foi lui est naturelle, elle ne suscite chez lui ni question ni révolte. C'est une foi peu envahissante, extérieure à ses activités, conforme aux canons de l'Église, qui lui laisse le temps de réfléchir à la science. Jacqueline semble plus touchée, peut-être parce qu'elle voit déjà là une façon d'accéder à l'absolu, d'échapper à son père et à son frère ; peut-être aussi parce qu'elle y trouve une perspective de revanche contre ces salons où elle n'a pu entrer, contre ces mariages qui n'ont pas eu lieu, contre cette petite vérole qui la défigure. Plus tard, elle parlera de toutes ces « occasions » qu'elle a manquées ; voici qu'il s'en présente une nouvelle.

En 1646, elle est de nouveau demandée en mariage. Le prétendant est conseiller au Parlement de Rouen, c'est-à-dire un magistrat comme son père. Elle joue avec l'idée d'accepter. Étienne, cette fois, l'y pousse. C'est encore une fois Blaise qui fait tout ce qu'il peut pour l'en dissuader, jusqu'à tomber à nouveau malade :

transes, paralysie des jambes, évanouissements. Jacqueline le soigne nuit et jour. Il lui parle de ce qu'ils
viennent de découvrir aux côtés des jansénistes, de tout
ce qu'il y a à apprendre encore sur Dieu, et à Lui
consacrer. Il lui remontre qu'elle ne doit pas dérober
au Seigneur une part d'elle-même en la donnant au
monde [53]. Elle évoque alors une possible entrée dans
les ordres, seul endroit où elle trouvera sa liberté.
Blaise sursaute : il n'a pas parlé des jansénistes dans
cette intention. Elle sourit : sa foi s'arrête donc là ? Il
parle du projet de sa sœur à leur père, qui l'écarte lui
aussi. Pas question que Jacqueline les quitte pour le
couvent ! La voilà donc coincée entre deux geôliers,
l'un qui veut la protéger du monde, l'autre qui veut la
protéger de Dieu. Tous deux la séquestrent dans leur
amour. Elle réfléchit. Puis cède : elle restera avec son
frère et son père. Pour l'instant.

Blaise guérit.

Et se reprend à assouvir sa formidable curiosité. Et
tout comme la problématique de la foi est entrée dans
sa vie par accident, il croise, par accident encore, l'occasion d'une formidable découverte scientifique qui va
faire de lui, à vingt-trois ans, le fondateur de la physique moderne.

Le calcul du vide à Rouen (1646-été 1647)

Durant l'été 1646, un ami d'Étienne rencontré
quelques années plus tôt à l'académie Mersenne, Pierre
Petit, intendant des fortifications, s'arrête à Rouen chez
les Pascal, en route pour Dieppe où il vient observer
l'épave d'un navire de guerre, le *Sénégalais*, chargé de
40 000 écus, coulé le Mardi gras de 1637 dans la rade
du port (un matelot, raconte-t-on, avait imprudemment
allumé sa pipe près des barils de poudre). Petit compte
descendre dans l'épave grâce à une sorte de cloche
mise au point par un ingénieur marseillais, Jean Pra-

dines, permettant de « rester sous l'eau six heures avec une chandelle allumée »[491]. Invité à résider pour une nuit chez Étienne, il discute de son équipée avec le père et le fils : qu'est-ce qui empêche l'eau de pénétrer dans la cloche à plongeur ? Peut-on descendre à n'importe quelle profondeur sans que la pression de l'air augmente trop ? Petit raconte à ses interlocuteurs émerveillés une expérience faite tout récemment par un savant italien dont il ne connaît pas le nom et dont Mersenne a été informé sans avoir pu la reproduire ni être pleinement convaincu : il paraît que, quand on renverse dans un vase plein de mercure un tube suffisamment long, fermé seulement en haut et rempli lui aussi de mercure, on voit baisser la colonne de métal, mais pas jusqu'en bas du tube, pas jusqu'au niveau du mercure dans le vase. Cela prouverait, explique-t-il, qu'on peut avoir du vide dans un tube, dans la partie d'où le mercure s'est retiré. Mais cela n'explique pas pourquoi le mercure ne descend pas complètement dans le tube.

Plusieurs savants de l'époque ont entendu parler de l'expérience italienne. Elle vient d'abord de Galilée, qui, attaché à la Cour du grand-duc de Toscane, a remarqué que l'eau dans les pompes aspirantes ne monte qu'à certaines hauteurs. En 1643, son successeur Torricelli (l'Italien dont Petit ne connaît pas le nom) fait la même expérience avec du vif-argent (du mercure) dans un tube fermé en haut. Il le fait savoir à Mersenne en 1644. Certains la tiennent pour authentique, mais sans pouvoir l'expliquer. Parmi ceux qui la croient possible, d'aucuns, sans l'avoir encore démontré, pensent que si le mercure monte dans une partie du tube, c'est pour équilibrer le poids de l'air qui pèse sur le mercure contenu dans le vase, à l'extérieur du tube. Mais, pour en administrer la preuve, il faudrait d'abord admettre que l'air pèse, puisque au-dessus du mercure il y a le vide, qui ne pèse pas.

Le premier point est déjà admis par beaucoup :

même si nul ne l'a encore démontré, nombre de savants admettent que l'air a un poids ; et qu'on doit même pouvoir s'appuyer dessus pour voler. C'est ainsi qu'en 1500 Léonard de Vinci a tracé les plans de la première machine volante, et qu'en 1617 Fausto Verenzio a publié à Venise un ouvrage sur *Les Machines volantes et le parachute*[519].

Mais le second point — à savoir l'existence du vide — est beaucoup plus difficile à admettre, tous les savants confondant encore le vide et le néant. Or le néant est « impossible ». C'est pourquoi, depuis Aristote, au nom de la raison, il est reconnu que la nature a horreur du vide. Même ceux qui croient que la matière est faite d'atomes considèrent le vide comme irréalisable. Il est, disent-ils, plein d'une matière qu'ils nomment en général l'« éther ». De fait, l'hypothèse de l'impossibilité du vide n'est pas déraisonnable : le vide est même un des concepts les plus difficiles à admettre et, à l'époque, les meilleurs esprits, les moins enclins à la superstition, tels Descartes, Mersenne ou Leibniz, sont convaincus qu'il ne peut exister.

Mais, s'il n'y a pas de vide, qu'y a-t-il dans la cloche, et pourquoi le mercure monte-t-il dans le tube jusqu'à une certaine hauteur, et pas une autre ? Par ailleurs, s'il n'y a pas de vide, est-ce que l'air se prolonge à l'infini au-dessus de nos têtes ? Sinon, qu'y a-t-il au-dessus ? Et si l'air existe et a un poids, offre-t-il assez de résistance pour qu'on puisse s'appuyer sur lui ? Autrement dit, peut-on voler ?

De toutes ces questions, ce soir-là, on débat à l'infini. On s'échauffe. Blaise décortique posément les hypothèses. Pour lui, c'est très simple : il faudrait d'abord refaire l'expérience italienne, afin de la vérifier. Si tout se passe vraiment comme on l'a rapporté, on cherchera alors à comprendre ce qui se trouve au-dessus du mercure et à en déduire la raison de la montée du mercure dans le tube. Étienne accepte de financer l'expérience. On promet de se retrouver quand Petit reviendra de Dieppe.

En octobre 1646, Petit est de retour. Il n'a pas réussi à descendre dans sa cloche : voilà qui augure mal des expériences qu'on prépare. Pendant son absence, Blaise a fait souffler à grands frais, par une verrerie réputée située à l'angle de la rue des Prés et de la rue de la Pie-aux-Anglais[491], un tube de 4 pieds (environ 1,30 mètre) que Petit emplit de mercure avec un entonnoir en carton. Blaise verse le reste de mercure dans une grande jatte en bois qu'on recouvre d'eau, puis Petit renverse le tube à la verticale sur la jatte, le bout fermé en haut[491]. Dès que l'orifice du tube est en contact avec l'eau de la jatte, Petit relâche son doigt. Le mercure du tube descend. Mais pas jusqu'en bas. L'expérience italienne est confirmée.

Conformément aux habitudes des membres de l'académie, même lorsqu'ils sont au loin, Étienne, Blaise et Petit font connaître leurs résultats à Mersenne, à Paris. Sans même attendre que l'académie s'y emploie, Petit adresse dès les 19 et 26 novembre 1646, à Pierre Chanut, ambassadeur de France en Suède, un procès-verbal des expériences pour qu'il le transmette à Descartes qui séjourne alors à la Cour de la reine Christine.

En janvier et février 1647, Blaise Pascal réalise les premières démonstrations publiques de l'expérience à Rouen. Il pense déjà qu'au-dessus du mercure, dans le tube, il y a le vide, et que la hauteur du mercure ne fait que compenser la pression exercée par l'atmosphère sur la jatte ; mais il n'en a pas la preuve. Il fait part de son hypothèse à un professeur de Rouen, Jacques Pierus, qui n'y croit pas mais pense que ce sont des vapeurs mêlées de mercure et d'eau qui occupent le haut du tube[94]. Pour démontrer à Pierus son erreur, Pascal imagine alors sa première expérience personnelle, très onéreuse. Il fait souffler deux très grands tubes de cristal de 40 pieds (environ 13 mètres) de haut pour pouvoir grossir le résultat, toujours fermés à une extrémité, et les fait attacher verticalement à un mât de navire[94]. Il refait l'expérience en recouvrant le mercure de la jatte successivement avec de l'eau, puis avec du vin. Pierus prévoit que le vin, plus volatil, occupera davantage de place dans le tube et donc que le mercure y descendra beaucoup plus bas qu'avec l'eau. Rien de tel n'arrive. Malgré la taille des tubes qui devrait permettre de mesurer les différences les plus infimes, le mercure reste exactement à la même hauteur, que ce soit avec du vin ou avec de l'eau. Cela démontre que, au-dessus du mercure, ce ne sont pas des vapeurs mêlées d'eau ou de vin et de mercure.

Blaise multiplie alors les expériences. En utilisant une seringue, il comprend qu'il peut y faire le vide, et, ce faisant, démultiplier la force de celui qui l'utilise. Il recommence l'opération avec des siphons. Il vient de trouver le principe de la presse hydraulique...

Blaise a déjà un sens aigu de sa propre supériorité. Même sa sœur Gilberte, dans le récit apologétique qu'elle écrira sur lui beaucoup plus tard, est obligée d'en convenir avec des mots qui révèlent l'extraordinaire ascendant que le jeune génie exerçait sur tous ceux qu'il croisait ou fréquentait : « Il est vrai que je n'ai jamais vu une âme plus naturellement supérieure que la sienne à tous les mouvements humains de la corruption naturelle, et ce n'était pas seulement à l'égard des injures qu'il était ainsi comme insensible, mais il l'était aussi à l'égard de ce qui blesse tous les autres hommes et qui fait leur plus grande passion. [...] Il ne savait ce que c'était de plaire par flatterie, il était incapable aussi de ne pas dire la vérité lorsqu'il était obligé de le faire. Ceux qui ne le connaissaient pas étaient surpris d'abord quand ils l'entendaient parler dans les conversations, parce qu'il semblait toujours qu'il y tenait le dessus avec quelque sorte de domination ; mais c'était le même principe de la vivacité de son esprit qui en était la cause [431]... »

Au même moment a lieu un incident fort déplaisant sur lequel les biographes de Pascal font souvent silence. Blaise est invité avec son père et quelques amis, le 1er février 1647, chez Raoul Hallé de Monflaines, conseiller du roi (c'est-à-dire titulaire d'un office), pour entendre un capucin, Jacques Forton, en religion frère Saint-Ange, docteur en théologie de la faculté de Bourges, venu présenter un petit livre qu'il vient d'écrire sur l'*Alliance de la foi et du raisonnement*. Forton est un personnage intéressant. Il essaie de trouver un fondement scientifique à la foi. Partant des découvertes récentes sur la civilisation chinoise que les jésuites commencent à explorer et raconter, et dont on parle beaucoup à Paris, il prétend pouvoir calculer le nombre d'hommes ayant vécu depuis le commencement du monde. Il explique que, dans son calcul, il ne prend pas à la lettre les données de la Genèse, puisque la chronologie chinoise, elle, remonte à 36 000 ans et qu'il n'y a pas de raison de la mettre en doute. Il prétend trouver un fondement scientifique à la foi chrétienne et refuse de reconnaître l'autorité de la tradition. Pour lui, une telle recherche n'est pas sacrilège : Dieu n'agissant jamais sans raisons, il doit être possible de trouver la chronologie réelle de la Bible, et de découvrir la raison d'être de toutes choses, y compris des dogmes de la Trinité et de l'Incarnation[36].

Pascal est furieux de ce qu'il entend. Ce discours n'est pas conforme à la foi traditionnelle qui lui convient fort bien. Avec son hôte Hallé de Monflaines, il dénonce Forton comme sacrilège devant Mgr Camus, évêque de Belley. C'est une accusation très grave : on a envoyé des grands seigneurs sur le bûcher pour moins que ça. Camus, qui connaît Forton et sait qu'il est tout sauf un dangereux hérétique, essaie d'étouffer l'affaire. Blaise s'acharne et va en parler à plusieurs reprises à l'archevêque de Rouen, Mgr de Harlay, au château de Gaillon. Il tient à ce qu'on fasse un procès à cet impie[491]. Le procès a lieu. Dans les procès-verbaux de l'archevêché, on peut lire que « le jeune Pascal ne s'y présente pas comme accusateur, mais comme témoin »[36]. Le moine se rétracte : il n'a jamais voulu mettre en cause les dogmes. Sa bonne foi est reconnue ; l'affaire en reste là. « [Forton] ne témoigna jamais aucun ressentiment à ceux qui avaient fait la dénonciation [423]. »

Blaise n'éprouve aucun remords. Il dit, selon sa nièce Marguerite — dix ans après les événements et à propos d'autre chose —, sa dénonciation des casuistes dans *Les Provinciales* : « Si j'étais dans une ville où il y eût douze fontaines et que je susse certainement qu'il y en a une empoisonnée, je serais obligé d'avertir tout le monde de n'aller puiser de l'eau à cette fontaine. Et comme on pourrait croire que c'est une pure imagination de ma part, je serais forcé de nommer celui qui l'a empoisonnée, plutôt que d'exposer toute une ville à s'empoisonner [432]. »

Pourtant, bien plus tard, Pascal reprendra toutes les questions de Forton avec le même souci que lui de concilier des vérités apparemment contradictoires [491], d'inscrire l'Histoire chinoise dans l'Histoire sainte et de fournir une vérification historique de l'existence de Dieu. Lui qui, en matière de science, est prêt à toutes les audaces, n'est pour l'instant disposé à aucune en matière de foi. Comme les jansénistes qu'il vient d'entendre, il s'en tient aux textes, rien qu'aux textes, dans leur vérité historique revendiquée.

Descartes et Pascal (septembre 1647)

Au printemps 1647, Blaise Pascal souffre plus que jamais de maux d'estomac et de violentes migraines. « Nous avons un autre principe d'erreur, les maladies. Elles nous gâtent le jugement et le sens. Et si les grandes l'altèrent sensiblement, je ne doute pas que les petites n'y fassent impression à leur proportion. » (fr. 78) Il est possible qu'il ait été intoxiqué par les émanations du mercure qu'il manipule depuis un an et qu'il conserve dans sa chambre. Gilberte écrit à ce propos : « Mon frère avait pour lors vingt-quatre ans ; ses incommodités avaient toujours beaucoup augmenté et elles vinrent jusqu'au point qu'il ne pouvait plus rien avaler de liquide, à moins qu'il ne fût chaud, et encore ne le pouvait-il faire que goutte à goutte [...]. De sorte que les médecins crurent que pour le rétablir entièrement, il fallait qu'il renonçât à toute occupation d'esprit qui eût quelque suite, et qu'il cherchât autant qu'il pourrait toutes les occasions de se divertir l'esprit à quelque chose qui l'appliquât et qui lui fût agréable, c'est-à-dire en un mot aux conversations ordinaires du monde ; car il n'y avait point d'autres divertissements convenables à mon frère [431]. »

Pour trouver ces « conversations ordinaires du monde », on envoie Blaise à Paris. Étienne n'a plus besoin de lui : les finances de Rouen sont en ordre. Il autorise ses enfants à revenir dans la capitale, mais, pour ne pas les laisser seuls, il les fait accompagner par Louise Delfaut.

À l'été 1647, Blaise débarque dans la capitale, escorté de Jacqueline qui lui sert de garde-malade et de Louise Delfaut. Ils s'installent dans la maison de la rue Brisemiche, qu'ils ont conservée, face à celle des Roannez. Le jeune homme est heureux : il a désormais sa sœur pour lui tout seul.

Il retourne à l'académie Mersenne et y présente ses expériences sur le vide. On l'applaudit. Le père Mersenne lui raconte le détail de l'expérience italienne que Pascal a refaite à Rouen, et lui donne le nom de son auteur, que Petit ignorait : Torricelli. Il lui montre la copie d'une lettre que celui-ci a adressée le 10 juin 1644 à Michel-Ange Ricci et dans laquelle il écrit : « Nous vivons submergés dans un océan d'air et nous savons par des expériences indubitables que l'air est pesant. » Fin septembre, Roberval publie en latin le récit de l'expérience de Pascal à Rouen.

Celui-ci est maintenant convaincu de l'existence du vide. Il en déduit que la hauteur du mercure dans le tube ne dépend que du poids de l'atmosphère au-dessus de l'expérience. Il est pressé de le démontrer, car, depuis que ses expériences rouennaises sont connues, d'autres travaillent à les refaire. Un capucin polonais, le père Valerian Magni, prétend même avoir réussi lui aussi à reproduire en secret, en juin 1647, l'expérience de Torricelli, et la renouvelle publiquement, le 18 juillet suivant, tout en en répandant le récit à travers l'Europe savante : *Demonstratio ocularis loci sine locato*[497].

Là se situe la seule rencontre entre les deux géants du Grand Siècle, Pascal et Descartes. De retour de Suède avant de repartir pour Amsterdam, Descartes est de passage à Paris. Il a souvent entendu parler de Pascal par Desargues, Mersenne, Roberval et Petit. Le jeune homme l'intrigue. Il a été fort irrité, six ans plus tôt, des prétentions de ce gamin en matière de géométrie. Cette histoire de machine d'arithmétique et les idées farfelues qu'on lui rapporte sur le vide le rendent perplexe. Il ne croit ni à l'une ni aux autres, mais, malgré tout, il tient à en savoir plus. Il devine qu'il a affaire là à un jeune prodige ; Mersenne le lui a assez répété. Descartes demande alors à Pascal de venir le voir chez lui, rue Neuve-Saint-Étienne-du-Mont (actuellement, rue Rollin). Mais Pascal se sent trop mal ; il ne peut se déplacer à l'autre bout de Paris. Étrange coïncidence : Pascal mourra dans cette rue. Descartes, furieux de ce qu'il prend pour de la suffisance, décide d'abord d'en rester là. Mais, n'y tenant plus, l'avant-veille de son départ, il choisit de faire l'effort de se rendre, lui, le plus important philosophe vivant de toute l'Europe, chez ce bricoleur de vingt-quatre ans.

Le 23 septembre 1647, à 10 heures du matin, Descartes arrive rue Brisemiche. Pascal le reçoit alité, en présence de Jacqueline et de Roberval. Descartes tient d'abord à vérifier si Pascal est vraiment malade. Il le questionne sur ses symptômes. Pascal n'en dit mot. Il n'aime pas se plaindre devant un étranger. Comme il se targue d'être aussi médecin, Descartes lui recommande du repos et des bouillons[491]. Pascal lui montre alors sa machine d'arithmétique et sa seringue à faire le vide. Roberval interroge Descartes : comment explique-t-il l'expérience de Torricelli ? Le maître se lance dans une explication obscure d'où il ressort que le vide n'existe évidemment pas, qu'il est rempli par une « matière subtile » qui se trouve dans l'air ambiant et s'insinue dans le tube à la place du mercure, par des « mouvements circulaires ». D'ailleurs, l'expérience de Torricelli ne pourrait réussir dans une chambre hermétiquement close, car la « matière subtile » ne pourrait s'y insinuer. Pascal ne répond rien. Il est trop las, et pense que les idées de Descartes sont un « roman de la nature », un équivalent du *Don Quichotte*. Du reste, plus tard, quand il voudra citer un exemple d'hypothèse absurde maintenue contre l'évidence, il mentionnera celle de Descartes sur le vide. Mais, comme il n'a pas encore réuni les preuves de ses intuitions, il se tait. C'est Roberval qui se charge de répondre à sa place. Descartes et lui se disputent. La réunion dure trois heures.

Descartes est si fasciné par le jeune homme et ses silences qu'il revient le lendemain matin, juste avant son départ pour la Hollande. On ne sait rien de plus de ces entretiens, si ce n'est que, deux ans plus tard (dans une lettre du 17 août 1649), l'inventeur du *Cogito* prétendra avoir conseillé ce jour-là à Pascal de mesurer la hauteur du mercure dans un tube en procédant à l'expérience au sommet d'une haute montagne. C'est peu vraisemblable : ses théories sur le vide sont trop éloignées de la vérité pour qu'il songe à démontrer ainsi sa propre erreur[497]. D'ailleurs, de retour en Hollande, Descartes ne fera rien d'autre à ce sujet que d'installer un tube à mercure dans sa chambre et de noter les variations de la hauteur de la colonne métallique selon le temps qu'il fait, sans en tirer de conclusions[491].

Le mois suivant (octobre 1647), Blaise Pascal décide de faire connaître l'étendue de ses travaux sur le vide. Il sélectionne huit expériences, notamment celles avec la seringue et avec des siphons, et les publie sous son nom comme *Expériences nouvelles touchant le vide*, chez le libraire Pierre Margat, au quai de Gesvres, à l'enseigne de l'Oiseau de paradis. Il veille à ne rien affirmer qu'il n'ait prouvé. Or rien n'est encore complètement démontré. Il pressent certes la vérité, mais, tant qu'il n'a pas de certitude, il continue d'user de l'expression « horreur de la nature pour le vide », même s'il est convaincu que c'est la pesanteur de l'air qui fait remonter le mercure dans le tube. « Tous, conspirant à bannir le vide, exercèrent à l'envi cette puissance de l'esprit qu'on nomme subtilité dans les écoles, et qui, pour solution des difficultés véritables, ne donne que des vaines paroles sans fondement. Je me résolus donc de faire des expériences si convaincantes qu'elles fussent à l'épreuve de toutes les objections qu'on y pourrait faire [401]. »

Pour démontrer définitivement que c'est bien la pression de l'air sur le mercure environnant qui fait équilibre avec la colonne de métal liquide, il imagine deux expériences nouvelles.

D'abord, il introduit un tube rempli de mercure (qu'on appelle à l'époque « vif-argent ») dans un autre tube, plus large, ouvert aux deux extrémités, et il les place ensemble verticalement sur une jatte de mercure. Le métal ne reste dans le tube intérieur que si le haut du tube extérieur est fermé, avec le doigt. Cela prouve que c'est bien la pression de l'air extérieur sur la masse de mercure qui est la cause de la suspension du mercure dans le tube. Mais cette expérience n'est pas encore décisive, car elle n'est pas incompatible avec l'« horreur du vide ».

Il pense donc à une autre expérience, absolument déterminante celle-là. Émettant l'hypothèse que la masse d'air pesant sur la tête de l'observateur dépend de l'altitude, il en déduit que la hauteur du mercure dans le tube variera avec le lieu de l'expérience. Il décide donc de la répéter plusieurs fois, le même jour, mais à différentes altitudes, « dans un même tuyau, avec le même vif-argent, tantôt en bas et tantôt au sommet d'une montagne élevée pour le moins de 500 à 600 toises [environ 975 à 1 170 mètres], pour éprouver si la hauteur du vif-argent suspendu dans le tuyau se trouvera pareille ou différente dans ces deux situations... S'il arrive que la hauteur du vif-argent soit moindre au haut qu'au bas de la montagne, il s'ensuivra nécessairement que la pesanteur et pression de l'air est la seule cause de cette suspension du vif-argent, et non pas l'horreur du vide, puisqu'il est bien certain qu'il y a beaucoup plus d'air qui pèse sur le pied de la montagne que non pas sur son sommet ; au lieu qu'on ne saurait dire que la nature abhorre le vide au pied de la montagne plus que sur son sommet[401]. »

Le plus extraordinaire, dans cette expérience, c'est l'idée de montagne. Elle suppose tout un ensemble d'hypothèses annexes : que le poids de l'air varie avec l'altitude, c'est-à-dire que l'air au-dessus de nous est limité en hauteur, qu'il y en a donc moins en montagne qu'au sol, que le poids de l'air décroît avec l'altitude, enfin que la quantité d'air autour de la Terre est assez faible pour que l'ascension d'une montagne engendre une différence mesurable de niveau du mercure. Avec ce qu'on savait à l'époque de la nature de l'atmosphère et de la configuration de la Terre, c'est là un ensemble d'hypothèses au moins aussi audacieuses que celle portant sur la pression elle-même. C'est même une formidable avancée dans la perception de notre monde : l'air est rare, limité, et la Terre est asphyxiable.

Ce bouleversement passera complètement inaperçu, alors même que Pascal, par cette simple expérience, révolutionne la physique des fluides et invente la méthode expérimentale. Non seulement il renverse une hypothèse majeure de la pensée, qui confond depuis toujours le vide et le néant, non seulement il jette les bases de l'hydrostatique, mais, par-dessus tout, il conçoit la première tentative visant à vérifier une hypothèse non intuitive par une expérience conçue dans le seul but de montrer que la nature se conduit comme si la loi ainsi vérifiée était vraie. La science, depuis lors, n'est rien d'autre qu'un ensemble de lois telles que « tout se passe comme si » elles étaient vraies.

Il faut trouver une montagne et un opérateur de confiance, car Blaise est trop malade pour procéder lui-même à l'expérience. Il pense à son beau-frère et au puy de Dôme, proche de Clermont, qui doit bien être assez haut. Mais, comme il ne se fie à personne, il entend préciser dans les plus infimes détails les conditions de l'expérience. Il faudra donc encore dix mois pour en finir avec une théorie vieille de plusieurs millénaires.

Là se situe son premier désaccord avec les jésuites, qui deviendront plus tard ses pires ennemis. Et c'est l'occasion pour lui de produire un de ses textes scientifiques les plus importants, un des plus fondamentaux dans l'histoire de la recherche, puisqu'il définit ce qu'est encore aujourd'hui la méthode scientifique.

Après la publication de ses *Expériences*, il reçoit en octobre 1647 d'un jésuite mathématicien, le père Noël, professeur de mathématiques de Descartes dont il est resté l'ami, une lettre fort polie qui soutient la thèse de l'inexistence du vide. Noël n'est pas un savant qui cherche à défendre ses propres idées ; il ne fait que reproduire la pensée unique de l'époque : le vide étant le néant, il est inconcevable et il n'est donc qu'apparent. En réalité, le prétendu vide, dit Noël, est occupé par ce que Descartes désigne comme la « matière subtile », que d'autres appellent depuis toujours l'« éther ». Pour Noël, le mercure occupera nécessairement une part de l'espace qu'on lui laisse, freiné seulement par la « légèreté mouvante » de « l'éther imperceptible ». Le jésuite ne lui précise pas que cette lettre est le résumé d'un petit traité qu'il s'apprête à publier contre lui sous le titre assez drôle de *Le Plein du vide*, avec une dédicace au prince de Conti.

Le 29 octobre 1647, Blaise Pascal réplique à la lettre. Cette réponse est un chef-d'œuvre littéraire et scientifique ; elle justifie qu'on s'attarde un instant sur cette polémique [94].

Il proclame d'abord cette « règle universelle » : on ne doit affirmer que ce qui paraît si clairement et si distinctement aux sens ou à la raison qu'on ne puisse douter de sa certitude. Pour lui, il ne suffit pas qu'une définition soit claire pour qu'elle soit vraie. Nulle conception de l'esprit ne peut remplacer le fait, ou valoir contre lui [94]. Il faut, dit-il, définir avec rigueur les principes « ou ce qui s'en déduit par des conséquences infaillibles et nécessaires » [401]. Une hypothèse ne vaut que tant qu'elle n'est pas contredite par une expérience [94], mais une expérience ne justifie pas à elle seule une théorie dans la mesure où un même phénomène peut avoir plusieurs causes [94] : « Car comme une même cause peut produire plusieurs effets différents, un même effet peut être produit par plusieurs causes différentes. C'est ainsi que, quand on discourt humainement du mouvement ou de la stabilité de la Terre, tous les phénomènes des mouvements et rétrogradations des planètes s'ensuivent des hypothèses de Ptolémée, de Tycho, de Copernic et de beaucoup d'autres qu'on peut faire, de toutes lesquelles une seule peut être véritable. Mais qui osera faire un si grand discernement, et qui pourra, sans danger d'erreur, soutenir l'une au préjudice des autres [401] ? »

Vient sa démonstration [94] : si l'on suit le raisonnement du père Noël, la hauteur du niveau de mercure devrait être plus élevée pour un plus grand tube, puisque plus de place y est laissée pour l'éther. Or l'expérience démontre que la hauteur du vif-argent dans le tube est indépendante de ses dimensions. L'hypothèse de Noël est donc fausse, puisqu'« on en conclut nécessairement des choses contraires aux expériences »[401]. Sûr de son fait, il conclut avec beaucoup de respect mais aussi un brin d'ironie pour son contradicteur : « Je trouve que votre lettre n'est pas moins une marque de faiblesse de l'opinion que vous défendez que de la vigueur de votre esprit[401]. »

En recevant cette missive fort aimable, le père Noël se reconnaît convaincu par la démonstration de Pascal. Il lui répond immédiatement : « Votre objection m'a fait quitter mes premières idées. » Un autre jésuite, le père Talon, transmet à Pascal cette seconde lettre avec ce message : « Mon ami, le R.P. Noël, vous demande de ne pas répondre à cette réponse, craignant qu'une nouvelle polémique ne doive affecter votre santé. Vous pourrez toujours, à l'occasion, vous éclaircir de bouche des difficultés qui vous restent. Il vous prie également de ne montrer sa réponse à personne, l'ayant écrite pour vous seul. Les lettres sont des choses particulières et souffrent quelque violence quand elles ne sont pas tenues secrètes[7]. »

Pourtant, malgré la convention de silence et le changement d'opinion annoncé, *Le Plein du vide* paraît en mai 1648, précédé d'une adresse au prince de Conti dénonçant « les impostures des témoins qu'on lui oppose ». Voilà qui fait grand bruit dans Paris : un homme de bonne foi comme Noël n'a pas été convaincu par les arguments théoriques de Pascal. L'expérience du puy de Dôme n'a pas encore eu lieu. Pascal est vulnérable. Cette publication cause le plus grand tort à sa jeune réputation.

En réalité, le père Noël étant malade, son traité a été imprimé sans qu'il en ait revu les épreuves pour y intégrer les corrections rendues nécessaires par la réponse de Pascal. Découvrant son livre chez l'éditeur, le jésuite est furieux. Il rédige une page d'errata, *Gravitas comparata*, où il reconnaît que c'est le poids de l'air qui explique la hauteur du mercure dans le tube. Il l'envoie à Pascal et la joint à chaque exemplaire de son livre avec des extraits de sa seconde lettre à Pascal, tout en indiquant : « Tout ceci (que j'avais mis dans ma seconde lettre à M. Pascal le fils, qui m'avait honoré d'une belle réponse) manque à l'endroit que j'ai marqué [497]. » Dans l'édition suivante, il supprimera la dédicace, inversera le titre en *Le Plein confirmé par les expériences nouvelles*, et expliquera qu'ayant rédigé son traité en français, l'expression de sa pensée avait manqué d'exactitude.

Pascal a gagné.

Ses expériences attirent maintenant l'attention de toute l'Europe savante : Gassendi les cite avec admiration ; en Angleterre, Boyle développe le principe de la machine pneumatique du « très ingénieux Pascal ». D'autres expériences sur le vide sont tentées en Pologne, en Suède, en Hollande.

On attend avec impatience les expériences finales que Pascal prépare. On en discute longuement à l'académie Mersenne où les meilleurs esprits ne croient toujours pas à la possibilité du vide. Marin Mersenne lui-même pense que l'expérience de Clermont ne peut qu'échouer.

Roberval n'y croit pas davantage : pour lui, comme il n'y a pas de vide dans le tube de verre et puisque le vide n'existe pas, l'altitude n'influera pas sur le niveau du mercure. Pour le démontrer, il a l'idée de mettre dans une seringue à faire le vide une vessie de carpe soigneusement aplatie ; mais, à la surprise générale, quand on fait le vide dans la seringue, la vessie se gonfle, et parfois même éclate. Comme l'élasticité des gaz n'est pas une propriété connue, ce phénomène imprévu perturbe tout le monde. Ne va-t-il pas compromettre la thèse pascalienne ? Mersenne, Gassendi, Descartes, Huygens, Bernier et d'autres en cherchent l'explication. Pascal ne se sent pas concerné : l'expérience de Roberval n'infirme en rien sa thèse. Plus tard, il cherchera néanmoins à comprendre ce qui s'est passé.

Le 15 novembre 1647, il est fin prêt. Il écrit encore une fois à Florin Périer pour le prier de procéder à l'expérience du puy de Dôme. Il lui en expose cette fois tous les détails. L'expérience devra être faite « au pied et au sommet », en un seul jour, avec deux tubes utilisant le même mercure, en présence de témoins de confiance.

« Je vous prie seulement que ce soit le plus tôt possible, et d'excuser cette liberté où m'oblige l'impatience que j'ai d'en apprendre le succès, sans lequel je ne puis mettre la dernière main au traité que j'ai promis au public, ni satisfaire au désir de tant de personnes qui l'attendent et qui en seront infiniment obligées [401]. »

Il lui faudra encore patienter onze mois avant que Florin trouve le temps de s'en occuper.

Découverte de Port-Royal

En septembre 1647, Pascal et Jacqueline rencontrent M. Guillebert, curé de Rouville, confesseur des médecins d'Étienne, de passage à Paris. Il leur parle des sermons extraordinaires d'un personnage non moins extraordinaire, M. Singlin, qui a succédé, paraît-il, à M. de Saint-Cyran à l'abbaye de Port-Royal établie depuis 1625 au faubourg Saint-Jacques, dans l'ancien hôtel de Clagny.

Le moment est venu de raconter brièvement l'histoire de cette singulière congrégation et surtout de la famille avec laquelle elle se confond depuis le début du XVIIe siècle, les Arnauld.

Grands bourgeois ambitieux, ils ont tenté toutes les carrières. D'abord huguenots, ils se sont ralliés au catholicisme après la Saint-Barthélemy. Antoine Arnauld père, avocat général au Parlement de Paris, ami d'Henri IV, contribue à la première expulsion des jésuites en 1594. Il a eu vingt enfants, dont dix survivants, et pas assez de patrimoine pour tous. En 1599, il apprend qu'une charge d'abbesse commendataire sera bientôt libre dans une abbaye nommée Port-Royal. C'est l'une des plus anciennes « filles » féminines de l'ordre de Cîteaux ; elle a été fondée en 1204 par Mathilde de Garlande, en réponse à un vœu de son époux, Matthieu Iᵉʳ de Marly-Montmorency, parti pour la quatrième Croisade. Elle est située en Porrois — vieux mot français désignant une terre sauvage et marécageuse —, dans la vallée de Chevreuse : d'où « Port-Royal », nom qui s'installe vite pour désigner un lieu qui n'a rien de royal, hors le hasard de la consonance — même si la légende veut faire croire que le nom a été donné par Philippe Auguste qui s'y serait réfugié au cours d'une chasse. En 1223, une bulle du pape Honorius III l'a autorisée comme toutes les abbayes cisterciennes à recevoir des séculières qui désirent faire retraite sans prononcer de vœux [33]. C'est, à la fin du XVIᵉ siècle, une abbaye en déshérence, où les religieuses vivent plutôt en femmes du monde.

Antoine Arnauld obtient par ses relations à la Cour d'y faire nommer abbesse coadjutrice une de ses filles, Jacqueline. Elle a huit ans. Ce n'est pas un obstacle. On l'y envoie sans lui demander son avis. Élevée d'abord au couvent de Maubuisson où Henri IV rencontrait alors Gabrielle d'Estrées, Jacqueline devient, à son arrivée à Port-Royal, sœur Angélique en hommage à Angélique d'Estrées, sœur de Gabrielle, qui dirigeait Maubuisson. Elle s'ennuie ferme avec les douze vieilles dames qui se trouvent là. L'endroit est lugubre. Elle veut partir, on la retient. À onze ans, en 1602, elle est nommée abbesse en titre, son père trompant le roi et le pape sur son âge. En 1607, malade, elle revient pour six mois à Paris. En 1608 — elle a dix-sept ans —, l'Histoire retient que le sermon d'un moine de passage, le père Basile, prônant humilité et austérité, la touche. Elle devient pieuse, prend le couvent en main et décide de réformer l'abbaye. Elle choisit un costume très austère, rétablit le lever à 2 heures du matin, la coordination par signes dans les travaux manuels, la mise en commun de tous les biens, le jeûne, le silence, la veille de nuit, la mortification. On chante les heures monastiques (les matines ont lieu dès le milieu de la nuit). On prie, médite et fabrique des objets d'Église. Est même instituée la clôture absolue, c'est-à-dire l'interdiction d'entrer faite à quiconque n'est pas religieux. Ainsi, quand, le vendredi 25 septembre 1609, son père — dont deux autres filles viennent d'entrer à Port-Royal — vient lui rendre une de ses rares visites, il trouve porte close et ne peut voir sa fille qu'à travers les grilles du parloir. Angélique Arnauld s'évanouit devant la colère de son père. Mais elle tient bon. La « journée du guichet » marque son vrai passage à la foi. Elle recherche alors des directeurs de conscience de qualité pour sa communauté. Vers 1609, elle rencontre le père Archange de Pembroke, « un homme d'un excellent esprit, digne de la grandeur de sa naissance »[389]. Capucin né en Angleterre en 1567, il est venu en France pour échapper aux persécutions dont sont victimes les catholiques outre-Manche. Fils du comte de Pembroke, il est reçu dans la haute société parisienne et joue un rôle important dans le milieu spirituel de l'époque. Il devient donc pour un temps le directeur de conscience de Port-Royal. Le 4 août 1614, Angélique fait rétablir l'abstinence complète de viande, conformément à la règle de saint Benoît.

En 1618, l'abbaye de Cîteaux, dont elle dépend, l'envoie mettre de l'ordre à Maubuisson, autre abbaye cistercienne de femmes, et remplacer Angélique d'Estrées qui en a encore le bénéfice. Elle récupère les profits des dots pour le compte du couvent. C'est là qu'elle rencontre François de Sales dont elle dira plus tard qu'il est le premier homme « dont l'esprit domine le sien ». Elle écrira par exemple n'avoir jamais oublié son apologie de la patience[94] : « Oh ! ma fille, non, je vous prie, ne croyez pas que l'œuvre que nous avons entrepris de faire en vous puisse être sitôt faite. Les cerisiers portent bientôt leurs fruits parce que leurs fruits ne sont que des cerises de peu de durée ; mais les palmiers, princes des arbres, ne portent leurs dattes que cent ans après qu'on les a plantés, ce dit-on [239]. »

Maubuisson en ordre, Angélique revient à Port-Royal avec les trente novices qu'elle a formées à Maubuisson. L'établissement compte alors quatre-vingts religieuses.

Elle passe par Paris où, le 2 mars 1623, elle croise chez sa mère Jean Duvergier de Hauranne, abbé de Saint-Cyran [69]. C'est un ami de son frère aîné, Robert Arnauld d'Andilly [164], personnage considérable, ami de Mazarin, très introduit à la Cour. Saint-Cyran est encore l'homme des oratoriens.

C'est là que tout se noue entre Saint-Cyran et Angélique Arnauld. Comme si les deux moitiés d'une bombe se trouvaient soudain réunies.

En 1624, l'abbaye est devenue insalubre en dépit des travaux qu'y avait entrepris Angélique. Quinze religieuses y meurent en deux ans. Quand Antoine Arnauld disparaît, sa veuve, Catherine, prend, le 19 juillet 1624, le voile et achète à un certain Robert de Romain la « maison de Clagny », au coin de la ruelle de la Bourge et de la rue du Faubourg-Saint-Jacques, à Paris (aujourd'hui une partie de la maternité Baudelocque entre la rue du Faubourg-Saint-Jacques et l'avenue de l'Observatoire, la rue Cassini et le boulevard de Port-Royal), et y finance le déménagement des religieuses de Port-Royal-des-Champs en attendant qu'on ait achevé les travaux d'assainissement qu'elle finance aussi dans la vallée du Rhodon. L'abbaye passe alors sous la tutelle de l'archevêque de Paris.

L'une après l'autre, toutes les filles de Catherine rejoignent leur sœur, mère Angélique, dans le couvent parisien et y prononcent leurs vœux : d'abord sa cadette, la future mère Agnès, puis les autres, suivies de six de ses nièces. Six petits-fils et fils Arnauld rejoindront à leur tour Port-Royal d'une façon ou d'une autre. Saint-Cyran s'intéressera surtout au plus jeune frère d'Angélique, Antoine Arnauld, qu'on surnommera, pour le distinguer des autres, « le Grand Arnauld » ; né en 1612 — il a donc douze ans à l'époque —, il deviendra un avocat brillant, puis prêtre et docteur de Sorbonne avec une thèse portant naturellement sur la grâce [239]. C'est lui qui écrira en 1643 *De la fréquente communion* [11], dont on a souligné plus haut l'importance. Jean Racine tracera de lui ce portrait [443] :

Sublime en ses écrits, doux et simple de cœur,
Puisant la vérité jusqu'en son origine,
De tous ses longs combats Arnauld sortit vainqueur
Et soutint de la foi l'antiquité divine ;
De la grâce il perça les mystères obscurs,
Aux humbles pénitents traça des chemins sûrs,
Rappela le pécheur au joug de l'Évangile.
Dieu fut l'unique objet de ses désirs constants :
L'Église n'eut jamais, même en ses premiers temps,
De plus zélé vengeur, ni d'enfant plus docile.

En janvier 1629, Louis XIII renonce à son droit théorique de nomination de l'abbesse de Port-Royal, désormais élue tous les trois ans par les religieuses elles-mêmes. En application de ces nouvelles dispositions, le 20 juillet 1630, mère Angélique démissionne de sa charge d'abbesse, et sa sœur, mère Agnès, alors à l'abbaye du Tart (près de Dijon), renonce à sa fonction de coadjutrice [69]. En mai 1633, la première devient supérieure de l'Institut du Saint-Sacrement, à Paris, rue Coquillière ; elle s'y installe avec trois religieuses et quatre postulantes de Port-Royal [69].

En 1635, Angélique se place sous la direction spirituelle de Saint-Cyran. Elle dira qu'après s'être sentie « comme un pauvre vaisseau agité par la mer », elle a trouvé enfin en lui un directeur de conscience qu'elle reconnaît « aussi spirituel et saint que savant » [70]. Saint-

Cyran devient même directeur et confesseur de tout Port-Royal, dont il entend bien se servir comme d'un instrument et d'une vitrine pour faire prévaloir les thèses contenues dans le livre qu'il prépare avec Jansénius. Les Arnauld combinent à merveille ce mélange de foi ardente et de relations séculières dont il a besoin. Le 10 février 1636, mère Angélique revient à Port-Royal, toujours à Paris, comme maîtresse des novices [69]. Autour de ses neveux dont il dirige l'éducation, Saint-Cyran réunit quelques très jeunes enfants de familles amies et des rejetons des paysans et ouvriers qui travaillent à Port-Royal. L'objectif de cette éducation est cohérent avec la doctrine : protéger la grâce dans les âmes de ces enfants, pourvu qu'elle s'y trouve. À cette fin, les jansénistes seront parmi les premiers pédagogues à considérer les enfants comme tels, et non comme des adultes en miniature, à dispenser tous les cours en français, à supprimer les châtiments corporels [69].

Pour l'aider dans cette tâche, Saint-Cyran choisit en mars 1636 Antoine Singlin comme prêtre de la communauté, cependant qu'en septembre de la même année, mère Agnès, sœur d'Angélique, est élue abbesse [69].

Fils d'un tonnelier, Antoine Singlin n'a pas le charisme de M. de Saint-Cyran. De cet homme austère Sainte-Beuve pourra écrire : « À la suite de l'esprit de Saint-Cyran, il en a tout, excepté l'invention du maître ; c'est le pur *vicaire* [463]. » Il exige de ses pénitents une soumission absolue. Ses sermons du dimanche attirent un public nombreux et mondain à Port-Royal de Paris. On cherche à s'y montrer ; c'est même une façon d'exprimer son opposition au cardinal de Richelieu dont Saint-Cyran est l'ennemi.

En 1637, Antoine Le Maistre, neveu de mère Angélique et fils de Catherine Arnauld, avocat de renom et conseiller d'État, décide, après un mariage manqué avec Madeleine de Cornouaille, de renoncer au monde et de se retirer dans une petite maison tout à côté de Port-Royal de Paris. Il y trouve, comme dira La Fontaine, les « douceurs de la solitude ».

L'année suivante, l'arrestation de Saint-Cyran confère une dimension tragique à la situation du couvent dont il est le directeur de conscience : y être vu devient le signe d'une distance affirmée à l'égard du pouvoir, d'un refus conjoint de la gloire et de la révolte. Et c'est bientôt une étrange épidémie : une trentaine de personnages considérables renoncent au monde, se font bâtir des pavillons contre les murs de Port-Royal de Paris et se placent sous la direction spirituelle de mère Angélique et de Singlin [69]. S'y retirer devient la marque d'un reproche à la fois silencieux et hautain à l'adresse du pouvoir.

L'avocat est d'abord rejoint par ses frères : Le Maître de Sacy (prêtre, théologien, principal auteur d'une célèbre traduction de la Bible qui porte son nom) ; Le Maître de Séricourt (militaire fait prisonnier après la chute d'une place forte, il vient se réfugier à Port-Royal après son évasion et se fera le copiste assidu des œuvres du Grand Arnauld, son cousin) ; puis Robert Arnauld d'Andilly, l'aîné des frères d'Antoine, le plus mondain, favori de Richelieu et intendant de Gaston d'Orléans, suivi par son fils Charles-Henri de Luzancy.

D'autres leur emboîtent le pas. Extérieurs à la famille Arnauld, ce ne sont pas des personnages secondaires : le médecin Jean Hamon, le grammairien Claude Lancelot, le moraliste Pierre Nicole, un autre Arnaud (pur homonyme, sans relation de parenté, docteur en Sorbonne et théologien, détesté de Richelieu qui a mis fin à sa carrière), M. Pallu, seigneur de Buau (médecin, affaibli par la mort de son protecteur, le comte de Soissons), M. de La Petitière (qui a tué en duel un cousin de Richelieu), M. du Fossé (maître des comptes à Rouen), M. de Pontis (dont la carrière militaire a plafonné), M. de Luynes (le fils du favori de

Louis XIII, qui donnait de somptueuses fêtes en son château de Pomponne : « mort au monde, il ne cherche plus ici qu'à mourir à lui-même »[239], dit-il). Au total, quelque trente personnes, mais jamais plus de douze à la fois[239]. Ils séjournent là et y travaillent, ils mènent une vie austère, mais ne sont pas pour autant entrés dans les ordres. Ils reçoivent des gens de l'extérieur. Et retournent en ville ou à la Cour quand ils le désirent. Certains ne le font jamais ; d'autres multiplient les aller et retour.

Cet exil volontaire ne passe pas inaperçu. La Cour s'en inquiète : que va devenir le pouvoir si l'on se met à refuser ses prébendes ? Que va devenir l'administration si les plus compétents préfèrent la pauvreté aux rubans ? Que va devenir le roi si les meilleurs se reconnaissent à leur refus de le servir ? Beaucoup plus tard, Saint-Simon fera remarquer méchamment que certaines conversions au jansénisme, comme celles de Racine ou du comte de Tréville[169], « leur étaient inspirées par le désir de passer pour des gens intelligents en allant vivre parmi tant d'autres gens intelligents »[470].

En province, les idées de Port-Royal touchent maintenant la Champagne, la Lorraine, les évêchés d'Angers, Nantes, Rennes, Narbonne, Agde, Lodève, Uzès, Alès, Mirepoix, Aix[164]. Des couvents, des prêtres, des laïcs imitent les mœurs des Arnauld.

À la mort de Saint-Cyran, en 1643, sa charge est répartie entre Singlin, qui devient directeur de conscience, et Sacy, l'un des frères d'Angélique, qui prend la direction spirituelle du monastère ; M. de Rebours remplace Antoine Singlin comme confesseur. Ces théologiens maintiennent les religieuses et ces « messieurs » de Port-Royal dans le mépris de la vie et la jouissance de la souffrance expiatoire — ce qu'Henri Lefebvre définit comme une « entreprise de mort lente »[284]. Antoine Arnauld — il n'a que trente et un ans — publie alors son livre *De la fréquente communion* et devient l'espoir théologique du mouvement, son vrai théoricien.

Le 24 octobre 1647, l'abbaye de Paris prend le nom de « Port-Royal du Saint-Sacrement ». Les religieuses adoptent le blanc au lieu du noir pour leur habit[69].

C'est précisément ce mois-là que Jacqueline et Blaise débarquent dans la capitale et y rencontrent Antoine Singlin sur le conseil de leur curé normand. Pour Blaise, cette rencontre n'est que de curiosité ; Singlin n'est pas un interlocuteur à sa hauteur, comme aurait pu l'être Saint-Cyran. C'est un homme simple qui parle à chacun sans emphase, comme s'il n'avait jamais eu dans sa vie d'autre préoccupation que le salut de son interlocuteur. Pour Jacqueline, c'est beaucoup plus : elle pense avoir trouvé là une façon d'atteindre l'absolu auquel elle a toujours aspiré et qui lui a échappé de toutes les autres façons. Elle traverse souvent Paris du faubourg Saint-Martin au faubourg Saint-Jacques pour revenir parler avec Singlin.

Blaise l'accompagne parfois. Pour être avec elle. Au début de janvier 1648, il trouve enfin à Port-Royal un interlocuteur de son niveau avec Antoine de Rebours, le nouveau confesseur du couvent. Il n'en fait pas son directeur de conscience : il refuse avec dédain l'idée d'en avoir un. Non, il parle avec lui de science et de foi. On connaît le contenu de leur première conversation par la relation qu'il en fait à Gilberte, le 26 janvier 1648. Blaise explique à Rebours ses travaux scientifiques, se faisant fort de les utiliser pour convaincre les athées[53] : « Je lui dis ensuite que je pensais que l'on pouvait, suivant les principes mêmes du sens commun, démontrer beaucoup de choses que les adversaires disent lui être contraires, et que le raisonnement bien conduit portait à les croire, quoiqu'il les faille croire sans l'aide du raisonnement. » Rebours lui répond qu'un tel discours procède de la vanité et d'une confiance erronée dans les forces de la raison, « et que le devoir du chrétien est de les croire sans l'aide du raisonnement »[53]. Pascal proteste : il s'est mal exprimé. Il n'a pas voulu dire qu'il pense, comme Descartes, que la science peut prouver l'existence de Dieu, mais seulement que la foi n'est nullement contraire à la raison ; et que, même si elle surpasse la raison, elle doit, comme en physique, se soumettre aux expériences, c'est-à-dire aux faits, quand bien même ils seraient incompréhensibles à la raison : « C'est l'autorité seule qui nous en peut éclaircir [...] parce qu'elle y est inséparable de la vérité, et que nous ne la connaissons que par elle[401]. » On ne doit pas se contenter de croire en Dieu par intuition, mais se servir des faits, c'est-à-dire de l'Histoire sainte dans sa vérité historique, pour établir la nature de l'homme, de sa chute et la nécessité de l'Église pour le sauver. Désormais, telle sera son ambition.

C'est exactement ce qu'il reprochait, à peine un an plus tôt, à Forton...

Blaise et Jacqueline en 1648 : un couple

Les relations entre Blaise et Jacqueline prennent un tour plus intense que jamais. Depuis octobre 1647, ils sont seuls dans la maison de la rue Brisemiche, sans Gilberte ni leur père. Ils étudient, lisent, disputent de théologie, écrivent ensemble, pensent ensemble, vivent ensemble — ils sont un même esprit.

Pour certains essayistes comme Lucien Goldmann[210], leur relation est « la rencontre entre deux consciences qui incarnaient à un degré particulièrement élevé et intense deux morales, deux visions du monde ». Et « Jacqueline, qui, des deux, a la personnalité la moins puissante, est pour une large part une création morale et intellectuelle de son frère »[210]. Cette thèse me paraît peu vraisemblable. Jacqueline est une personnalité considérable ; elle est la seule personne dont Blaise accepte l'autorité. En outre, leur relation n'est pas que celle de deux intellects : c'est une relation affective extrême, jalouse, exclusive, entre deux esprits de très haut niveau, mais des esprits charnellement liés, si l'on peut dire. Le frère et la sœur vivent en couple, et c'est elle qui décide de tout.

À propos de cette relation, Gilberte note, sans percevoir l'ambiguïté de ce qu'elle rapporte : « C'est pourquoi sa tendresse n'allait point jusqu'à l'attachement, et elle était aussi exempte de tout amusement. Il ne pouvait plus aimer personne qu'il aimait ma sœur, et il avait raison. Il la voyait souvent ; il lui parlait de toutes choses sans réserve, il recevait d'elle satisfaction sur toutes choses sans exception, car il y avait une si grande correspondance entre leurs sentiments qu'ils convenaient de tout ; et assurément leurs cœurs n'étaient qu'un cœur, et ils trouvaient l'un dans l'autre des consolations qui ne peuvent se comprendre que par ceux qui ont goûté quelque chose de ce même bonheur et qui savent ce que c'est qu'aimer et être aimé ainsi avec confiance et sans rien craindre qui divise et où tout satisfasse » [431].

Dans une extraordinaire lettre de Blaise et Jacqueline Pascal à leur sœur, Mme Périer (1er avril 1648), ils lui annoncent même comme leur mariage, qu'ils appellent leur « alliance », et parlent d'eux en employant le « nous » : « Nous ne savons si celle-ci sera sans fin aussi bien que les autres, mais nous savons bien que nous voudrions bien l'écrire sans fin. Nous avons ici la lettre de M. de Saint-Cyran, *De la vocation*, imprimée depuis peu sans approbation ni privilège et qui a choqué beaucoup de monde. Nous la lisons ; nous te l'enverrons après. Nous serons bien aises d'en savoir ton sentiment et celui de Monsieur mon père. Elle est fort relevée [...]. Si nous ajoutons à ces considérations celle de l'alliance que la nature a faite entre nous, et à cette dernière celle que la grâce y a faite, je crois que, bien loin d'y trouver une défense, nous y trouverons une obligation ; car je trouve que notre bonheur a été si grand d'être unis de la dernière sorte, que nous nous devons unir pour le reconnaître et pour nous en réjouir.

Car il faut avouer que c'est proprement depuis ce temps [que M. de Saint-Cyran eut ce qu'on appelle le "commencement de la vie"] que nous devons nous considérer comme véritablement parents, et qu'il a plu à Dieu de nous joindre aussi bien dans son nouveau monde par l'esprit, comme il avait fait dans le terrestre par la chair [401]... »

En dépit de l'extrême ambiguïté de ces lignes et des multiples interprétations qu'on peut en faire, c'est bel et bien, à mon sens, de leur relation qu'ils parlent, de leur « alliance », et non d'une autre. Extraordinaire revendication de leur unité d'esprit par-delà la parenté de la chair !

Mais cette communion est vite troublée. Au début du mois suivant, Jacqueline franchit le pas. Elle ose annoncer à son frère qu'elle réfléchit sérieusement à entrer à Port-Royal. Pour lui, c'est un effondrement. Un mois auparavant, il vantait son « alliance » avec sa sœur, et voilà qu'elle veut encore une fois lui échapper. Pour un mariage, à nouveau. Mais avec le Christ, cette fois. Il s'y oppose. Elle s'entête. Blaise prévient son père, à Rouen, lequel se précipite à Paris le 16 mai.

Étienne est maintenant clairement, ouvertement janséniste ; mais il n'a aucune envie de voir sa fille devenir religieuse, même si c'est à Port-Royal. Il se plaint de l'influence de Paris sur ses enfants. Lui, au moins, quand il vivait dans la capitale, ne s'occupait que de science. Il reproche à Blaise d'avoir laissé sa sœur prendre trop d'indépendance. Elle se mêle à la conversation, explique que Blaise n'y est pour rien, que c'est entièrement sa décision à elle. Au cours d'une scène dramatique, Étienne dit à sa fille qu'il va bientôt mourir, que rien ne le retient plus ni à Rouen ni même à la vie. Il lui demande d'attendre au moins sa mort avant d'entrer au couvent. Blaise reproche à sa sœur de faire de la peine à leur père. Ils pleurent tous trois. Une fois de plus, Jacqueline cède aux deux hommes de sa vie. Elle accepte de ne plus parler de sa vocation religieuse. Elle restera vivre avec eux.

Soulagé, Étienne Pascal retourne en Normandie le lendemain 17 mai, laissant à Louise Delfaut le soin de veiller sur ses enfants et de lui rendre compte de tous leurs faits et gestes.

Le 13 mai 1648, après vingt-quatre ans de séjour parisien, mère Angélique revient à Port-Royal-des-Champs en grande pompe avec sept religieuses. Elle retrouve, à cinquante-six ans, le lieu de son enfance. D'autres sœurs la suivent. L'archevêque de Paris accepte que les deux maisons ne forment plus qu'une même abbaye dirigée par une seule abbesse résidant à Paris[69]. Le même jour éclate à Paris la Fronde, par le refus des parlementaires d'enregistrer de nouveaux impôts.

Les Messieurs de Port-Royal, les Solitaires, déménagent à leur tour et s'établissent dans une dépendance au-dessus du couvent, sans jamais pénétrer à l'intérieur. Ils travaillent, lisent, étudient, et pour la messe descendent vers le couvent par un escalier de terre qui leur est réservé. Ils montent la garde, prient, restaurent et agrandissent les bâtiments qui ont beaucoup souffert de deux décennies d'abandon[33]. On dessine les plans d'une vaste église digne d'accueillir les religieuses et leurs hôtes. Les riches à Paris se disputent l'honneur de financer les travaux. De belles dames, qu'on nomme les « belles amies » — la princesse de Guéméné, les marquises d'Aumont et de Sablé, les duchesses de Longueville, de Luynes, de Liancourt —, viennent souvent à l'abbaye, avec ou sans leurs maris. Certaines se font même construire des maisons à l'extérieur de la clôture. Les Solitaires se mêlent aux « belles amies » en une vie mondaine raffinée mêlée de sincères dévotions[239]. À quelque distance de Versailles où un château symbolisera bientôt la grandeur du roi et la magnificence de son règne, se constitue ainsi une sorte de république d'élus stigmatisant la vanité du pouvoir, faisant pénitence jusqu'à la cruauté envers soi, affirmant que toute souffrance permet d'escompter une récompense dans le monde futur, pour soi ou pour autrui [239].

Quand, le 7 juin 1648, les jansénistes acceptent que l'archevêque de Paris, Mgr de Gondi, le futur cardinal de Retz, vienne à Port-Royal-des-Champs consacrer le nouvel et magnifique lieu de culte, se soumettant ainsi à l'autorité de l'Église, Blaise et Jacqueline figurent parmi les amis venus de Paris. Blaise écrira, à propos de la soumission des fidèles à l'autorité de l'Église : « Le pape est premier. [...] Quel autre est reconnu de tous, ayant pouvoir d'insinuer dans tout le corps parce qu'il tient la maîtresse branche qui s'insinue partout ? » (fr. 473) C'est leur premier séjour en cet endroit où leur vie se jouera. Sans doute furent-ils — comme tout visiteur l'est encore aujourd'hui — impressionnés par la sérénité mystique, la triste douceur, l'indicible mélancolie du lieu.

Au début de juin, Jacqueline écrit longuement à mère Agnès, qui a la charge des religieuses du faubourg Saint-Jacques, pour l'informer de la promesse faite à son père : attendre sa mort avant de devenir religieuse. Agnès lui répond par une proposition [7] : « Puisque vous en êtes à ce point, ma fille, et qu'on s'oppose à l'accomplissement de votre dessein, sans doute pourriez-vous du moins faire parmi nous une retraite de deux ou trois semaines. C'est une chose ordinaire parmi les personnes qui ont quelque soin d'elles-mêmes, engagées ou non dans le monde. M. votre père ne devrait pas s'y opposer raisonnablement puisqu'il est absent de Paris et que vous ne pouvez lui rendre aucun service. Quinze ou vingt jours d'entretien avec Dieu seul, voilà qui vous donnerait la force d'attendre. »

En juillet, Jacqueline écrit [7] à son père pour lui demander d'autoriser cette retraite. Lettre belle et fort habile : « Peut-être par là je trouverai que je ne suis pas née pour cette sorte de lieux et, s'il en est ainsi, je vous prierai franchement de ne plus songer ni vous préparer à ce que je vous avais dit [...]. C'est pourquoi je vous conjure, si jamais j'ai été assez heureuse pour vous satisfaire en quelque chose, de m'accorder promptement ce que je vous demande. Ces religieuses ont eu assez de bonté pour me l'accorder de leur part. M. Périer [Florin, son beau-frère], mon frère et ma fidèle [Mme Delfaut] l'approuvent et en sont contents, pourvu que vous y consentiez [...]. J'ai pris la hardiesse de vous prier de peu de choses en ma vie ; je vous supplie, autant que je le puis et avec tout le respect possible, de ne me point refuser celle-ci... » Pourtant, Étienne refuse encore. Jacqueline devra attendre sa mort, même pour faire retraite.

En fait, Étienne n'a pas le cœur à faire plaisir à qui que ce soit. Sa situation se gâte à Rouen où, comme partout en France, gronde une révolte populaire contre les impôts. Il songe à rentrer à Paris, ou, mieux, à emmener toute sa famille à Clermont pour la soustraire aux troubles et à toutes ces mauvaises influences parisiennes, Paris où vient d'éclater la Fronde.

Le déclenchement de la Fronde parlementaire ; retour d'Étienne à Paris en 1648

La France continue de gagner sur les champs de bataille. Après avoir battu les Espagnols à Rocroi en 1643, Dunkerque en 1646, Lens en 1648, le duc d'Enghien devenu Condé enlève l'Alsace au Saint-Empire : les protestants ne conquerront pas l'Europe ; l'Espagne et l'Empire s'effacent au profit de la France, des Provinces-Unies et de la Suède.

En 1648, la paix de Westphalie et le traité de La Haye reconnaissent l'indépendance de la Suisse et celle des Provinces-Unies, que l'Espagne n'est plus en situation de contester. Pour affaiblir encore les Habsbourg, la France renforce en Prusse la dynastie des Hohenzollern sans voir qu'elle s'invente ainsi, pour les siècles futurs, un nouveau rival. C'est la fin de la guerre de Trente Ans.

Le pape Innocent X refuse le traité de La Haye et le déclare « sans influence pour le passé, le présent et l'avenir ». Nul ne tient compte de son veto. La paix de Westphalie consacre l'effacement diplomatique du pape. La guerre a entraîné un formidable scepticisme envers les religions fratricides et souligné le dérisoire des enjeux humains. « La puissance des mouches : elles gagnent des batailles, empêchent notre âme d'agir, mangent notre corps », note ainsi Pascal (fr. 56).

Malgré ces succès extérieurs, la situation économique de la France empire. Le meilleur froment, payé 10 livres début 1646, en vaut 17 au printemps de 1648. Les impôts ne rentrent pas. Mazarin confie la surintendance des Finances à un autre Italien d'origine, aussi impopulaire mais aussi habile que lui, Michel Particelli d'Émery, qui augmente la charge fiscale de la bourgeoisie d'affaires et de robe. La révolution anglaise commence à faire rêver certains Français. La Fronde parlementaire commence.

Le 13 mai 1648 (jour du retour d'Angélique à Port-Royal-des-Champs), pour contrer la politique fiscale de Mazarin, le Parlement de Paris, agité par l'un de ses meilleurs membres, Broussel, s'érige en corps politique et décide de délibérer librement sur les affaires de l'État. Il promulgue une charte de vingt-sept articles limitant les pouvoirs du roi, mais n'ose aller jusqu'à demander la convocation d'états généraux. Dans les rues de Paris, l'émeute gronde. On réclame en particulier la suppression des intendants, ces chefs honnis de l'administration fiscale des provinces dont Étienne Pascal est un exemple, et la suppression des tailles, dîmes et gabelles. En juillet, Anne d'Autriche et Mazarin font mine de céder et d'accepter une limitation des pouvoirs royaux au profit des magistrats du Parlement. Le 18 juillet, les postes d'intendants et autres agents royaux — dont celui d'Étienne Pascal à Rouen — sont supprimés.

La pression populaire retombe un peu. Mazarin veut en profiter pour reprendre l'avantage. Le 26 août, il fait arrêter Broussel. Mais cela provoque un réveil de la colère parisienne : la manœuvre échoue. Le lendemain, la capitale se couvre de barricades, on attaque les bâtiments officiels à coups de fronde. Mazarin et la reine cèdent et fuient à Rueil. Condé reste fidèle au roi et sauve Paris pour la troisième fois, cette fois contre des émeutiers, après avoir arrêté les troupes ennemies à Rocroi et Lens. Broussel sera relâché, le Parlement se verra accorder un peu de pouvoir de contrôle.

Étienne Pascal revient en simple particulier à Paris.

« Les villes par où on passe, on ne se soucie pas d'y être estimé. Mais quand on doit y demeurer un peu de temps, on s'en soucie. Combien de temps faut-il ? Un temps proportionné à notre durée vaine et chétive. » (fr. 65)

Blaise est scandalisé du sort réservé à son père, abandonné par un État qu'il a tant servi, pour qui il a commis tant d'actes terribles. Il sait qu'il n'y a pas de justice à attendre des hommes, hormis celle que les circonstances imposent. Il note peut-être à cette date, sur une grande feuille, une superbe méditation dont il a l'intention de se servir pour un livre qu'il commence à imaginer à grands traits pour plus tard — un ouvrage sur la condition humaine. Puis il la biffe tout entière, de rage :

« J'ai passé longtemps de ma vie en croyant qu'il y avait une justice, et en cela je ne me trompais pas, car il y en a, selon que Dieu nous l'a voulu révéler. Mais je ne le prenais pas ainsi, et c'est en quoi je me trompais, car je croyais que notre justice était essentiellement juste et que j'avais de quoi la connaître et en juger. Mais je me suis trouvé tant de fois en faute de jugement droit, qu'enfin je suis entré en défiance de moi, et puis des autres. J'ai vu tous les pays et hommes changeants. Et ainsi, après bien des changements de jugement touchant la véritable justice, j'ai connu que notre nature n'était qu'un continuel changement, et je n'ai plus changé depuis. Et si je changeais, je confirmerais mon opinion. » (fr. 453)

Dans la bataille de rues, le modèle de l'aristocratie, le héros cornélien, se révèle ridicule. Il n'y a plus ni héros ni salaud. Seulement de petits hommes mesquins cherchant les moyens de survivre et qui, parfois, masquent leur petitesse derrière de jolis mots. L'esprit est « la dupe du cœur », écrit alors La Rochefoucauld dans une de ses plus noires *Maximes*.

Et comme pour ratifier la fin d'une époque, le père Mersenne meurt le 1er septembre 1648, confiant de manière inattendue l'animation de son académie au comique de la bande, Jacques Le Pailleur.

Au même moment, Blaise travaille à un *Traité de la génération des sections coniques*, aujourd'hui perdu, sauf pour quelques extraits conservés — on verra dans quelles circonstances — par Leibniz. Il lit le *Traité* de Jansénius, étudie Montaigne et Épictète, découvre saint Thomas d'Aquin[481], commence à penser au projet de son grand livre sur la condition humaine. Surtout, il met la dernière main aux préparatifs de l'expérience qu'il attend de voir reproduire avec tant d'impatience depuis un an.

Les expériences d'Auvergne (septembre 1648)

À Clermont, tout est enfin prêt. Le samedi 19 septembre 1648, Florin Périer se lance dans l'expérience que l'Europe savante attend. Conformément aux instructions détaillées que Blaise lui a envoyées dans une lettre du 15 novembre précédent, à 8 heures du matin, il remplit de mercure deux tubes identiques et place la partie ouverte de chacun d'eux dans un bol de mercure. Il installe l'un de ces tubes dans le jardin du couvent des Minimes, au pied du puy de Dôme [497]. Il mesure la hauteur du mercure dans le tube et la marque sur le verre. Accompagné d'un des minimes, le père Bannier, d'un chanoine, Mosnier, de deux magistrats, MM. Laville et Begon, et d'un médecin, le docteur La Porte, il monte avec l'autre tube le long d'un chemin de pierre, une ancienne voie romaine [94]. Il s'arrête à 3 500 pieds d'altitude, près des ruines d'un temple gallo-romain, et y mesure la hauteur du mercure dans le tube. Il procède ensuite à cinq autres mesures avant d'arriver au sommet, à 4 800 pieds, puis à d'autres en redescendant, dont l'une dans un hameau appelé Le Fort-de-l'Ambre [94]. De retour au jardin des Minimes, il en fait deux autres encore. Soit au total, dix-sept mesures. Entre les altitudes extrêmes, pour un dénivelé de 3 000 pieds, Périer note une différence de hauteur du mercure dans le tube de 3,3 pouces, avec une décroissance régulière proportionnelle à l'altitude. La hauteur dans le tube ne dépend donc que de l'altitude atteinte par l'observateur sur la montagne. Il en déduit qu'un changement d'altitude entraîne un changement de pression de l'atmosphère, changement qu'on peut mesurer par la variation de hauteur du mercure dans le tube : pour 1 000 pieds d'altitude, 1 pied de pression.

C'est exactement ce que Pascal avait prédit. Ce dernier était d'ailleurs tellement convaincu des résultats qu'il n'avait prévu, dans sa lettre décrivant les expériences, que deux tubes et juste assez de mercure [94].

Le lendemain, le père de La Mare propose à Florin Périer de refaire l'expérience au pied et au sommet de la plus haute tour de la cathédrale de Clermont [94]. Florin s'y emploie et rend compte de chaque mesure, le surlendemain. À Paris, Pascal répète encore l'expérience au pied et à la cime de la tour de l'église Saint-Jacques-de-la-Boucherie (devenue la tour Saint-Jacques), puis dans une maison haute de quatre-vingt-dix marches. Les différences sont moins sensibles qu'en montagne, mais il peut tout de même les mesurer.

En apprenant les résultats, toute l'Europe scientifique sait qu'une découverte majeure vient d'être faite. Pierre Gassendi parle de Pascal, qui n'a alors que vingt-cinq ans, comme d'« *ille eximius, incomparabilis potius adulescens* » (cet exceptionnel, incomparable jeune homme). « Ce qu'il a fait, personne avant lui ne savait le faire ; après lui, tout le monde peut y arriver[497]. »

Blaise jubile. Bien que tout jeune, il se sait unique. Il a démontré que le vide existe, et toute la physique, fondée sur sa négation, est anéantie. L'atmosphère a un poids et une limite. Même si personne encore, pas même Pascal, ne s'en rend encore compte, toute l'astronomie va s'en trouver bouleversée. Par-dessus tout : le monde est maintenant à la portée du savoir. Il peut être compris. Nulle théorie, physique ou métaphysique, ne peut plus tenir contre l'expérience.

Il ne suffit plus de théoriser, d'échafauder des hypothèses sur tout, il faut encore imaginer ensuite des expériences artificielles pour les vérifier ou les infirmer. Un champ infini s'ouvre à la recherche. Une science, la physique expérimentale, a vu le jour.

Mais, plus encore, Pascal a montré que quelque chose que l'homme ne peut comprendre intuitivement, ni même conceptualiser, peut exister. « Tout ce qui est incompréhensible ne laisse pas d'être » (fr. 262), écrira-t-il magnifiquement plus tard. Toute la physique d'aujourd'hui, pour qui la nature n'est ni intuitive ni vraisemblable, est contenue dans cette phrase.

Blaise sait qu'il a beaucoup de travail devant lui : il doit d'abord publier les résultats de l'expérience du puy de Dôme, puis rédiger un *Traité de l'équilibre des liqueurs*, enfin s'attaquer à un grand livre sur le vide. Et il les écrit ; mais on n'en connaît aujourd'hui presque rien : tous sont perdus. Après sa mort, les jansénistes les censureront ou les négligeront. Ainsi écrivent-ils, dans leur préface à la première édition de ces textes, en 1663 : « Ce n'est pas que ces traités ne soient achevés dans leur genre, ni qu'il soit guère possible d'y mieux réussir. Mais c'est que ce genre est tellement au-dessous de lui [497]... »

La vocation de Jacqueline ;
le repli à Clermont (septembre 1648-décembre 1650)

Blaise et Jacqueline Pascal sont confinés avec leur père dans leur maison de la rue Brisemiche. Jacqueline boude et prie. Étienne se morfond, sans emploi ni perspective, sachant bien que sa fille cadette n'attend que sa mort pour entrer en religion. Blaise écrit et travaille tout en tentant de retrouver avec sa sœur suffisamment de complicité pour la faire renoncer à son projet. Leur communion reste entière, comme on le voit dans les lettres qu'ils écrivent encore ensemble à Gilberte. Des missives irritées et quelque peu méprisantes contre les petitesses de l'aînée :

« Ta lettre nous a fait ressouvenir d'une brouillerie dont on avait perdu la mémoire, tant elle est absolument passée. Les éclaircissements un peu trop grands que nous avons procurés ont fait paraître le sujet général et ancien de nos plaintes, et les satisfactions que nous en avons faites ont adouci l'aigreur que mon père en avait conçu. Nous avons dit ce que tu avais déjà dit, sans savoir que tu l'eusses dit, et ensuite nous avons excusé de bouche ce qu'avais depuis excusé par écrit, sans savoir que tu l'eusses excusé ; et nous n'avons su ce que tu as fait qu'après que nous l'avons eu fait nous-mêmes [401]. » Et puis, ce passage sur le caractère spécifique du savoir théologique, où on voit poindre l'opposition entre le cœur et la raison qui sera au centre des *Pensées* : « Ce n'est pas qu'on ne s'en puisse souvenir, et qu'on ne retienne aussi facilement une épître de saint Paul qu'un livre de Virgile ; mais les connaissances que nous acquérons de cette façon aussi bien que leur continuation ne sont qu'un effet de mémoire, au lieu que pour y entendre ce langage secret et étranger à ceux qui le sont du Ciel, il faut que la même grâce, qui peut seule en donner la première intelligence, la continue et la rende toujours présente [401]. »

La théologie est maintenant le seul sujet dont Jacqueline accepte de parler. Et Blaise s'y plie de bonne grâce, autant par intérêt spéculatif que pour ne pas perdre le fil de plus en plus ténu qui l'unit à elle. Parfois, pour avoir un prétexte de mettre au net leurs discussions, ils écrivent à Gilberte des épîtres difficiles, qui n'intéressent manifestement pas leur destinataire. Ainsi, dans l'une des lettres communes de septembre 1648 à leur aînée, on trouve une magnifique réponse commune à ceux, nombreux, on l'a dit, qui pensent que le fait que la grâce ne soit pas donnée à tout le monde dispense de tout effort moral ceux qui l'ont comme ceux qui ne l'ont pas : l'homme a encore des devoirs, il doit sans cesse se comporter de façon morale, même s'il a reçu la grâce.

Ce texte, pour moi l'un des plus importants de la pensée pascalienne puisqu'il établit clairement le devoir de morale, même pour ceux qui auraient reçu la grâce, est dû en partie à Jacqueline. Il mérite d'être cité amplement : « Et c'est ce qui nous apprend parfaitement la dépendance perpétuelle où nous sommes de la miséricorde de Dieu, puisque, s'Il en interrompt tant soit peu le cours, la sécheresse survient nécessairement. Dans cette nécessité, il est aisé de voir qu'il faut continuellement faire de nouveaux efforts pour acquérir cette nouveauté continuelle d'esprit, puisqu'on ne peut conserver la grâce ancienne que par l'acquisition d'une nouvelle grâce, et qu'autrement on perdra celle qu'on pensera retenir, comme ceux qui, voulant renfermer la lumière, n'enferment que des ténèbres [...]. C'est ainsi qu'on ne doit jamais refuser de lire ni d'ouïr les choses saintes, si communes et si connues qu'elles soient ; car notre mémoire, aussi bien que les instructions qu'elle retient, n'est qu'un corps inanimé et

judaïque sans l'esprit qui les doit vivifier[401]. » « Judaïque » veut dire ici : « n'ayant pas eu la grâce de croire
au Messie ». On mesure la profondeur des préoccupations théologiques de ces deux jeunes gens de vingt-
trois et vingt-cinq ans.

Fin octobre 1648, passe entre le frère et la sœur une
brève occasion de complicité joyeuse et anecdotique :
de Clermont, Gilberte et Florin Périer leur ont annoncé
qu'ils avaient l'intention de surélever d'un étage leur
maison de la rue du Terrail. Blaise et Jacqueline se
moquent : leur sœur et leur beau-frère ont la folie des
grandeurs ! Le 5 novembre, Jacqueline répond en
conseillant à son aînée de ne bâtir que le simple nécessaire ; Blaise contresigne cette lettre de ses initiales :
Jacqueline est la vraie maîtresse de la famille. L'ironie
de la missive est mordante, et le mépris pour les capacités intellectuelles du beau-frère est ravageur : « Nous
savons que M. Périer prend trop à cœur ce qu'il entreprend pour songer pleinement à deux choses à la fois,
et que ce dessein entier est si long que, pour l'achever,
il faudrait qu'il fût longtemps sans penser à autre chose
[...]. Ainsi nous l'avons conseillé de bâtir bien moins
qu'il ne prétendait et rien que le simple nécessaire,
quoique sur le même dessein, afin qu'il n'ait pas de
quoi s'y engager, et qu'il ne s'ôte pas aussi le moyen
de le faire. Nous te prions d'y penser sérieusement, de
t'en résoudre et de l'en conseiller, de peur qu'il arrive
qu'il ait bien plus de prudence et qu'il donne bien plus
de soin ou de peine au bâtiment d'une maison qu'il
n'est pas obligé de faire, qu'à celui de cette tour mystique dont tu sais que saint Augustin parle dans une
de ses lettres, qu'il s'est engagé d'achever dans ses
entretiens. Adieu. B.P.-J.P. [401]. »

On croit entendre leurs fous rires entre les lignes.
Mais, tout de suite, leur fracture réapparaît dans le
post-scriptum que Jacqueline signe seule, à propos de
son départ au couvent dont elle n'entend rien dire de
précis, de peur que Blaise ne puisse en connaître :

« J'espère que je t'écrirai en mon nom particulier de mon affaire, dont je te manderai le détail ; cependant, prie Dieu pour son issue [401]. » Blaise, qui lit et cosigne la lettre, ajoute : « Si tu sais quelque bonne âme, fais-la prier Dieu pour moi aussi [401]. »

L'« affaire » dont parle Jacqueline, c'est sa retraite à Port-Royal, qu'elle continue de demander à son père d'autoriser. Une retraite de quelques semaines : elle insiste. Étienne va céder.

Faute de revenus, les Pascal doivent réduire les dépenses. Le 15 janvier 1649, Étienne Pascal et ses enfants quittent la rue Brisemiche après y avoir séjourné treize ans et demi, pour emménager près du Marais, rue de Touraine (actuellement au n° 13 de la rue de Saintonge), pour un loyer de 700 livres. Tout occupé au déménagement, Étienne autorise Jacqueline à faire retraite pendant quatre mois à Port-Royal de Paris. Pas question de Port-Royal-des-Champs, où Angélique vient à peine de s'installer, environné de brigands et de soldats qui pillent les campagnes de l'Île-de-France.

Car l'émeute est plus que jamais dans Paris et ses alentours. Mazarin et la famille royale doivent s'enfuir à Saint-Germain. Les troupes royales assiègent Paris insurgé.

Certains grands seigneurs soutiennent maintenant le soulèvement : ainsi Luynes et Retz, Gondi, Beaufort, Conti et Mme de Longueville, frères et sœur de Condé, sont là. Le Parlement tente de recruter une « armée de Paris ». Étienne Pascal y contribue pour 50 écus [7], ce qui est pour lui une grosse dépense. Paris est affamé. Des centaines d'émeutiers sont pendus. Qu'ils se battent aux côtés des princes ou de Mazarin, tous pillent. Port-Royal-des-Champs, organisé en forteresse par Luynes, sert de base arrière aux frondeurs et d'abri aux populations voisines. Mais le Parlement de Paris ne réussit pas à constituer une véritable armée ; il prend peur devant la menace royale de supprimer l'hérédité des charges et n'est pas davantage rassuré face à la colère du peuple. L'annonce de l'exécution de Charles Ier, le 30 janvier, à Londres, effraie les plus résolus. Le Parlement cède en mars 1649 : ce sera la paix de Saint-Germain.

Jacqueline est alors au couvent du Faubourg-Saint-Jacques pour sa retraite. Le 23 mars 1649, elle en avise sa sœur à Clermont, qui a fait vœu de consacrer le premier jeudi de chaque mois à des prières à Notre-Dame de l'Assomption pour les membres de sa famille[181]. Jacqueline glisse dans cette lettre[7] une surprenante remarque : « Prie Dieu qu'Il veuille bien passer l'éponge pour ainsi dire sur tout le temps que j'ai perdu, les occasions que j'ai négligées, les conjonctures favorables que j'ai refusées : elles sont sans nombre. » Toute la complexité du personnage gît dans ces « occasions négligées » : Parle-t-elle ici de son entrée au couvent si souvent retardée ? ou de littérature ? ou du mariage ? Sans doute de l'une et des autres. Mais comme elle craint que son père lui refuse de rester au couvent après sa retraite, elle ajoute, comme pour couper les ponts avec son passé : « Pour éviter cet embarras où je me crois exposée, je crois qu'il est utile que vous avertissiez le monde de la résolution que j'ai prise d'être religieuse, et que je ne consens à ce retard de mon entrée en religion que par la considération de mon père[181]. »

Qui est ce « monde » qu'elle évoque ? Sinon son père et son frère.

Le 1er avril, la signature de la paix de Saint-Germain met un terme à la Fronde parlementaire. Comme une fraction de l'élite de son temps, Blaise est conforté dans l'idée qu'il n'y a pas de justice humaine moralement fondée, pas de droit naturel, et que seule la force entraîne le changement des coutumes et des conventions. « Suivant la seule raison, rien n'est juste en soi [...], tout branle avec le temps. » On peut certes « fronder », défier l'autorité ; mais à quoi cela sert-il ? « Le plus grand des maux est les guerres civiles. » (fr. 128)

Mais il a tort de médire du pouvoir. Car celui-ci se comporte avec lui de façon équitable ; malgré les troubles, le 22 mai 1649, le chancelier Séguier, plus riche et puissant que jamais, lui obtient enfin le privilège royal demandé quatre ans plus tôt pour la machine d'arithmétique : « L'invention principale et le mouvement essentiel consiste en ce que chaque roue ou verge d'un ordre faisant un mouvement de dix figures arithmétiques, fait mouvoir sa prochaine d'une figure seulement. » Mais Blaise n'en tire aucune joie : personne ne l'achète parce que le coût du calcul manuel reste inférieur au coût de la machine ; et il sait maintenant que la fortune ne viendra pas de l'exploitation de cette invention. Jamais la famille n'aurait pourtant eu davantage besoin de ressources.

À l'été 1649, Jacqueline est sortie de sa retraite. Elle ne pense qu'à y retourner. Pour l'inciter à penser à autre chose et pour mettre ses enfants à l'abri des turbulences de Paris, Étienne Pascal emmène Jacqueline et Blaise en Auvergne. La famille se regroupe chez Gilberte.

C'est là que Blaise rencontre un juriste du nom de Jean Domat[164]. Il a été l'élève de son grand-oncle, le père jésuite Sismond. Après avoir étudié à Bourges, il est venu s'établir à Clermont où, lorsque Pascal le rencontre, il est avocat du roi au présidial (tribunal de création assez récente) de Clermont. Pratiquement contemporains, sans doute parlent-ils déjà ensemble théologie. Ils deviennent très amis, inséparables. Domat jouera un rôle considérable dans les ultimes tragédies de l'existence de Pascal.

Que se passe-t-il alors entre le frère et la sœur, coincés à Clermont par leur père ? Il semble que ce séjour achève de les éloigner l'un de l'autre.

Blaise s'impatiente. Il s'intéresse de plus en plus à la science et souhaite rentrer à Paris. À Clermont, durant toute l'année 1650, il travaille à ses traités sur le vide et refait l'expérience troublante de Roberval, mais d'une autre façon : il fait monter une vessie de carpe à moitié gonflée en haut du puy de Dôme. Elle s'enfle petit à petit au cours de l'ascension, et se dégonfle régulièrement pendant la descente. « L'air est pesant, la masse d'air est pesante ; elle presse plus les lieux bas que les lieux hauts, elle se comprime elle-même par son poids ; l'air est plus comprimé en bas qu'en haut »[401], explique-t-il. Gassendi, informé, trouve cette expérience « plus convaincante » que celle réalisée par Périer un an plus tôt.

De toutes parts on conteste pourtant à Pascal la nouveauté de sa découverte sur le vide. Jusqu'à Descartes, on l'a vu, qui écrit à Carcavy, les 11 et 17 juin 1649, pour se vanter d'avoir soufflé à Pascal l'idée de l'expérience du puy de Dôme, « sans quoi il n'eût eu garde d'y penser, à cause qu'il était d'opinion contraire »[94]. Pascal en est furieux, mais ne répond pas. En janvier 1650, Florin Périer enverra encore des observations à Descartes par l'intermédiaire de l'ambassadeur de France à Stockholm, Chanut, lequel lui annoncera alors la mort du philosophe, le 11 février.

De Clermont où elle se morfond, Jacqueline écrit à mère Agnès pour se plaindre de devoir attendre des années encore, sans doute, avant de pouvoir prononcer ses vœux. Agnès l'exhorte à la patience[7] : « J'ai demandé pour vous à Notre Seigneur, comme vous l'avez désiré, que cette année fût celle qu'Il a marquée dans l'éternité pour vous faire être toute à Lui dans la sainte religion [...]. Mais vous êtes déjà religieuse, ma chère sœur, parce que vous adhérez de tout votre cœur à la volonté que Dieu en a donnée. Vous cesseriez de l'être si vous vouliez prévenir le temps et le moment qu'Il a mis en sa puissance, et auquel Il a attaché toutes les grâces qu'Il vous veut faire en cet état... »

Jacqueline entend lui répondre par un poème qu'elle a composé à l'occasion de l'Ascension[181] :

Jésus, digne rançon de l'homme racheté,
Amour de notre cœur et désir de notre âme,

Seul créateur de tout, Dieu dans l'éternité,
Homme à la fin des temps en naissant d'une femme ;

Quel excès de clémence a su te surmonter
Que portant les péchés de ton peuple rebelle,
Tu souffris une mort horrible à raconter
Pour garantir les tiens de la mort éternelle ?...

Avant de l'envoyer, elle hésite. Elle écrit à mère Agnès pour lui raconter qu'on lui a demandé d'écrire des vers : « Je connais une personne fort pieuse à qui l'on proposa ces jours-ci de mettre en vers l'hymne de l'Ascension, qui y réussit assez bien et en reçut force compliments. Vous semble-t-il bon, ma mère, qu'elle poursuive cette sorte de travaux tout entiers au service de Dieu [181] ? »

On sent là comme une supplique : peut-elle écrire encore, si c'est « tout entier au service de Dieu » ?

La réponse [7] d'Agnès en dit long sur ce qu'est Port-Royal et sur le sort qui y attend Jacqueline [66] : « J'ai demandé à M. Singlin son sentiment sur votre question. Il vaut mieux, pense-t-il, que cette personne cache le talent qu'elle a pour cet exercice, car Dieu ne lui en demandera point compte, puisque c'est le partage de notre sexe que l'humilité et le silence. »

C'en est donc fini de son talent littéraire : jamais plus Jacqueline n'écrira de poèmes.

La mère Agnès continue néanmoins de l'encourager à attendre, en s'attachant à la conversion de son père et de son frère [7] : « C'est aujourd'hui jour de sainte Madeleine, un jour signalé pour demander à Dieu qu'Il opère la conversion de ces deux personnes à quoi vous vous appliquez. Vous ne perdrez pas votre temps dans le monde si vous contribuez à une œuvre si excellente ; après quoi, Dieu vous convertira entièrement vous-même pour récompenser d'avoir servi votre prochain selon les occasions qu'Il vous offre. »

À Paris, cependant, la paix de Saint-Germain n'a pas

mis fin aux troubles. Le 18 janvier 1650, Mazarin fait
arrêter le Grand Condé, dont il a peur, même s'il
n'avait pas frondé avec son frère et sa sœur, le prince
de Conti et Mme de Longueville, ce qui déclenche un
ample soulèvement des grands dans les provinces.
Paris est de nouveau soulevé. Les paysans se soulèvent
contre les seigneurs tandis que ceux-ci se révoltent
contre le roi. L'assemblée du clergé, qui siège à Paris
depuis mai 1650, demande la libération des princes.
Comme en 1614, tous réclament la baisse des impôts,
la suppression de la vénalité des charges. Mazarin
semble l'emporter en battant les insurgés à Rethel.

Blaise a peut-être approuvé la Fronde. Il semble
même qu'on lui ait proposé d'y jouer un rôle et qu'il
l'ait refusé. Gilberte écrit : « Il avait un si grand zèle
pour l'ordre de Dieu dans toutes les autres choses qui
en sont les suites, qu'il ne pouvait souffrir qu'il fût
violé en quoi que ce soit ; c'est ce qui le rendait si
ardent pour le service du Roi, qu'il résistait à tout le
monde dans le temps des troubles de Paris. Il appelait
des prétextes toutes les raisons qu'on donnait pour
autoriser la rébellion [...]. Il disait ordinairement qu'il
avait un aussi grand éloignement de ce péché que pour
assassiner le monde ou voler sur les grands chemins,
et qu'enfin il n'y avait rien qui fût plus contraire à son
naturel et sur quoi il fût moins tenté, ce qui le porta à
refuser des avantages considérables pour ne prendre
point de part à ces désordres [431]. »

En novembre 1650, alors que les révoltes se développent en Bourgogne, dans le Berry, en Normandie,
en Provence et en Guyenne, la famille Pascal revient à
Paris.

Blaise ne pense qu'à ses travaux, et Jacqueline qu'à
Port-Royal. Étienne, qui aurait sans doute préféré finir
ses jours dans son Auvergne, ne peut se résoudre à
abandonner ses enfants.

Jacqueline s'installe rue de Touraine, cloîtrée dans
sa chambre. Elle attend la mort de son père. Celui-ci

n'a plus rien : il n'est plus intendant, Mersenne est mort, sa fille attend sa mort. Son fils est certes reconnu comme un prodige. Mais le fils si prometteur n'est plus le jeune homme obéissant et dévoué de Rouen. Il fuit à présent ce père qui l'aime trop, cette sœur qu'il aime trop.

DEUXIÈME PARTIE

SPLENDEURS

(1650-1662)

3

Les jeux du hasard et de l'amour

(novembre 1650-23 novembre 1654)

> *« Le plus grand philosophe du monde sur une planche plus large qu'il ne faut, s'il y a au-dessous un précipice, quoique sa raison le convainque de sa sûreté, son imagination prévaudra. Plusieurs n'en sauraient soutenir la pensée sans pâlir et suer. »*

(fr. 78)

Pascal hait la solitude. Il la pratique, mais il l'exècre.

Là, il ne supporte plus ce terrible huis-clos avec un père virtuellement mort et une sœur virtuellement cloîtrée. Il aspire à vivre, à aller dans le monde, à plaire aux femmes, à répondre aux défis de l'intelligence et aux énigmes de tous les sphinx qu'il pourrait rencontrer en chemin.

En trois ans d'agitation mondaine effrénée et de questions surgies du hasard, il va inventer le calcul des probabilités, découvrir les principes du calcul infinitésimal et intégral, mettre au point sa théorie du vide et commencer à esquisser un livre sur la condition humaine.

Après sa mort, ses tout premiers biographes voudront faire oublier ce que le monde lui a apporté ; ils feront tout pour occulter ce qu'ils nomment « ses désordres », ou les réduire à une fugitive parenthèse. Deux ans, de janvier 1652 à la fin de l'année 1653, disent les uns[94]. Moins d'un an, de la mi-1651 à janvier 1652, dira Gilberte qui voudrait même que cette parenthèse n'eût jamais existé. Elle écrit : « Ce fut le temps de sa vie le plus mal employé : car, quoique par la miséricorde de Dieu il s'y soit préservé des vices, enfin, c'était toujours l'air du monde qui est bien différent de celui de l'Évangile. Dieu qui demandait de lui une plus grande perfection ne voulait pas l'y laisser longtemps et se servit pour cela de ma sœur pour le retirer, comme il s'était servi autrefois de mon frère pour retirer ma sœur des engagements où elle était dans le monde[431]. »

Car, en réalité, en fréquentant le monde, c'est toujours à Jacqueline qu'il cherche à échapper et c'est elle, en effet, qui viendra l'en arracher.

Le scepticisme des salons (1651-1652)

Le 13 février 1651, Mazarin, qui n'a pas réussi à consolider sa victoire de Rethel, rend la liberté aux princes et quitte la France pour l'Allemagne.

Marcillac, devenu duc de La Rochefoucauld à la mort de son père, se jette dans la Fronde des princes auprès de Mme de Longueville. Son château de Verteuil est rasé par les troupes royales. Celles des princes entrent triomphalement dans Paris ; au cours d'une séance extraordinaire du Parlement, le 21 août 1651, les factions de la Fronde s'affrontent : La Rochefoucauld en vient même à tenter d'étrangler le cardinal de Retz[376].

Quand, le 7 septembre 1651, est proclamée lors d'un lit de justice au Parlement de Paris la majorité de Louis XIV qui met fin à la régence d'Anne d'Autriche, la monarchie est au plus mal. L'armée des princes continue d'exercer sa pression sur la capitale. Mazarin est en exil. La reine mère et le roi, qui poursuivent leur tournée des provinces, se trouvent pour l'heure à Poitiers.

Le Cardinal, rentré d'Allemagne, rejoint le roi en janvier 1652. Battu par Turenne en Guyenne, Condé, qui s'est allié en octobre 1651 à l'Espagne, sans accepter l'argent espagnol, entre en mars 1652 à Paris, où ses partisans font régner la terreur. Le Parlement, assemblée de magistrats érigée en pouvoir politique, se croit tout-puissant mais ne commande à personne. La révolte se détruit elle-même.

L'Europe a besoin d'ordre. En Angleterre, pendant le sanglant épisode cromwellien, Thomas Hobbes expose dans le *Léviathan* la nécessité du despotisme, seule protection contre la violence suicidaire des peuples.

Peut-être est-ce durant ce printemps de 1652 que Blaise note sur une grande feuille de papier qu'il rature à l'infini : « La dignité royale n'est-elle pas assez grande d'elle-même, pour celui qui la possède, pour le rendre heureux par la seule vue de ce qu'il est ? Faudra-t-il le divertir de cette pensée comme les gens du commun ? Je vois bien que c'est rendre un homme heureux de le divertir de la vue de ses misères domestiques pour remplir toute sa pensée du soin de bien danser, mais en sera-t-il de même d'un roi, et sera-t-il plus heureux en s'attachant à ses vains amusements qu'à la vue de sa grandeur, et quel objet plus satisfaisant pourrait-on donner à son esprit ? » (fr. 169).

Si Pascal a pris ses distances à l'égard de la Fronde, il n'en va pas de même des jansénistes : le duc de Luynes — celui-là même qui a traduit en 1647 en français les *Méditations* de Descartes, publiées originellement en latin à Paris —, entré dans la rébellion dès la première Fronde, est considéré par la police comme le chef des jansénistes. Mazarin et le jeune Louis XIV pensent même que la Fronde dans son ensemble n'est qu'un complot janséniste [502].

Le roi reprend l'offensive. Son armée, conduite par Turenne, arrive aux portes de Paris et s'apprête à écraser Condé, Luynes, Enghien, Retz et les autres princes, quand, le 1er juillet 1652, la Grande Mademoiselle, nièce de Louis XIII ralliée à la Fronde par dépit amoureux — le jeune Louis XIV l'avait éconduite —, sauve les frondeurs en faisant tirer les canons de la Bastille sur les troupes royales. Turenne hésite à ouvrir le feu sur la forteresse. On massacre du côté de l'Hôtel de Ville. Condé reste encore un moment maître de la capitale. Mais les parlementaires, effrayés par la tournure des événements, négocient le 4 juillet avec le roi qui rentre triomphalement dans Paris le 21 octobre. Condé en est parti le 13 pour se réfugier chez les Espagnols. Mazarin rentre à son tour à Paris le 3 février 1653. Il reprend sa place auprès du roi. La Fronde est terminée.

Louis XIV n'oubliera jamais combien il a eu peur des Grands et des jansénistes. Il réduit les prérogatives du Parlement à ses fonctions judiciaires et transforme les princes en marionnettes de Cour : les courtisans ne conspirent pas. Partout en province, les émeutes s'essoufflent malgré quelques ultimes soulèvements populaires comme celui de l'Ormée, à Bordeaux, ville qui finit, comme les autres, par jurer obéissance au roi.

L'échec de la Fronde des princes, après celui de la Fronde des parlements, deux ans plus tôt, accentue la défiance d'une notable fraction des élites. Le bilan économique et politique des événements est désastreux. La famine et la peste ont décimé la population. L'absolutisme apparaît désormais comme nécessaire et inéluctable. En Angleterre comme en France, l'expérience a montré qu'il est vain d'attendre quoi que ce soit du remplacement d'un régime par un autre. Les notables locaux qui avaient tant misé sur leurs seigneurs, après avoir montré leur appétit de pouvoir, se retrouvent à découvert. Lâchés par l'aristocratie, ils se prennent à la mépriser et renoncent pour un siècle au moins à toute ambition politique. Aussi se résignent-ils : la loi doit être respectée parce qu'elle est la loi voulue par Dieu. Et même si, pour certains, la toute-puissance de la monarchie héréditaire est contestable, son ordre, même injuste, vaut mieux, pensent-ils, que les iniquités qui ne peuvent manquer d'accompagner toute révolution.

Après l'échec de la Fronde, les conjurés s'exilent à l'étranger, dans leur province, dans la littérature ou le jansénisme. La Rochefoucauld devient un habitué du salon de Mme de Sablé, amie de Mme de Longueville, et se lie pour vingt ans avec Mme de La Fayette[376]. Retz sera emprisonné, puis libéré ; il renoncera plus tard à l'archevêché de Paris pour ne plus faire qu'écrire. D'autres se replient dans le mépris du monde, l'austérité, le culte du passé, voire, pour certains, dans ce qu'on n'appelle pas encore un « intégrisme chrétien »[284]. Le duc de Luynes a ouvertement rallié le jansénisme. Retz commence à s'y intéresser.

Reclus dans le vallon de Chevreuse, les « messieurs de Port-Royal » ne sont que l'avant-garde, en tout cas les représentants les plus visibles de ces anciens frondeurs qui ne défient désormais plus le pouvoir qu'en s'éloignant de lui.

Pendant ce temps, à Paris, Blaise travaille à mettre au point son *Traité du vide* où il entend théoriser à partir de ses expériences : au début de juillet 1651, il se livre à ce propos à l'un de ses rares mensonges avérés, et sur un sujet sensible : l'originalité d'une découverte et ce que l'on n'appelle pas encore la propriété industrielle. Une lettre de Florin Périer lui apprend que, le 25 juin précédent, un jésuite du collège de Montferrand, le père Médaille, l'a accusé de plagiat : un capucin milanais, le père Magni, aurait réussi avant lui, à Varsovie, l'expérience sur le vide : « Il y a de certaines personnes aimant la nouveauté qui se veulent dire les inventeurs d'une certaine expérience dont Torricelli est l'auteur, qui a été faite en Pologne ; et nonobstant cela, ces personnes, se la voulant attribuer, après l'avoir faite en Normandie, sont venues la publier en Auvergne[7]. » Le 12 juillet 1651, pour « défendre son honneur compromis par le reproche de larcin », Blaise répond au président Ribeyre par une lettre dans laquelle il affirme sans la moindre vergogne avoir ignoré l'existence de l'expérience de Torricelli quand il effectua la sienne (en réalité, comme on l'a vu, il la connaissait par Petit, mais il ignorait qu'elle était nommément de Torricelli). Il ajoute que, depuis, tout le monde la connaît et qu'il serait absurde de vouloir s'en attribuer le mérite. Un peu méprisant envers les provinciaux qui l'attaquent, il écrit : « Si ce bon père de Montferrand avait un peu plus de commerce avec Paris, il saurait que c'est une chose qui y est si connue qu'il serait aussi peu possible de s'attribuer l'expérience de Torricelli que l'invention des lunettes d'approche [401]. » Et, pour justifier les efforts qu'il a dû déployer pour faire connaître ses propres résultats, il ajoute cette remarque qui n'est pas sans montrer quelque angoisse, voire du regret pour tout l'argent dépensé dans ces expériences et qui manque tant, aujourd'hui que son père n'a plus de responsabilités : « Ayant fait des expériences avec beaucoup de frais, de peine et de temps, j'ai craint qu'un autre qui n'y aurait employé le temps, l'argent ni la peine, me prévenant, ne donnât en public des choses qu'il n'aurait pas vues, et lesquelles, par conséquent, il ne pourrait pas rapporter avec l'exacteté et l'ordre nécessaires pour les déduire comme il faut : n'y ayant personne qui ait eu des tuyaux et des siphons de la longueur des miens, et peu qui voulussent se donner la peine nécessaire pour en avoir [401]. »

Blaise voudrait partager ses émotions, comme naguère, avec Jacqueline, qui continue de diriger et la maison et leur vie. Jusque dans les moindres détails : elle se charge par exemple de rédiger et d'envoyer le courrier. Blaise note ainsi dans sa lettre à Gilberte du 17 octobre 1651 : « Je ne sais plus par où finissait la première lettre. Ma sœur l'a envoyée sans prendre garde qu'elle n'était pas finie [401]. » Il se croit encore capable de l'écarter du couvent. Après tout, la religion, qui lui a servi à empêcher tout mariage, pourra bien lui servir à la persuader de rester auprès de lui. Il se croit capable de la convaincre de renouer leur « alliance », celle de ces années bénies qui n'appartenaient qu'à eux deux. Il ne veut pas voir que Jacqueline ne vit plus que dans l'attente déférente du trépas de leur père.

Étienne broie du noir sans presque plus sortir. Pas question pour lui de demander la moindre faveur à la Cour. Janséniste, il y est *persona non grata*. La vie, rue de Touraine, n'est pas d'une folle gaieté.

Blaise fuit de plus en plus souvent cette atmosphère étouffante pour aller retrouver ses amis à l'académie et — nouveauté pour lui — dans les salons, plus que jamais fréquentés malgré les troubles. On le voit à l'hôtel de Rambouillet, fréquenté par Mme de Sévigné et Mme de La Fayette, et qui est, depuis plusieurs décennies, le cadre du bon goût, le refuge des « honnêtes gens » et de la bienséance[270]. « On n'y parle point savamment, mais on y parle raisonnablement, et il n'y a lieu du monde où il y ait plus de bon sens et moins de pédanterie », écrit Chapelain. On le croise aussi chez Mlle de Scudéry, qui reçoit tous les samedis, au Marais, des femmes et des romanciers disputant sur la Carte du Tendre, inventant la préciosité comme une façon d'être à part, de « se tirer du prix commun des autres », dit l'abbé de Pure. On le voit encore chez la duchesse de Longueville, chez la marquise de Sablé, à l'hôtel de la duchesse d'Aiguillon, chez Des Barreaux. Il est plutôt beau garçon et surtout beau parleur. On connaît un peu sa machine d'arithmétique qu'on considère comme une aimable curiosité, et les expériences sur le vide l'ont rendu célèbre. Il a un carrosse et un cocher, porte une montre au poignet, bien avant tout le monde. Selon certains, c'est là seulement qu'il rencontre Arthus de Roannez.

Il est partout à l'aise, même à la Cour où la duchesse d'Aiguillon l'entraîne ; il est accueilli comme un fils par la cousine du roi, la puissante duchesse de Longueville. Il y parle de tout ce dont on débat à Paris entre

aristocrates. De danse : « Il faut bien penser où l'on
mettra les pieds. » (fr. 168) De billard : « Et [l'homme]
est si vain qu'étant plein de mille causes essentielles
d'ennui, la moindre chose comme un billard et une
balle qu'il pousse suffisent pour le divertir. » (fr. 168)
De chasse : « Les hommes s'occupent à suivre une
balle et un lièvre. C'est le plaisir même des rois. »
(fr. 73)

Gilberte, qui n'aime pas du tout la vie que mène
alors son frère, ne peut retenir sa fierté en apprenant,
par les lettres de Jacqueline, ses succès mondains :
« Le voilà donc dans le monde ; il se trouva plusieurs
fois à la Cour, où des personnes qui y étaient consom-
mées remarquèrent qu'il en prit d'abord l'air et les
manières avec autant d'agrément que s'il y eût été
nourri toute sa vie [431]. »

Et comme tout, dans sa vie, arrive par hasard, c'est
par le biais d'une rencontre fortuite qu'il va se trouver,
pour la quatrième fois, en situation — après les
coniques, la machine d'arithmétique et la théorie du
vide — de révolutionner l'histoire de la science. Cette
fois, ce sera en inventant une nouvelle branche des
mathématiques : le calcul des probabilités.

Son amitié avec le jeune Arthus Gouffier, duc de
Roannez — il a alors vingt-quatre ans, soit trois de
moins que Blaise —, écartelé entre un grand-père qui
ne pense qu'aux femmes et une mère, jeune veuve,
qui ne pense qu'à elle, commence. En 1652, le duc de
Roannez vient d'être nommé gouverneur du Poitou, sa
province natale ; il nourrit pour Blaise une sincère amitié doublée d'une profonde admiration. Il voit en lui
celui qu'il aurait aimé être : un savant. Sans doute est-
il alors loin de penser qu'après la mort de Blaise il
passera le reste de ses jours à entretenir le souvenir de
son ami, à rassembler ses manuscrits, à les faire publier
avant de tout quitter du monde pour chercher dans la
pauvreté quelque chose comme une voie vers le salut.
En 1651, c'est encore un jeune aristocrate inconsé-

quent avec qui Blaise aime à rire et se frotter au luxe. Le fils d'Étienne l'envie même un peu : « Que la noblesse est un grand avantage qui dès dix-huit ans met un homme en passe d'être connu et respecté comme un autre pourrait avoir mérité à cinquante ans ! C'est trente ans gagnés sans peine ! » (fr. 136)

Il se fait par Roannez de nouveaux amis, tel Miton, personnage énigmatique d'une rare éloquence, joueur passionné, esprit désabusé, prêt à tout pour un bon mot, et que Pascal citera à diverses reprises dans ses *Pensées*.

Les amis de Blaise ne sont décidément pas des gens ordinaires. Par Roannez, il fait aussi la connaissance d'un autre personnage extraordinaire qui va jouer un rôle considérable dans sa vie, et, par ricochet, dans l'histoire des sciences.

Antoine Gombaud, chevalier de Méré, est né dans les environs de Niort vers 1610. Son père, chevalier des ordres du roi, appartenait à la maison de Condé par sa mère, proche parente de la princesse de Condé, mère du duc d'Enghien [164]. Méré est devenu l'ami du duc de La Rochefoucauld, de Ménage, du peintre du Fresnoy. Hôte régulier de l'hôtel de Rambouillet, c'est avant tout un grand séducteur ; les femmes, dit-il, savent voir « dans le cœur et dans l'esprit de ceux qui les approchent » [94] tout ce qu'il faut dire ou faire « pour y gagner la première place » [94]. On lui prête des liaisons avec Ninon de Lenclos, avec la duchesse de Lesdiguières et avec la maréchale de Clérambault. C'est aussi un lettré : il parle couramment le latin, le grec, l'espagnol et l'italien ; il voyagera en Angleterre, en Allemagne, en Espagne et même en Amérique. Il aime également la nature et la solitude. Conscient de la vacuité de la Cour et indifférent en matière religieuse, il se fixe une règle : l'« honnêteté », qu'il définit comme « l'art d'exceller en tout ce qui regarde les agréments et les bienséances de la vie » [335], ou encore comme un mélange d'attention aux désirs des autres et de retenue des siens : « Il faut avoir l'esprit bien pénétrant pour découvrir la manière la plus conforme aux gens qu'on fréquente. » Pour cela, il faut « une espèce de lumière qui consiste à comprendre les choses, à les savoir considérer à toutes sortes d'égards, à juger nettement de ce qu'elles sont, et de leur juste valeur, à discerner ce que l'une a de commun avec l'autre, et ce qui l'en distingue »[335]. Il pense que « la dévotion et l'honnêteté vont presque les mêmes voies »[336].

Pascal est séduit par cette morale exigeante, même si elle ne lui suffit pas. « Qu'ils soient au moins honnêtes gens s'ils ne peuvent être chrétiens ! » (fr. 681), écrira-t-il plus tard en écho à Méré.

Même s'il surestime lui-même son influence, le chevalier comptera beaucoup pour Pascal. Il lui fait découvrir la vie mondaine et lui fait lire Montaigne, Épictète. Et, surtout, il l'initie aux jeux de dés. Le hasard, encore...

La mort du père (24 septembre 1651)

Le 24 septembre 1651, Étienne Pascal meurt à Paris, à son domicile, entouré de Blaise et de Jacqueline. Ses amis de l'académie de Mersenne, plusieurs messieurs de Port-Royal, Roannez, Miton, Méré sont là pour soutenir les deux enfants lors des obsèques à Saint-Étienne-du-Mont.

Quatre jours plus tard, soit le 28 septembre, à Clermont, Gilberte, qui n'a pas encore été informée du décès de son père, donne le jour à son sixième enfant — deux sont déjà morts —, Louis, baptisé à Notre-Dame-du-Port[7].

Le 17 octobre, Blaise se décide enfin à annoncer à sa sœur aînée la disparition de leur père. C'est peut-être une des premières fois qu'il écrit à Gilberte sans cosigner avec Jacqueline. C'est donc sa voix qu'on entend dans cette magnifique lettre de consolation où percent tous les grands thèmes qu'il développera plus tard sur l'amour-propre, la paresse et le désir de dominer : « Nous ne trouvons en nous que de véritables malheurs, ou des plaisirs abominables ; mais si nous considérons toutes choses en Jésus-Christ, nous trouverons toute consolation, toute satisfaction, toute édification. Considérons donc la mort en Jésus-Christ, et non pas sans Jésus-Christ. Sans Jésus-Christ elle est horrible, elle est détestable, et l'horreur de la nature. En Jésus-Christ elle est tout autre : elle est aimable, sainte, et la joie du fidèle. [...] Le péché étant arrivé, l'homme a perdu le premier de ces amours ; et l'amour pour soi-même étant resté seul dans cette grande âme capable d'un amour infini, cet amour-propre s'est étendu et débordé dans le vide que l'amour de Dieu a quitté ; et ainsi il s'est aimé seul, et toutes choses pour soi, c'est-à-dire infiniment. Voilà l'origine de l'amour-propre. Il était naturel à Adam, et juste en son innocence ; mais il est devenu et criminel et immodéré en suite de son péché. Voilà la source de cet amour, et la cause de sa défectuosité et de son excès. Il en est de même du désir de dominer, de la paresse, et des autres[401]. » Un peu plus loin, on trouve la première occurrence, dans l'œuvre de Pascal, de concepts thomistes tels que « prévu et pré-ordonné en Dieu », ce qui indique qu'il vient de lire saint Thomas ou un résumé de la *Somme théologique*[124]. Puis : « L'horreur de la mort est naturelle, mais c'est en l'état d'innocence : la mort à la vérité est horrible, mais c'est quand elle finit une vie toute pure. Il était juste de la haïr quand elle séparait une âme sainte d'un corps saint ; mais il est juste de l'aimer quand elle sépare une âme sainte d'un corps impur. Il était juste de la fuir quand elle rompait la paix entre l'âme et le corps ; mais non pas quand elle en calme la dissension irréconciliable. Enfin quand elle affligeait un corps innocent, quand elle ôtait au corps la liberté d'honorer Dieu[401]. » Chaque mot mériterait d'en être médité, lu même à voix haute pour entendre, au-delà de l'exhortation du croyant, une des plus belles langues jamais écrites.

Seule note personnelle sur son père, il ajoute : « C'est moi qui suis le plus intéressé. Si je l'eusse perdu il y a six ans [c'est-à-dire en 1645, l'année heureuse où il travaillait avec Étienne à l'envoi d'une machine d'arithmétique au chancelier Séguier], je me serais perdu, et quoique je croie en avoir à présent une nécessité moins absolue, je sais qu'il m'aurait été encore nécessaire dix ans, et utile toute ma vie [401]. »

Et enfin cette très étrange notation finale, où Blaise avoue au bout du compte, à mots couverts, ne pas avoir souhaité voir son père vivre plus longtemps : « Nous connaissons des personnes de condition qui ont appréhendé des morts domestiques que Dieu a peut-être détournées à leur prière, qui ont été cause ou occasion de tant de misères qu'il serait à souhaiter qu'ils n'eussent pas été exaucés [401]. »

De quelles « misères » la mort de son père l'a-t-elle soulagé ? D'avoir à supporter son agonie plus longtemps ? Ou bien plutôt d'avoir encore à partager la compagnie d'une morte vivante ?

Jacqueline au couvent (4 janvier 1652)

Jacqueline avait fait, on l'a vu, à son père le serment de ne pas entrer au couvent avant sa mort. Elle est désormais délivrée de sa promesse. Rien ne la fera dévier. Dès novembre 1651, elle retourne voir mère Agnès au Faubourg-Saint-Jacques pour mettre au point les détails de son entrée selon la progression traditionnelle : elle sera d'abord postulante, puis novice et, dans quelques années, professe. Mère Agnès proteste : pour une recrue d'exception comme Jacqueline, pas besoin de postulat. Les quatre années qui se sont écoulées depuis qu'elle a formé le vœu d'entrer, les retards mis par son père forment équivalence. Elle pourra très

bientôt devenir novice, puis rapidement professe.
D'ailleurs, on a besoin d'elle pour des tâches d'impor-
tance : avec sa culture, elle pourra enseigner. Port-
Royal manque cruellement de professeurs.

Jacqueline insiste : elle entend rester novice au
moins jusqu'à ce qu'elle ait récupéré sa part d'héritage,
pour en faire don au couvent. Mais mère Agnès est
trop heureuse d'accueillir cet élément d'exception, et à
Port-Royal l'argent ne compte guère. Ce qui est important, c'est d'arriver en ayant rompu tous les ponts avec
le monde. De ce point de vue, Jacqueline est une recrue
idéale[210]. Mère Angélique lui explique de son côté
qu'elle reçoit les filles pauvres, qu'elle en refuse parmi
celles richement dotées, et interdit tout déploiement de
luxe au couvent. Un jour, raconte-t-elle à Jacqueline,
elle a fait retourner une tapisserie qu'on y avait appor-
tée afin de conserver sa laideur à son bureau[169]. Elle
ajoute : « On n'a pas besoin de choses qui attachent
les sens pour transporter son cœur dans les plaies de
Jésus-Christ[169]. » Elle précise : « J'admire les carmé-
lites du Grand Couvent qui sont plus austères que nous
dans leur manger, mais elles emploient leur argent à
faire faire des tableaux devant leur monastère, si précieux et si chers et en si grand nombre que leur réfec-
toire, leurs dortoirs en sont pleins ; et des religieuses
qui les ont vus m'ont dit à moi-même qu'elles en
avaient été scandalisées, le palais du Luxembourg avec
toutes ses peintures étant moins beau que leur maison[169]. » Et encore : « L'amour de la pauvreté doit donner de la peine d'avoir des choses qui ne sont pas assez
pauvres[169]. » Sa sœur, mère Agnès, se vante d'ailleurs
d'avoir perdu l'usage de l'odorat, et elle écrit à sœur
Élisabeth de Sainte-Agnès, le 22 septembre 1648 :
« Plus on ôte aux sens, plus on donne à l'esprit[169]. »
Ce n'est pas seulement une pauvreté d'ostentation :
Port-Royal irradie la charité et Racine dira la vénération des paysans de la région à l'égard de mère Angélique[443].

Jacqueline insiste, puis fait une concession : elle sera novice avant même d'avoir reçu sa part d'héritage, mais elle ne prononcera pas de vœux tant qu'elle ne l'aura pas récupérée.

En décembre 1651, quand Gilberte Périer vient à Paris pour le règlement de la succession, sa sœur cadette lui annonce son intention d'entrer au plus tôt à Port-Royal, mais lui avoue ne pas oser en informer leur frère. Gilberte garde le secret.

Blaise est occupé à autre chose. Pour sa sœur et lui, il veut une nouvelle maison, afin de sceller un nouveau départ. Il organise leur déménagement. Le jour de la Noël 1651, il quitte la rue de Touraine, qu'il a détestée, pour s'installer en sous-location rue Beaubourg, dans l'aile d'une maison qui appartient à un riche financier : deux étages, une écurie, une cour ; le loyer annuel n'est que de 275 livres, au lieu de 700 pour la rue de Touraine. Sans mot dire, Jacqueline l'aide à déménager avec Gilberte, au courant de tout mais qui n'ose souffler mot. C'est un Noël à trois, triste et plein de non-dits.

Le 4 janvier 1652 au matin, Jacqueline, ne prévenant que Gilberte, quitte la rue Beaubourg, traverse Paris et entre à Port-Royal, rue du Faubourg-Saint-Jacques. Les sœurs y sont encore pour la plupart, pendant qu'aux Champs on édifie un nouveau bâtiment destiné à abriter les Petites Écoles [69].

Jacqueline découvre la vie et les rites de la communauté dont on parle tant à Paris. Un livre d'un nommé Brisacier, jésuite, *Le Jansénisme confondu*, vient d'ailleurs de faire scandale en prétendant que Saint-Cyran a doté les religieuses de Port-Royal de règles secrètes leur interdisant par exemple de communier. En réalité, elle découvre que la vie du couvent est on ne peut plus orthodoxe et simple. Les sœurs sont habillées de blanc, portent un voile noir, l'ouverture du manteau découvrant une grande croix rouge. Sans en avoir le titre — elle ne veut être que « la servante des servantes de

Dieu » —, mère Angélique, alors âgée de cinquante-
neuf ans, est la supérieure incontestée ; comme une
abbesse, elle dirige les prières aussi bien que l'administration des domaines[69]. La nuit, elle écrit des milliers
de lettres très personnelles — « Je me parle autant qu'à
vous[69]... » — à ses parents et amis, abbesses et religieuses d'autres couvents, à d'anciennes « dirigées »
dont Marie de Gonzague, devenue reine de Pologne, à
qui elle écrira une fois par semaine pendant quinze
ans[69]. La théologie est sous le contrôle du directeur de
conscience, M. Singlin, et du principal confesseur,
M. de Rebours. Antoine Arnauld, frère cadet d'Angélique et d'Agnès, est le principal penseur du mouvement.

Quand il découvre le départ de sa sœur, Blaise est
foudroyé : convulsions, douleurs, paralysie. Restée
seule avec son frère, Gilberte ne sait que faire. Elle
avise Jacqueline, qui écoute le récit de sa sœur mais
ne bronche pas. Elle connaît par trop ces situations.
Quatre fois déjà, Blaise l'a empêchée de quitter la maison commune en recourant à ce genre de chantage.
C'est d'ailleurs pour ne pas avoir à l'affronter qu'elle
ne l'a pas avisé de son départ. Par Gilberte, elle lui fait
savoir qu'elle serait très heureuse de le rencontrer,
mais au parloir du couvent. Et, s'il ne peut pas se
déplacer, il lui sera loisible de lui écrire. Blaise ne
répond pas. Jacqueline lui adresse alors plusieurs
lettres pour le supplier d'approuver son entrée dans les
ordres. En fait, elle n'a nul besoin légalement de son
approbation, mais elle ne souhaite pas se brouiller avec
lui. De plus, elle va avoir besoin de lui pour récupérer
sa part d'héritage.

Cet héritage d'Étienne constitue un problème
complexe qui va empoisonner les relations entre Blaise
et Jacqueline[354]. Étienne a laissé une part à chacun de
ses trois enfants, mais les notaires ont besoin de plusieurs mois pour régler les dettes, évaluer les biens et
les répartir. Mais, si Jacqueline prend le voile avant

d'avoir reçu sa part, elle la perdra, puisqu'un religieux est un mort civil. Comme elle ne souhaite pas attendre, pour ce faire, que les notaires aient parachevé leur travail, elle pense demander à Blaise de lui en faire l'avance. Mais avec moult ménagements...

Elle lui écrit une première fois, le 7 mars 1652. Sans réponse. Puis une seconde, le 9 mai 1652 : une lettre de treize pages, aussi magnifique qu'essentielle pour comprendre leurs relations. Semée de sous-entendus, de menaces, et si confidentielle qu'elle charge un ami de la famille, M. Hobier[7], de la lui remettre en mains propres. Elle y annonce à son frère ses « fiançailles » avec le Christ pour le 26 mai suivant, dimanche de la Trinité : ce jour-là, elle deviendra novice sous le nom de sœur Jacqueline de Sainte-Euphémie[354]. Elle lui demande son « consentement et aveu » pour pouvoir l'accomplir « avec joie, avec repos d'esprit, avec tranquillité » ; à défaut, elle ferait « la plus grande, la plus glorieuse et la plus heureuse action de [sa] vie avec une joie extrême mêlée d'une extrême douleur ». Elle n'hésite pas à dire les choses crûment : si Blaise voulait la garder pour lui, ce ne serait pas humainement possible : « N'est-ce pas une chose étrange que vous vous feriez un grand scrupule, et que tout le monde vous voudrait mal, si pour quelque intérêt que ce fût vous vouliez m'empêcher d'épouser un prince, encore que je dusse le suivre en un lieu fort éloigné de vous ? Faites vous-même l'application et mettez toutes les différences ; car cette lettre est déjà trop longue pour l'amplifier encore. » Puis elle passe au tutoiement pour menacer : « Ce n'est que par forme que je t'ai prié de te trouver à la cérémonie ; car je ne crois pas que tu aies la pensée d'y manquer. Vous êtes assuré que je vous renonce si vous le faites. » Enfin le coup de grâce, cette phrase vertigineuse : « Ne m'ôtez pas ce que vous n'êtes pas capable de me donner[181] ! » Impossible à une sœur d'être plus explicite avec un frère pour dénouer l'écheveau de leurs relations.

Il ne répond pas. Il fuit dans les mondanités la mort de son père et le départ de sa sœur. Il écrira un peu plus tard dans un fragment étonnamment autobiographique : « Cet homme si affligé de la mort de sa femme et de son fils unique, qui a cette grande querelle qui le tourmente, d'où vient qu'à ce moment il n'est point triste et qu'on le voit si exempt de toutes ces pensées pénibles et inquiétantes. Il ne faut pas s'en étonner, on vient de lui servir une balle et il faut qu'il la rejette à son compagnon, il est occupé à la prendre à la chute du toit pour gagner une chasse. » (fr. 453)

Il a maintenant en horreur l'appartement qu'il avait choisi pour Jacqueline et pour lui ; il passe le plus clair de ses jours et de ses nuits à l'hôtel de Roannez avec Arthus et Charlotte, sa jeune sœur de dix-huit ans, qu'il fascine. On le voit plus que jamais chez Mme de Sablé et chez Mme d'Aiguillon chez qui il donne, en avril 1652, une conférence très applaudie sur le vide, suivie d'une démonstration de sa machine d'arithmétique. Pour préparer cette conférence, il accélère la rédaction des deux textes sur le vide ébauchés l'année précédente en Auvergne, chez Gilberte : *Traité de l'équilibre des liqueurs* et *Traité de la pesanteur de la masse de l'air* dans lequel il veut calculer le poids de l'atmosphère.

Pendant ces quatre mois qui séparent l'arrivée de Jacqueline au couvent comme postulante de son passage au rang de novice, le frère et les sœurs ne se rencontrent que de temps à autre au Châtelet devant Jean de Monhenault et André Guyon, notaires[354], afin de régler la question du legs paternel. Jacqueline explique qu'elle souhaite que cet héritage soit dénoué au plus vite, en tout cas avant qu'elle ne devienne novice, afin de pouvoir faire don de sa part au couvent. Ce sera long, répondent les notaires : tous les biens étant en indivision, et comme il y a des échéances à courir sur certains terrains, le partage risque de prendre un temps indéfini.

Jacqueline propose alors un compromis : elle cédera la moitié de la part à laquelle elle a droit — soit plus de 23 000 livres, prétend-elle — à son frère et à sa sœur si, en échange, ceux-ci lui avancent immédiatement, avant la liquidation de l'héritage, l'autre moitié pour qu'elle puisse l'apporter au couvent[354].

Les Périer refusent : ils guignent cet argent et ne voient aucune raison de le laisser à des religieuses. Si Jacqueline le veut pour elle, pas de problème : qu'elle attende ! Gilberte et Florin sont dans leur strict droit : on l'a déjà dit, sous l'Ancien Régime, quiconque entre en religion devient un mort civil[354].

Blaise commence par refuser lui aussi, avançant qu'il ne possède pas la somme qu'elle demande, que sa vie courante lui coûte cher et qu'il a à assumer beaucoup de frais pour la fabrication de machines d'arithmétique. Il n'accepte de verser à Jacqueline qu'une petite rente viagère en attendant la liquidation de l'héritage, mais avec une clause stipulant que si elle entre en religion, il ne lui devra plus rien.

Blaise se déteste pour la bassesse dans laquelle il tombe pour ne pas perdre sa sœur. Jacqueline, elle, est désespérée. Elle en parle à Port-Royal à M. Singlin et à l'un des Solitaires, Arnauld d'Andilly, frère aîné d'Agnès et d'Angélique, qui lui répètent que le couvent l'acceptera sans dot. Jacqueline veut d'abord refuser ; puis, après maintes hésitations, et sur ordre de M. Singlin, elle accepte, espérant toujours récupérer sa dot avant sa profession définitive. Le 26 mai 1652, c'est ce qu'elle écrit sans se fâcher à son frère, ainsi que le lui a demandé Singlin. Elle note dans une lettre à Agnès : « J'écrivis à l'heure même cette résolution à mes parents, selon l'ordre que M. Singlin m'en donna et dans le style qu'il voulut même me prescrire de crainte que je m'emportasse à témoigner trop de chaleur. Il approuva néanmoins que je leur fisse connaître un peu fortement leur injustice et le déplaisir qu'ils m'avaient donné parce qu'il leur était utile de les aider à se faire justice à eux-mêmes en les guérissant de l'opinion qu'il était clair qu'ils avaient été offensés, qui leur faisait croire que c'était me faire assez de grâce de ne pas me témoigner leur colère par des effets plus signalés[36]. »

Elle devient donc novice. Il est prévu qu'elle entrera dans l'ordre dès l'année suivante. Singlin et Angélique entendent lui confier la responsabilité de l'école des enfants de Port-Royal. Elle espère toujours que d'ici là l'héritage sera réparti.

Florin et Gilberte sont sûrs de leur fait : il y a encore beaucoup de créances en cours ; il suffira de ne pas les rembourser et de laisser les notaires faire traîner les procédures. Naturellement, pensent-ils, Jacqueline n'attendra pas et se fera religieuse comme prévu, perdant sa part d'héritage.

Blaise, de son côté, continue à se « divertir » : le jeu, la conversation, les femmes aussi peut-être ; en tout cas, il n'a jamais fait vœu de chasteté.

En juin 1652, il rencontre le docteur Bourdelot, médecin — et peut-être amant — de la reine Christine de Suède. Celle-ci a alors vingt-six ans ; luthérienne, elle est tentée de se convertir au catholicisme et projette d'abdiquer. Toute l'Europe parle des pourparlers en cours pour le choix de son successeur. Blaise charge Bourdelot de faire porter à la reine une machine d'arithmétique avec une lettre dédicatoire particulièrement intéressante, car c'est un des rares textes explicitement politiques de Pascal. Et parce qu'y pointe sa rage d'être, lui, un des plus grands génies de son temps, traité comme un charmant compagnon ou un prodige de foire.

À cette reine d'exception en train de se détacher du monde pour chercher Dieu, il explique que le pouvoir politique est sans légitimité, à la différence de celui des savants. Il compare la toute-puissance d'un savant sur ses pairs, obtenue par la persuasion, à celle des princes, obtenue par la force. Il rêve d'une méritocratie où l'art de convaincre serait la seule forme de commandement, où l'esprit seul légitimerait l'exercice du pouvoir et où l'autorité suprême irait aux esprits suprêmes, autrement dit aux génies — en somme à des êtres à sa propre image. Les biographes de Pascal ont souvent lu ce texte comme émanant d'un courtisan ; j'y vois bien plutôt un défi d'un savant contestant la légitimité des puissants.

« J'ai une vénération toute particulière pour ceux qui sont élevés au suprême degré, ou de puissance, ou de connaissance. Les derniers peuvent, si je ne me trompe, aussi bien que les premiers, passer pour des souverains. Les mêmes degrés se rencontrent entre les génies qu'entre les conditions ; et le pouvoir des rois sur les sujets n'est, ce me semble, qu'une image du pouvoir des esprits sur les esprits qui leur sont inférieurs, sur lesquels ils exercent le droit de persuader, qui est parmi eux ce que le droit de commander est dans le gouvernement politique. Ce second empire me paraît même d'un ordre d'autant plus élevé que les esprits sont d'un ordre d'autant plus élevé que les corps, et d'autant plus équitable qu'il ne peut être départi et conservé que par le mérite, au lieu que l'autre peut l'être par la naissance ou par la fortune. [...] Quelque puissant que soit un monarque, il manque quelque chose à sa gloire s'il n'a pas la prééminence de l'esprit ; et quelque éclairé que soit un sujet, sa condition est toujours rabaissée par la dépendance [401]. »

La reine Christine abdiquera deux ans plus tard ; Pascal n'aura jamais reçu de réponse à sa lettre et personne ne passera plus commande de la machine d'arithmétique.

Pendant l'été 1652, la succession d'Étienne est presque dénouée. Reste encore à rembourser quelques dettes avant de répartir le patrimoine en trois lots, conformément au testament. Blaise et Gilberte revendiquent leurs parts, mais ne peuvent la percevoir que si Jacqueline touche aussi la sienne. Ils ont chacun de

bonnes raisons de vouloir retarder le règlement défini-
tif : Blaise parce qu'il espère encore convaincre Jacqueline de renoncer à sa profession religieuse ;
Gilberte et son mari parce qu'ils ne veulent pas que
l'héritage soit réparti avant la prise de voile de Jacqueline. Sur sa part, Blaise prélève néanmoins de quoi
régler une pension viagère de 400 livres à Louise Delfaut qui vit toujours à ses côtés. En empruntant sur la
part à leur revenir, les Périer achètent, le 20 septembre
1652, le joli château de Bienassis, proche de Clermont,
pour 32 000 livres[7].

Jacqueline ignore tout des manœuvres dilatoires de
ses frère et sœur, et attend sans trop d'inquiétude le
règlement de sa part d'héritage. Elle fait savoir tous les
jours à son frère qu'elle est prête à le recevoir au parloir de Port-Royal, quand il voudra.

À l'automne, Blaise, ne supportant plus de vivre seul
à Paris, accepte l'invitation du duc de Roannez de l'accompagner dans le Poitou. Méré, Miton et un ingénieur
italo-tchèque, Octavio de Strada, qui a dirigé l'assèchement du lac de Sarlièves[7], sont du voyage. Le duc s'est
mis en tête d'assécher les marais de son Poitou natal
et présente partout Pascal comme le conseiller scientifique de l'opération. En échange de la caution de son
nom, Blaise reçoit une centaine d'arpents. On se pro-
mène, on discute théologie. Un témoin note :
« M. Pascal a fait des fragments contre huit esprits
forts du Poitou qui ne croyaient point en Dieu : il les
veut convaincre par des raisons morales et naturelles[66]. » Il écrira plus tard comme en écho : « J'aurais
bientôt quitté les plaisirs, disent-ils, si j'avais la foi. Et
moi je vous dis : Vous auriez bientôt la foi, si vous
aviez quitté les plaisirs. » (fr. 659) Et encore, cet autre
dialogue avec un libertin : « Pourquoi Dieu ne se
montre-t-il pas ? En êtes-vous dignes ? — Oui.
— Vous êtes bien présomptueux, et indignes par là.
— Non. — Vous en êtes donc indignes. » (fr. 784)

Dans le très curieux récit qu'il fait de ce voyage

dans son traité *De l'esprit*[336], Méré décrit ainsi l'un de leurs compagnons de voyage qu'on reconnaît en général comme étant Blaise Pascal[491] : « Le D.D.R. [duc de Roannez] a l'esprit mathématique et, pour ne pas s'ennuyer sur le chemin, il avait fait provision d'un homme entre deux âges qui n'était alors que fort peu connu, mais qui depuis a bien fait parler de lui. C'était un grand mathématicien, qui ne savait que cela. Ces sciences ne donnent pas les agréments du monde ; et cet homme, qui n'avait ni goût ni sentiment, ne laissait pas de se mêler en tout de ce que nous disions, mais il nous surprenait presque toujours et nous faisait souvent rire [...]. Deux ou trois jours s'étant écoulés de la sorte, il eut quelque défiance de ses sentiments et, ne faisant plus qu'écouter ou interroger pour s'éclairer sur les sujets qui se présentaient, il avait des tablettes qu'il tirait de temps en temps, où il mettait quelque observation. Cela fut bien remarquable qu'avant que nous fussions arrivés à Poitiers, il ne disait presque rien qui ne fût bon et que nous n'eussions voulu dire[336]. »

Blaise ne tient pas à rentrer à Paris. Il n'a nulle envie de s'y retrouver seul. Il ne le supporterait pas. Il souffre des jambes et de la tête. En novembre 1652, il quitte Roannez et Méré pour aller en Auvergne et s'installer à Bienassis, la nouvelle résidence de Gilberte et Florin. Il y passe l'hiver à mettre au point les textes décrivant ses travaux de physique. Il découvre et règle quelques dettes de son père, notamment à M. Champflour et à Claude Servolle, consul de Montferrand. Le 17 avril 1653, il remet à Nicolas Rave, son ancien cocher, 275 livres et 4 sols en pièces d'or que ce dernier avait enterrées dans l'écurie de la rue Beaubourg et que Blaise avait retrouvées[361]. Toute la famille commence à s'inquiéter des douleurs à l'œil gauche que ressent la fille de Gilberte, la nièce et filleule de Blaise, Marguerite Périer.

Pendant ce temps, l'entrée de Jacqueline dans les ordres se précise. À la fin d'avril 1653, Port-Royal désigne les novices prêtes à faire profession, dont Jacqueline Sainte-Euphémie Pascal. Elle écrit à son frère et à sa sœur pour les en aviser et leur annoncer qu'elle compte bien disposer maintenant de sa part d'héritage : les formalités n'ont que trop duré. « Pour mettre la dernière main à mes affaires, je désire rendre à Dieu le peu de bien qu'Il m'a donné, puisque je m'en dépouille en devenant professe. Je suis sûre que vous approuverez tous cette disposition et qu'il ne me sera pas possible de vous fâcher, quoi que je fasse, vu l'union et l'amitié que nous avons toujours eues ensemble [129]. »

Acculé, Florin lui annonce alors que l'héritage ne saurait être liquidé avant plusieurs années ; libre à elle de l'attendre avant d'entrer au couvent. Jacqueline, bouleversée, tombe malade et propose à mère Angélique Arnauld de faire profession comme sœur converse chargée de la cuisine sans donc avoir prononcé ses vœux perpétuels. L'abbesse refuse. Elle répète à Jacqueline, qui ne se remet pas, qu'elle sera acceptée sans dot et que cette épreuve compensera la brièveté de son noviciat : « C'est une des raisons qui me font avoir une grande joie que cela soit arrivé ; et je ne voudrais pas, pour le double du bien, que vous n'eussiez eu cette épreuve avant votre profession, car nous n'aviez pas été assez éprouvée pendant votre noviciat [36]. » Jacqueline lui répond qu'elle est « prête à y faire profession, capable d'être affligée de quoi que ce soit ; mais beaucoup plus encore si on savait que c'est de se voir réduite à être reçue pour rien » [36].

Fin mai 1653, Blaise apprend par Gilberte que Jacqueline est tombée malade. Bouleversé, il quitte Bienassis et rentre à Paris le plus vite qu'il peut, en carrosse. Florin est inquiet de ce qu'il compte y faire. Le 2 juin, afin de défendre ses propres intérêts, ceux de Gilberte et ce qu'il estime être ceux de Blaise, et alors que ce dernier parvient dans la capitale, il écrit une nouvelle lettre de refus à Jacqueline au nom de son épouse et de son beau-frère, dévoilant cette fois

explicitement les termes du chantage[94] : « Si vous
tenez absolument à entrer en possession de votre dot, il
vous faudra attendre l'échéance de toutes nos créances,
c'est-à-dire au bas mot quatre années. Ce qui vous
amènera à repousser d'autant votre profession, puisque
vous liez les deux choses l'une à l'autre. »

Mais Blaise, durant le voyage, a pris sa décision : il
se rend ; il renonce. Il donnera sur son propre argent
de quoi satisfaire sa sœur, sans plus s'aligner sur les
vues de Gilberte. Sitôt arrivé, le 2 juin — le jour même
où Florin écrit en son nom à Jacqueline la lettre de
refus qu'on vient de citer —, il se précipite à Port-
Royal. Il annonce qu'il est prêt à payer à Jacqueline ce
qu'il lui faut : qu'on fasse venir tout de suite le notaire.
Mère Angélique le remercie de sa décision. Elle en est
d'autant plus heureuse que Jacqueline doit faire profession au plus tôt : on compte lui confier dès que possible
de grandes responsabilités. Et puis, ajoute Singlin,
quand on retarde tant soit peu quelque chose, la détermination fléchit. Blaise sursaute : c'est donc en faisant
miroiter ce genre de gloire que les religieuses sont par-
venues à convaincre sa sœur de le quitter ? Il crie sa
colère à Singlin et à Angélique. Il revient sur sa
parole : si c'est ainsi, il ne donnera rien. On le calme,
on discute des termes d'un accord, Blaise acquiesce,
puis se déjuge à nouveau. Et, pour finir, propose de
donner beaucoup trop, comme par défi, avant de se
rétracter encore ! Un compromis est trouvé : un accord
« que la mère Angélique n'accepta que lorsqu'il fut
bien établi que Pascal agissait ainsi de son plein gré,
et par piété, non par ostentation »[94].

Quarante-huit heures plus tard, le 4 juin 1653, par
acte notarié signé à la grande grille du parloir en présence de mère Angélique, de mère Agnès, de trois
autres religieuses et des deux notaires, Blaise donne à
Jacqueline, sur sa part d'héritage, une rente de
1 500 livres, et s'engage à lui remettre un capital de
5 000 livres le jour de la liquidation de l'héritage de

leur père, à charge pour Jacqueline de lui verser, en retour, sur ce capital, « sa vie durant et à sa veuve, le cas échéant », 250 livres de rente par an[354]. C'est très loin des 46 000 livres auxquelles elle estimait six mois plus tôt sa part d'héritage. La mention de la « veuve » éventuelle est piquante : comme si Blaise, dont le mariage n'est absolument pas en vue, voulait rendre Jacqueline jalouse une ultime fois !

Celle-ci fait profession le 5 juin. Pendant toute la cérémonie, Blaise se tient caché derrière la grille, silencieux et en larmes.

Le soir même, rentré chez lui, seul avec ses valets, il trouve un courrier de Gilberte envoyé de Bienassis, accompagnant une lettre que Jacqueline lui avait adressée un mois plus tôt à Clermont et qui y était arrivée après son départ. Gilberte l'encourage encore, comme son mari la veille, à résister aux demandes de Jacqueline.

Seul dans la nuit, en pleurs, incapable même de lire la lettre de Jacqueline, il griffonne à l'adresse de Gilberte quelques-uns des mots les plus poignants qu'il ait jamais écrits : « Je viens de recevoir votre lettre où était celle de ma sœur, que je n'ai pas eu loisir de lire, et de plus je crois que cela serait inutile. Ma sœur fit hier profession, jeudi 5 juin 1653. Il m'a été impossible de retarder : MM. de Port-Royal craignaient qu'un petit retardement en apportât un grand et voulaient la hâter par cette raison qu'ils espèrent la mettre bientôt dans les charges : et, partant, il faut hâter, parce qu'il faut qu'elles aient pour cela plusieurs années de profession. Voilà de quoi ils m'ont payé. Enfin, je ne l'ai pu[401]. »

Désormais, ainsi que le recommandent les jansénistes, il va considérer la vie « comme un désert, une prison, un hôpital et une image de l'enfer », et « ne travailler qu'à mourir à toutes les choses de la vie présente »[14].

Un an plus tard, Gilberte confiera ses deux filles, Jacqueline et Marguerite, à sa sœur Jacqueline pour qu'elle fasse leur éducation à Port-Royal de Paris. Et surtout pour faire soigner Marguerite d'un horrible abcès à l'œil, sur lequel j'aurai à revenir.

Les traités de physique ; l'expérience et le progrès (1651-1654)

Blaise reste prostré. Vide. Misère : voir le monde le distrait, mais il sait que ce n'est qu'une façon d'oublier. Il note : « La seule chose qui nous console de nos misères est le divertissement, et cependant c'est la plus grande de nos misères. Car c'est cela qui nous empêche principalement de songer à nous, et qui nous fait perdre insensiblement. » (fr. 33) « Qui ne voit pas la vanité du monde est bien vain lui-même. Aussi qui ne la voit, excepté de jeunes gens qui sont tous dans le bruit, dans le divertissement et dans la pensée de l'avenir ? Mais ôtez leur divertissement, vous les verrez se sécher d'ennui. » (fr. 70)

Ses amis viennent le chercher pour sortir, fréquenter le monde. Il le fait comme un automate. Plus rien ne trouve grâce à ses yeux : « Rien ne fait mieux entendre combien un faux sonnet est ridicule que d'en considérer la nature et le modèle, et de s'imaginer ensuite une femme ou une maison faite sur ce modèle-là. » (fr. 486)

Il ne trouve de repos que dans l'écriture. Des notes qu'il griffonne sur tous les papiers passant à sa portée ; des textes scientifiques dont l'écriture exigeante le force à ne penser à rien d'autre, ni à sa sœur ni aux douleurs qui lui vrillent la tête et le ventre.

Par deux *Traités* qu'il rédige ces années-là, Pascal conceptualise les méthodes qu'il a mises au point pour ses expériences sur le vide. En même temps, il médite sur la nature du progrès[66] dans une langue simple et claire : « Il ne transporte pas son lecteur au laboratoire, il le laisse au salon », écrira joliment un de ses biographes[491].

Du *Traité du vide* promis dès 1647 et qu'il écrit alors, il ne nous reste qu'un très court texte sur la science dans lequel il oppose la nécessité de l'invention en physique et son absurdité en théologie. L'une, écrit-il, est une progression, l'autre une transmission, alors qu'à son époque on croit encore l'inverse. Le savoir scientifique se constitue par accumulation des connaissances de génération en génération : « Toute la suite des hommes pendant le cours de tant de siècles doit être considérée comme un même homme qui subsiste toujours et qui apprend continuellement[401]. »

La flèche du temps est introduite. Ceux qui prétendront plus tard — en particulier parmi les encyclopédistes et les marxistes — que Pascal est un obscurantiste, un négateur du progrès, ne pourront fonder leurs discours — comme c'est si souvent le cas ! — que sur une ignorance des textes. En réalité, bien avant une grande partie de l'Europe savante de son temps, Pascal a compris qu'une formidable course au savoir vient de commencer, et il entend y prendre toute sa place.

Ce sera ensuite un *Traité de l'équilibre des liqueurs*, défiguré par sa première édition — posthume — par le libraire janséniste Charles Savreux.

Comme il le fait chaque fois maintenant, Pascal est parti d'un fait accidentel pour concevoir une expérience, puis d'une expérience pour établir une loi. À présent, il veut déduire une théorie d'une loi. Plus précisément, il entend montrer que les principes de fonctionnement de la presse hydraulique — première machine pneumatique — sont une application de sa théorie de la pression de l'air.

On connaît ces machines depuis la plus haute Antiquité égyptienne, mais personne n'en a encore compris le fonctionnement ni formulé les lois. Il y parvient, montrant d'abord que l'équilibre entre une masse gazeuse et une colonne liquide n'est qu'un cas particulier de l'équilibre de deux liquides dans des vases

communicants, et il formule le principe fondamental
de l'hydrostatique qui synthétise tous ses travaux effec-
tués jusque-là : « Quand on aura compris de quelle
manière elles font impression, par leur poids, contre
tous les corps qui y sont, on n'aura point de peine à
comprendre comment le poids de la masse de l'air,
agissant sur tous les corps, y produit tous les effets
qu'on avait attribués à l'horreur du vide, car ils sont
tout à fait semblables, comme nous l'allons montrer
sur chacun [401]. » Il montre ensuite que les « liqueurs »
pèsent suivant leur hauteur, et leur hauteur seule [66]. Il
en déduit qu'« un vaisseau, plein d'eau, clos de toutes
parts, a deux ouvertures dans le rapport de 1 à 100, et
qu'on mette à chacune un piston bien juste, un homme
poussant le petit piston égalera 100 hommes poussant
le large et il en surmontera 99 » [401]. Il pense avoir ainsi
inventé une source d'énergie quasi infinie : « Un vaisseau plein d'eau est un nouveau principe de mécanique
et une machine nouvelle pour multiplier les forces à
tel degré qu'on voudra, puisqu'un homme par ce
moyen pourra enlever tel fardeau qu'on lui propose-
ra [401]. » La presse hydraulique révolutionnera le savoir
des ingénieurs, mais aussi, au passage, celui des jar-
diniers qui aménageront les jets d'eau des jardins de
Versailles.

Généralisant encore, il montre que la mécanique des
solides, la dynamique des liquides et celle des gaz font
partie d'une même science, rationnellement construite
à partir d'expériences qui sont « les seuls principes de
la physique ». En appliquant ses principes expérimen-
taux, aucune découverte n'est exclue. Il conclut « que
tous les disciples d'Aristote [...] reconnaissent que les
expériences sont les véritables maîtres qu'il faut suivre
dans la physique ; que celle qui a été faite sur les montagnes [...] a ouvert cette connaissance qui ne saurait
plus périr [:] la pesanteur de la masse de l'air est la
véritable cause de tous les effets qu'on avait jusqu'ici
attribués à cette cause imaginaire [401] ».

Si l'air pèse, peut-on savoir combien ? Les expériences sur le vide ont montré que l'air, au niveau de la mer, pèse autant que 31 pieds d'eau. Il en déduit une mesure approximative du poids de l'atmosphère terrestre, dans un texte d'une très grande clarté : « Nous apprenons par ces expériences que l'air qui est sur le niveau de la mer pèse autant que l'eau, à la hauteur de trente et un pieds deux pouces ; mais parce que l'air pèse moins sur les lieux plus élevés que le niveau de la mer, et qu'ainsi il ne pèse pas sur tous les points de la terre également, et même qu'il pèse différemment partout. [...] Nous voyons aussi de là que, si toute la sphère de l'air était pressée et comprimée contre la terre par une force qui, la poussant par le haut, la réduisît en bas à la moindre place qu'elle puisse occuper, et qu'elle la réduisît comme en eau, elle aurait alors la hauteur de trente et un pieds seulement. Et par conséquent qu'il faut considérer toute la masse de l'air, en l'état libre où elle est, de la même sorte que si elle eût été autrefois comme une masse d'eau de trente et un pieds de haut à l'entour de toute la terre, qui eût été raréfiée et dilatée extrêmement, et convertie en cet état où nous l'appelons air, auquel elle occupe, à la vérité, plus de place, mais auquel elle conserve précisément le même poids que l'eau à trente et un pieds de haut [401]. »

Pour calculer ce poids, Pascal divise la terre en autant de surfaces de 1 pied carré et assimile le volume de l'eau au-dessus à celui d'un prisme d'eau. Il obtient un poids de $8,238 \; 10^{18}$ livres, soit environ 4 millions de milliards de tonnes. Il écrit : « Donc toute la masse entière de la sphère de l'air qui est au monde pèse ce même poids de 8 283 899 440 000 000 000 livres. C'est-à-dire, huit millions de millions de millions, deux cent quatre-vingt-trois mille huit cent quatre-vingt-neuf millions de millions, quatre cent quarante mille millions de livres [401]. » Ce qui est d'une extraordinaire précision puisque la masse réelle de l'atmosphère terrestre est de 5,13 10^{18} tonnes, soit, à 30 % près, celle qu'avait trouvée Pascal.

Sa théorie du vide est triomphalement confirmée en 1654, à Magdebourg, où Otto von Guericke a besoin de trente chevaux pour séparer deux hémisphères vides simplement juxtaposés. Cette reconnaissance de la validité de sa théorie marque, sans qu'il le sache encore, ses adieux à la physique.

Il se rend à la Cour et assiste aux fêtes qui rassemblent les habitants de la capitale quand, le 7 juin, Louis XIV est sacré à Reims. Il assiste aussi à une éclipse totale du soleil qui pousse des milliers de Parisiens épouvantés à se réfugier dans leurs caves. « Défaillance de la nature »[66], événement de mauvais augure[66] ? Il note à ce propos, non sans finesse, que, en ces temps difficiles, les malheurs sont beaucoup plus fréquents que les bonheurs, et il est donc de bonne politique pour un mage de présenter tout événement exceptionnel comme un mauvais présage plutôt que comme un bon : « Ils disent que les éclipses présagent malheur parce que les malheurs sont ordinaires. De sorte qu'il arrive si souvent du mal qu'ils devinent souvent, au lieu que s'ils disaient qu'elles présagent bonheur ils mentiraient souvent. Ils ne donnent le bonheur qu'à des rencontres du ciel rares. Ainsi ils manquent peu souvent à deviner. » (fr. 468)

Déjà, sans le dire, un raisonnement probabiliste : la probabilité du malheur influe sur la nature des pronostics. Comme le savent toutes les diseuses de bonne aventure.

Les triangles du hasard (1654)

Par une étrange ironie, c'est par le hasard des jeux de hasard qu'il va justement en revenir aux mathématiques pour les bouleverser une seconde fois. Après avoir inventé la géométrie projective et tout ce qui permettra aux ingénieurs des XIXe et XXe siècles de dessiner sur un plan les volumes de machines, il va maintenant découvrir comment évaluer les risques, les maîtriser, les assurer. Autrement dit, comment mieux décider.

Sa méthode est radicalement neuve, plus encore bouleversante peut-être que ses résultats. Quelques années plus tard, elle le conduira aussi au calcul différentiel et au calcul intégral.

À son époque, le risque attaché à une décision n'est pas mesurable. Les marchands, les armateurs, les émetteurs de rentes aimeraient bien en savoir un peu plus long pour mieux calculer le prix à attacher au risque d'entreprendre et pour s'assurer contre les catastrophes. Mais c'est un domaine où aucune théorie n'est encore disponible. C'est Pascal qui va la découvrir, encore une fois pour répondre à la question d'un ami de passage. Car l'histoire de cette découverte commence par une inoffensive devinette.

Partout dans Paris, dans les salons comme à la Cour, on joue à toutes sortes de jeux : avec cartes, dés, pions, des jeux de hasard ou de réflexion. La plupart de ces jeux, comme la plupart des manifestations sportives, sont l'occasion de paris [504]. On joue au troc, cher à Mazarin, au nain jaune, au pharaon. Il arrive même à Louis XIV de perdre jusqu'à cent mille livres par mois au trictrac, aux cartes, au reversi ou aux dés : depuis l'aube des temps, la puissance se mesure à la capacité de perdre beaucoup et sans ciller.

Du jeu, Pascal notera bientôt l'importance dans la vie des hommes : « Tel homme passe sa vie sans ennui en jouant tous les jours peu de chose. Donnez-lui tous les matins l'argent qu'il peut gagner chaque jour, à la charge qu'il ne joue point, vous le rendez malheureux. On dira peut-être que c'est qu'il recherche l'amusement du jeu et non pas le gain. Faites-le donc jouer pour rien, il ne s'y échauffera pas et s'y ennuiera. Ce n'est donc pas l'amusement seul qu'il recherche, un amusement languissant et sans passion l'ennuiera, il faut qu'il s'y échauffe et qu'il se pipe lui-même en s'imaginant qu'il serait heureux de gagner ce qu'il ne voudrait pas qu'on lui donnât à condition de ne point jouer, afin qu'il se forme un sujet de passion et qu'il excite sur cela son désir, sa colère, sa crainte pour l'objet qu'il s'est formé, comme les enfants qui s'effraient du visage qu'ils ont barbouillé. » (fr. 168)

Un des jeux les plus fréquents est un simple jeu de dés : les joueurs parient qu'ils seront capables d'obtenir avant les autres un certain nombre de fois un nombre de points annoncé à l'avance. Par exemple, on parie qu'on tirera le premier quatre doubles six en lançant cinq fois, chacun à son tour, deux dés. Ce jeu, dit « des points », se joue à deux ou plusieurs, avec un, deux dés ou plus, en plusieurs manches. Les spectateurs peuvent parier sur le résultat du prochain coup de chaque joueur ; ou sur celui qui remportera le premier le nombre de manches assurant la victoire, etc.

On ne sait pas encore calculer les probabilités, même les plus simples, de ces lancers. On a pourtant depuis longtemps commencé d'y réfléchir. D'abord pour le lancer d'une pièce de monnaie dont l'apparition de chacune des deux faces est également probable. Puis pour celui des dés. Les premières réflexions sur les probabilités étaient apparues à propos du lancer de trois dés dans un commentaire, publié à Venise en 1477, de la première ligne du sixième chant du *Purgatoire* de Dante[504]. Puis un mathématicien italien, Jérôme Cardan, étudia dans un petit manuel d'une quinzaine de pages, publié bien après sa mort en 1576, et même juste après celle de Pascal, les probabilités d'occurrence d'un nombre avec deux dés, montrant par exemple qu'on ne peut obtenir un 2 ou un 12 que d'une seule et unique façon. Mais il ne théorisa pas davantage. Au demeurant, même ces résultats élémentaires ne sont pas encore connus au milieu du XVIIe siècle.

Un des amis les plus mondains de Blaise, le chevalier de Méré, joue gros, surtout aux dés, en particulier au jeu des points. Il s'est confectionné ses propres martingales et ne joue que quand il a l'intuition qu'il a plus de chances de gagner que de perdre. Par exemple, il a compris empiriquement que la chance d'obtenir un 6 en lançant un dé est supérieure à une sur deux à partir de quatre lancers (en fait, elle est alors de 0,51774)[504]. Il parie donc sur l'occurrence du 6 dès le quatrième coup, puisqu'il pense qu'il a alors plus d'une chance sur deux de gagner. Avec deux dés, il a calculé que la probabilité d'apparaître d'un « sonsez » (un double six) dépasse une sur deux après vingt-quatre coups (à tort, car elle n'est alors encore que de 0,4914, ne dépassant 0,5 que pour vingt-cinq coups). Il utilise ses intuitions avec finesse, ne jouant que de petites sommes et seulement quand il pense avoir une chance très sérieuse de gagner. Cela marche si bien que certains le prennent pour un tricheur[504]. Mais cette intuition est fort approximative et les mathématiques sont totalement étrangères à son univers culturel. Pascal dira d'ailleurs de lui : « S'il a une bonne intelligence, il n'est pas géomètre[401]. »

Dès leur rencontre, Méré lui pose une question qu'il adresse à tous les mathématiciens qu'il croise. Elle porte sur un problème très particulier du jeu des points, connu sous le nom de « problème des partis ».

Lorsque deux joueurs ou plus s'opposent et cherchent à faire un grand nombre de points, il faut parfois jouer un très grand nombre de coups pour que l'un des joueurs réalise le nombre annoncé et remporte le nombre de manches nécessaire. Autrement dit, il faut du temps pour gagner chaque manche et du temps encore pour jouer toutes les manches. Les parties sont donc souvent fort longues. Quand un joueur doit partir avant la fin, il faut interrompre la partie, mais personne ne sait quoi faire des enjeux. Faut-il rembourser leur mise aux joueurs ? Ou bien y a-t-il un partage à faire ? Autrement dit, quelle proportion de la mise faut-il rendre à un joueur donné pour le conduire à abandonner une partie en cours[504] ?

On devine bien que ce qu'il faut rendre dépend des chances de perte ou de gain de chacun, lesquelles doivent varier avec le nombre de coups déjà joués et gagnés ou perdus par chacun, le nombre espéré, et le nombre de joueurs ; mais personne n'a la moindre idée sur la façon de procéder. Autrement dit, on ne sait pas calculer les « partis », c'est-à-dire la répartition des mises. (Le mot « parti » vient du verbe « partir » au sens de « partager » ; « faire le parti d'un jeu », c'est partager les mises, en faire la répartition. D'où aussi l'expression « maille à partir » : littéralement, avoir un demi-denier à partager, ce qui est impossible car c'est la plus petite pièce de monnaie existante.)

Méré ne sait pas que l'inventeur de la comptabilité en partie double, le franciscain Luca Pacioli, ami de Léonard de Vinci, avait déjà posé ce même problème, quelque cent cinquante ans plus tôt, sans trouver la réponse.

On peut en donner bien des versions plus modernes : par exemple, quelle est la probabilité de gagner au loto après qu'on a perdu cinq fois ? Ou encore, quelle est la probabilité de voir survenir un accident d'avion après un certain nombre de vols sans histoires ? Quelle est la probabilité pour un couple d'avoir une fille après deux garçons ? Quelle est la probabilité de vivre encore cinq ans, passé l'âge de soixante-dix ans ?

Toute l'analyse des risques, qui constitue le fondement même de l'assurance, se cache donc derrière cette anecdote.

Mais c'est bien davantage encore, aux yeux de Pascal : il voit dans ce « jeu des partis » une véritable métaphore de la vie : elle est évidemment, comme tout jeu, destinée à être interrompue à un moment ou à un autre : « Tout ce que je connais est que je dois bientôt mourir. » (fr. 681)

Que vaut donc à chaque instant une vie bien remplie ? Rien de plus ou de moins que celle d'un nouveau-né ? « Quiconque n'ayant plus que huit jours à vivre ne trouvera pas que le parti est de croire que tout cela n'est pas un coup du hasard. » (fr. 358)

Si Pascal s'intéresse à cette question, c'est aussi pour une autre raison : trouver la solution au problème de Méré, c'est déterminer les droits moraux de chacun des joueurs sur les enjeux d'une partie[504]. Il réfléchit et note : « L'argent que les joueurs ont mis au jeu ne leur appartient plus, car ils en ont quitté la propriété ; mais ils ont reçu, en revanche, le droit d'attendre ce que le hasard leur en peut donner, suivant les conditions dont ils sont convenus d'abord. Mais, comme c'est une loi volontaire, ils peuvent la rompre de gré à gré ; et ainsi, en quelque terme que le jeu se trouve, ils le peuvent quitter ; et, au contraire de ce qu'ils ont fait en y entrant, renoncer à l'attente du hasard, et rentrer chacun en la propriété de quelque chose. Et en ce cas, le règlement de ce qui doit leur appartenir doit être tellement proportionné à ce qu'ils avaient droit d'espérer de la fortune, que chacun d'eux trouve entièrement égal de prendre ce qu'on lui assigne ou de continuer l'aventure du jeu : et cette juste répartition s'appelle le parti[401]. »

Texte d'une sidérante clarté qui résume ce qui est devenu aujourd'hui la théorie des probabilités. Preuve aussi — administrée par Pascal à chaque ligne — qu'on peut parfaitement parler mathématiques dans le français le plus limpide. Et même que c'est sans doute dans la rigueur mathématique que s'est en grande partie façonnée la clarté de cette langue.

Face au problème qu'on lui demande de résoudre, le raisonnement de Pascal est très subtil en même temps que fort simple. Il ne cherche pas la probabilité proprement dite de chaque résultat, mais quelle part il faut reconnaître de propriété à un joueur en cours de partie pour qu'il accepte de renoncer à jouer ou de céder la place à un autre joueur[504]. Il ne cherche donc pas à estimer la probabilité d'un gain, mais ce que chaque joueur est assuré d'avoir gagné à chaque instant du jeu[497]. Il cherche en somme à trouver une valeur certaine au hasard — la « certitude de ce qu'on hasarde », écrira-t-il ailleurs (fr. 680). Il ne s'intéresse pas à la probabilité à proprement parler d'un événement, mais à la décomposition du hasard en une succession d'événements certains[418]. Il va donc s'efforcer de trouver ce que chacun est assuré de gagner, de supprimer en somme le rôle du hasard, de le piéger dans une sorte de labyrinthe pour le découper en certitudes[497]. Il cherche en réalité ce qu'on appellerait aujourd'hui l'espérance mathématique du gain, c'est-à-dire le produit du gain espéré par la probabilité de son occurrence.

Il pose ainsi le problème : si un joueur a gagné la première manche en obtenant le résultat demandé, quelle proportion de la mise a-t-il déjà gagnée ? *A priori* rien, puisque rien n'est distribué et qu'il peut encore être rattrapé par l'autre joueur. Mais pas tout à fait rien, puisque l'autre joueur a désormais moins de chances que lui de réussir à gagner les manches. La mise de celui qui n'a pas gagné devient ainsi progressivement la propriété de celui qui gagne[497].

Il cherche, aligne des pages de calculs, de tableaux, de dessins, en parle à Carcavy et à Roberval. Et puis, justement grâce à l'un des tableaux qu'il a tracés, il pense tenir une solution.

Sur les conseils de Roberval, il écrit au plus grand mathématicien d'alors, Fermat, correspondant de Mersenne. Né en 1601 à Beaumont-de-Lomagne, près de Toulouse, Fermat a acheté en 1631 une charge de conseiller au Parlement de Toulouse. Magistrat, il est amené à décider de condamnations à mort et il a, semble-t-il, envoyé des prêtres au bûcher[488]. Pendant ses loisirs, il compose des poèmes en toutes sortes de langues, commente la littérature grecque et latine. Il aime les mathématiques, cherchant pour le plaisir, sans aucun souci d'être publié, il n'a ni programme de travail, ni sujets de prédilection : seulement ceux qui viennent à lui. Il invente ainsi, au passage, la géométrie analytique, évalue le poids de la Terre, découvre les bases de la réfraction de la lumière, c'est-à-dire de l'optique, et explore la théorie des nombres (jusqu'à sa célèbre conjecture sur les nombres premiers, dont il prétendra avoir trouvé la solution sans avoir la place de la reproduire, et qui ne sera résolue qu'en... 1995[488] !).

Quand Pascal lui écrit, Fermat, qui ne quitte jamais sa ville, vient de guérir miraculeusement d'une attaque de la peste, contractée en 1652. Pascal lui pose le problème des parties à propos d'un cas particulier. Fermat lui envoie une solution aussi vite que le permettent les postes d'alors : l'expéditeur du problème ignore que son destinataire y a déjà réfléchi dix-huit ans plus tôt sans publier ses résultats, comme à son habitude. C'est une grande première pour le Toulousain. Jamais Fermat n'a accepté de discuter mathématiques avec quelqu'un d'autre que Mersenne[488]. Il a enfin trouvé un mathématicien à sa mesure.

La solution de Fermat n'a rien à voir avec celle qu'a trouvée Pascal. Elle est juste, contrairement à ce que celui-ci croit dans un premier temps, mais elle n'est pas généralisable. Elle n'ouvre pas les immenses perspectives qu'implique celle du jeune Auvergnat. Les deux hommes vont continuer d'échanger leurs solutions tout au long de l'année 1654 sans jamais se rencontrer.

On ne connaît de ces échanges que trois lettres de Pascal à Fermat, écrites cette année-là, et deux lettres de Fermat à Pascal datant de la même année, dont l'une est une réponse à l'une des trois connues de Pascal, et l'autre une réponse à une lettre disparue de ce dernier.

Dans la première, du 29 juillet 1654, Pascal expose le problème que Méré lui a posé, et les deux résultats qu'il a lui-même trouvés, sans en fournir la démonstration. L'un de ces résultats est la formule du partage des points dans le cas très particulier où, au moment où l'on arrête la partie, l'un des joueurs a gagné toutes les manches nécessaires pour gagner sauf une, et l'autre joueur aucune ; l'autre correspond au cas où la partie s'arrête quand l'un des joueurs a gagné une seule manche et le second aucune. Le premier problème est purement arithmétique ; le second est probabiliste.

Dans une deuxième lettre d'août 1654, Pascal fait état d'une réponse qu'il a dû recevoir entre-temps de Fermat par l'intermédiaire de Carcavy, réponse qu'il trouve juste pour deux joueurs, mais pas pour davantage. (Là-dessus, il se trompe.) Il ajoute qu'il a communiqué la réponse de Fermat à Roberval :

« Monsieur, l'impatience me prend aussi bien qu'à vous et, quoique je sois encore au lit, je ne puis m'empêcher de vous dire que je reçus hier au soir, de la part de M. de Carcavi, votre lettre sur les partis, que j'admire si fort que je ne puis vous le dire. Je n'ai pas le loisir de m'étendre, mais, en un mot, vous avez trouvé les deux partis des dés et des parties dans la parfaite justesse : j'en suis tout satisfait, car je ne doute plus maintenant que je ne sois dans la vérité, après la rencontre admirable où je me trouve avec vous. J'admire bien davantage la méthode des partis que celle des dés ; j'avais vu plusieurs personnes trouver celle des dés, comme M. le chevalier de Méré, qui est celui qui m'a proposé ces questions, et aussi M. de Roberval ; mais M. de Méré n'avait jamais pu trouver la juste valeur des partis, ni de biais pour y arriver, de sorte que je me trouvais le seul qui eusse connu cette proportion [401]. »

Dans une lettre non non datée, mais sans doute de septembre, Fermat discute d'une question posée par Pascal dans sa seconde lettre [504] : quelqu'un a parié une certaine somme qu'il réussira à obtenir un six avec un seul dé en moins de huit coups ; au bout de trois coups, il n'a encore rien obtenu ; s'il veut arrêter sans lancer le dé une quatrième fois, quelle proportion du pari peut-il être autorisé à reprendre ?

La dernière lettre de Pascal est datée du 27 octobre. On a aussi la réponse de Fermat à cette lettre dans laquelle Pascal s'étonne d'une erreur de Méré sur un autre sujet, l'existence de l'infiniment petit :

« Je n'ai pas le temps de vous envoyer la démonstration d'une difficulté qui étonnait fort M. de Méré : car il a très bon esprit, mais il n'est pas géomètre ; c'est, comme vous savez, un grand défaut ; et même il ne comprend pas qu'une ligne mathématique soit divisible à l'infini, et croit fort bien entendre qu'elle est composée de points en nombre fini, et jamais je n'ai pu l'en tirer ; si vous pouviez le faire, on le rendrait parfait... Il me disait donc qu'il avait trouvé fausseté dans les nombres par cette raison. Voilà quel était son grand scandale, qui lui faisait dire hautement que les propositions n'étaient pas constantes, et que l'arithmétique se démentait. Mais vous en verrez bien aisément la raison, par les principes où vous êtes [401]. »

Le résultat qui surprend Méré est le suivant : alors qu'on a plus d'une chance sur deux de tirer un six avec un seul dé en quatre coups, il faut vingt-quatre coups pour avoir une chance sur deux de tirer un double six avec deux dés. Comment peut-on passer de quatre à vingt-quatre en passant d'un à deux dés ? Comme ce résultat n'est pas logique, Méré ne peut l'accepter.

De l'ensemble de cet échange, on sait en définitive que Fermat a fait connaître sa solution à Pascal et que celui-ci a communiqué la sienne au maître toulousain. On sait qu'elles sont toutes deux exactes : « Je vois bien que la vérité est la même à Paris et à Toulouse », écrit Pascal. Mais qu'elles sont très différentes, celle de Pascal étant infiniment plus profonde et générale.

Tous deux savent que la probabilité de gagner augmente avec le nombre de coups joués. Ils doivent donc calculer *comment* elle croît. Alors que Fermat trouve sa solution dans certains cas particuliers à partir de l'algèbre et de combinaisons complexes, Pascal part, de façon beaucoup plus imaginative, sur une idée très simple qui deviendra fondamentale en mathématique : la récurrence. Elle consiste à trouver le résultat dans le cas le plus élémentaire et à montrer que, de proche en proche, on peut déduire un résultat du résultat précédent. On dit qu'on peut « composer les aléas »[34]. Or cette méthode s'applique fort bien ici, puisque au jeu des partis la victoire n'est pas un coup du sort, mais un lent progrès parfaitement mesurable, coup après coup.

Et là réside l'extrême beauté de sa découverte : il montre que tous les résultats du problème des partis sont inscrits, pour qui sait les voir, dans une figure lumineusement simple qu'il semble avoir réinventée, même si elle était déjà connue d'Omar Khayyam quatre cent cinquante ans plus tôt, ou du mathématicien chinois Chu-Shih-Chieh deux siècles auparavant, et entrevue un siècle avant par Michel Stifel et par Jérôme Cardan[34] : le triangle arithmétique.

Chaque nombre ici est obtenu en ajoutant les deux nombres inscrits juste au-dessus, à gauche et à droite :

$$
\begin{array}{ccccccccccccc}
 & & & & & & 1 & & & & & & \\
 & & & & & 1 & & 1 & & & & & \\
 & & & & 1 & & 2 & & 1 & & & & \\
 & & & 1 & & 3 & & 3 & & 1 & & & \\
 & & 1 & & 4 & & 6 & & 4 & & 1 & & \\
 & 1 & & 5 & & 10 & & 10 & & 5 & & 1 & \\
1 & & 6 & & 15 & & 20 & & 15 & & 6 & & 1
\end{array}
$$

Pascal propose de nommer chaque ligne selon son rang dans le triangle, soit respectivement : « triangulaire », « pyramidale », « triangulo-triangulaire », etc.

Il écrira plus tard : « Il n'y a rien de plus permis que de donner à une chose qu'on a clairement désignée un nom tel qu'on voudrait[401]. »

Il montre que la solution du problème des partis est la suivante : pour un jeu joué en un nombre illimité de manches, la part de la mise initiale qu'il faut attribuer à un joueur qui gagne tout le temps pour qu'il interrompe la partie au *énième* coup après avoir gagné *m* manches est égale au *énième* coefficient sur la *énième* ligne du triangle arithmétique. Par exemple, arrêter la partie au bout de cinq coups doit conduire à donner 1 à celui qui a gagné une fois, et 20 à celui qui a gagné quatre fois. C'est la relation connue aujourd'hui sous le nom de « triangle de Pascal ».

On peut en déduire la probabilité pour chaque joueur de gagner le jeu à chaque instant, et la décision à prendre à chaque instant du jeu, puisque la valeur d'arrêt pour le joueur est égale au produit de sa probabilité par la valeur du gain qu'on peut en attendre.

Personne n'avait encore jamais songé, fût-ce de très loin, à une telle solution.

Fermat est stupéfait de ce qu'il lit et par le génie qu'une telle trouvaille suppose chez son auteur de vingt ans son cadet. Il écrit à Carcavy : « Je le crois capable de résoudre n'importe quel problème. » Il propose alors à Pascal de poursuivre leur correspondance et de lui envoyer tous ses résultats sur tous sujets afin qu'ils progressent ensemble. Blaise accepte. Commence une formidable collaboration scientifique entre deux des meilleurs mathématiciens de l'Histoire. Mais de cette collaboration on ne sait rien, car ces échanges, on va le voir, ont été perdus.

Pascal termine sa troisième lettre, qui contient tous ces résultats, en annonçant à Fermat qu'il a décidé de nommer ses découvertes — qu'il qualifie lui-même de « stupéfiantes » *(stupendum)* — du nom de *géométrie du hasard*. Il l'informe qu'il vient de les soumettre aux membres de l'académie de Mersenne qui « les virent samedi dernier et les estimèrent de tout leur cœur ».

On dispose du texte en latin de son adresse à l'académie. Pascal s'y montre encore une fois parfaitement lucide sur la portée de sa découverte. Il a la certitude d'avoir transformé le hasard en certitude, la décision en raison, d'avoir en somme concilié la science et le hasard, « ces choses apparemment contraires » :

« Et puis un traité tout à fait nouveau, d'une matière absolument inexplorée jusqu'ici, savoir : la répartition du hasard dans les jeux qui lui sont soumis, ce qu'on

appelle en français *faire les partis des jeux* ; la fortune
incertaine y est si bien maîtrisée par l'équité du calcul
qu'à chacun des joueurs on assigne toujours exactement ce qui s'accorde avec la justice. Et c'est là certes
ce qu'il faut d'autant plus chercher par le raisonnement
qu'il est moins possible d'être renseigné par l'expérience. En effet, les résultats du sort ambigu sont justement attribués à la contingence fortuite plutôt qu'à la
nécessité naturelle. C'est pourquoi la question a erré
incertaine jusqu'à ce jour ; mais maintenant, demeurée
rebelle à l'expérience, elle n'a pu échapper à l'empire
de la raison. Et, grâce à la géométrie, nous l'avons
réduite avec tant de sûreté à un art exact, qu'elle participe de sa certitude et déjà progresse audacieusement.
Ainsi, joignant la rigueur des démonstrations de la
science à l'incertitude du hasard, et conciliant ces
choses en apparence contraires, elle part, tirant son
nom de deux, s'arroger à bon droit ce titre stupéfiant :
La Géométrie du hasard[401]. »

Il expose ensuite tous les sujets de mathématiques
sur lesquels il a travaillé ou va travailler : « Je ne parlerai pas du gnomon [il s'agit de son premier travail,
accompli à seize ans, sur les coniques, à partir du
cadran solaire], ni de recherches variées et sans nombre
que j'ai assez bien en main ; à la vérité, elles ne sont
ni achevées ni dignes de l'être. Je passe aussi sous
silence mon travail sur le Vide, car il doit être imprimé
bientôt, et je dois le produire non seulement devant
vous, comme ceux-ci, mais devant tous. Je ne le ferai
cependant pas sans votre assentiment, car je sais qu'on
n'a rien à craindre si on le mérite : j'en ai fait naguère
l'expérience en d'autres occasions, et très spécialement
pour cette machine d'arithmétique dont j'étais le
timide inventeur ; je la fis connaître sur vos instances,
et j'ai connu alors le poids de votre approbation. Tels
sont les fruits mûrs de notre géométrie : heureux et
immensément bénéficiaires si, pour vous les avoir
communiqués, nous ramenions en échange quelques-
uns des vôtres[401]. »

Mais Pascal ne découvre pas les lois de la probabilité proprement dites [504]. Les mots qu'il emploie ne sont
d'ailleurs pas même ceux de cette théorie. Par exemple, quand il parlera, deux ans plus tard, de « probabilité », ce ne sera jamais pour désigner ce que nous
entendons par ce terme, mais ce que les jésuites désignent comme une opinion « acceptable » parce que
« approuvée » (du latin *probare*) par au moins une
autorité religieuse, et qui peut donc servir à fonder un
comportement moral ou à tout le moins religieusement
acceptable, non source de péché [504]. Pour désigner l'occurrence plus ou moins grande d'événements, il parle
de « hasards de gains » et de « hasards de pertes ». Le
mot désigne à la fois le principe général de l'aléatoire
et chacune de ses possibilités concrètes [504].

Les découvertes de Pascal permettent en revanche à
d'autres de progresser très vite dans l'élaboration des
lois de la probabilité. Dès 1657, en se fondant sur les
résultats de Pascal, Huygens publie un *Manuel de probabilités*. À la même époque, Leibniz pense à appliquer les théories des probabilités à des problèmes de
droit. En 1662, un Anglais nommé John Grant publie
la première étude démographique généralisée à partir
d'échantillons de statistiques tenues par des paroisses.
Et la courbe de Gauss, dont tout procède aujourd'hui,
verra bientôt le jour, comme une réécriture du triangle
de Pascal.

Marchands, armateurs, émetteurs de rentes ont maintenant un moyen de calcul à leur disposition pour
réduire telle ou telle incertitude sur l'avenir, mesurer
la valeur d'une décision, égale au produit de ce qu'elle
peut rapporter par sa probabilité. De donner en somme
un autre nom au destin. Car il s'agit d'une vraie fracture dans la pensée, dont Pascal est parfaitement
conscient : « Mais l'incertitude de gagner est proportionnée à la certitude de ce qu'on hasarde, selon la
proportion des hasards de gain et de perte. » (fr. 680)

Comble de l'ironie : celui qui dira plus tard l'essentiel sur la détermination des créatures par leur Créateur, c'est-à-dire sur le hasard, et sur le rôle de la « distraction » pour fuir le même Dieu, a découvert les lois du hasard justement à propos d'une simple distraction. Il a découvert les lois du jeu avant de condamner la distraction et inventé l'assurance avant de se risquer au pari...

Des chiffres et des lettres

En 1654, la santé de Blaise se dégrade encore. Il travaille à Paris, chez lui ou chez Roannez, parfois couché. Il rédige un *Traité du triangle arithmétique* et *Résolution générale des puissances numériques*.

À la différence de Descartes qui aborde la physique en mathématicien, Pascal ne cesse jamais d'être physicien, d'observer les effets avant de rechercher le principe[66]. Descartes pense que le monde qu'a voulu Dieu est rationnel et que ses lois peuvent être trouvées par la seule logique. Pascal, au contraire, pense que le monde est un chaos à déchiffrer, un code à casser[66]. Il a compris qu'il existe des lois de ce désordre, des lois du hasard, que celles-ci ne sont pas toujours logiques mais qu'on peut les approcher en étudiant un grand nombre de cas. Car il a compris qu'il y a un ordre dans le chaos du hasard. Par exemple, on peut approcher la probabilité d'*un sur deux* en lançant en l'air un millier de fois une pièce et en comptant les pile et les face. Ou celle de l'espérance de vie en comptabilisant les registres de mille paroisses. Il a compris que le calcul des probabilités est le calcul des occurrences d'un événement particulier sur un nombre infini de cas. Il en tire alors l'idée qu'un lien existe entre le hasard et l'infini.

Le voici pris désormais par le vertige de l'infini. Il ne s'en départira plus. Un peu plus tard, il en déduira le calcul intégral et il en fera l'un des fondements de sa philosophie de la condition humaine.

En cette année 1654, il commence par rédiger un *Traité du triangle arithmétique et traités connexes*. Il y aborde les principales propriétés du triangle arithmétique (« au nombre de dix-neuf »), la discussion des ordres numériques, les puissances des nombres et leurs sommes, leurs combinaisons, le calcul des « partis ». Il y démontre une propriété stupéfiante, déjà approchée ailleurs : les nombres inscrits sur une ligne du triangle arithmétique sont aussi les coefficients du développement d'un binôme d'une puissance égale au rang de la ligne. Il part de là pour tenter de déterminer la relation entre un nombre, sa racine et un exposant du même ordre. « Ce qui fait connaître que tout ce qui a été dit des rangs et des cellules du Triangle arithmétique convient exactement aux ordres des nombres, et que les mêmes égalités et les mêmes proportions qui ont été remarquées aux uns se trouveront aussi aux autres ; il ne faudra seulement que changer les énonciations, en substituant les termes qui conviennent aux ordres numériques, comme ceux de racine et d'ordre, à ceux qui convenaient au Triangle arithmétique, comme de rang parallèle et perpendiculaire. J'en donnerai un petit traité à part où quelques exemples qui y sont rapportés feront aisément apercevoir tous les autres [401]. »

Pascal se laisse ainsi prendre à la magie des chiffres. Le triangle arithmétique l'ayant fasciné, il cherche à tout savoir de la structure des nombres. Comme Fermat — peut-être avec lui —, la divisibilité le fascine. Pourquoi certains nombres sont-ils divisibles par tous les autres ? Pourquoi certains nombres ne le sont-ils par aucun autre ? Il travaille sur ce sujet dans deux textes en latin sans doute commencés dès 1653.

D'abord le *De numeris multiplicibus*, où il démontre une propriété déjà connue, à savoir qu'on peut déduire les caractères de divisibilité d'un nombre de la somme de ses chiffres. C'est l'occasion de donner une démonstration de la preuve par 9, et d'en généraliser le principe. Au passage, il multiple les affirmations arithmétiques, presque toutes parfaitement exactes, parfois erronées comme celle-ci (qui n'est vraie que pour certains nombres entiers) : « En effet, lorsque l'on veut trouver une racine d'un nombre donné, par exemple la racine quatrième, on cherche quatre facteurs égaux dont le produit soit égal au nombre donné ; si donc on est parvenu, d'après le traité précédent, à trouver quatre facteurs consécutifs dont le produit soit égal à ce nombre donné, qui ne voit que l'on a trouvé la racine cherchée, laquelle est évidemment l'un des quatre facteurs consécutifs obtenus ? Et, en effet, le plus petit de ces quatre facteurs, multiplié quatre fois par lui-même, est évidemment inférieur au produit des quatre facteurs ; au contraire, le plus grand facteur, multiplié quatre fois par lui-même, est sûrement supérieur au produit des quatre facteurs : donc la racine cherchée est bien l'un de ces facteurs [401]. »

Mais parfois incroyablement prémonitoires, comme cette autre : « Dans ce petit traité, je justifierai le caractère de divisibilité par 9 et plusieurs autres analogues ; j'exposerai aussi une méthode générale qui permet de reconnaître, à la simple inspection de la somme de ses chiffres, si un nombre donné est divisible par un autre nombre quelconque ; cette méthode ne s'applique pas seulement à notre système décimal de numération (système qui repose sur une convention, d'ailleurs assez malheureuse, et non sur une nécessité naturelle, comme le pense le vulgaire), mais elle s'applique encore sans défaut à tout système de numération ayant pour base tel nombre qu'on voudra, ainsi qu'on le verra dans les pages qui suivent [401]. »

Il énonce ainsi la possibilité de sortir du système décimal, ouvrant là une piste que nul ne reprendra avant plus d'un siècle et qui, aujourd'hui, a permis de faire faire des progrès vertigineux justement aux machines arithmétiques : il n'y aurait pas eu d'ordinateur sans la numération binaire.

Mais il va aussi trop vite en besogne et, à l'instar de

Fermat, bâcle ses démonstrations : « Je supprime la démonstration de cette règle, que j'ai toute prête, mais qui est longue, quoique aisée, et plus ennuyeuse qu'utile : laissons-la donc, et tournons-nous vers un sujet qui promet de rapporter plus de fruits qu'il n'exigera d'efforts [401]... »

Ensuite, dans la *Potestatum numericarum summa*, il cherche la relation entre un nombre, sa puissance et sa racine. Il la trouve si le nombre est entier et montre que le système décimal permet tout particulièrement une formulation limpide du problème de la divisibilité des nombres.

C'est dans ces pages-là qu'il met au point et fixe définitivement l'élégance et la netteté de son style. Ce à quoi il attache une extrême importance. Pour entraîner le lecteur, il faut, dit-il, que « les vérités s'entraînent l'une l'autre », et il s'astreint à penser « comme si personne n'y avait pensé avant lui ».

Pour lui, au demeurant, les chiffres et les lettres sont faits d'une même matière. S'il ne pense pas que le monde obéit à la raison, il le croit constitué à partir des chiffres. Mais comme la langue fait partie du monde, il la réduit elle aussi à des chiffres. Les lettres sont donc à ses yeux des chiffres. Il est vrai que, parmi les rares lectures qu'il ait faites, il y a eu des passages traduits de la Kabbale où il a puisé l'idée que le monde est structuré comme la langue, et l'un comme l'autre sont structurés comme les nombres : « Les langues sont des chiffres où non les lettres sont changées en lettres, mais les mots sont changés en mots ; de sorte qu'une langue inconnue est déchiffrable », écrit-il deux siècles avant les linguistes. « De deux personnes qui disent de sots contes, l'un qui voit double sens entendu dans la Kabbale, l'autre qui n'a que ce sens, si quelqu'un n'étant pas du secret entend discourir les deux en cette sorte, il en fera même jugement. Mais si ensuite, dans le reste du discours, l'un dit des choses angéliques et l'autre toujours des choses plates et communes, il jugera que l'un parlait avec mystère et non pas l'autre, l'un ayant assez montré qu'il est incapable de telles sottises et capable d'être mystérieux, l'autre qu'il est incapable de mystère et capable de sottise. » (fr. 307)

Si les exigences de la rigueur d'une démonstration l'aident à épurer son style, ses lectures, en revanche, ne l'aident en rien à le fixer : de fait, il ne lit presque rien, hormis les Écritures, Montaigne et Épictète. L'auteur des *Essais* lui montre que l'homme livré à lui-même est incapable de saisir le fond des choses[94]. Épictète lui montre que l'homme est grand s'il se conforme à l'ordre divin[497]. Le reste, il l'inventera.

Les jeux de l'amour : Narcisse et Œdipe (1652-1654)

On dispute à l'infini sur le point de savoir si Pascal a été amoureux[179]. Aucun de ses biographes n'ose trancher. Presque aucun n'ose même parler de relations sexuelles. Sur ce chapitre, tout le monde encore aujourd'hui fait censure.

Pour moi, grâce aux rares informations dont les archives ont conservé la trace, ma conviction est faite :

— Pascal n'a été amoureusement épris que d'une seule personne dans sa vie, sa sœur Jacqueline.

— Une personne au moins a été très amoureuse de lui : Charlotte de Roannez, la sœur d'Arthus.

— Il s'est certainement imaginé marié et entouré d'enfants pour satisfaire ses besoins de confort et rendre Jacqueline jalouse.

— Tout le reste est conjectures ; en particulier, rien ne permet de savoir s'il eut jamais des relations sexuelles avec un homme ou avec une femme.

Pendant sa période de sorties dans le monde, il est fort possible qu'il ait quelques relations de charme — et/ou charnelles — avec l'une ou l'autre des mondaines qu'il fréquente. Certains contemporains le présentent comme amoureux de Mme de Sablé. D'autres le disent épris d'une poétesse clermontoise, « esprit le plus fin et le plus vif qu'il y ait dans cette ville »[190]. Mais s'agit-il là de Blaise ou d'un de ses cousins portant le même prénom ? On a retrouvé au château de Fontenay-le-Comte, en Vendée, des vers écrits de la main d'un « Pascal » au dos de deux tableaux : il y remercie une dame peut-être visitée par Blaise en compagnie de Méré et de Roannez. Peut-être est-ce elle dont il parle lorsqu'il écrit : « Mais qui s'imaginera une femme sur ce modèle-là, qui consiste à dire de petites choses avec de grands mots, verra une jolie damoiselle toute pleine de miroirs et de chaînes, dont il rira, parce qu'on sait mieux en quoi consiste l'agrément d'une femme que l'agrément des vers. Mais ceux qui ne s'y connaîtraient pas l'admireraient en cet équipage, et il y a bien des villages où on la prendrait pour la reine. Et c'est pourquoi nous appelons les sonnets faits sur ce modèle-là les reines de villages. » (fr. 486)

Il a peut-être inspiré un *Discours sur les passions de l'amour* publié beaucoup plus tard, qu'on lui attribuera longtemps et dont on sait maintenant[401] qu'il n'est pas de lui, mais sans doute de Loménie de Brienne. On y trouve des phrases bien peu pascaliennes : « Le plan d'une belle vie est de commencer par l'amour et de finir par l'ambition. »

Rien de plus sur sa vie amoureuse. On en est réduit à chercher, au hasard de ses textes, quelques rares références à la sexualité ou à la séduction : « Un homme vit avec plaisir en son ménage. Qu'il voie une femme qui lui plaise, qu'il joue cinq ou six jours avec plaisir, le voilà misérable s'il retourne à sa première occupation. Rien n'est plus ordinaire que cela. » (fr. 114) Ou encore : « Pour la faire remarquer avec plaisir, il faut la faire voir naître de la dispute. De même dans les passions il y a du plaisir à voir deux contraires se heurter, mais quand l'une est maîtresse, ce n'est plus que brutalité. Nous ne cherchons jamais les choses, mais la recherche des choses. Ainsi, dans les comédies, les scènes contentes sans crainte ne valent rien, ni les extrêmes misères sans espérance, ni les amours brutaux, ni les sévérités âpres. » (fr. 637)

On verra que, même dans *Les Provinciales*, où il aurait dû critiquer sévèrement les jésuites sur leur traitement de la sexualité, il fera tout pour esquiver le sujet.

Il me semble cependant plausible qu'il ait été épris de Charlotte de Roannez, sœur cadette du duc. Quand Jacqueline entre au couvent, Charlotte a dix-neuf ans, Blaise vingt-neuf. Il a sa chambre dans l'hôtel du duc, il accompagne celui-ci en voyage ; les deux garçons deviennent inséparables. Il exerce sur la jeune sœur de son meilleur ami un puissant ascendant. On verra qu'elle fera tout pour rester auprès de lui et qu'il décidera de l'éloigner. D'autres gestes qu'elle aura après la mort de Blaise — comme, par exemple, la destruction de la totalité de leur correspondance à la demande expresse de son mari, formulée sur son lit de mort — laissent à penser qu'il y a eu entre eux davantage qu'une amitié philosophique.

Pourtant, même si tel a été le cas, Charlotte n'aura été qu'un substitut de Jacqueline, la sœur inséparable dont Blaise n'ose s'avouer amoureux, qu'il fuit et adore, qu'il voyait nuit et jour, et qui vient de s'arracher à lui pour le couvent. Sa sœur jalouse qui, pour décrire la période mondaine de son frère, parle de la « senteur du bourbier qu'il avait embrassé avec tant d'empressement », et de ses « horribles attaches »[129] (lettres des 19 et 25 janvier 1655).

S'il y eut quelque chose entre le frère et la sœur, cela reste bien évidemment marqué du sceau de l'interdit dont il entoure d'ailleurs tout désir. Car les textes ne manquent pas, en revanche, où il dit sa haine du désir, son obsession de la pureté. Ainsi, dans la lettre déjà citée à Gilberte sur la mort de son père, en septembre 1651 : « La nature nous tente continuellement, l'appétit concupiscible désire souvent ; mais le péché n'est pas achevé si la raison ne consent. Laissons donc agir ce serpent et cette Ève, si nous ne pouvons l'empêcher ; mais prions Dieu que Sa grâce fortifie tellement notre Adam qu'il demeure victorieux ; et que Jésus-Christ en soit vainqueur, et qu'Il règne éternellement en nous [401]. »

Gilberte témoigne de cette haine du corps chez son frère lorsqu'elle écrit : « Il trouvait à dire presque à tous les discours qu'on faisait dans le monde et que l'on croyait les plus innocents. Si je disais par exemple, par occasion, que j'avais vu une belle femme, il m'en reprenait et me disait qu'il ne fallait jamais tenir ces discours devant les laquais et de jeunes gens, parce que je ne savais pas quelle pensée cela pouvait exciter en eux. Je n'oserais dire qu'il ne pouvait même souffrir les caresses que je recevais de mes enfants. Il prétendait que cela ne pouvait que leur nuire, qu'on leur pouvait témoigner de la tendresse et de mille autres manières. J'eus plus de peine à me rendre à ce dernier avis, mais je trouvai dans la suite qu'il avait autant de raison sur cela que sur le reste, et je connus par expérience que je faisais bien de m'y soumettre [431]. »

Elle ajoute même : « Sa pureté n'était pas moindre [...] ; il n'est pas croyable combien il était exact sur ce point [431]. »

Un peu plus tard, cette exigence maladive de pureté s'expliquera, on le verra, au moins en partie, par des traumatismes subis dans son jeune âge. Et par sa relation à Jacqueline : il s'en veut autant de la voir que de ne pas la voir. De la fuir que de la garder pour lui.

Seule la foi lui permettra et l'un et l'autre.

Jusqu'à la nuit du Mémorial *(décembre 1653-23 novembre 1654)*

Depuis l'entrée de Jacqueline au couvent, surtout depuis sa profession de foi en juin 1653, Blaise a tout essayé pour l'oublier. En vain. Le monde et ses modes le dégoûtent : « Je voudrais de bon cœur voir le livre italien dont je ne connais que le titre, qui vaut lui seul bien des livres, *Dell'opinione regina del mondo* [De l'opinion, reine du monde]. J'y souscris sans le connaître, sauf le mal, s'il y en a. » (fr. 78) Il ne veut plus rien entendre de ses amis qui souhaitent l'entraîner dans des fêtes : « Que me promettez-vous enfin — car dix ans est le parti — sinon dix ans d'amour-propre, à bien essayer de plaire sans y réussir, outre les peines certaines ? » (fr. 186) Il rejette même la peinture qui l'intéressait tant : « Quelle vanité que la peinture, qui attire l'admiration par la ressemblance des choses dont on n'admire pas les originaux. » (fr. 74)

Il se déteste : « Le moi est haïssable. » (fr. 494).

Il continue pourtant d'écrire, mais note dans *De l'esprit géométrique*, comme mû par une étrange autodérision : « Il est fâcheux de s'arrêter à ces bagatelles ; mais il y a des temps de niaiser[401]. »

Même Gilberte relève son changement de comportement, sans paraître remarquer la relation entre ses troubles et le départ de Jacqueline. À la fin de 1653, note-t-elle, Blaise, frappé d'une « lumière étrange », rompt avec toutes ses habitudes, s'isole, se passe du service de domestiques, fait son lit. La nourriture devient objet de haine ; il commence par ne pas prêter attention à ce qu'il mange et par s'irriter si on lui demande si un plat lui a plu (« Il fallait m'en avertir auparavant, car à présent je ne m'en souviens plus et je vous avoue que je n'y ai pas pris garde[431] »), puis il s'emporte quand on parle devant lui de nourriture — « parce que, disait-il, c'était une marque que l'on mangeait pour contenter son goût, ce qui était toujours un mal, ou pour le moins que l'on parlait un langage conforme à celui des hommes sensuels et qui n'était pas honnête à un chrétien, qui ne doit jamais rien dire qui n'ait même un air de sainteté »[431]. Enfin, il décide même de ne plus absorber qu'une quantité fixée à l'avance : « Lorsqu'on lui demandait pourquoi il faisait cela, il répondait que c'était le besoin de l'estomac qu'il fallait satisfaire, et non celui de l'appétit[431] », rend compte Gilberte.

Il accumule les pensées de plus en plus noires. Et même si on n'est pas certain des dates de la plupart d'entre elles, celles qui suivent remontent sans nul doute à la fin 1653 ou au début 1654, au moment où il prend conscience du vide de sa vie : « Ainsi s'écoule toute la vie, on cherche le repos en combattant quelques obstacles. Et si on les a surmontés, le repos devient insupportable par l'ennui qu'il engendre. Il en faut sortir et mendier le tumulte. Car ou l'on pense aux misères qu'on a ou à celles qui nous menacent. Et quand on se verrait même assez à l'abri de toutes parts, l'ennui, de son autorité privée, ne laisserait pas de sortir du fond du cœur, où il a des racines naturelles, et de remplir l'esprit de son venin. » (fr. 168)

Et encore : « Il faut, puisqu'il y a plu, travailler tout le jour pour des biens reconnus pour imaginaires. Et quand le sommeil nous a délassés des fatigues de notre raison, il faut incontinent se lever en sursaut pour aller courir après les fumées et essuyer les impressions de cette maîtresse du monde. » (fr. 78)

Et cette autre notation, d'une langue si parfaite : « Nous souhaitons la vérité et ne trouvons en nous qu'incertitude. Nous recherchons le bonheur et ne trouvons que misère et mort. Nous sommes incapables de ne pas souhaiter la vérité et le bonheur, et sommes incapables ni de certitude ni de bonheur. Ce désir nous est laissé tant pour nous punir que pour nous faire sentir d'où nous sommes tombés. » (fr. 20)

Même la recherche scientifique, qui l'a tant enthousiasmé, le dégoûte : « Curiosité n'est que vanité le plus souvent. On ne veut savoir que pour en parler. » (fr. 112)

Enfin, ces lignes parmi les plus fameuses : « Un

homme dans un cachot, ne sachant si son arrêt est donné, n'ayant plus qu'une heure pour l'apprendre, cette heure suffisant, s'il sait qu'il est donné, pour le faire révoquer, il est contre nature qu'il emploie cette heure-là non à s'informer si l'arrêt est donné, mais à jouer au piquet. » (fr. 195)

Pour autant, il ne renonce pas au monde et continue de s'occuper de la gestion de son patrimoine. Le 24 avril 1654, il donne en location — 360 livres — une boutique de la Halle au Blé, à Paris, dont il a obtenu la propriété par adjudication.

Il continue aussi de travailler sur les probabilités, et correspond intensément avec Fermat au moins jusqu'au 25 septembre 1654.

Rien de tout cela ne comble son vide. Il se consume de nostalgie pour sa sœur. Elle lui manque plus que tout. Il ne l'a pas revue depuis qu'elle a prononcé ses vœux. Et c'est d'elle, à l'évidence, qu'il parle lorsqu'il écrit peut-être la plus profonde des *Pensées*, d'une vertigineuse pénétration sur les relations entre les êtres, et qui laisse entrevoir comment il va passer de Jacqueline à Dieu :

« Mais celui qui aime quelqu'un à cause de sa beauté, l'aime-t-il ? Non, car la petite vérole, qui tuera la beauté sans tuer la personne, fera qu'il ne l'aimera plus. Et si on m'aime pour mon jugement, pour ma mémoire, m'aime-t-on moi ? Non, car je puis perdre ces qualités sans me perdre moi. Où est donc ce moi, s'il n'est ni dans le corps, ni dans l'âme ? Et comment aimer le corps ou l'âme, sinon pour ses qualités, qui ne sont point ce qui fait le moi, puisqu'elles sont périssables ? Car aimerait-on la substance de l'âme d'une personne abstraitement, et quelques qualités qui y fussent ? Cela ne se peut et serait injuste. On n'aime donc jamais personne, mais seulement des qualités. » (fr. 567)

Aime-t-on quelqu'un ou ses qualités ? Mais si on aime ses qualités, c'est qu'on ne l'aime pas, puisqu'il peut les perdre. Et lui, aime-t-il Jacqueline qui a eu la petite vérole, et qui a perdu jusqu'à sa réalité ? Infinie spirale où le corps se défait de l'esprit dans la mémoire... Tout Proust déjà s'y trouve — encore un « solitaire » qui ne connut l'amour humain qu'en cachette —, mais aussi comme une amorce des explorations futures de la psychanalyse.

C'est encore à elle qu'il pense lorsqu'il écrit : « La vraie et unique vertu est donc de se haïr, car on est haïssable par sa concupiscence, et de chercher un être véritablement aimable pour l'aimer. Mais comme nous ne pouvons aimer ce qui est hors de nous, il faut aimer un être qui soit en nous, et qui ne soit pas nous. Et cela est vrai d'un chacun de tous les hommes. Or il n'y a que l'être universel qui soit tel. Le royaume de Dieu est en nous. Le bien universel est en nous, est nous-même et n'est pas nous. » (fr. 471)

N'y tenant plus, il fait alors ce qu'il s'est absolument juré de ne pas faire depuis qu'elle a prononcé ses vœux, un an plus tôt : au début de l'été 1654, il vient voir Jacqueline au parloir de Port-Royal. Et là commence une nouvelle phase, très intense, de leur relation.

Blaise s'est maintenant résigné au départ de sa sœur. La seule chose qu'il veuille désormais, c'est ne pas la perdre, continuer à la voir et à lui parler, tous les jours, si possible. Même à travers les grilles. Les supérieures du couvent n'y font pas obstacle : c'est peut-être une occasion d'attirer vers Port-Royal un illustre personnage, un savant dont la cause janséniste pourra avoir besoin.

Jacqueline s'y prête. Blaise va mal. Rien ne le retient plus dans ce monde. Il ne peut presque plus bouger, marcher, écrire, penser. Les premières rencontres entre frère et sœur au parloir du couvent sont faites de longs silences suivis d'interminables monologues de Blaise. Jacqueline écrit d'ailleurs à Gilberte, dans des lettres datées du 8 décembre 1654 et du 25 janvier 1655, que leur frère vient lui parler de son dégoût du monde, lui confier qu'il éprouve « un grand mépris du monde et un dégoût presque insupportable de toutes les personnes qui en sont » (lettre de Jacqueline du 8 décembre 1654). Façon de laisser entendre qu'il n'aime que les êtres qui n'y sont plus, autrement dit elle. Il ajoute, dit-elle, « qu'il aurait aimé se rapprocher de Dieu, mais que Dieu n'est pas là ». Il sentait « que c'était plutôt sa raison et son propre esprit qui l'excitait à ce qu'il connaissait le meilleur que non pas le mouvement de celui de Dieu ». Elle lui fait remarquer qu'il est encore dans le monde et que Dieu ne veut pas de lui dans l'état où il est. Elle tient ses supérieures au courant du détail de leurs conversations.

Par Jacqueline, Singlin sait tout des états d'âme de Blaise. Il l'« instrumentalise » même pour qu'elle attire son frère du côté de Port-Royal, un peu comme un agent est mis en situation de devoir attirer vers le pays qui l'emploie une personnalité étrangère. Blaise est trop mal, trop seul, trop orphelin pour résister.

Plus tard, on racontera que ce tournant vers la foi s'explique par un accident de voiture. Un récit anonyme racontera qu'à cette époque, allant se promener « dans un carrosse à quatre ou six chevaux au pont de Neuilly, les deux premiers prirent le mors aux dents à un endroit du pont où il n'y avait pas de garde-fou et se précipitèrent dans la rivière. Comme leurs rênes se rompirent, le carrosse demeura sur le bord. Cet accident fit prendre à M. Pascal la résolution de rompre ces promenades et de mener une vie plus retirée »[423]. Explication spécieuse. D'abord, rien n'établit que cet accident ait jamais eu lieu. Ensuite, Pascal n'en avait en tout cas pas besoin pour se rapprocher de Dieu. C'est de sa relation avec sa sœur que tout procède. Pas d'un sentiment de peur.

Le 1er octobre 1654, Blaise déménage pour se rapprocher de Port-Royal. Il est maintenant « sur le fossé d'entre les portes de Saint-Germain-des-Prés et de

Saint-Michel, rue des Francs-Bourgeois-Saint-Michel, paroisse de Saint-Cosme »[431] (actuellement au n° 54 de la rue Monsieur-le-Prince). Chez lui, il prie, souvent toute la nuit, lit la Bible, oublie de manger, de se changer, de se laver, part dès l'aube jusqu'au Faubourg-Saint-Jacques, où il attend Jacqueline qui passe de très longues heures à l'écouter.

« Contradiction, mépris de notre être, mourir pour rien, haine de notre être. » (fr. 156)

Elle sent que son frère est maintenant prêt à aller plus loin. Singlin, à qui elle en parle, pense lui aussi qu'il faut passer à une autre étape. Il demande à rencontrer Blaise.

Le 21 novembre 1654 au matin, quand celui-ci arrive à Port-Royal de Paris, plus mal que jamais, Jacqueline n'est pas là. On le conduit à la cellule de Singlin. Silence. Puis Blaise parle, parle. Singlin écoute, parle peu ; il lui recommande de méditer, de prier, de lire la Bible, de faire une retraite fermée chez lui, sans voir personne, le temps nécessaire pour trouver la paix. Plusieurs jours, s'il le faut.

Bouleversé par ce qu'il a dit plus que par ce qu'il a entendu, Blaise rentre rue des Francs-Bourgeois-Saint-Michel et s'enferme. Il écarte les Delfaut et son valet, et reste seul, sans sortir ni manger, ni boire ni dormir, à lire la Bible dans une traduction des théologiens jansénistes de Louvain. Deux jours passent.

Le 23 novembre, de 22 h 30 à minuit et demi, une sorte de feu l'éblouit. Blaise se sent échapper à son corps, il s'envole. Dieu est là, pense-t-il. Il s'évanouit, ne se réveille qu'à l'aube. Il prend immédiatement une feuille de papier et écrit d'une main ferme, précise, avec quelques ratures sur trois lignes, ce texte tant commenté depuis lors, un trait marquant l'achèvement de certaines phrases :

L'an de grâce 1654.
Lundi 23 novembre, jour de saint Clément, pape et martyr, et autres au Martyrologe.

Veille de saint Chrysogone, martyr, et autres.

Depuis environ dix heures et demie du soir jusques environ minuit et demie.

Feu.

Dieu d'Abraham, Dieu d'Isaac, Dieu de Jacob.
non des philosophes et des savants.
Certitude, certitude, sentiment, joie, paix.
Dieu de Jésus-Christ.
Deum meum et Deum vestrum.
Ton Dieu sera mon Dieu.
Oubli du monde et de tout, hormis Dieu.
Il ne se trouve que par les voies enseignées dans l'Évangile.

Grandeur de l'âme humaine.

Père juste, le monde ne t'a point connu, mais je t'ai connu.
Joie, joie, joie, pleurs de joie.
Je m'en suis séparé. _____
Dereliquerunt me fontem aquae vivae.
Mon Dieu, me quitterez-vous ? _____
Que je n'en sois pas séparé éternellement.

Cette est la vie éternelle, qu'ils te connaissent seul vrai Dieu et celui que tu as envoyé, Jésus Christ.
Jésus-Christ. _____
Jésus-Christ. _____
Je m'en suis séparé. Je l'ai fui, renoncé, crucifié. _____
Que je n'en sois jamais séparé. _____
Il ne se conserve que par les voies enseignées dans l'Évangile.
Renonciation totale et douce...

En tête il dessine une croix, puis inscrit la date. Il plie les deux feuillets, appelle un valet et les fait coudre dans la doublure de son pourpoint — où on les retrouvera à sa mort. C'est une habitude de l'époque : Richelieu et Vincent de Paul portaient eux aussi un écrit cousu dans leur habit [491].

Ce texte a été analysé sous tous les angles : religieux, historique, politique, psychologique, psychiatrique. « Folie », décrétera Condorcet ; « hallucination », diagnostiquera Barrès [491]. En fait, on trouve là, derrière la libération d'une force, le choc d'un éblouissement. Voisin de ce qu'on écrit d'autres grands mystiques sur leurs visions. Ainsi sainte Thérèse d'Avila : « Je ne pouvais m'expliquer cette simultanéité de la peine et du plaisir. Que la souffrance du corps et la joie de l'esprit fussent compatibles, je ne l'ignorais pas, mais une peine spirituelle si excessive, jointe à une jouissance si délicieuse, c'était pour moi chose incompréhensible [471]. »

Le manuscrit est impressionnant à consulter. L'écriture est précise et forte, comme jubilatoire. Les traits montent comme pour emplir le monde du nom de Dieu. Comme s'il n'y avait plus place pour rien d'autre.

Pascal a basculé. À trente et un ans, il est passé de l'autre côté du monde.

4

Les enfants de la paix

(23 novembre 1654-juillet 1657)

> *« Laissez l'Église en paix, et je vous y laisse-*
> *rai de bon cœur. Mais, pendant que vous ne tra-*
> *vaillerez qu'à y entretenir le trouble, les enfants*
> *de la paix seront obligés d'employer tous leurs*
> *efforts pour y conserver la tranquillité. »*
>
> *Les Provinciales,* 18e lettre.

Le 23 novembre 1654, Blaise sort épuisé de la nuit de « feu ». Il a compris qu'on lui demande de prendre, écrit-il [65], un engagement de « renonciation totale et douce ». Il ne doute plus de sa foi, mais il ne sait pas encore quel sens lui donner.

Ne plus se montrer dans les salons ? Peut-être. De toute façon, personne à y aimer.

Ne plus chercher, ne plus découvrir, ne plus réfléchir ? Inimaginable : on n'arrête pas une machine à penser. Tant d'énigmes le taraudent : sur les nombres, les surfaces, l'infini... En quoi chercher à les résoudre, en quoi tenter de comprendre la nature du monde empêcherait-il d'aimer Dieu ?

Ne plus écrire ? Tout aussi impossible : il ne sait pas réfléchir sans écrire. Dès qu'une idée le traverse, il doit, pour la fixer, la griffonner sur tout papier passant à sa portée, ou même, à défaut, sur la paume de sa main.

Ne plus publier ? Sans doute ; la gloire est vaine,

le monde n'est qu'un songe ; la postérité, une illusion fugace, un enfantillage permettant d'oublier la peur de la mort. Mais que faire de ces notes qui s'accumulent ?

Au lendemain de l'éblouissement, il éprouve le besoin de parler à Jacqueline. Il a du mal à marcher du Luxembourg jusqu'au Faubourg-Saint-Jacques. À travers la grille du parloir, Jacqueline l'écoute d'abord raconter longuement sa nuit. Puis elle l'interrompt, se moquant de celui qu'elle appelle le « nouveau converti ». Il corrige : c'est sérieux, il a changé ; il veut comprendre. Il a besoin d'un directeur de conscience ? lui qui s'est toujours considéré comme son propre meilleur juge, qui n'a jamais accepté que qui que ce soit vienne lui dicter sa conduite ? Il insiste : il ne peut plus faire face, après ce vertige ; ne pourrait-elle être son directeur ? Elle s'irrite, se demande si toute cette histoire de rencontre avec Dieu n'est pas qu'un prétexte pour venir la voir plus souvent encore. Elle lui suggère alors de rencontrer Singlin. Il fait la moue. Elle plaide qu'il est le meilleur directeur de conscience de Port-Royal ; lui saura le conseiller. Si Blaise accepte, elle lui écrira à Port-Royal-des-Champs. Peut-être le successeur de Saint-Cyran acceptera-t-il de devenir son directeur ? Blaise pourrait aussi vouloir aller aux Champs, devenir un Solitaire ? Il ne sait pas, ne répond rien et s'en retourne rue des Francs-Bourgeois-Saint-Michel.

Il souffre des jambes, se cloître, prie, jeûne ; il lit et écrit dans un étrange sentiment d'urgence, sans voir personne. Le duc de Roannez s'inquiète et s'annonce : pourquoi son ami ne vient-il plus chez lui ? Blaise lui raconte sa nuit. Arthus écoute, mi-sceptique, mi-impressionné. Décidément, les idées jansénistes attirent le jeune duc. Il lui propose un voyage dans le Poitou pour se changer les idées. Il se trouve qu'Arthus a besoin d'y aller pour suivre ses grands travaux d'assainissement. Blaise pourrait se joindre à lui. Celui-ci hésite. Pourquoi pas ? Il a toujours aimé prendre de la distance.

Une lettre de Singlin arrive : prévenu par Jacqueline, il accepte de recevoir Blaise à Port-Royal de Paris à la mi-décembre. Blaise accepte et renonce au Poitou.

Vers le 20 décembre, Singlin écoute les perplexités de Blaise : qu'a voulu dire Dieu en lui parlant ainsi ? doit-il cesser d'écrire ? Rien ne vous interdit de réfléchir, répond Singlin. Ni d'écrire. Mais, pour ce qui est de publier... Et cessez donc de perdre votre temps avec ces grands seigneurs, à moins que vous ne vous sentiez en mesure de les attirer vers Port-Royal. Mais de Roannez, de Méré et des autres il n'y a rien à attendre. Peut-être voudrait-il rejoindre les Solitaires ?

Pascal secoue la tête. Pas question. Il n'est pas de Port-Royal. Il ne se voit pas dans cette vie de reclus. Venir y passer alors quelques jours, concède Singlin, pour une retraite ? Pascal écarte l'offre : il a seulement besoin d'un directeur de conscience ici, à Paris, pour voir clair en lui, pour accepter avec humilité ce que Dieu lui a demandé. Singlin esquive : impossible pour lui de devenir le directeur de conscience de quelqu'un qui ne voudrait pas, au moins pour un temps, se retirer à Port-Royal-des-Champs où se déroule l'essentiel de sa propre vie.

Le même soir, Blaise retrouve Roannez chez le duc de Luynes. Fils de celui qui organisa l'assassinat de Concini pour le compte de Louis XIII, Luynes vient de rédiger un *Recueil des sentences tirées des Écritures*. Blaise lui parle de l'invitation à Port-Royal. Luynes a lui-même fait une telle retraite qui a changé sa vie : il y a puisé une formidable capacité à éliminer l'accessoire. Il encourage Blaise à accepter et suggère même à Arthus de l'accompagner. Ce dernier hésite. Mais pourquoi pas ? Cela pourrait constituer un divertissement nouveau, quelque chose à raconter dans les salons à leur retour ? Le duc de Luynes propose de les loger dans son château de Vaumurier, juste à côté de Port-Royal, non loin de la résidence de sa mère, la duchesse de Chevreuse. Ce sera plus confortable que les

Granges. Blaise accepte mais pour quelques jours seulement. Arthus hésite, puis refuse : il ne peut remettre son voyage en Poitou. Peut-être une autre fois...

Blaise est de plus en plus obsédé par le souvenir de sa nuit de « feu ». Chaque fois qu'il se change, il retire de son pourpoint le récit qu'il en a fait, le *Mémorial*, qui s'y trouve cousu en deux exemplaires ; avant de le recoudre dans le nouveau, il le relit. Le texte est là, tel qu'il l'a écrit, à la fois serein et brutal, limpide et jubilatoire. Tout cela lui est bien arrivé.

Ses migraines ont repris ; elles gagnent toute sa tête. Rien ne peut en venir à bout. Comment vivre en permanence dans la douleur ? Parfois, quand les élancements lui fouaillent le crâne, il palpe les feuillets à travers le tissu. Il ne peut plus avaler que du bouillon et pourtant, par ailleurs, il ne supporte pas de boire du liquide. Peu importe : se nourrir n'est qu'une corvée. Il a trente et un ans et se sent déjà si loin des plaisirs du monde, si différent de tous ceux qu'il voit s'agiter autour de lui.

La nuit, dans le silence de sa solitude d'insomniaque, il a parfois envie de mourir... Comme un irrépressible désir de rejoindre Dieu au plus vite. La peur de l'Enfer lui interdit bien sûr de songer au suicide... Tout plutôt que laisser divaguer son imagination... Échapper à ce vertige, mais comment ? En retournant au monde ? Non, sans doute. À la science ? Peut-être. Mais comment concilier la recherche avec la foi ? Comment faire coexister les êtres contradictoires qui l'habitent ? Mais pourquoi faudrait-il renoncer à toutes ces vies pour n'en assumer qu'une ?

Naît et s'affermit alors en lui l'idée de laisser vivre simultanément ses diverses incarnations.

L'un de ces avatars approfondirait ses découvertes mathématiques, un autre rédigerait ses réflexions sur la condition humaine, un autre encore continuerait peut-être de fréquenter le monde. En cette fin de 1654, Blaise imagine ainsi de devenir au moins trois per-

sonnes vivant chacune sa vie, ayant chacune son caractère, ses projets, son style, ses ambitions, ses caprices,
son idéal. Mais la seule qui l'intéresse vraiment, c'est
une quatrième : celle qui mourra bientôt — il en est
sûr —, anonyme et sans postérité, tentant de s'assurer
le salut par une humilité absolue. À vivre leur vie, les
trois autres glaneront peut-être un peu de gloire, mais
c'est sans importance ; il espère seulement que Dieu
sera dupe de sa ruse et ne lui fera pas porter, au jour
du Jugement, le poids des péchés de ses avatars.

Dans les trois années qui suivent, l'une de ces personnalités va dominer toutes les autres. Ce n'est pourtant aucune de celles qu'il a déjà imaginées, mais une
autre encore, un Pascal qu'il va nommer, pour une raison qu'on élucidera plus tard, « Louis de Montalte ».
Redoutable polémiste, Louis marquera l'histoire des
idées et des lettres en lançant le plus formidable brûlot
de l'histoire de la littérature française, les *Lettres à un
Provincial*, plus connues sous le nom de *Provinciales*.

Pour ou contre, on se battra, on ira en prison, on
mourra. Elles constitueront le plus grand succès de
librairie de l'Ancien Régime. Elles fascineront les
siècles à venir et fascinent encore tant par leur style
que par les thèmes dont elles traitent : l'homme est-il
capable de liberté ? Est-il responsable de ses actes ou
prisonnier de ses pulsions ? Est-il libre d'être libre ?
Est-il déterminé par les conditions de sa naissance ?
Peut-il se sauver en avouant ses fautes ? Autrement dit,
pour reprendre les métaphores de Pascal lui-même,
l'homme est-il, à l'instar du voyageur de la première
Lettre provinciale, ayant à sa disposition un bateau, des
bateliers et des rames, libre de décider ou de refuser de
traverser une rivière [80], ou bien est-il au contraire
comme cet autre voyageur, celui de la deuxième *Lettre*,
qui, blessé par des brigands sur une route, n'a pas la
force de bouger, même s'il le voulait [403] ? La volonté
suffit au premier, pas à l'autre. Pascal conclura que
l'homme est bel et bien comme le second voyageur,

qui n'est pas libre de décider de son destin et ne saurait obtenir la vie éternelle que s'il est « guéri » (gracié) par Dieu. L'homme n'est libre que d'accepter ou de refuser cette grâce. Il doit donc agir pour être sauvé. Pour prendre une autre métaphore à laquelle il recourra également, l'homme est comme le paysan qui doit semer sans être certain que la pluie viendra permettre à son grain de lever.

Ces questions ne pouvaient que surgir à ce moment de l'histoire de l'Europe : l'homme s'interroge sur sa liberté, l'économie lui dispense maints moyens nouveaux de l'exprimer ; il voyage, décide, critique, cherche, affirme sa responsabilité et son goût du risque. Les limites de la liberté sont ainsi peu à peu mises en cause : sont-elles d'ordre divin ? moral ? politique ? scientifique ? ou seulement celles que le hasard imposera ?

Après lui, le débat ne cessera de s'amplifier. On trouvera d'autres formes de dépendance. D'autres sources de liberté ; des philosophes, des économistes, des juristes, des psychanalystes, des généticiens écriront des milliers de pages pour convaincre — et se convaincre — que tout homme, à tout instant, est libre de choisir quel cours donner à sa vie, ou, à l'inverse, pour expliquer qu'il est soumis à d'autres contraintes ou déterminismes que le jugement et la volonté de Dieu. Chacun à son tour, Hobbes, Locke, Rousseau, Darwin, Marx, Freud, Heidegger, Sartre, Merleau-Ponty, Monod, en débattra, non pas avec les mots des théologiens (« grâce », « salut », « pouvoir prochain » ou « grâce suffisante »), mais avec le lexique de la politique, de la biologie, de la psychanalyse, de la philosophie. Ils parleront d'« aliénation », d'« exploitation », de « sélection naturelle », de « choix ontologique fondamental »[403], d'« inné » et d'« acquis », de « hasard » et de « nécessité », de « dépendance » ou d'« accoutumance ». Ils traiteront ainsi des mêmes sujets que Pascal, souvent avec beaucoup

moins de clarté ou de perspicacité que lui : l'écriture
de bien des pages obscures sur la prédestination, la
liberté et la condition humaine aurait pu être épargnée
à leurs auteurs s'ils avaient lu, relu et médité les lumi-
neuses *Provinciales*...

Confesseurs, casuistes et directeurs de conscience

Comme toujours chez Pascal, tout commence par
une anecdote. Ici, c'est une sombre histoire de confession manquée : un duc, ami de Port-Royal, se voit refuser l'absolution par son confesseur parce qu'il est
janséniste. Comme la confession joue alors un rôle
considérable dans la vie ordinaire des catholiques, cet
incident va mettre le feu à la France.

Au XVIIᵉ siècle, on l'a vu, domine la question du
salut : peut-on, par le truchement d'un prêtre, obtenir
le pardon de Dieu et échapper ainsi aux flammes éternelles ? Pour ceux qui, comme les jansénistes, pensent
que le salut dépend d'une grâce indécidable, la réponse
est négative : le confesseur ne sert à leur avis qu'en
cas extrême, pour obtenir l'absolution après avoir longuement exprimé un remords sincère. Il est bien plus
important d'éviter de pécher et, pour cela, de s'appuyer
sur un bon directeur de conscience capable d'aider à
tirer parti de la grâce, si on a la chance de l'avoir reçue
et à ne pas commettre l'acte irréversible qui la priverait
de ses effets. Diriger, c'est prévenir ; confesser, c'est
pardonner. Or pardonner, pour les jansénistes, n'appartient qu'à Dieu. Les jansénistes ne vont certes pas,
comme les calvinistes, jusqu'à supprimer la confession
et la communion, mais ils en limitent la fréquence et en
font des actes solennels, occasions d'exceptionnelles
rencontres avec Dieu.

Au contraire, pour ceux qui, comme les jésuites,
pensent que la grâce est également donnée à tous les
hommes, et qu'il incombe à chacun, par le jeu de son

libre arbitre, de la mettre en valeur, le confesseur est un partenaire essentiel de la vie quotidienne du fidèle. En recevant le croyant en confession, il lui permet de comprendre la gravité de ses fautes, d'exprimer un remords sincère, de parvenir à la contrition et à la prise de conscience de l'horreur du péché ; il accorde alors au pécheur, au nom du Seigneur, le pardon de ses péchés et la miséricorde divine. Pour conserver son influence, il ne doit pas pardonner toutes les fautes, ni condamner sans retour, mais toujours laisser planer sur ses pénitents la menace de l'Enfer. Il doit donc accepter d'accorder le pardon des fautes que les mœurs nouvelles, les progrès politiques, économiques et sociaux, voire la simple licence rendent inévitables ou simplement possibles. Autrement dit, il doit réduire la liste des péchés mortels sans cesser de menacer les fidèles des châtiments de l'au-delà.

Tout le paradoxe du XVIIᵉ siècle est là : au moment même où les fidèles — surtout les plus puissants — sont conduits, par le changement des mœurs et des idées, et par le bouleversement de l'organisation économique et sociale, à prendre des libertés croissantes avec les commandements de Dieu et les règles de l'Église, ils ont aussi un plus grand besoin de spiritualité. La doctrine doit s'y adapter en proposant de nouvelles échelles de peines.

Tous les confesseurs ne sont pas capables de déterminer quelle pénitence appliquer à leurs ouailles dans chacune des innombrables situations que proposent la modernité ou la perversion des mœurs. Pour les aider à remplir leur office, les théologiens doivent écrire des livres de « jurisprudence » répertoriant les fautes et les peines applicables dans chaque cas ; c'est le rôle des « casuistes ». C'est par ces ouvrages que se fixe notamment la frontière entre péché mortel et faute vénielle. D'innombrables actes — sexuels, politiques, socio-économiques — deviennent ainsi objets de marchandages entre confesseurs et pénitents.

Les jésuites vont jouer un rôle clé dans cette mutation de la morale chrétienne. Dès la création de leur ordre en Espagne, ils se sont fait une spécialité de l'analyse de l'âme, surtout celle des princes dont ils deviennent les confesseurs. Aile avancée de l'Église, plus en phase avec leur temps que les autres ordres, ils s'érigent en maîtres de la casuistique pour sauver ce qui peut encore l'être de la discipline, éviter la multiplication des schismes, aider les fidèles à résister aux austères attraits de la religion réformée, aux séductions des libertins, des marchands et des savants.

Le combat des directeurs de conscience (essentiellement jansénistes) contre les casuistes (surtout jésuites) passionne le Grand Siècle. C'est un révélateur des principaux enjeux politiques de l'époque. Les jésuites veulent faire oublier l'Enfer ; les jansénistes veulent rappeler qu'il constitue une menace permanente. Les jésuites veulent rendre possible l'enrichissement individuel ; les jansénistes le rejettent. Les jésuites veulent adapter la discipline aux mœurs ; les jansénistes tiennent à plier les mœurs à la doctrine. Les jésuites veulent que chacun soit en paix avec soi-même ; les jansénistes souhaitent que chacun apprenne à se haïr. Les jésuites veulent soumettre les esprits au pouvoir ; les jansénistes veulent voir le pouvoir s'incliner devant l'esprit.

Tels sont le contexte et l'enjeu des *Provinciales*. Examinons maintenant l'état des forces avant la bataille.

Port-Royal contre les jésuites

Au milieu du XVIIe siècle, les jésuites sont tout-puissants. À la mort d'Ignace de Loyola, son fondateur, en 1556, la Compagnie de Jésus comptait quelques milliers de membres à travers l'Europe ; elle administrait déjà cent cinquante fondations (noviciats, collèges, résidences). Depuis, elle s'est implantée du Paraguay au Canada, en passant par la Chine. Soumis à une discipline planétaire, regroupés dans une armée placée sous le commandement d'un « général », remarquablement formés, les jésuites sont alors installés partout : professeurs d'apologétique, historiens du dogme, théoriciens du droit, conseillers politiques, astronomes des empereurs de Chine, éducateurs et confesseurs des princes d'Europe [94]... En France, où ils ont été rappelés en 1603 après dix ans d'exil, ils développent rapidement leur influence. En 1643, ils tiennent cent neuf établissements d'enseignement [232], dont le célèbre collège de Clermont à Paris — sur la montagne Sainte-Geneviève —, et le confesseur du roi est l'un des leurs. Le reste de l'Église de France ne les aime pas, mais les craint ; les curés voient en eux des agents du pape complotant pour instaurer une sorte de monarchie catholique planétaire en promettant aux princes et aux riches, en échange de leur soumission, un salut à peu de frais [240].

Le premier jésuite à mettre au point une « jurisprudence » à l'usage des confesseurs est un Espagnol, le père Molina [370]. En 1588, il publie à Lisbonne un essai sur la confession intitulé l'*Accord du libre arbitre avec les dons de la grâce, la prescience divine, la Providence, la prédestination et la réprobation*, dans lequel il définit le rôle du confesseur et ses limites, à partir du débat sur la grâce. Malgré la Chute, qui a privé l'homme de ses dons surnaturels, chaque être humain peut atteindre l'éternité. Pour cela, il reçoit en naissant une grâce égale, dite « suffisante ». Il appartient à chacun, par sa volonté et par ses actes, de faire fructifier cette grâce « suffisante » pour la rendre « efficace », c'est-à-dire pour assurer son salut. Il appartient au confesseur de décider si chaque acte, chaque manifestation du libre arbitre de celui qui vient se confesser, a fait « fructifier » ou a « détérioré » la quantité de grâce « suffisante » reçue à sa naissance. Le confesseur peut, par l'absolution, effacer l'effet néfaste sur la grâce des péchés dont il entend le récit, et ainsi aider la grâce « suffisante » à devenir « efficace ». Pour seconder les confesseurs, Molina invente ce qu'il appelle la « science moyenne », c'est-à-dire l'étude des moyens de rendre « efficace », dans chaque cas, la grâce « suffisante ».

Le livre de Molina est très discuté. Les théologiens thomistes et les dominicains — notamment Dominique Bañes, professeur de théologie à Salamanque — dénoncent ce rejet de l'augustinisme. Pour eux comme pour saint Augustin, la grâce n'est pas donnée à tout le monde ; Dieu en décide librement. Sinon, où serait la toute-puissance du Très-Haut ?

La Compagnie de Jésus elle-même est divisée. De nombreux jésuites voient là une porte ouverte à tous les laxismes. Le théologien jésuite Enrique Enriquez critique la doctrine de son confrère dans un traité, *De fine hominis*, publié à Salamanque en 1591.

Quatre ans plus tard, en 1595, le pape Clément VIII est saisi de cette dispute. Il penche pour les dominicains et les augustiniens. En 1597, en vue de trancher, il nomme une commission de cardinaux, dite *De auxiliis divinæ gratiæ* ; elle siège neuf ans. Le souverain pontife s'apprête à condamner le livre de Molina et les jésuites [140] quand il meurt en 1605. Sentant bien que l'Église a tout à gagner à maintenir l'ambiguïté entre la manifestation du libre arbitre et l'attente de la grâce, Paul V, son successeur, refuse de trancher entre les deux thèses. Il se contente, en 1611, d'imposer un armistice entre dominicains et jésuites, entre augustiniens et molinistes, en interdisant à quiconque de publier quoi que ce soit sur la grâce sans l'accord préalable du Saint-Office. Il espère ainsi enterrer un débat fort embarrassant où l'Église a tout à perdre à faire un choix trop explicite.

Mais l'interdiction vaticane d'écrire sur la grâce ne s'étend pas à la confession. En se fondant sur les tra-

vaux de Molina, des casuistes — appartenant presque
toujours à l'ordre des jésuites — se mettent au travail
pour fournir aux confesseurs du monde entier les
moyens de pardonner au peuple, aux bourgeois et surtout aux princes, et de les garder ainsi dans l'Église
pour leur permettre de se conduire comme l'exige la
nouvelle économie, par exemple en prêtant ou en
empruntant. Mais aussi, par glissements successifs, de
leur pardonner de faire l'amour par simple plaisir : des
casuistes vont ainsi jusqu'à écrire, audace inédite, que
« l'acte du mariage accompli exclusivement pour la
volupté ne saurait constituer une faute, même vénielle » [240]. Beaucoup de casuistes s'intéressent à la sexualité. Ils discutent doctement de l'adultère, du viol, de
l'inceste, de la validité du mariage, des formes multiples de sa consommation : « Les attachements *inter
conjugatos* ne sont permis qu'*in ordine ad actum
conjugalem extra periculum pollutionis* », ce qu'ils
nomment « la semence émise pour rien ».

En travaillant à l'*Augustinus*, Jansénius et Saint-
Cyran rencontrent nécessairement les casuites sur leur
route. Pour eux, il n'y a rien à attendre de la confession
ni de l'absolution, puisque tout homme est coupable
par le seul fait du péché originel qui le poursuit de
génération en génération ; et il ne peut être sauvé que
si Dieu a décidé par avance de le gracier. Et Dieu n'a
pas décidé à l'avance de sauver tous les hommes.

Ils définissent et affirment alors leurs concepts.
Ceux des hommes qui reçoivent cette grâce dite « justifiante » — les « justes » — ne sont pas même certains
d'être sauvés, car ils ne sont pas assurés de pouvoir se
servir de cette grâce. Autrement dit, dans le langage de
l'époque, la grâce « justifiante » ne permet pas, à elle
seule, d'accomplir les commandements de Dieu ; il
faut recevoir en outre une autre forme de grâce, dite
« efficace ». Dieu peut fort bien priver un juste du
Paradis en lui accordant la grâce « justifiante », mais
pas l'« efficace ». Pour Jansénius et Saint-Cyran — et,

après eux, pour l'ensemble des jansénistes —, nul ne peut rien contre ces décrets divins. Dieu est libre de sauver qui il veut. La pénitence ne peut pallier l'absence de grâce « justifiante », encore moins l'absence de grâce « efficace ». La direction de conscience, elle, peut aider chaque homme à prendre conscience de sa déchéance, et, s'il est un juste, à comprendre qu'il a reçu la grâce justifiante et à l'accepter. L'homme a donc le « pouvoir prochain » d'accomplir les commandements [219]. C'est d'ailleurs dans la prise de conscience de sa propre abjection que gît le meilleur signe de la réception de la grâce, « efficace » et « justifiante ». Plus on se sait perdu, plus on a de chances d'être sauvé, car plus on voudra alors se mettre en situation de recevoir la grâce. De même, plus on se sait coupable, plus on de chances d'éprouver assez de remords pour éviter de récidiver.

L'homme est donc comme un laboureur qui ne sait pas si la pluie va tomber sur son champ, mais seulement que, s'il ne sème pas, aucune récolte ne poussera, même si la pluie tombe. Il doit donc agir comme si la pluie de la grâce devait tomber sur son champ et se préparer à la recevoir. Voilà pourquoi le confesseur est, pour les jansénistes, beaucoup moins important que le directeur de conscience.

La bataille peut dès lors commencer entre la Compagnie ou Société de Jésus et les jansénistes. Pascal écrit : « L'Inquisition et la Société : les deux fléaux de la vérité » (fr. 746).

À partir de 1642, partout à travers l'Europe, les jésuites produisent des recueils de « cas » plus ou moins tolérants. Et même — c'est là que tout se gâte — des synthèses de ces recueils, dans lesquelles est considéré comme moralement acceptable tout comportement autorisé par au moins un casuiste, et nommé pour cette raison « probable » (mot qui vient du latin *probare*, pour « approuvé »). Est « probable » — et peut donc être « absous » — tout comportement accepté ou toléré par l'un au moins des casuistes ayant publié un traité de jurisprudence. Et comme il se trouve presque toujours un jésuite pour avoir approuvé, dans un recueil de « cas », à peu près n'importe quoi, qu'il s'agisse d'une attitude d'ordre économique raisonnable ou d'une action moralement répréhensible, voire criminelle, les compilations de ces recueils finissent par s'aligner sur ce que tolère le plus laxiste des casuistes. Dans le vocabulaire de l'époque, toute attitude possible devient « probable ».

Ainsi, en 1644, le casuiste jésuite Escobar y Mendoza produit une compilation des travaux de vingt-quatre autres de ses confrères. À côté de modernisations de la discipline sexuelle ou économique, on trouve l'acceptation d'actes tels que le meurtre, et même de tout acte, quel qu'il soit, à condition pour son auteur... de le désapprouver en pensée en le commettant ! Par exemple, si on tue avec regret, tous les espoirs de salut restent permis. Est aussi autorisé par certains le parricide sans regret, même lorsque le fils a quelque chose à gagner à la mort de son père. L'un des casuistes cités par Escobar écrit en effet : « Il est permis de désirer d'une manière absolue la mort de son père, non point pour le mal du père, mais pour le bien de celui qui la désire, parce que cette mort rapportera à celui-ci un riche héritage[491]. » Il suffit en outre à l'auteur de ces actes de se confesser et de recevoir la communion le plus souvent possible pour pouvoir les rééditer sans risque...

Inutile de dire que tout un chacun profite de ces libertés nouvelles. Depuis les Grands, qui se confessent avant et après chaque bataille, chaque duel, chaque adultère ou chaque parjure, jusqu'aux bourgeois, qui en tirent profit dans leurs affaires, et aux femmes du monde, qui se confessent, obtiennent l'absolution et communient avant et après chaque bal. Ainsi le père jésuite de Sesmaisons autorise-t-il la marquise de Sablé à aller au bal immédiatement après avoir reçu la sainte communion. Pour lui, « plus on est dénué de grâce, plus on doit communier hardiment ». Un autre jésuite diagnostique : « Puisque la confession est une cure, et que l'état de péché est une maladie, il faut voir le médecin le plus souvent possible. » L'abbé Bremond, l'un des meilleurs connaisseurs et l'un des plus farouches adversaires des jansénistes, écrit au début du XXe siècle : « Les molinistes exaltaient la liberté humaine aux dépens de la grâce et escamotaient, si l'on peut dire, le péché originel ; plus répandus encore, les probabilistes effaçaient la distinction entre le bien et le mal ; d'autres éteignaient les flammes de l'Enfer ; un évêque permettait le bal à sa Philothée ; un autre écrivait des romans d'amour ; d'autres prêchaient le culte des Muses païennes : partout le même naturalisme ; la même conspiration inconsciente peut-être, mais effective et désastreuse avec les thélémites d'hier et les libertins d'aujourd'hui [56]. »

Pour ceux qui croient au Paradis et à l'Enfer, l'enjeu de la bataille devient considérable. Si les jansénistes ont raison, ceux qui font confiance aux casuistes iront en Enfer, un peu comme des malades qui aujourd'hui s'en remettent à des médecins suffisamment inconscients ou complaisants pour leur expliquer que fumer, boire et se droguer n'est en rien dangereux. Aussi les jansénistes accusent-ils les jésuites de non-assistance à âmes en danger, de fautes professionnelles, de spiricide...

Dans ses profondeurs, l'Église de France est très affectée par ce débat. Partout, à Paris comme en province, surtout dans les régions touchées par le jansénisme, en Bretagne, en Normandie, en Alsace, en Auvergne, en Languedoc, dans le Nord, bien au-delà du cercle parisien des théologiens, prêtres et fidèles en débattent. Les paroisses provinciales se gardent autant qu'elles le peuvent de ces excès, et les jésuites s'avancent avec prudence, n'osant pas même faire imprimer leurs livres ailleurs qu'à Lyon où ils sont en situation de force.

À la Cour et chez les marchands parisiens, la cause jésuite gagne aussi du terrain. Et les jansénistes enragent de voir le souverain pontife passer sous la coupe de leurs adversaires : « Toutes les fois que les jésuites surprendront le pape, on rendra toute la chrétienté parjure » (fr. 744).

À partir de 1650, le combat se déchaîne au grand jour. Chaque camp compte désormais ses soutiens.

Port-Royal peut aligner quelques-uns des meilleurs esprits de l'époque. Outre les Solitaires, dont les attaches à la Cour restent considérables, il y a là, par exemple, Chapelain et Bourzeis, de l'Académie française, le peintre Philippe de Champaigne, le grammairien Lancelot, le duc de Liancourt, le duc de La Rochefoucauld, le duc de Luynes, le duc de Roannez qui étend maintenant à Port-Royal son amitié pour Pascal [100]. Les salons constituent pour eux un formidable lieu de recrutement, car ceux qui les fréquentent ont souvent soif de spiritualité et de vie intérieure. Celui de la comtesse du Plessis-Guénégaud, en son hôtel de Nevers (à l'emplacement de l'actuel hôtel des Monnaies), comme en sa maison de campagne de Fresnes, fait se rencontrer Arnauld d'Andilly, Mme de Sévigné, Mme de La Fayette et La Rochefoucauld. Et lorsque la marquise de Sablé affiche son jansénisme, elle déplace son salon au premier étage de Port-Royal à Paris et y entraîne tous ses fidèles. Quand l'oncle de Mme de Sévigné — qui se trouve être aussi le beau-père de Mme de La Fayette —, le chevalier Renaud de Sévigné, devient un Solitaire, il attire à son tour sur Port-Royal les sympathies de tout un clan de la Cour.

Les jésuites, eux, comptent avant tout sur l'appui du roi. Même si le jeune monarque n'écoute pas beaucoup ses confesseurs, ce rôle vaut à la Compagnie de disposer d'énormes moyens matériels. Ils comptent aussi sur les « dévots » pour les relayer, en particulier sur la Compagnie du Saint-Sacrement. Cette association, fondée en 1630 par le duc de Ventadour, vice-roi du

Canada, est soutenue par le futur surintendant des Finances, Fouquet. Elle vise à rénover l'Église par la charité et la spiritualité, et fait beaucoup pour développer les hôpitaux et « réprimer les vices autant qu'il se peut »[164]. Sa règle est le secret ; ses ennemis sont à la fois les protestants et les jansénistes. Dirigée par un laïc, elle compte parmi ses membres de nombreux curés de Paris, dont Jean-Jacques Olier, fondateur de la congrégation de Saint-Sulpice, et des hommes comme Vincent de Paul et Bossuet.

Au total, les jansénistes ont surtout de l'influence sur la haute société et les lettrés ; les jésuites, sur la Cour et la bourgeoisie.

En 1649 — en pleine Fronde parlementaire —, constatant le prestige croissant des jansénistes chez les Grands, les jésuites décident de tenter d'obtenir la condamnation du livre de référence des jansénistes, l'*Augustinus*, comme contraire à l'Évangile et à l'enseignement de saint Augustin lui-même. Leur but ultime est de faire ensuite déclarer hérétiques tous ceux qui continueraient à se référer à cet ouvrage. Et d'en finir par là avec le jansénisme. Pascal écrira : « Nous sommes comblés de douleur de voir les factions qui se font aujourd'hui pour introduire les erreurs les plus capables de fermer pour jamais aux hérétiques l'entrée de notre communion et de corrompre mortellement ce qui nous reste de personnes pieuses et catholiques. » (fr. 811)

Pour éviter de se montrer en première ligne, ils demandent à une personnalité incontestable, une des plus hautes figures du clergé français, ennemie des jansénistes et membre de la Compagnie du Saint-Sacrement, Vincent de Paul, de faire campagne contre la doctrine de l'*Augustinus* devant la faculté de théologie de la Sorbonne.

Pour éviter une polémique trop incertaine, le syndic de la faculté, Nicolas Cornet, a alors l'idée de faire condamner par la Sorbonne un texte manifestement hérétique dont on pourrait dire après coup qu'il constitue un résumé de l'*Augustinus*. Cornet est un personnage considérable ; président du Conseil de conscience de Mazarin, il s'est fait élire à deux reprises syndic de la Sorbonne grâce à l'inscription irrégulière, sur les listes de religieux admis à voter à la Sorbonne, d'« ultramontains », les partisans de Rome. Son projet est simple : le texte devra être tel que tous les juges condamnent son contenu et qu'on puisse ensuite le faire passer pour un abrégé du livre de référence des jansénistes.

L'homme de Rome résume alors les milliers de pages de l'*Augustinus* en cinq propositions on ne peut plus obscures où il est question de la grâce divine, du salut des justes, de la damnation des réprouvés, de la prédestination et du péché de saint Pierre. Et il défère ce texte au jugement de la Sorbonne, sans dire d'où il vient.

Pendant un siècle et demi environ, on se battra pour savoir si les idées en question se trouvent ou non dans l'*Augustinus*. Les jésuites diront qu'elles y sont. Les jansénistes, qu'elles n'y sont pas. Derrière ce point de fait, tout le débat sur la modernité : ceux qui prétendent qu'elles y sont tiennent pour une adaptation de la religion aux nouvelles libertés ; ceux qui affirment qu'elles n'y sont pas prônent le maintien de la toute-puissance de Dieu. Les uns voudront reconnaître tout pouvoir aux confesseurs ; les autres, au contraire, lui substituer celui des directeurs de conscience. Les uns entendront réduire le champ du péché mortel ; les autres, l'élargir. Les uns tiennent pour le libre arbitre de l'homme ; les autres, pour la prescience divine. Les uns pour les jésuites ; les autres pour les jansénistes.

Comme elle le fera en d'autres occasions, la France va se déchirer longtemps sur un sujet apparemment très anecdotique mais qui masque en fait des enjeux fondamentaux.

Ces cinq propositions jouant un rôle décisif dans la

suite de cette histoire et dans la formation du génie français, il n'est pas inutile de les citer ici *in extenso*. Même s'il n'est pas nécessaire au lecteur d'aujourd'hui d'en comprendre toutes les subtilités, les parcourir suffira à lui montrer le degré de complexité auquel le débat est alors parvenu [164] :

> I. Quelques commandements de Dieu, pour des hommes justes le voulant bien et s'y efforçant, sont impossibles à accomplir, étant donné les forces qu'ils ont actuellement ; il leur manque aussi la grâce qui rendrait ces préceptes possibles.
>
> II. Dans l'état de nature déchue, on ne résiste jamais à la grâce intérieure.
>
> III. Pour mériter et démériter dans l'état de nature déchue, la liberté qui exclut la nécessité n'est pas requise en l'homme ; la liberté qui exclut coaction suffit.
>
> IV. Les semi-pélagiens admettaient la nécessité de la grâce intérieure et prévenante pour chaque acte en particulier, même pour le commencement de la foi, et ils étaient hérétiques en ce qu'ils voulaient que cette grâce fût telle que la volonté pût lui résister ou lui obéir.
>
> V. Il est pélagien de dire que Jésus-Christ est mort ou qu'il a répandu son sang pour tous les hommes jusqu'au dernier *(omnino omnes)*.

Lisant ce texte que Cornet entend faire condamner en feignant d'abord de l'attribuer à des bacheliers ignares, les gens de Port-Royal ne s'y trompent pas : c'est bien Jansénius qu'on vise par ce résumé mensonger de son livre.

On sait aujourd'hui que, sur ce point, les jansénistes avaient raison : les cinq propositions ne se trouvent pas dans l'*Augustinus*. La première — que les antijansénistes mettront le plus en valeur — est même explicitement réfutée par Jansénius comme étant le point de vue des adversaires d'Augustin : le juste peut toujours, aidé par Dieu, trouver la force de se conformer à des commandements difficiles, même s'il n'en a pas seul la volonté. Et la cinquième proposition est manifestement contraire à ce qu'écrit Jansénius, pour qui Jésus n'a pu venir sauver ceux qui avaient déjà été irrévocablement damnés avant l'arrivée du Messie sur la Terre.

Quand les jansénistes protestent contre le piège qu'ils flairent, Cornet trouve une excellente parade : il demande que les propositions soient condamnées « non dans leur sens propre, mais dans le sens hérétique que Jansénius leur donne ». Pas moyen d'échapper au piège...

Sauf que les augustiniens, sentant le procès joué d'avance à Paris, s'empressent alors de saisir Rome. La stratégie des jésuites — régler tout cela au plus vite à Paris — a échoué.

Ils font alors donner leurs alliés. En avril 1652, alors que la Fronde tourne court, quatre-vingt-treize évêques de France reconnaissent que les cinq propositions sont bien contenues dans le livre de Jansen, et demandent à Rome de les condamner.

À Rome où le texte vient d'arriver, la situation est confuse. François Albizzi, assesseur du Saint-Office, qui a déjà tenté de faire condamner l'*Augustinus* en 1643, fait tout pour obtenir la condamnation des propositions, à l'évidence hérétiques, en cachant au pape, comme l'avait fait Cornet, l'origine qui leur est prêtée. Mais lorsque le souverain pontife découvre, sur l'initiative des jansénistes, que condamner ces propositions risque de revenir à condamner saint Augustin, il hésite. La lutte devient féroce à Rome. Les deux plus hauts fonctionnaires du Saint-Office [164], deux dominicains, se jettent même un jour de janvier 1653 aux pieds du pape pour éviter que le nom de Jansénius soit associé à la condamnation des thèses. Mais, le 31 mars suivant, par la bulle *Cum occasione*, le pape Innocent X, poussé par Cornet venu tout exprès à Rome, condamne comme hérétique l'« interprétation par Jansénius » des cinq propositions, mais sans affirmer explicitement que

celles-ci se trouvent dans l'*Augustinus*. La bulle se
borne à affirmer que condamner l'interprétation de Jansénius sur ce point n'induit pas qu'on approuve le reste
de l'*Augustinus*. Son préambule précise : « Nous n'entendons pas toutefois, par cette déclaration et définition
faite touchant les cinq susdites propositions, approuver
en façon quelconque les autres opinions qui sont contenues dans le livre ci-dessus nommé de Cornelius Jansénius [240]. » Les « autres opinions » : façon de dire
implicitement que les cinq propositions figurent tout
de même dans l'*Augustinus* ; mais en pouvant se
défendre de l'avoir dit.

Le 9 mai 1654, des évêques de France se félicitent
de la décision papale, et le 29 septembre, le pape, par
un bref, exprime sa joie de voir le clergé de France
décider de « faire exactement observer [sa bulle] en
tous lieux » [69].

Pourtant, rien ne se passe : l'*Augustinus* n'est pas
interdit. Personne n'ose encore aller au bout de la
logique de la bulle.

Le piège s'est pourtant refermé sur Port-Royal. Un
incident va mettre le feu aux poudres ; et c'est à cette
occasion que Pascal va entrer en scène.

Pascal entre en scène (janvier-décembre 1655)

Un mois et demi après sa nuit de « feu », le 7 janvier
1655, au lendemain de l'Épiphanie, Blaise Pascal
décide d'accepter la retraite que lui a proposée Singlin.
Il quitte son domicile parisien dans le carrosse du duc
de Luynes pour le château de Vaumurier. Au bout de
quelques jours, trouvant trop encombrant le luxe de
son hôte, il délaisse Vaumurier pour s'installer de
manière plus austère dans une des cellules de la ferme
de Port-Royal-des-Champs où vivent la plupart des
Solitaires.

Cette partie de l'ensemble janséniste existe encore

aujourd'hui. C'est une longue bâtisse sans caractère entourant une cour. À côté, on voit encore une petite maison basse édifiée par un Solitaire, Baudry d'Asson, puis ce qu'on nomme le « château des Granges », vaste bâtiment de deux étages où étaient logés les élèves des Petites Écoles[33]. À gauche, devant le château, une pelouse domine le vallon où coule en contrebas le Rhodon, à côté du vaste couvent, de la majestueuse église et de la « Solitude », sorte de rocher monumental où les religieuses venaient méditer en été[33]. Chaque jour, les Solitaires empruntaient le long chemin de terre qui descend en escalier de la ferme au couvent pour venir prier avec les sœurs dans l'église. Le haut de Port-Royal était masculin ; le bas, féminin.

À son arrivée aux Granges, Blaise est très bien accueilli. C'est un hôte de marque, un enfant prodige devenu un scientifique célèbre. Et le frère d'une religieuse pleine de promesses. Chaque Solitaire souhaite le rencontrer. Il y a là, on l'a vu, Arnauld d'Andilly, familier d'Anne d'Autriche et de Mazarin, Antoine, dit « le Grand Arnauld », le plus célèbre théologien de son temps, le peintre Philippe de Champaigne, Singlin, le successeur de Saint-Cyran, le grammairien Pierre Nicole et un chirurgien fameux, Hamon. Claude Lancelot y enseigne le latin et le grec aux enfants.

À son arrivée, Blaise se plie au mode de vie des Solitaires sans se considérer comme l'un des leurs. Il se lève à 5 heures chaque matin, descend dans le vallon pour assister à l'office, remonte lire la Bible, l'*Augustinus*, saint Augustin, Épictète, Montaigne, Charron et Grotius. Il converse longuement avec Antoine Arnauld. Les deux hommes ont beaucoup en commun. Après avoir été un avocat célèbre, Antoine est maintenant un prêtre et un théologien d'exception ; il s'intéresse aux mathématiques et au calcul des probabilités. Se noue alors entre Blaise et lui ce qui deviendra une amitié de combat, aussi intense que conflictuelle.

Même s'il déteste ranger sa chambre, Blaise participe avec les autres aux travaux manuels. On raconte même qu'il construit alors, au-dessus d'un puits couvert de 60 mètres de profondeur, situé au milieu de la cour de la ferme, une machine « par le moyen de laquelle — selon la description donnée en 1711 par M. Fouillou — un garçon de douze ans peut monter et descendre en même temps deux seaux qui tiennent chacun neuf seaux ordinaires [l'équivalent de 140 kg] l'un étant plein et l'autre vide »[33].

À ce moment, un des grands sujets de conversation entre les Solitaires consiste encore à commenter les retombées de la bulle pontificale condamnant les cinq propositions. Singlin n'y attache guère d'importance : ce n'est à ses yeux qu'une bulle de plus, qui sera vite oubliée. Voilà presque un an que le pape a condamné l'*Augustinus*, et personne ne s'en est pris à Port-Royal. L'Église de France elle-même ne prend pas ces décrets romains très au sérieux. Nicole partage son avis. Le Grand Arnauld, en revanche, est inquiet. Pour lui, si Port-Royal laisse passer cette attaque, Rome viendra un jour leur demander de condamner explicitement l'*Augustinus* en son entier, et même les écrits de Saint-Cyran. Alors on les bannira tous de l'Église. Pour lui, il n'y a qu'une seule réaction possible à ce défi : Port-Royal doit s'associer à la condamnation par Rome des cinq propositions, mais en mettant au défi quiconque de les trouver dans l'*Augustinus*. Singlin recommande de patienter : le moment venu, si Port-Royal est vraiment attaqué, on agira ainsi. Mais il n'est pas nécessaire de prendre les devants.

Blaise ne se contente pas de suivre ces disputes théologiques. Venu faire retraite après sa nuit de « feu », il éprouve une première déception : Singlin refuse définitivement d'être son directeur de conscience et lui affecte Isaac Le Maistre de Sacy, neveu de Mère Angélique et du Grand Arnauld, frère puîné d'Antoine Le Maistre, fondateur du groupe des Solitaires. Or Le Maistre de Sacy vit à Port-Royal-des-Champs et lui,

Pascal, n'a nulle intention de s'y installer. Lui faudra-
t-il faire huit heures de route au total, pour l'aller et le
retour, chaque fois qu'il voudra voir cet homme dont
il ne connaît rien ?

La conversation entre les deux hommes s'engage.
Sur Montaigne et Épictète, sur la Bible. En particulier
sur les Psaumes 118 et 119 que Sacy est en train de
traduire. Le 118 n'est pas un psaume ordinaire : Jésus
en parle dans la parabole des vignerons homicides où
la vigne figure Israël, les vignerons les chefs religieux,
et les envoyés les Prophètes [98] ; son verset 21 semble
indiquer que Jésus sera rejeté par son peuple et connaîtra la gloire : tel est l'enjeu du mystère de la Résurrec-
tion (« mystère pascal » puisqu'il a lieu à Pâques).
Pascal renoue peut-être là avec une obsession de son
propre nom. Quant au psaume 119, c'est l'immense
Cantique des cantiques, poème d'amour d'une belle à
son amoureux, subdivisé en hébreu en autant de parties
qu'il y a de lettres dans l'alphabet hébraïque ; dans
chaque partie, les huit vers commencent tous par une
même lettre. Le Maistre de Sacy enrage de ne pouvoir
rendre cet effet dans sa traduction française.

Tous deux parlent des miracles, du peuple juif, du
péché originel, du pari sur Dieu. Le Maistre de Sacy
est surpris de découvrir la profondeur de la réflexion,
la richesse des références et la subtilité du raisonnement de celui qu'il croyait n'être qu'un simple méca-
nicien revenu à la foi. Pascal est, lui, heureusement
surpris par la qualité de l'interlocuteur qu'on lui a
affecté.

Au fil des jours de ce mois de janvier 1655, la santé
de Blaise s'améliore. Il se remet à écrire. D'abord, sur
deux feuilles de grand format, d'un jet presque sans
ratures [491], un texte connu sous le nom de *Mystère de
Jésus*. Puis un magnifique *Écrit sur la conversion du
pécheur* sur lequel je reviendrai. Et un *Abrégé de la
vie de Jésus-Christ* qui ne sera publié qu'en 1844 :
c'est un essai sur l'historicité de l'Histoire sainte met-

tant en parallèle la chronologie de tous les Évangiles et considérant la venue du Messie comme un fait historique. Ce premier travail d'historien des religions lui permet de s'initier aux Évangiles en les réécrivant, incapable qu'il est d'apprendre sans écrire :

« Or, ce que les Saints Évangélistes ont écrit, pour des raisons qui ne sont peut-être pas toutes connues, par [selon] un ordre où ils n'ont pas toujours eu égard à la suite des temps, nous le rédigeons ici dans la suite des temps, en rapportant chaque verset de chaque évangéliste dans l'ordre auquel la chose qui y est écrite est arrivée, autant que notre faiblesse nous l'a pu permettre [401]. »

Il écrit aussi, ces semaines incroyablement productives, une première esquisse de ce qui deviendra son texte le plus célèbre : sur le *pari*. Enfin, une *Comparaison des chrétiens des premiers temps avec ceux d'aujourd'hui* (publié en 1779), réflexion sur la conversion des premiers chrétiens, qu'on peut lire comme une sorte de méditation sur son propre parcours vers la foi. On y entend sa haine du monde, son mépris de ceux qui se disent chrétiens et ne sont que des simulateurs. Parlant de l'Église, il écrit : « On n'y était reçu alors qu'après avoir abjuré sa vie passée, qu'après avoir renoncé au monde, et à la chair et au diable. On y entre maintenant avant qu'on soit en état de faire aucune de ces choses. Enfin, il fallait autrefois sortir du monde pour être reçu dans l'Église, au lieu qu'on entre aujourd'hui dans l'Église en même temps que dans le monde [...]. De là vient que, dans les premiers temps, ceux qui avaient été régénérés par le baptême, et qui avaient quitté les vices du monde pour entrer dans la piété de l'Église, retombaient si rarement de l'Église dans le monde, au lieu qu'on ne voit maintenant rien de plus ordinaire que les vices du monde dans le cœur des chrétiens [401]. »

Vers le 25 janvier, après trois semaines passées au milieu des Solitaires, Blaise en a assez : il n'est décidé-

ment pas fait pour cette vie-là. Et puis, Jacqueline est
à Paris... Il veut partir. Il promet de revenir. Avant son
départ, Le Maistre de Sacy lui demande de donner une
conférence aux Granges, sur un des sujets dont ils ont
parlé ensemble : le pessimisme de Montaigne et l'opti-
misme d'Épictète, le pessimisme du chrétien et l'opti-
misme du païen. Pascal accepte ; il parle durant deux
heures devant ce public de très haut niveau parmi
lequel les uns admirent un Épictète christianisé, les
autres un Montaigne sceptique déchristianisé.

Contre Épictète et en opposition avec l'homme
triomphant de la Renaissance, Montaigne, dans son
Apologie de Raymond de Sebonde, décrit un homme
physiquement, intellectuellement et moralement fragile. Pascal, lui, s'attache à montrer comment le stoï-
cien Épictète, le premier, croit à la grandeur de
l'homme et prône la sagesse ; comment le second,
Montaigne, dénonçant la misère de l'homme, en déduit
son impuissance.

C'est alors, face aux Solitaires éblouis, l'occasion
d'une formidable joute intellectuelle entre Pascal et
Sacy. On en connaît quelques éléments par l'un des
auditeurs, M. de Fontaine, qui prend des notes, puis
mêle les interventions des deux protagonistes. Sans
doute stylise-t-il aussi en un seul entretien ce qui est
peut-être le résultat de plusieurs autres[121]. Cela devient
en tout cas l'*Entretien avec M. de Sacy*, texte non destiné à être publié, qui sera retrouvé plus tard parmi les
papiers de Pascal.

On y découvre un Pascal analyste et critique littéraire[491], capable de passer du monde à Dieu et de Dieu
au monde avec une vertigineuse habileté, jonglant avec
les multiples preuves de l'existence de Dieu et de la
vérité de l'Église, avec l'histoire du peuple juif, celle
des prophéties et des miracles, de l'Évangile et de la
doctrine. Il impressionne ses auditeurs par l'étendue de
ses connaissances, de sa mémoire, par ses fulgurances,
sa phénoménale capacité d'abstraction, par sa clarté et

par son éloquence. Gilberte en témoignera : « Il avait une éloquence naturelle qui lui donnait une facilité merveilleuse à dire ce qu'il voulait ; mais il avait ajouté à cela des règles dont on ne s'était pas avisé et dont il se servait si avantageusement qu'il était maître de son style ; en sorte que non seulement il disait tout ce qu'il voulait, mais il le disait en la manière qu'il voulait, et son discours faisait l'effet qu'il s'était proposé [431]. »

« Épictète, expose Pascal, est un des philosophes du monde qui aient mieux connu les devoirs de l'homme. Il veut avant toutes choses qu'il regarde Dieu comme son principal objet ; qu'il soit persuadé qu'Il gouverne tout avec justice ; qu'il se soumette à Lui de bon cœur, et qu'il Le suive volontairement en tout, comme ne faisant rien qu'avec une très grande sagesse : qu'ainsi cette disposition arrêtera toutes les plaintes et tous les murmures, et préparera son esprit à souffrir paisiblement tous les événements les plus fâcheux [...]. Souvenez-vous, dit-il ailleurs, que vous êtes ici comme un acteur, et que vous jouez le personnage d'une comédie tel qu'il plaît au maître de vous le donner. S'il vous le donne court, jouez-le court ; s'il vous le donne long, jouez-le long ; s'il veut que vous contrefassiez le gueux, vous le devez faire avec toute la naïveté qui vous sera possible ; ainsi du reste. C'est votre fait de jouer bien le personnage qui vous est donné ; mais de le choisir, c'est le fait d'un autre [401]. »

Et sur Montaigne :

« Il met toutes choses dans un doute universel et si général que ce doute s'emporte soi-même, c'est-à-dire s'il doute, et doutant même de cette dernière supposition, son incertitude roule sur elle-même dans un cercle perpétuel et sans repos [...]. C'est dans ce doute qui doute de soi et dans cette ignorance qui s'ignore, et qu'il appelle sa maîtresse forme, qu'est l'essence de son opinion, qu'il n'a pu exprimer par aucun terme positif. [...] Je trouve dans Épictète un art incomparable pour troubler le repos de ceux qui le cherchent dans les choses extérieures, et pour les forcer à reconnaître qu'ils sont de véritables esclaves [...]. Montaigne est incomparable pour confondre l'orgueil de ceux qui, hors la foi, se piquent d'une véritable justice ; pour désabuser ceux qui s'attachent à leurs opinions, et qui croient trouver dans les sciences des vérités inébranlables [401]. »

Pendant ce mois de janvier 1655, Jacqueline est bien entendu restée à Port-Royal de Paris. Blaise lui décrit par lettre sa retraite, et c'est par elle que Gilberte apprend le séjour de leur frère à Port-Royal-des-Champs. L'aînée en est bouleversée : demeurera-t-elle la seule de la famille que la grâce n'ait pas visitée ? Ne devrait-elle pas elle aussi, comme ses frère et sœur, tout quitter, mari et enfants, pour assurer son salut ? Ne peut-elle au moins aider financièrement son frère à franchir ce cap ?

Sœur Jacqueline de Sainte-Euphémie lui répond le 25 janvier 1655, jour de la conférence de Blaise, dans une lettre qui dit tout de son extrême sérénité, de son ascendant intellectuel, de sa force aussi, intacte en dépit des mortifications, des veilles et des prières :

« [Blaise] a obtenu une chambre à Port-Royal-des-Champs d'où il m'écrit avec une extrême joie de se voir logé et traité en prince, mais en prince au jugement de saint Bernard, dans un lieu solitaire où l'on fait profession de pratiquer la pauvreté [129]. »

Elle ajoute, en réponse à Gilberte qui se demande si elle aussi ne devrait pas quitter l'amour de ses enfants pour assurer son propre salut :

« Vous ne songiez pas à vous défaire de cette affection et de cette estime que vous avez pour vos proches, parce qu'il ne vous y paraissait rien que d'innocent ; et, en effet, tout cela était en soi fort permis et fort légitime. Cependant, vous voyez que Dieu demande en vous plus de détachement, et c'est pour cela qu'il a voulu vous faire connaître quels sentiments ils ont pour vous. Mais, croyez-moi, cela n'est pas bien rare, car les personnes qui se donnent à Dieu font toutes choses dans la vie de Dieu avec franchise et sincérité, sans mélange d'intérêt. Mais ceux qui sont encore du monde ne peuvent s'empêcher d'avoir toujours quelque vue humaine dans les choses même les plus saintes [129]. »

Enfin, la question de savoir si Blaise a besoin d'argent :

« Voyez-vous, ma sœur, quand une personne est hors du monde, on considère tous les plaisirs qu'on lui fait comme une chose perdue. Il n'y avait que deux motifs qui leur pussent faire agréer votre dessein : ou la charité, en entrant dans vos sentiments, ou l'amitié, en voulant vous obliger. Or, vous saviez bien que celui qui a le plus d'intérêt dans cette affaire est encore trop du monde, et même dans la vanité et les amusements du monde, pour préférer les aumônes que vous vouliez faire à sa commodité particulière, et de croire qu'il aurait assez d'amitié pour le faire à votre considération, c'était espérer une chose inouïe et impossible ; cela ne pouvait se faire sans miracle, je dis un miracle de nature et d'affection, car il n'y avait pas lieu d'attendre un miracle de grâce en une personne comme lui ; et vous savez bien qu'il ne faut jamais s'attendre à un miracle [129]. »

Blaise rentre à Paris, rue des Francs-Bourgeois-Saint-Michel, le 29 janvier 1655. Il souffre à nouveau des jambes et se remet à écrire étendu sur son lit. Comme si son séjour à Port-Royal n'avait constitué qu'une parenthèse, il travaille à deux textes — dont on reparlera plus loin — sur la nature des mathématiques : *L'Esprit géométrique* et *L'Art de persuader* ; il correspond avec Fermat sur la théorie des nombres et reçoit la visite d'Arthus et de la sœur de ce dernier, Charlotte. Le duc de Roannez, de retour de sa province, s'occupe à régler avec Blaise les conditions de sa participation à la Société d'assèchement des marais du Poitou. On vient de lui proposer d'épouser l'une des plus riches héritières de France, Mlle de Mesmes. Il hésite. Le duc encourage son ami à poursuivre ses recherches mathématiques, ne serait-ce que pour démontrer qu'une aussi grande intelligence peut aussi vouloir faire une retraite chrétienne. Blaise acquiesce : la science est nécessaire à son équilibre, et ne contredit pas sa foi. Sans doute amoureuse de Blaise, sa sœur Charlotte écoute les deux hommes de sa vie.

Blaise reviendra plusieurs fois, cette année-là, à Port-Royal pour des retraites. Il prend des notes pour son livre sur la condition humaine. Il est heureux : il a trouvé un prétexte pour voir plus souvent Jacqueline ; il l'aide à préparer les cours qui sont donnés à Port-Royal-des-Champs, et lui explique la nouvelle méthode d'apprentissage de la lecture qu'il vient de mettre au point non plus par lettres, mais par syllabes.

Se produit alors l'incident qui va mettre le feu aux poudres et entraîner Pascal, aux côtés de Port-Royal, dans une formidable bataille qui l'occupera jusqu'à la fin de sa vie.

Le 31 janvier 1655, Roger du Plessis, marquis de Liancourt, duc de La Roche-Guyon et pair de France, quitte Port-Royal-des-Champs, où il se trouvait avec Blaise, pour rejoindre son hôtel à Paris, rue de Seine. Souhaitant se confesser — démarche rare et solennelle pour un janséniste —, il entre dans l'église Saint-Sulpice où se trouve son confesseur habituel, l'abbé Picoté. Celui-ci l'accueille froidement. Liancourt s'inquiète. Picoté explique : la paroisse Saint-Sulpice ne peut plus tolérer les errements du duc. Errements ? Oui, c'est errer que de faire retraite à Port-Royal, que d'héberger dans son hôtel à Paris un ecclésiastique connu pour ses positions jansénistes, l'abbé de Bourzeis, même s'il est membre de l'Académie française ; et, pis encore, de laisser sa petite-fille recevoir l'enseignement impie des Petites Écoles. Mais ce n'est pas nouveau, plaide Liancourt, vous savez tout cela depuis longtemps. Ce qui est nouveau, répond le curé, c'est qu'après la bulle pontificale qui condamne l'*Augustinus*, nous avons décidé ici de ne plus accepter de recevoir en confession les jansénistes. Le vicaire annonce au duc qu'il refusera donc de lui donner l'absolution « aussi longtemps qu'il sera janséniste »[289]. Furieux, le duc demande à voir le curé de la paroisse. Arrive Jean-Jacques Olier qui a fondé, en 1641, la Compagnie de Saint-Sulpice, un séminaire résolument antijanséniste. Olier confirme : c'est bien à sa demande que son vicaire a agi de la sorte. Et il refusera même la communion au duc s'il revient à Saint-Sulpice sans avoir rompu avec Port-Royal.

Chez les jansénistes, c'est un grand scandale. Certains, comme Singlin et Le Maistre de Sacy, inclinent à ne pas répondre ; la période est au compromis : le roi est tout-puissant, Port-Royal n'est pas en situation de force et est réputé avoir peu ou prou trempé dans la Fronde ; Innocent X vient de mourir ; l'un des rédacteurs de la bulle *Cum occasione*, Fabio Chigi, devient le pape Alexandre VII, et toute l'Église de France se range derrière Rome ; il vaut mieux négliger l'incident, disent-ils. Le Grand Arnauld, au contraire, n'entend pas essuyer l'affront : si on laisse faire, dit-il, demain ce sont toutes les églises de France qui nous fermeront leurs portes !

Et il répond. Prenant prétexte des accusations de Picoté contre Liancourt, il publie en mai 1655 un pamphlet dirigé contre tous les ennemis de Port-Royal, la *Lettre à une personne de condition*[13] ; il y emploie, comme il est courant à l'époque, le procédé de la lettre à un correspondant fictif pour vider sa querelle : « Le désir que Dieu me donne plus que jamais de fuir toutes sortes de contestations et de disputes m'aurait empêché de me rendre à la prière que vous m'avez faite de vous dire mon sentiment touchant une certaine affaire[13] », commence-t-il. Et puis vient la réponse, cinglante : au lieu de se contenter de protester contre le refus de recevoir en confession, Arnauld reprend toute l'affaire depuis le début, c'est-à-dire depuis le jugement porté sur le pseudo-résumé de l'*Augustinus* par la Sorbonne. Pour lui, « en droit », les cinq propositions sont bien condamnables, mais, « en fait », elles ne figurent pas dans l'*Augustinus*. Sa *Lettre* constitue une attaque en bonne et due forme de la papauté et des jésuites.

À peine publié, le texte d'Arnauld fait beaucoup de bruit. Chacun se demande à Paris comment la hiérarchie de l'Église va réagir. L'Église va-t-elle donner raison à Arnauld et réclamer le retour à une orthodoxie désormais bien lointaine ? Le nouveau pape va-t-il endosser la querelle de son prédécesseur ? Ou bien va-t-il passer l'éponge ? Que vont faire les jésuites, premiers visés ? Et le confesseur du roi ? Et le souverain lui-même ?

La réponse à toutes ces questions vient vite. Du cœur du pouvoir : la Cour. Le 2 juin 1655, le nouveau confesseur du roi, le tout-puissant père Annat, tout juste rentré d'un séjour à Rome, réplique lui-même à Arnauld : toutes les propositions dénoncées par le pape se trouvent bel et bien dans l'ouvrage de Jansénius, et Arnauld doit se rétracter sous peine d'être chassé de la Sorbonne, voire d'être excommunié.

Annat n'est pas un personnage secondaire[164]. Né à Estaing, près de Rodez, en 1590, jésuite naturellement, il a d'abord enseigné la philosophie et la théologie à Toulouse. Là, il s'est opposé aux thomistes, avant de se vouer au combat antijanséniste. Excellent théologien, très bon connaisseur de l'œuvre de Jansénius, de Saint-Cyran et d'Arnauld, appelé à trois reprises en consultation à Rome pour participer à la mise au point de la campagne contre l'*Augustinus* et à la rédaction de la bulle *Cum occasione*, il a été renvoyé à Paris en tant que supérieur des jésuites pour la province de France afin d'organiser l'acceptation de cette bulle par le clergé français. Annat est si dogmatique qu'il lui arrive de dire que la vraie pensée augustinienne n'est pas dans les livres de saint Augustin, mais dans les bulles des papes expliquant sa pensée ; il n'est donc pas nécessaire de vérifier si les cinq propositions sont ou non dans l'œuvre de Jansénius, il suffit qu'un pape l'ait affirmé [164]. En 1654, il a été nommé confesseur du roi, ce qui n'est pas une tâche très prenante, le monarque marquant peu d'intérêt pour le salut de son âme ; mais cela lui donne le droit d'influer sur la « feuille des bénéfices », c'est-à-dire la liste des évêques proposés par le roi à Rome, et lui confère ainsi les moyens de faire nommer des antijansénistes et de leur faire obtenir évêchés et abbayes.

Arnauld n'est pas impressionné par les menaces du père Annat et, malgré les conseils de prudence prodigués par Singlin, il publie le 10 juillet 1655, soit un mois après la première, une *Seconde Lettre*, cette fois *à un duc et pair* [14], c'est-à-dire au duc de Liancourt, dans laquelle il répète qu'il n'a pas trouvé dans Jansénius les cinq propositions justement condamnées par le pape.

Tout Paris parle de cette polémique opposant le plus célèbre théologien du moment, l'héritier spirituel du redouté Saint-Cyran, à l'envoyé de Rome, confesseur du roi. On savait bien, depuis la condamnation du jansénisme par le Saint-Siège, deux ans auparavant, que l'orage devait un jour ou l'autre éclater. Voilà : on y est !

Dans les salons, Mme de Choisy prend le parti d'Annat ; la marquise de Sablé, de plus en plus janséniste, celui d'Arnauld. La première écrit à Mme de Maure [56] :

« La marquise de Sablé trouve donc mauvais que j'aie prononcé une sentence de rigueur contre M. Arnauld. Voyons s'il est juste qu'un particulier, sans ordre du roi, sans bref du pape, sans caractère d'évêque ni de curé, se mêle d'écrire incessamment pour réformer la religion et exciter par ce procédé-là des embarras dans les esprits, qui ne font d'autre effet que de faire des libertins et des impies. J'en parle comme savante, voyant comment les courtisans et les mondains sont détraqués depuis ces propositions de la grâce, disant à tous moments : Hé ! qu'importe-t-il comme l'on fait, puisque, si nous avons la grâce, nous serons sauvés, et si nous ne l'avons point, nous serons perdus. »

À Port-Royal, on s'inquiète. Annat ne va pas se laisser faire, sa réponse à la *Seconde Lettre* sera sûrement terrible. Ce sera l'excommunication assurée pour Arnauld, et Port-Royal sera rasé. Il n'en restera pas pierre sur pierre.

C'est alors qu'apparaît Pascal. Pour certains, c'est Arnauld (peut-être Singlin avec lui) qui a l'idée d'utiliser ses talents pour préparer leur défense contre Annat. Pour d'autres, c'est Blaise lui-même qui, à l'automne 1655, fait savoir à Arnauld qu'il est prêt à l'épauler.

Cette seconde thèse semble plus vraisemblable. Blaise adore montrer à ses amis qu'il sait résoudre leurs problèmes de physique ou de mathématiques ; pourquoi pas de théologie ? Encore une fois, par amitié [286], comme avec le chevalier de Méré ou l'ingénieur Petit, Pascal souhaite mettre son talent, ici littéraire, au service d'une cause à laquelle il ne connaît pratiquement rien.

Dans une préface de Nicole à la traduction latine des *Provinciales* qui paraîtra trois ans plus tard, on trouve cette version nuancée de l'histoire :

« Un jour que Montalte [Pascal] s'entretenait avec quelques amis particuliers, on parla par hasard de la peine que ces personnes avaient de ce qu'on imposait ainsi à ceux qui n'étaient pas capables de juger de ces disputes, et qui les auraient méprisées s'ils en avaient pu juger [...]. Alors Montalte, qui n'avait encore presque rien écrit, et qui ne connaissait pas combien il était capable de réussir dans ces sortes d'ouvrages, dit qu'il concevait à la vérité comment on pourrait ce *factum*, mais que tout ce qu'il pouvait promettre était d'en ébaucher un projet, en attendant qu'il se trouvât quelqu'un pour le polir et le mettre en état de paraître [380]. »

Dans la préface de l'édition de 1754, on trouve la suite de ce récit : « Tous approuvèrent ce dessein et pressèrent fort M. Arnauld de se défendre. Est-ce que vous vous laisserez condamner, lui disent-ils, comme un enfant ; sans rien dire et sans instruire le Public de quoi il est question ? Il composa donc un écrit dont il fit lecture à ces Messieurs. Ceux-ci ne donnant aucun signe d'approbation, il leur dit avec franchise : Je vois bien que vous ne trouvez pas cet écrit bon et je crois que vous avez raison. Puis il dit à M. : Mais vous qui êtes jeune, vous devriez faire quelque chose ! M. Pascal, qui n'avait encore presque rien écrit et qui ne connaissait pas combien il était capable de réussir dans ces sortes d'ouvrages, dit qu'il concevait à la vérité comment on pouvait faire le *factum* dont il s'agissait, mais que tout ce qu'il pouvait promettre était d'en ébaucher un projet, en attendant qu'il se trouvât quelqu'un qui pût le polir et le mettre en état de paraître. Le lendemain, il voulut travailler au projet qu'il avait promis : mais au lieu d'une ébauche, il fit une lettre, qui est la première de celles que nous avons [423]. »

Quel que soit celui qui en ait pris l'initiative, les deux hommes décident en tout cas de se rencontrer en secret à Port-Royal-des-Champs en novembre 1655.

Arnauld connaît la pauvreté de son propre style ; il sait combien sa langue est lourde et peu convaincante. Voici d'ailleurs un échantillon, puisé dans la préface à *De la fréquente communion* [239] : « Car de là j'ai jugé que je n'avais autre chose à faire dans la réfutation de cet écrit que de l'examiner par cette règle si sainte et si inviolable que l'auteur propose d'abord ; que ce n'était point moi qui n'avais qu'à proposer simplement ce que les Pères nous enseignent dans les leurs [11]. »

Pascal, lui, écrit fort bien, il sait se mettre à la place de son lecteur, et même théoriser ce talent : « Quand il pensait quelque chose, remarque Gilberte, il se mettait en la place de ceux qui devaient l'entendre, et, examinant si toutes les proportions s'y trouvaient, il voyait ensuite quel tour il leur fallait donner, et il n'était pas content qu'il ne vît clairement que l'un était tellement fait pour l'autre, c'est-à-dire qu'il avait pensé pour l'esprit de celui qu'il devait voir, que, quand cela viendrait à se joindre par l'application qu'on y aurait, il fût impossible à l'esprit de l'homme de ne s'y pas rendre avec plaisir. Ce qui était petit, il ne le faisait pas grand, et ce qui était grand, il ne le faisait point petit. Ce n'était pas assez pour lui qu'une chose parût belle ; mais il fallait qu'elle fût propre au sujet, qu'elle n'eût rien de superflu, mais rien aussi qui lui manquait[431]. »

Le Grand Arnauld admire ce talent chez Blaise : il a assisté à l'éblouissante conférence donnée aux Granges, en début d'année, sur Montaigne et Épictète. Il s'est entretenu longuement avec le jeune homme. Certes, il sait que Pascal n'est pas un théologien, que sa culture religieuse n'est que de seconde main, qu'il ne connaît des philosophes grecs et romains que ce qu'il en a lu dans les *Essais*, des Pères de l'Église que ce qu'en disent des anthologies comme celle de M. de Luynes, qu'il n'a pas lu saint Thomas, qu'il n'a qu'une connaissance superficielle de saint Augustin, et encore plus des casuistes et de Jansénius[27]. Mais cela, il sait être lui-même en mesure d'y pourvoir.

Blaise Pascal fait alors le voyage depuis Paris — quatre à cinq heures de route dans chaque sens, avec les contrôles d'octroi — sous le pseudonyme de M. de Mons, nom de sa grand-mère paternelle. La clandestinité commence : elle l'amuse. Pourtant le risque n'est pas nul : s'il se fait prendre à publier ainsi des textes interdits, ce peut être la prison, le bannissement, la fin de toute la vie qu'il connaît. Il ne souhaite donc pas intervenir nommément. Il ne tient pas à prendre des coups. Il a trop souffert d'être accusé de plagiat pour ses travaux scientifiques. Et la gloire n'est plus ce qu'il recherche. Il veut bien écrire, explique-t-il à Arnauld, mais à condition que ce dernier signe. Arnauld refuse : personne ne croira qu'il est l'auteur d'un texte sorti d'une plume aussi acérée. Et puis, il a besoin d'un appui extérieur, d'une autre voix que la sienne. Blaise propose alors un compromis : il écrira, mais le texte sera publié anonymement. Arnauld est d'accord. Pour lui, il s'agit d'un combat mortel contre les jésuites [286] ; tous les moyens, tous les soutiens sont utiles. Pour Pascal, ce n'est qu'une joute intellectuelle de plus, une autre bataille pour la vérité, un nouvel avatar dans la démultiplication de sa personnalité. Pascal et Arnauld se mettent au travail aux Granges. Blaise souhaite tout comprendre des nuances entre les mille et une formes de « grâce », de « pouvoir prochain » (c'est-à-dire de liberté ? demande-t-il), de « grâce suffisante » (c'est-à-dire de fatalité ? interroget-il à nouveau). Il questionne Arnauld sur les moindres subtilités des cinq propositions. Il cherche à comprendre pour savoir mieux expliquer ; et il rassemble des matériaux, en particulier les listes de citations qu'Arnauld a réunies dès 1640 pour son ouvrage sur *La Morale des jésuites*. Il dira : « On me demande si j'ai lu moi-même tous les livres que je cite. Je réponds que non : certainement, il aurait fallu que j'eusse passé ma vie à lire de très mauvais livres ; mais j'ai lu deux fois Escobar tout entier : et, pour les autres, je les ai fait lire par mes amis ; mais je n'en ai pas employé un seul passage sans l'avoir lu moi-même [401]. »

Jacqueline, restée à Paris, lui écrit, le 26 octobre 1655, pour lui souhaiter d'être tout à Dieu ; elle lui demande par ailleurs des précisions sur sa méthode d'apprentissage de la lecture : « Nos Mères m'ont commandé de vous écrire afin que vous me mandiez toutes les circonstances de votre méthode pour apprendre à lire par *be, ce, de*, etc., où il ne faut point que les enfants sachent le nom des lettres [181]. »

Le 9 novembre 1655, comme redouté, le père Annat fait déférer la *Seconde Lettre* d'Arnauld devant la Sorbonne en demandant qu'on juge le point de savoir si les cinq propositions sont bien dans l'*Augustinus* et si elles sont condamnables. Si elles le sont, Arnauld risque de perdre tous ses titres universitaires. Et sans doute beaucoup plus.

Étrange procès ! D'abord parce que le conflit a déjà été tranché par la bulle pontificale condamnant les cinq propositions et déclarant implicitement qu'elles se trouvaient dans l'*Augustinus*. Ensuite parce que la faculté de théologie de la Sorbonne est une assemblée bien plus politique que théologique, et qu'y votent deux cents docteurs en théologie jansénistes, jésuites, thomistes, dominicains, plus ou moins compétents et plus ou moins régulièrement inscrits.

Les docteurs délibèrent près de deux mois durant. Très vite, la majorité penche en faveur des jésuites et il est clair qu'Arnauld sera condamné un jour ou l'autre. Signe qui ne trompe pas : le chancelier Séguier, président du Conseil d'État, vient en personne assister aux débats afin de les hâter et de faire basculer les suffrages en faveur d'Annat.

Sentant que, dans les provinces, nombre de paroisses et de monastères commencent à prendre le parti des jansénistes, quinze évêques, inspirés par Annat, demandent qu'on fasse « obligation aux prêtres, religieux et religieuses, et même aux enseignants laïcs de signer un formulaire d'obéissance aux décisions romaines condamnant les cinq propositions » [140].

Très grave requête : obliger tous les curés et religieux de France à rejeter explicitement Jansénius revient à mettre fin au jansénisme, à l'éliminer partout dans le pays. Le clergé français résiste, et, pour l'heure, la menace reste lettre morte. Mais elle refera bientôt surface. Tragiquement : Jacqueline et Blaise Pascal en mourront.

Jacqueline, le 1er décembre 1655, s'inquiète de voir son frère « donner dans l'excès de privations et de jeûne, de travail et d'abstinence » [129]. Car Blaise continue à mener toutes ses vies à la fois. Non seulement il travaille avec Arnauld à comprendre saint Augustin et à décortiquer les recueils des casuistes, mais encore il jeûne, prie, travaille à des problèmes de mathématiques — en particulier, selon la correspondance entre Carcavy et Huygens, au problème des « partis », mais cette fois à propos de jeux beaucoup plus complexes que les dés, comme les jeux de cartes[505].

Exactement à ce moment, Arthus renonce à épouser Mlle de Mesmes, pour vivre de plus près le jansénisme. Le grand seigneur n'est plus aussi mondain qu'il l'était. À trente ans, il refuse qu'une immense fortune vienne appuyer son titre. Il est déjà comme happé par l'ouragan janséniste.

Pour résumer cette année de veillée d'armes, Sainte-Beuve écrit : « On a, du côté sombre de la colonne, le Formulaire, l'inséparabilité du droit et du fait, l'élimination d'Arnauld ; et, du côté lumineux, l'entrée en scène de Pascal, l'opinion publique auxiliaire, et le duel à mort entre les deux morales[463]. »

Ainsi s'écrivent Les Provinciales *(janvier 1656)*

Pascal est aux Granges pour une retraite qui lui est maintenant coutumière quand, le 14 janvier 1656, la faculté de théologie de la Sorbonne condamne Arnauld sur le premier point, c'est-à-dire sur la question du *fait*. Le libellé du jugement est surréaliste : le théologien de Port-Royal est déclaré « téméraire », en ce qu'il lui est reproché de n'avoir pu prouver que les cinq propositions n'étaient pas dans l'*Augustinus* ! En somme, les juges, n'ayant pu trouver eux-mêmes les cinq propositions dans le texte de Jansénius, se contentent d'affirmer qu'Arnauld n'a pas, lui, prouvé qu'elles n'y étaient pas ! Le second point, c'est-à-dire la question du *droit*, n'est pas encore tranché, mais la condamnation est inévitable : tout le monde est en effet d'accord, y compris Arnauld lui-même, pour considérer ces propositions comme contraires à la pensée de saint Augustin.

Pour éviter sa condamnation définitive, Arnauld ne dispose plus que d'une arme : toucher l'Église de France dans son ensemble et, par contrecoup, impressionner les deux cents votants de la Sorbonne, les faire reculer avant le vote final, sous peine de sombrer dans le ridicule — pire vicissitude qui puisse à l'époque atteindre quelqu'un.

Les deux hommes mettent quelques-uns des Solitaires dans la confidence en leur faisant jurer le secret le plus absolu. Les habitudes de clandestinité des jansénistes aident à créer un climat de confiance. Puis ils s'isolent et choisissent, comme Arnauld l'avait fait lui-même, de s'exprimer sous forme de lettres. Ils pensent qu'il leur en faudra quatre, peut-être cinq, écrites par un anonyme à un ami imaginaire, ignorant de toutes ces choses à qui il faudra tout expliquer, un provincial.

Pascal imagine un lecteur cultivé mais ignorant des choses de la foi, dans le genre de Roannez ou de Mme de Sablé. Arthus est un bon exemple. Intelligent, cultivé, intéressé aux choses de la foi, comme aux sciences, mais il aime comprendre d'un bloc, par intuition, sans raisonner en détail. Blaise note à son propos : « M. de Roannez disait : "Les raisons me viennent après, mais d'abord la chose m'agrée, ou me choque, sans en savoir la raison [...] que je ne découvre qu'ensuite". » (fr. 804) Autrement dit, il aime à être séduit avant d'être convaincu. De fait, Pascal a une idée très précise du lecteur qu'il vise. On trouve même dans le récit d'un témoin[357] cette étonnante remarque : « Il forma son style sur deux sortes de personnes auxquelles on ne s'était jamais avisé d'attribuer la justesse du langage. Le premier genre est des gentilshommes de campagne [...] dont l'éducation est naturelle sans avoir passé par le tumulte d'un collège. Le second genre est des filles qui n'ont atteint que leur quinzième année. L'on peut juger si M. Pascal a bien rencontré le succès [296]. » Il entend montrer à ce lecteur sans préjugés non seulement que la doctrine janséniste n'est pas hérétique, mais qu'elle est dans la droite ligne de saint Augustin. Et que tout le débat ouvert par les jésuites repose sur l'ambiguïté sciemment entretenue de certains termes dans le but de pouvoir réunir en Sorbonne une majorité artificielle, alors qu'au fond thomistes et clergé régulier — qui forment, avec les amis de Port-Royal, la majorité de l'assemblée — seraient plutôt d'accord avec les jansénistes contre les molinistes.

Blaise travaille méthodiquement, posément. Il prend des notes, teste des formules sur ses amis, invente des personnages et des situations, noue des dialogues. Il raisonne à la fois en mathématicien et en homme de théâtre. On sait par Arnauld — interrogé à ce propos en 1674 par Boileau — comment il travaille alors [491] :

« On l'aidait, mais de cette sorte que, quand il avait fait une lettre, il la portait, la lisait devant nous [c'est-à-dire quelques Solitaires : Arnauld, Nicole, Dubois et Baudry d'Asson] et, s'il se trouvait qu'un seul de la compagnie n'en fût touché et qu'il demeurât morne, quand tous les autres se seraient écriés, il la recommençait et la changeait jusqu'à ce qu'elle fût au gré de tout le monde. »

Un autre témoin, le docteur Vallaut, note : « [Il] était souvent vingt jours entiers sur une seule lettre. Il en recommençait même quelques-unes jusqu'à sept ou huit fois afin de les mettre au degré de perfection où nous les voyons [380]. »

Commencée comme une joute intellectuelle pour rendre service à un ami, l'écriture des *Provinciales* finira par engager son auteur, au plus profond de lui-même, dans la lutte contre les casuistes, puis contre les jésuites, puis contre le pape. Premier exemple de l'intellectuel dressé contre la censure, le totalitarisme et le mensonge.

Pour la vérité, contre la calomnie.

Les cinq premières Lettres écrites à un provincial : *ridiculiser les casuistes (23 janvier 1656-24 mars 1656)*

Vers le 20 janvier 1656, Blaise écrit en trois jours une première lettre qu'il intitule *Lettre écrite à un provincial par un de ses amis sur le sujet des disputes présentes de la Sorbonne.* Arnauld lui propose de la lire aux Solitaires, un soir, aux Granges. Pascal accepte et invite Roannez pour voir l'effet produit sur un béotien par un tel texte. Trois jours plus tard — un an, presque jour pour jour, après sa première conférence devant les Solitaires —, tous sont de nouveau là autour de lui. D'emblée, les auditeurs sont stupéfaits de ce qu'ils entendent :

Monsieur,

Nous étions bien abusés. Je ne suis détrompé que d'hier ; jusque-là j'ai pensé que le sujet des disputes de Sorbonne était bien important, et d'une extrême conséquence pour la religion. Tant d'assemblées d'une compagnie aussi célèbre qu'est la Faculté de Paris, et où il s'est passé tant de choses si extraordinaires, et si hors d'exemple, en font concevoir une si haute idée qu'on ne peut croire qu'il n'y en ait un sujet bien extraordinaire.

Cependant, vous serez bien surpris quand vous apprendrez, par ce récit, à quoi se termine un si grand éclat ; et c'est ce que je vous dirai en peu de mots, après m'en être parfaitement instruit [401].

C'est en phrases courtes et en langage commun — ce qu'aucun lettré n'a jamais osé jusque-là — une extraordinaire démystification de l'absurdité de ce qui se juge en Sorbonne. L'auteur — l'ami du provincial — est un profane sans parti pris, une sorte de Martien débarqué de sa planète, qui explique lumineusement à son correspondant les choses les plus difficiles dont seuls débattaient jusqu'ici entre eux d'obscurs spécialistes.

À la surprise de ses auditeurs, Pascal ose mettre en scène des jésuites, les faire parler, et — audace suprême — faire rire à leurs dépens. Dans un débat entre jésuites et jansénistes sur la question de l'éternité, voilà des jeux de mots : il est question du « pouvoir » qui ne « peut » pas, de la grâce « suffisante » qui ne « suffit » pas...

Les Solitaires s'observent : comment ose-t-il ? Tous regardent Arnauld : a-t-il couvert cela ? Arnauld sourit. Roannez éclate de rire. Les autres suivent.

Et puis Pascal conclut, ménageant ses effets comme un comédien :

> Je les viens de quitter sur cette solide raison, pour vous écrire ce récit, par où vous voyez qu'il ne s'agit d'aucun des points suivants, et qu'ils ne sont condamnés de part ni d'autre : 1) Que la grâce n'est pas donnée à tous les hommes. 2) Que tous les justes ont le pouvoir d'accomplir les commandements de Dieu. 3) Qu'ils ont néanmoins besoin pour les accomplir, et même pour prier, d'une grâce qui détermine leur volonté. 4) Que cette grâce efficace n'est pas toujours donnée à tous les justes, et qu'elle dépend de la pure miséricorde de Dieu. De sorte qu'il n'y a plus que le mot de *prochain* sans aucun sens qui court risque.
>
> Heureux les peuples qui l'ignorent ! Heureux ceux qui ont précédé sa naissance ! Car je n'y vois plus de remède, si MM. de l'Académie ne bannissent par un coup d'autorité ce mot barbare de Sorbonne, qui cause tant de divisions. Sans cela, la censure paraît assurée ; mais je vois qu'elle ne fera point d'autre mal que de rendre la Sorbonne méprisable par ce procédé, qui lui ôtera l'autorité qui lui est nécessaire en d'autres rencontres.
>
> Je vous laisse cependant dans la liberté de tenir pour le mot de *prochain*, ou non car j'aime trop mon prochain pour le persécuter sous ce prétexte. Si ce récit ne vous déplaît pas, je continuerai de vous avertir de tout ce qui se passera.
>
> Je suis, etc. [401]

C'est l'explosion générale. Tout le monde s'écrie :
« pouvoir prochain » et « mon prochain » ! Arnauld
lance : « Cela est excellent ! Cela sera goûté ! Il faut
le faire imprimer ! » rapportera de seconde main Marguerite Périer[432].

Oui, mais voilà : qui prendra le risque d'imprimer
un tel texte, ridiculisant les jésuites et la Sorbonne,
bafouant la censure royale ? On sait que le chancelier
Séguier ne badine pas avec les écrits séditieux, surtout
s'ils attaquent les confesseurs du roi. La question est
longuement débattue entre conjurés. Il faut atteindre le
public sans prendre le risque de la saisie ; or, ces deux
objectifs sont contradictoires, car plus on imprimera en
masse, sur de nombreuses presses, plus il sera malaisé
de garantir le secret.

Pascal se passionne pour ces questions. Son goût
pour l'entreprise y trouve une nouvelle occasion de se
manifester. Au grand dam d'Arnauld et de Nicole, il
met dans le secret deux amis sûrs, dont il a besoin,
en sus de Roannez, pour assurer le financement et la
diffusion des *Lettres* : Méré et Miton. Si le duc s'intéresse de plus en plus au débat théologique, les deux
autres, en revanche, ne s'intéressent qu'au complot.

Il faut imprimer et distribuer vite pour éviter d'être
découvert. Pour cela, trois premières décisions sont
prises : le texte ne devra pas dépasser un folio — ce
qui correspond, en le pliant en quatre, à huit pages — ;
on ajustera le choix de la typographie à la longueur du
texte : cela devrait aller avec des petits caractères dits
d'Osnabrück. On utilisera une encre spéciale, à
séchage très rapide, permettant de travailler de nuit, et
qui vient d'être mise au point par un libraire ami, Petit,
rue Saint-Jacques, non loin de Port-Royal.

Les métiers de libraire, éditeur et imprimeur sont
alors confondus. On édite, imprime et vend au même
endroit. Si les libraires ont fait jusque-là leur fortune
avec les livres religieux et les documents administra-

tifs, ils sont à ce moment dans une situation de crise pour trois raisons : chaque pays d'Europe produit désormais dans sa langue et les livres en latin ne se vendent plus guère ; l'Imprimerie royale a récupéré le marché des documents administratifs ; le système des privilèges donne aux secrétaires du roi, sous le contrôle de Séguier, tous pouvoirs pour censurer les ouvrages nouveaux. La plupart des libraires sont donc prêts à prendre beaucoup de risques et à publier des livres interdits, pour survivre.

On décide ensuite de faire imprimer le texte simultanément par plusieurs libraires, à la fois pour disposer au plus vite d'un maximum d'exemplaires et pour ne pas dépendre d'une seule presse au cas où la police viendrait à débarquer chez l'un ou l'autre. Au demeurant, on imprimera de nuit pour éviter toute indiscrétion des chalands. Et on agira à la sauvette : pas question pour Pascal de se montrer chez les libraires, donc pas de correction d'épreuves ! Certains conjurés iront convaincre les fournisseurs. D'autres viendront récupérer les textes une fois imprimés, puis les distribueront aussitôt dans tout Paris. On vendra ça deux sols et six deniers. L'argent récolté servira à financer l'impression d'autres *Lettres*.

Le 23 janvier 1656, dans le secret le plus absolu, Petit — sans connaître le nom de son auteur — publie le texte anonymement à six mille exemplaires. Il est si surpris par le style du manuscrit que, dans les deux premiers tirages[357], il supprime les points et les points-virgules séparant les trois premières phrases, beaucoup trop courtes pour l'époque (« Nous étions bien abusés. Je ne suis détrompé que d'hier ; jusque-là... »). Les huit pages sont imprimées, pliées et distribuées dans la nuit chez la marquise de Sablé, à l'hôtel de Nevers, à celui de Roannez, et même, audace suprême, au Parlement et au collège d'Harcourt (collège jésuite devenu aujourd'hui le lycée Saint-Louis).

Le titre, l'anonymat de l'auteur, le choix du sujet

attirent aussitôt l'attention. Le bouche à oreille fait le reste. Personne ne s'est jusqu'ici hasardé à ridiculiser ainsi la Sorbonne, les jésuites, et, avec eux, Séguier, Mazarin et le roi. C'est un succès immédiat. On dit même dans Paris que le chancelier Séguier, en lisant la lettre le 24 janvier, frappé d'une attaque, doit être saigné sept fois[94]. En tout cas, il ordonne qu'on fasse perquisitionner tous les libraires de la capitale, et, comme cette première *Lettre* annonce une suite, il entend qu'on se dépêche d'en arrêter l'auteur. Il est loin de supposer que c'est le fils de son collaborateur zélé dans la répression des émeutes normandes, le petit jeune homme poli qu'il a connu à Rouen quelques années plus tôt, à qui il a accordé un privilège royal pour sa machine d'arithmétique !

On fouille partout, et d'abord chez Petit, parce que la police le pense janséniste. En vain : tout est bien caché. Les manuscrits et les textes imprimés ont disparu. Le 28 janvier, on arrête, sur dénonciation, le libraire Savreux ainsi que sa femme et deux garçons de boutique. On place des « mouchards » dans toutes les imprimeries. Pour se protéger contre ce genre de risque, les conjurés décident que l'essentiel des exemplaires sera imprimé dans un des moulins qui se trouvent à l'époque entre le Pont-Neuf et le pont au Change[357].

Le lendemain, 29 janvier, six jours seulement après la publication de la première *Lettre*, en est diffusée par les mêmes canaux une deuxième. Toujours anonyme. Le style est encore plus ravageur :

> « Je m'en allai droit aux Jacobins, où je trouvai à la porte un de mes bons amis, grand Janséniste, car j'en ai de tous les partis, qui demandait quelque autre Père que celui que je cherchais. Mais je l'engageai à m'accompagner à force de prières, et demandai un de mes nouveaux thomistes.

Il fut ravi de me revoir :

— Eh bien ! mon père, lui dis-je, ce n'est pas assez que tous les hommes aient un *pouvoir prochain*, par lequel pourtant ils n'agissent en effet jamais ; il faut qu'ils aient encore une *grâce suffisante*, avec laquelle ils agissent aussi peu. N'est-ce pas là l'opinion de votre école ?

— Oui, dit le bon Père ; et je l'ai bien dit ce matin en Sorbonne. J'y ai parlé toute ma demi-heure ; et, sans le *sable*, j'eusse bien fait changer ce malheureux proverbe qui court déjà dans Paris : *Il opine du bonnet comme un moine en Sorbonne*[401]. »

Pascal s'applique à montrer que tous les protagonistes sont en fait d'accord sur les faits, et ne disputent que sur des mots : « Le monde se paie de paroles : peu approfondissent les choses », résume-t-il.

Annat et Séguier enragent. Paris s'esclaffe et applaudit. Le tirage augmente ; la *Seconde Lettre* est rapidement épuisée. On la fait circuler de main en main. On soupçonne un abbé de Hautefontaine, un sire de Gouberville. D'aucuns, à la Cour, pensent à Pascal, puis passent à autre chose. Annat se plaint auprès de Mazarin de l'inefficacité de la police.

Le 31 janvier 1656, pour couper court à la folie qui gagne Paris, Séguier exige que la Sorbonne prononce au plus vite la seconde et définitive condamnation d'Antoine Arnauld sur la question de droit. Elle est adoptée grâce aux suffrages de cent vingt-neuf dominicains, franciscains, augustins et jésuites, contre ceux des soixante et onze votants fidèles aux jansénistes. Annat n'a pas lésiné sur la tricherie : au lieu de faire voter, comme de droit, chacun des quatre ordres mendiants, on en fit venir plus de quarante[141]. Arnauld perd son titre de docteur en théologie. La contre-offensive de Pascal et Arnauld a échoué. Les deux *Lettres* n'ont fait qu'exciter la colère de la Cour et durcir encore l'hostilité de la Sorbonne.

Ils décident pourtant de continuer. Au moins aussi

longtemps que la condamnation d'Arnauld ne sera pas publiée. Les libraires ne se font plus prier : une fois obtenu le premier succès, l'argent attire les plus récalcitrants ; beaucoup souhaitent maintenant imprimer ces textes en dépit des risques encourus. On les choisit pourtant avec rigueur pour assurer le secret. Arnauld, Pascal et Roannez assurent la gestion des revenus tirés de la vente et qui sont entièrement réinvestis, semble-t-il, dans la préparation, la fabrication et la diffusion des *Lettres* suivantes.

Des centaines de gens participent désormais au processus. Mais très peu en appréhendent l'ensemble. Les techniques de clandestinité dont les jansénistes sont déjà familiers depuis vingt ans s'affinent. Chacun ne connaît que deux personnes, en amont et en aval, dans la chaîne de production et de distribution des *Lettres*. Le secret est ainsi fort bien gardé, malgré l'omniprésence d'une police riche, efficace et bien formée. Pourtant, Port-Royal s'inquiète : trop nombreux sont ceux qui connaissent à présent l'identité de l'auteur. Pascal doit se cacher. Il emménage sous le nom de sa grand-mère, de Mons, dans un hôtel de la rue des Poirées, à l'enseigne du *Roi David*. Là, de sa fenêtre, il voit passer les professeurs en Sorbonne, les jésuites du collège de Clermont, les dominicains du couvent Saint-Jacques, les professeurs du Collège royal[491], et, juste en face, rue Saint-Jacques, Petit qui continue d'imprimer malgré les risques.

Il pense alors à donner un nom à l'auteur des *Lettres* — que le public appelle maintenant les « Petits Lettrés ». Il en discute avec Arnauld, qui n'approuve pas l'idée. Le théologien pense qu'il vaut mieux en rester à l'anonymat qui excite si bien les imaginations. Sans doute craint-il aussi, sans le dire, que nommer l'auteur des *Provinciales* ne revienne à lui conférer une personnalité, et à risquer bientôt de le voir échapper au contrôle de Port-Royal. Blaise tient bon : il trouvera un pseudonyme.

Ils préparent ensemble une *Troisième Lettre*. Elle paraît le 9 février. Blaise la signe d'un acronyme provocateur « E.A.A.B.P.A.F.D.E.P. » que ne peuvent déchiffrer que les initiés : « Et Ancien Ami Blaise Pascal, Auvergnat, fils d'Étienne Pascal », disent les spécialistes [289]. À moins de lire le début comme le fait la préface de l'édition de 1754 : « Et Antoine Arnauld », ce qui me semble plus raisonnable. Arnauld, en tout cas, n'apprécie pas ce risque inutile. C'est comme si Blaise avait voulu que le masque tombe, que la gloire lui revienne. Comme s'il avait espéré que ses ennemis le démasquent. Ils n'y parviennent pas.

Cette *Troisième Lettre* est de la même veine que les deux premières. L'auteur anonyme nargue le pouvoir : « M. Arnauld doit se faire connaître pour défendre son innocence, au lieu que je dois demeurer dans l'obscurité pour ne pas perdre ma réputation. »

Le tirage de six mille exemplaires est épuisé encore plus rapidement que dans le cas des deux précédentes. La police perquisitionne à nouveau chez tous les imprimeurs brevetés. Plusieurs sont expédiés au Châtelet. Les Solitaires font même alors courir le bruit, pour détourner les soupçons, que les auteurs des lettres dissimulent alors des presses dans les hôtels particuliers des « belles amies » de Port-Royal, et même au collège d'Harcourt, au cœur du système d'enseignement des jésuites ! Grâce au cloisonnement, et malgré l'acronyme relativement transparent, le secret reste cependant parfaitement gardé. Aucune saisie ne ralentit la diffusion. Nul n'est pris en flagrant délit d'impression ou de diffusion.

Malgré cette troisième *Lettre*, la Sorbonne confirme, le 15 février, qu'Arnauld a perdu son titre de docteur pour avoir soutenu « que la grâce manque parfois au juste pour accomplir les commandements de Dieu ». À Port-Royal, c'est le découragement : ne faut-il pas interrompre ces pamphlets inutiles ?

C'est alors que, par un étrange mouvement de l'esprit, Méré, le libertin, mis dans le secret par Blaise, trouve une bonne raison de relancer la polémique. Il ne sert plus à rien, en effet, de s'en prendre aux docteurs de la Sorbonne, puisque le procès d'Arnauld est clos, mais pourquoi ne pas s'attaquer frontalement aux casuistes ? Après tout, ce sont eux les vrais responsables ! Et puis, cela forcerait les jésuites à s'en défendre. Assez de ces disputes obscures sur la grâce, ridiculisez-les plutôt avec leur morale hypocrite ! Et que vienne le spectacle !

Voilà le mondain de haute culture passé au service des plus austères Solitaires. Le divertissement se fait ici l'allié de la théologie.

Le 25 février, suivant donc le conseil du plus éminent des libertins, la *Quatrième Lettre* s'en prend aux casuistes pour montrer qu'ils conduisent droit en Enfer les hommes qui les suivent. Cette fois, aucune signature. Arnauld a convaincu Pascal de renoncer au sigle trop éloquent. La nouvelle *Lettre* oppose la théologie de la grâce des jésuites à la tradition augustinienne, sur le ton de l'enquête badine d'un narrateur allant interroger des théologiens pour se faire un avis, inventant au passage le journalisme d'investigation et le grand reportage :

> Les choses valent toujours mieux dans leur source. J'en ai donc vu un des plus habiles, et j'y étais accompagné de mon fidèle Janséniste, qui fut avec moi aux Jacobins. Et comme je souhaitais particulièrement d'être éclairci sur le sujet d'un différend qu'ils ont avec les jansénistes touchant ce qu'ils appellent la *grâce actuelle*, je dis à ce bon père que je lui serais fort obligé s'il voulait m'en instruire, que je ne savais pas seulement ce que ce terme signifiait, et je le priai de me l'expliquer.
> — Très volontiers, me dit-il, car j'aime les gens curieux [401]...

En conclusion, Pascal annonce qu'il va continuer à enfoncer le clou : « Ne savez-vous donc pas encore que leurs excès sont beaucoup plus grands dans la morale que dans la doctrine ? »

Lisant ces mots, Annat n'a plus aucun doute : l'auteur est bel et bien à chercher quelque part parmi les Solitaires. Peut-être même travaillent-ils tous ensemble à le ridiculiser ? Et cette police d'incapables qui n'a même pas réussi à les infiltrer ! Appuyé par la reine mère, il demande qu'on les sépare afin de les empêcher de penser et d'écrire ensemble. Le 19 mars 1656, le roi et Mazarin, à la requête commune d'Annat et de Séguier, ordonnent la dispersion des Solitaires, maîtres et élèves des Petites Écoles. Il faut renvoyer tous les enfants dans leurs familles. La décision se révèle particulièrement tragique pour l'une des nièces de Blaise, une des filles de Gilberte, la petite Marguerite, qui vit alors à Port-Royal de Paris — on verra bientôt pourquoi. Pascal héberge alors chez lui son neveu Étienne, ce qui n'est pas si simple par ces temps de semi-clandestinité. Mais comment le refuser sans devoir révéler à son beau-frère et à Gilberte sa clandestinité ? Et il n'a pas assez confiance en eux pour le faire. Jacqueline sait tout. Gilberte, rien. Comme toujours.

On tergiverse, on prend son temps. On prie. On se fixe des rendez-vous secrets dans les jardins de Paris, les hôtels amis.

Le 20 mars, jour de l'arrivée chez lui de son neveu Étienne, Pascal prend pour cibles, dans sa cinquième *Provinciale* (toujours anonyme), le *Liber theologiœ moralis* du père Escobar et la *Somme des péchés* du père Bauny — l'un des recueils les plus laxistes — pour dénoncer les péchés sur lesquels ces jésuites ferment les yeux : duel, dette, meurtre, usure, ambition, paresse, ivrognerie, goinfrerie, parjure. Il ne mentionne pas la sexualité, comme s'il n'osait en parler.

Et d'abord, il fustige la renonciation au carême dans

un passage comique et ravageur qui mérite d'être lu en entier :

> Je pris occasion du temps où nous sommes pour apprendre de lui [un jésuite] quelque chose sur le jeûne, afin d'entrer insensiblement en matière. Je lui témoignai donc que j'avais bien de la peine à le supporter ; il m'exhorta à me faire violence ; mais, comme je continuai à me plaindre, il en fut touché et se mit à chercher quelque cause de dispense. Il m'en offrit en effet plusieurs qui ne me convenaient point, lorsqu'il s'avisa enfin de me demander si je n'avais pas de peine à dormir sans souper.
>
> — Oui, lui dis-je, mon père, et cela m'oblige souvent à faire collation à midi, et à souper le soir.
>
> — Je suis bien aise, me répliqua-t-il, d'avoir trouvé ce moyen de vous soulager sans péché : Allez, vous n'êtes point obligé à jeûner. Je ne veux pas que vous m'en croyiez ; venez à la bibliothèque.
>
> J'y fus ; et là, prenant un livre :
>
> — En voici la preuve, me dit-il, et Dieu sait quelle ! C'est Escobar.
>
> — Qui est Escobar, lui dis-je, mon père ?
>
> — Quoi ! vous ne savez pas qui est Escobar, de notre société, qui a compilé cette théologie morale de vingt-quatre de nos pères ; sur quoi il fait dans la préface une allégorie de ce livre *à celui de l'Apocalypse qui était scellé de sept sceaux ?* Et il dit que *Jésus l'offre ainsi scellé aux quatre animaux Suarez, Vasquez, Molina, Valentia, en présence de vingt-quatre jésuites qui représentent les vingt-quatre vieillards ?*
>
> Il lut toute cette allégorie [...]. Ayant ensuite cherché son passage du jeûne :
>
> — Le voici, me dit-il. *Celui qui ne peut dormir s'il n'a soupé est-il obligé de jeûner ? Nullement.* N'êtes-vous pas content ?
>
> — Non, pas tout à fait, lui dis-je, car je puis bien supporter le jeûne en faisant collation le matin et soupant le soir.
>
> — Voyez donc la suite, me dit-il, ils ont pensé à tout.

— *Et que dira-t-on, si on peut bien se passer d'une collation le matin en soupant le soir ?*
— Me voilà.
— *On n'est point encore obligé à jeûner. Car personne n'est obligé à changer l'ordre de ses repas.*
— Oh ! la bonne raison, lui dis-je [...]. Voilà un honnête homme qu'Escobar.
— Tout le monde l'aime, répondit le père. Il fait de si jolies questions[401].

Dépassant le cas particulier du jeûne, on trouve ce terrible portrait des jésuites :

Sachez donc que leur objet n'est pas de corrompre les mœurs : ce n'est pas leur dessein. Mais ils n'ont pas aussi pour unique but celui de les réformer. Ce serait une mauvaise politique. Voici quelle est leur pensée. Ils ont assez bonne opinion d'eux-mêmes pour croire qu'il est utile et comme nécessaire au bien de la religion que leur crédit s'étende partout, et qu'ils gouvernent toutes les consciences. Et parce que les maximes évangéliques et sévères sont propres pour gouverner quelques sortes de personnes, ils s'en servent dans ces occasions où elles leur sont favorables. Mais comme ces mêmes maximes ne s'accordent pas au dessein de la plupart des gens, ils les laissent à l'égard de ceux-là, afin d'avoir de quoi satisfaire tout le monde.

On n'a jamais écrit aussi librement. Le père Annat trépigne. On cherche cet « E.A.A.B.P.A.F.D.E.P. » partout. Les problèmes de sécurité se font plus aigus. Selon Baudry d'Asson, sieur de Saint-Gilles, Antoine Arnauld se déguise « de nom et d'habit, il est habillé de gris avec une grande perruque, les collets, glands et manchettes à la mode, et s'appelle M. d'Alibré »[289]. Blaise, lui, continue de se montrer dans quelques salons, là où on dispute justement de l'identité de l'auteur des *Provinciales*. Chez Mme de Sablé, désormais

ostensiblement engagée du côté janséniste, il retrouve
la duchesse d'Aiguillon, le prince de Conti, Mme de
La Fayette, La Rochefoucauld. Certains savent,
d'autres pas. Beaucoup, devant lui, font les informés.
Parmi ceux qui ne sont pas dans la confidence, certains
croient le reconnaître et chuchotent. Gilberte écrit :
« Cette manière d'écrire, naturelle, naïve et forte en
même temps, lui était si propre et si particulière
qu'aussitôt qu'on vit paraître les lettres ou *Provinciales*, on vit bien qu'elles étaient de lui, quelque soin
qu'il ait toujours pris de le cacher même à ses proches [431]. » Il dément.

Des milliers d'exemplaires des *Lettres* ont été vendus à Paris et en province, en particulier à Rouen, en
Guyenne, à Bordeaux, à Nantes. Chacun se doute bien
que Port-Royal y est pour quelque chose. L'auteur des
Provinciales, puisqu'on appelle ainsi désormais ces
libelles, venge toutes les victimes des juges, des policiers, des prêtres — ce qui fait beaucoup de monde.
Pascal jubile. Il se croit intouchable, supérieur même
au pape.

Il note : « Si mes *Lettres* sont condamnées à Rome,
ce que j'y condamne est condamné dans le ciel. [...]
J'ai craint que je n'eusse mal écrit, me voyant
condamné, mais l'exemple de tant de pieux écrits me
fait croire au contraire. Il n'est plus permis de bien
écrire. » (fr. 746)

Malgré les vives réticences d'Arnauld, il brûle d'envie de signer *Les Provinciales* d'un patronyme imaginaire, de mettre un nom sur cet autre lui-même qui vit
depuis maintenant un an dans une clandestinité mili-
tante, jusque-là si étrangère à Blaise Pascal.

« Pascal ». Son nom lui-même pèse lourd en ce qu'il
renvoie au sacrifice suprême de Jésus pour sauver les
hommes. Mais Blaise se voit, d'une certaine façon,
comme l'agneau d'un saint sacrifice.

Il imagine alors de signer du nom de « Louis de
Montalte » — parce que, expliquera-t-on ultérieure-

ment, ce nom combine celui de sa grand-mère, Mons, et la « haute montagne » qui l'a rendu célèbre avec ses expériences sur le vide. Mais Arnauld s'y oppose encore, pour des raisons de sécurité, dit-il.

Pascal retombe malade. L'excitation, les déplacements incessants, la peur, cette lutte l'exalte et le fatigue tout à la fois. Il éprouve beaucoup de difficultés à écrire :

« En écrivant ma pensée, elle m'échappe quelquefois, mais cela me fait souvenir de ma faiblesse, que j'oublie à toute heure. Ce qui m'instruit autant que ma pensée oubliée, car je ne tiens qu'à connaître mon néant. » (fr. 540)

Au même moment, à Madrid, comme en écho au jeu de masques des *Provinciales*, Velázquez peint *Les Ménines* : un étrange ballet de lumières et de regards montre là aussi l'image cruelle du pouvoir dans le regard de l'artiste. Pascal semble connaître ce tableau lorsqu'il note, à propos de la nécessité de se placer au bon endroit pour juger d'un problème : « Ainsi les tableaux vus de trop loin et de trop près. Et il n'y a qu'un point indivisible qui soit le véritable lieu. Les autres sont trop près, trop loin, trop haut ou trop bas. La perspective l'assigne dans l'art de la peinture. Mais dans la vérité et dans la morale, qui l'assignera ? » (fr. 55)

Les *Écrits sur la grâce, 1656*

Deux événements majeurs surviennent en Europe cette année-là : à Amsterdam, la communauté juive exclut Spinoza ; à Paris, un édit du roi crée l'Hôpital général : avec cette mesure commence le « grand enfermement » des pauvres, oisifs, « inutiles » et dangereux.

En même temps qu'il rédige à grande vitesse les premières *Provinciales*, Blaise se sent l'envie de réflé-

chir plus théoriquement à la grâce. Le savant a besoin
de mettre au clair les concepts pour le compte du polémiste, dans un texte beaucoup plus difficile que ceux
qu'il donne à lire au grand public. Il entend en particulier comprendre clairement ce qui le distingue des calvinistes, alors qu'on commence à reprocher à l'auteur
des *Provinciales* d'être leur allié.

Nicole racontera plus tard à ce propos : « Il espérait
réussir à rendre cette doctrine si plausible, et de la
dépouiller tellement d'un certain air farouche qu'on lui
donne, qu'elle serait proportionnée au goût de toutes
sortes d'esprits [...]. Il m'a même dit quelquefois que
s'il eût disposé de son esprit et que ses maladies conti-
nuelles ne lui en eussent pas ravi l'usage, il n'aurait pu
s'empêcher de s'y appliquer et d'essayer de rendre
toutes ces matières si plausibles et si populaires que
tout le monde y aurait entré sans peine [380]. »

C'est donc encore un autre lui-même, non plus le
féroce polémiste, mais un théologien exigeant et sans
aucun humour —, qui s'appellera un jour « Salomon
de Tultie » qui écrit alors trois de ses textes philosophiques les plus importants, les *Écrits sur la grâce*.

Dans le premier et le deuxième, il esquisse une présentation limpide des trois thèses en présence sur le
libre arbitre : celle de saint Augustin, celle des jésuites
et celle de Calvin, qu'il ne connaît que de seconde
main :

« Il est constant qu'il y a plusieurs des hommes
damnés et plusieurs sauvés. Il est constant encore que
ceux qui sont sauvés ont voulu l'être et que Dieu aussi
l'a voulu ; car si Dieu ne l'eût pas voulu, ils ne l'eussent pas été, et s'ils ne l'eussent pas aussi voulu eux-
mêmes, ils ne l'eussent pas été. Celui qui nous a faits
sans nous ne peut pas nous sauver sans nous. Il est
aussi véritable que ceux qui sont damnés ont bien
voulu faire les péchés qui ont mérité leur damnation et
que Dieu aussi a bien voulu les condamner. Il est donc
évident que la volonté de Dieu et celle de l'homme

concourent au salut et à la damnation de ceux qui sont sauvés ou damnés. Et il n'y a point de question en toutes ces choses [401]... »

Puis, dans le troisième écrit, intitulé *Lettre sur la possibilité des commandements, les contradictions apparentes de saint Augustin, la théorie du double délaissement des justes, et le pouvoir prochain*, il répond pour lui-même aux critiques des jésuites visant le refus des jansénistes d'admettre que tous les justes sont nécessairement sauvés.

Écoutons-le raisonner par l'absurde : le chapitre XI de la session 6 du concile de Trente, dit-il, énonce que « les commandements ne sont pas impossibles aux justes ». Cela n'entraîne pas que les justes sont toujours graciés. En effet, « cette proposition : "Les commandements sont possibles aux justes" a deux sens tout différents et éloignés l'un de l'autre. Le premier sens [...] est que le juste, considéré en un instant de sa justice, a toujours le pouvoir prochain d'accomplir les commandements dans l'instant suivant, ce qui est l'opinion du reste des Pélagiens et que l'Église a toujours combattue et particulièrement dans ce concile. L'autre sens qui ne s'offre pas avec tant de promptitude, et qui est néanmoins celui du concile en cet endroit, est que le juste, agissant comme juste et par un mouvement de charité, peut accomplir les commandements dans l'action qu'il fait par charité. [...] Ces deux sens sont différents : en l'un, on entend proprement que les justes ont le pouvoir de persévérer dans la justice ; en l'autre, on entend proprement que les commandements sont possibles à la charité telle qu'elle est dans les justes en cette vie ; et quoique ces deux sens soient exprimés ici par des paroles si différentes, ils peuvent néanmoins tous deux être exprimés par ces paroles : "Les commandements sont possibles aux justes." [...] Les restes des Pélagiens soutiennent les commandements toujours possibles aux justes. [...] Les Luthériens soutiennent les commandements impossibles au second sens. L'Église le nie [401]. »

C'est là une démonstration mathématique, austère et rigoureuse, de la supériorité logique du jansénisme sur le calvinisme et sur la position des jésuites.

Et puis, pour dire son exigence, ce conseil vertigineux pour qui sait le lire : « Il ne suffit pas de fuir l'erreur pour être dans la vérité [401]. »

Le miracle de la Sainte Épine (24 mars 1656)

Florin et Gilberte ont eu six enfants ; quatre ont survécu : deux garçons, Étienne, né en 1642, et Louis, né en 1652 ; deux filles, Jacqueline, née en 1644, et Marguerite, née en 1646. C'est par cette dernière que le souffle de Dieu va, une fois encore, passer sur Blaise.

Depuis la fin de 1650, la petite Marguerite souffre d'un mal étrange, comme une purulence de l'œil gauche que Blaise a remarquée lors de son passage au château de Bienassis en 1651. Il la décrira ainsi dans un témoignage qu'il aura à faire en des circonstances qu'on relatera un peu plus loin :

« [Ce] mal consistait pour lors en quelques gouttes d'eau qui lui tombaient par le coin dudit œil gauche, proche du nez, qui en peu de temps devinrent plus fréquentes et plus épaisses, et qui enfin se convertirent en boue, ce qui obligea de faire visiter cet enfant par les sieurs de La Porte, médecin, et Coissette, chirurgien [164]. »

Pour guérir l'enfant, les médecins auvergnats ne voient rien d'autre à tenter que de cautériser la plaie par le feu, c'est-à-dire de poser la lame rougie d'un couteau sur l'œil. Gilberte et Florin refusent cette barbarie et décident d'emmener la fillette à Paris pour consulter d'autres praticiens. À partir de janvier 1654, ils la placent comme pensionnaire à Port-Royal de Paris où Jacqueline a prononcé ses vœux deux ans plus tôt. Pour que l'enfant ne se sente pas trop seule, ils y laissent aussi sa sœur aînée, Jacqueline, âgée alors de douze ans. Leur tante, sœur Jacqueline de Sainte-Euphémie, fait venir les meilleurs médecins qu'elle peut trouver grâce aux relations des « belles amies » de Port-Royal : le docteur Renaudot, le chirurgien d'Alençay, l'oculiste Thévenin. Tous confirment le diagnostic et le traitement proposés à Clermont [139]. La famille hésite encore. Le médecin de Port-Royal, le chirurgien Hamon, un des Solitaires, se contente de calmer la douleur par des bains d'eau tiède.

À la fin de l'année 1654 — au moment du *Mémorial* —, le mal empire ; l'abcès s'infecte. À l'été 1655, les médecins affirment que, sans cautérisation, l'enfant mourra bientôt. Jacqueline écrit alors à Florin pour lui soumettre le dilemme. Florin répond : « Je ne peux m'y résoudre. J'aime mieux que la fistule coule toute sa vie, comme je vois à des personnes de ma connaissance qui en souffrent depuis quarante ans. Supprimez-lui donc ces lavages et cataplasmes inutiles [139]. »

Février 1656 est un long martyre pour l'enfant qui a maintenant presque dix ans ; elle souffre d'épouvantables migraines. Blaise, qui n'en ignore rien, puisqu'il la voit chaque fois qu'il rend visite à Jacqueline, vit un affreux calvaire : de quoi Dieu veut-Il ainsi châtier sa famille ? Puis il se reprend : la grâce comme les douleurs ne relèvent ni de la récompense ni des punitions, mais des actes inconnaissables. Il sait, par ses propres peines, que la souffrance peut être un moyen d'approcher Dieu. Mais la souffrance d'une enfant, en quoi est-elle nécessaire ? Comment ne pas se révolter ?

Un jour de mars 1656 — sans que le geste ait aucune relation avec l'état de santé de Marguerite —, l'abbé de La Potherie offre de prêter à mère Angélique, l'espace d'un jour ou deux, pour Port-Royal de Paris, un reliquaire contenant une épine de la couronne du Christ qui aurait été achetée par saint Louis à l'empereur byzantin, puis rapportée à Paris en 1229 et dont les fragments auraient été dispersés dans les chapelles de France. C'est une offre usuelle : les couvents ont l'ha-

bitude à cette époque d'échanger provisoirement de
telles reliques ; et l'abbaye de Port-Royal les apprécie :
elle possède déjà, prétend-elle, l'une des urnes des
noces de Cana. L'abbesse — alors Marie des Anges
Suireau — commence néanmoins par refuser le prêt,
soulignant qu'en plein Carême « nous n'étions pas
dans un temps de nous divertir à voir une sainte
relique, qu'il ne fallait songer qu'à prier et gémir
devant Dieu » [139]. Et puis, l'ordre vient d'être donné par
l'évêque de renvoyer tous les enfants et de les rendre à
leurs familles, en guise de représailles après les premières *Provinciales*. On en débat au chapitre. Peut-être
vaut-il mieux attendre la fin du Carême, ou bien
envoyer la relique aux Champs ? Après discussion, la
communauté décide en fin de compte d'accepter le prêt
et de l'exposer aux fidèles lors de la prochaine prière
du Vendredi saint. Le 24 mars, mardi de la troisième
semaine de Carême, le reliquaire arrive au couvent.
Les sœurs, les enfants se précipitent pour le voir : « Un
fort beau reliquaire où est enchâssé, dans un petit soleil
de vermeil doré, un éclat d'une épine de la Sainte Couronne [129] », écrit Jacqueline.

Le vendredi suivant, les religieuses se rendent une à
une à l'autel en chantant, comme on le fait le Vendredi
saint, pour embrasser le crucifix. Comme on a posé
tout à côté le reliquaire, elles le baisent aussi en passant. Puis viennent les enfants, guidés par sœur Flavie
Passart, leur maîtresse. Au moment où Marguerite
passe, tordue de douleur, sœur Flavie lui fait signe
— le silence est de règle pendant le Carême — de
toucher le reliquaire de son œil malade. Marguerite
s'incline ; elle ressent une épouvantable souffrance.
Après elle, aucun enfant n'ose plus effleurer le reliquaire à l'endroit où la petite malade a appliqué sa
plaie.

Durant la nuit, Marguerite vient réveiller sœur Flavie. Malgré l'obligation du silence, celle-ci informe
mère Agnès qui, à son tour, avise Jacqueline de Sainte-

Euphémie. Dans l'obscurité à peine éclairée par un chandelier, elles n'osent croire à ce qu'elles voient : la fistule a totalement disparu. L'enfant ne souffre plus. Quatre jours plus tard — le temps de s'assurer qu'il ne s'agit pas d'une rémission passagère —, Jacqueline prévient Blaise à Paris, Gilberte et Florin à Clermont.

Pendant deux jours encore, le secret est jalousement gardé à l'intérieur du couvent [129]. Puis, n'y tenant plus, le 31 mars, mère Agnès décide de montrer l'enfant au médecin du couvent, le docteur Hamon, puis au chirurgien d'Alençay qui l'a vue déjà plusieurs fois, la dernière remontant à deux mois. Hamon et d'Alençay, stupéfaits, confirment : le mal est guéri. D'Alençay recommande d'attendre encore et déclare à Hamon : « Je vous en prie, monsieur, ne faisons point de bruit, car vous savez l'état de cette maison... »

Le vendredi suivant, le médecin et le chirurgien signent avec deux de leurs confrères une attestation reconnaissant la réalité de la guérison inexpliquée.

Florin Périer, parti en grande hâte vers Paris dès qu'il a appris la nouvelle, arrive à Port-Royal le 5 avril, jour anniversaire des dix ans de Marguerite. Il trouve sa fille complètement guérie.

Angélique Arnauld raconte l'événement dans des lettres à quelques-unes de ses dirigées, dont Louise-Marie de Gonzague, à Varsovie. Mais elle ne crie pas au miracle : trop dangereux. Elle craint ce qu'en diront les jésuites : parleront-ils de sorcellerie, de magie noire, d'escroquerie au moment où *Les Provinciales* exacerbent tant les oppositions ?

Dans Paris, la rumeur commence à se répandre qu'une guérison miraculeuse a eu lieu à Port-Royal. Anne d'Autriche envoie Guy Isoré, médecin du duc d'Orléans, et Félix, premier chirurgien du roi, examiner Marguerite. L'un et l'autre concluent que la guérison ne peut qu'être l'œuvre de Dieu. Elle qui n'aime pas les jansénistes demande alors qu'on renonce à poursuivre Port-Royal et qu'on enterre le procès contre Arnauld.

En juin, le diocèse de Paris ouvre une enquête canonique destinée à établir ou infirmer le miracle. On interroge les témoins, dont Blaise Pascal. Tous confirment. C'est le triomphe. On vient de partout toucher l'épine miraculeuse...

Voilà donc les jansénistes, condamnés par le pape, récompensés par un miracle. Cela ne veut-il pas dire que le pape et les jésuites ont eu grand tort de s'en prendre à eux ? Et l'anonyme qui écrit ces *Lettres à un provincial*, que va-t-il encore en dire ?

Sentant le danger, et malgré la modestie de Port-Royal dans la victoire, le père Annat a le mauvais goût de publier un livre intitulé *Le Rabat-joie des jansénistes*, dans lequel il explique que Dieu n'a accompli ce miracle chez des hérétiques que pour les exhorter à revenir à Lui...

De cette extraordinaire histoire on a conservé plusieurs versions contradictoires, telle celle de Racine qui en entendit parler par des témoins directs :

« Cette fistule, qui était fort grosse au-dehors, avait fait un fort grand ravage en dedans. Elle avait entièrement carié l'os du nez, et percé le palais [...]. On ne pouvait la regarder sans une espèce d'horreur [...]. Dans ce même temps, il y avait à Paris un ecclésiastique de condition et de piété, M. de La Potherie, qui, entre plusieurs saintes reliques qu'il avait recueillies, prétendait avoir une des épines de la couronne de Notre Seigneur [...]. Après quoi, elles allèrent, chacune en leur rang, baiser la relique, religieuses ou professes les premières, ensuite les novices, et les pensionnaires après. Quand ce fut le tour de la petite Périer, la maîtresse des pensionnaires, qui s'était tenue debout auprès de la grille pour voir passer tout ce petit peuple, l'ayant aperçue, ne put la voir, défigurée comme elle était, sans une espèce de frissonnement mêlé de compassion, et elle lui dit : "Recommandez-vous à Dieu, ma fille, et faites toucher votre œil malade à la Sainte Épine." La petite fille fit ce qu'on lui dit, et elle a depuis déclaré qu'elle ne douta point, sur la parole de sa maîtresse, que la Sainte Épine ne la guérît [443]. »

Le même événement est narré tout autrement par Guy Patin, médecin de l'époque, épistolier sceptique et qui se moque des médecins de son temps, alors qu'il en est lui-même le parangon :

« Ceux de Port-Royal ont ici fait publier un miracle qui est arrivé en leur maison, d'une fille de onze ans qui était là-dedans pensionnaire, laquelle a été guérie d'une fistule lacrymale. Quatre de nos médecins y ont signé, savoir le bonhomme Bouvard, Hamon, leur médecin, et les deux gazetiers ; ils attribuent le miracle à un reliquaire dans lequel il y a une partie de l'épine qui était à la couronne de Notre Seigneur, qui a été appliquée sur son œil [...]. Le bonhomme Bouvard est si vieux que *parum abest a delirio senili*. Hamon est le médecin ordinaire et domestique de Port-Royal-des-Champs, *ideoque recusandus tanquam suspectus*. Les deux autres ne valurent jamais rien, et même l'aîné des deux est le médecin ordinaire de Port-Royal de Paris qui est dans le faubourg royal de Saint-Jacques. *Imo ne quid deesse videatur ad insaniam seculi*, il y a cinq chirurgiens-barbiers qui ont signé le miracle. Ne voilà-t-il pas des gens bien capables d'attester de ce qui peut arriver *supra vires naturae* ? Des laquais revêtus et bottés, et qui n'ont jamais étudié ! Quelques-uns m'en ont demandé mon avis. J'ai répondu que c'était un miracle que Dieu avait permis d'être fait au Port-Royal pour consoler les pauvres bonnes gens, qu'on appelle des jansénistes, qui ont été depuis trois ans persécutés par le pape, les jésuites, la Sorbonne, et de la plupart des députés du clergé, *ut faverent Loyolitis* ; et aussi pour abaisser l'orgueil des jésuites, qui sont fort insolents et impudents à cause de quelque crédit qu'ils ont à la Cour [427]. »

Pascal avait assisté avec stupeur à ces événements. Quelques jours avant la guérison, il avait justement discuté avec Méré des miracles, et lui avait dit y croire.

L'autre avait ricané. Voilà maintenant comme un signe de Dieu. Il prend alors le cachet de ses lettres ; un œil entouré d'une couronne d'épines, et pour devise : *Scio cui credidi.*

Se souvenant peut-être de ce que Mme Delfaut, sa gouvernante, lui a sans doute raconté de sa propre guérison, par une sorcière, à l'âge de deux ans, il note :

« Ainsi j'appelle miraculeux la guérison d'une maladie faite par l'attouchement d'une sainte relique, la guérison d'un démoniaque faite par l'invocation du nom de Jésus, etc., parce que ces effets surpassent la force naturelle des paroles par lesquelles on invoque Dieu et la force naturelle d'une relique [qui] ne peut guérir les malades et chasser les démons. Mais je n'appelle pas [miracle] chasser les démons par l'art du diable ; car, quand on emploie la puissance du diable pour chasser le diable, l'effet ne surpasse pas la force naturelle des moyens qu'on y emploie ; et ainsi il m'a paru que la vraie définition des miracles est celle que je viens de dire. » (fr. 419)

Et, sur une autre feuille :

« Miracles. Que je hais ceux qui font les douteux de miracles. » (fr. 440)

Et encore, cette réflexion sur les faux miracles qui prouveraient les vrais, tout comme l'astrologie prétend se fonder naturellement sur l'influence de la Lune sur la Terre, par ailleurs scientifiquement établie par l'examen du mouvement des marées :

« [...] ce qui fait qu'on croit tant de faux effets de la lune, c'est qu'il y en a de vrais, comme le flux de la mer. [...] et ainsi, au lieu de conclure qu'il n'y a point de vrais miracles parce qu'il y en a tant de faux, il faut dire au contraire qu'il y a certainement de vrais miracles, puisqu'il y en a tant de faux, et qu'il n'y en a de faux que par cette raison qu'il y en a de vrais. » (fr. 615)

Enfin la plus personnelle, la plus émouvante aussi :
« Sur le miracle. Comme Dieu n'a point rendu de
famille plus heureuse, qu'il fasse aussi qu'il n'en
trouve point de plus reconnaissante. » (fr. 753)

Le 22 octobre, au vu des résultats de l'enquête et
des témoignages reçus, le vicaire général de Paris,
Hodencq, ratifie le miracle de la Sainte Épine. Le
27 octobre, la relique est de nouveau confiée à Port-
Royal, cette fois pour de grandioses cérémonies en présence de toutes les autorités religieuses du diocèse. À
l'occasion de ce triomphe, Jacqueline rompt avec sa
promesse de ne plus écrire de poèmes et compose un
long texte de vingt-cinq strophes, dont celles-ci :

> *... L'Auvergne en sa limagne étant loin de ces monts*
> *Où de sombres rochers, sans fruits ni sans moissons,*
> *Ne font voir en tous lieux qu'un affreux précipice,*
> *Renferme un petit mont si fertile et si beau,*
> *Et si favorisé du céleste flambeau*
> *Qu'on le nomme* Clairmont *pour lui faire justice.*
>
> *Une enfant de sept ans, fille d'un sénateur,*
> *Qui depuis fort longtemps s'efforce avec honneur*
> *De rendre en chaque cause un arrêt équitable,*
> *Sur l'ordre de Celui qui fait vivre et mourir*
> *Fut surprise d'un mal si pénible à souffrir*
> *Qu'elle eût touché le cœur le plus impitoyable*[129]*...*

À la sœur qui les lui fait lire, mère Agnès rétorque
en grognant : « Il vaut mieux que cette personne cache
le talent qu'elle a que de le faire valoir[170]. »

C'en est fini. Jacqueline a commencé de mourir.

Au XVIIIe siècle, Benoît XIII citera cette guérison
« comme un exemple de la continuité des interventions
surnaturelles de l'Église[491] », et Rome la considère
aujourd'hui encore comme un des miracles reconnus.

Il y aura encore, prétend-on, d'autres miracles à
Port-Royal au cours des années suivantes, tel celui de

la guérison de sœur Catherine de Sainte-Suzanne, dont le portrait a été fait par son père, le peintre Philippe de Champaigne [240].

Les treize autres Provinciales *(mars 1656-mars 1657)*

Après le succès de la cinquième *Provinciale* et le secours inattendu du miracle, les jésuites sont sur la défensive. Le père Annat charge trois de ses meilleurs bretteurs, les pères Nouet, Rapin et Pirot, de répondre à l'inconnu qu'ils désignent désormais comme « le secrétaire du Port-Royal [289] ». Les insultes pleuvent.

Le père Rapin, moliniste ardent, dans des *Mémoires sur l'Église et la société, la Cour, la ville et le jansénisme* [446], explique que le succès public des *Lettres écrites à un provincial* est le produit d'une opération de propagande orchestrée par la comtesse du Plessis [126]. Il est vrai que cette « belle amie » compte toujours parmi les premières à recevoir les *Lettres* ; qu'elle en organise des lectures chez elle « à ses amis mondains, qui vont comme autant de trompettes publier par tout Paris que la sixième *Lettre à un provincial* vient de paraître et qu'elle est encore plus belle que les précédentes » [126]. Rapin accuse aussi l'auteur anonyme de truquer les citations qu'il utilise. Cette attaque fait mouche, au moins en province. Et comme il est clair que des jansénistes se cachent derrière *Les Provinciales*, accuser leur auteur de falsification, c'est en accuser en bloc Port-Royal.

Selon les Mémoires d'un certain Pierre Thomas du Fossé, un notable rouennais a en effet accusé, lors d'une réunion chez le secrétaire du cabinet de Mazarin, M. Barlet, les *Lettres* d'être un ramassis de fausses citations [94]. Pour en administrer la preuve, cette personne a montré un exemplaire d'un des ouvrages cités dans une des *Lettres* et a affirmé ne pas y avoir trouvé le passage reproduit. Barlet, « qui connaissait la bonne foi de ces Messieurs [de Port-Royal] qu'il avait été visiter souvent de la part du cardinal de Mazarin », parie mille écus que le passage n'est pas cité à tort[94]. Pari tenu. Barlet écrit à Arnauld, pensant que Port-Royal connaît à tout le moins l'auteur des *Provinciales*, même si ce dernier n'est pas des leurs, et qu'Arnauld pourra trancher la querelle. Celui-ci répond qu'il ne connaît pas l'auteur des *Lettres*, mais démontre, vérification faite, que le passage cité se trouve bel et bien dans une autre édition du livre que celle qu'on lui a montrée[423].

Pascal est ulcéré d'être ainsi accusé encore une fois, comme à propos du vide, de malhonnêteté intellectuelle. Il a tout vérifié lui-même, et s'il commet quelques erreurs, ce n'est jamais par mauvaise foi. De fait, on sait aujourd'hui que les citations des *Provinciales* sont honnêtes. Il arrive certes à Pascal de résumer la pensée d'un casuiste, comme les jésuites ne se sont pas gênés pour le faire en résumant Jansénius en cinq points, mais sans jamais distordre le sens de ce qu'il résume, à la grande différence de ce qu'avaient fait en l'occurrence les jésuites et leurs alliés. Parfois, il termine par un « etc. » une phrase dont la fin aurait pu servir les intérêts des jésuites[357]. « Pascal, écrira Lanson en 1895, est un avocat, l'avocat d'une grande cause, mais enfin c'est un avocat, et il porte dans sa citation comme dans son argumentation le désir de laisser le moins d'avantages possible à ses adversaires[274]. » Vers 1920, Jacques Chevalier, pourtant hostile aux jansénistes, trouvera dans *Les Provinciales* douze citations incomplètes ou erronées, dont Arnauld est d'ailleurs pour une bonne part responsable, mais aucune qui vienne fausser le sens de la démonstration[94]. Il mentionne par exemple une citation du père Bauny, dans la quatrième *Provinciale*, sur les conditions du péché, tronquée après une virgule ; une citation d'un autre casuiste, Filliucius, dans la cinquième, sur le jeûne, où quelques mots manquent dans le corps de la citation ; et, dans la même *Lettre*, une citation du jésuite Layman, sur le probabilisme, détachée de son contexte [94]. Brunetière résume : « On n'a pu convaincre Pascal d'inadvertance ou d'oubli grave qu'en deux ou trois cas tout au plus ; mais d'imposture, aucun [64]. »

Pour attaquer l'auteur inconnu, les jésuites se servent aussi d'un autre argument qui l'affecte davantage encore : on reproche à l'auteur de « tourner les choses saintes en railleries ». Ils s'emploient à invoquer son ironie pour mieux le discréditer comme théologien. Le père Nouet écrit par exemple qu'on ne peut, dans *Les Provinciales*, « remarquer un seul raisonnement ni une seule pensée dignes d'un théologien [66] ».

Pascal, enragé, veut répondre. Comme lorsqu'on l'a accusé de plagiat pour ses travaux sur le vide, il ne laisse rien passer. Il a rejoint Arnauld dans son combat : l'ennemi, pour lui, ce n'est plus ni la Sorbonne ni les casuistes, ce sont les jésuites [289]. Il rédige alors une *Sixième Lettre*, toujours anonyme. Ce qui est de plus en plus difficile à préserver.

Depuis le miracle de la Sainte Épine, Florin Périer et son fils Étienne logent avec Blaise à l'auberge du Roi David, rue des Poirées, juste en face du collège parisien des jésuites, tout près de la Sorbonne. Florin le voit écrire et comprend que l'auteur inconnu dont on parle tant n'est autre que Blaise. Le conseiller à la cour des aides ne comprend rien à la théologie, il n'apprécie pas ces polémiques, mais pour rien au monde il ne dénoncerait son beau-frère.

Le 10 avril paraît la sixième *Provinciale*. Pascal se défend d'abord point par point et réplique aux critiques que les jésuites viennent de lui adresser. À ceux qui lui reprochent de se moquer de la religion : « En vérité, mes Pères, il y a bien de la différence entre rire de la religion et rire de ceux qui la profanent par leurs opinions extravagantes [401]. » À ceux qui l'accusent d'impiété : « Ce serait une autre impiété de manquer de mépris pour les faussetés que l'esprit de l'homme leur oppose [401]. » Il y poursuit ensuite ses attaques contre la morale complaisante que tolèrent les jésuites, et s'en prend maintenant à la doctrine de la *probabilité* qui autorise, par exemple, à souhaiter la mort de quelqu'un. Pour lui, c'est incontestablement un péché, car celui qui pense à un mal peut finir par le commettre : « Il ne leur sert de rien de distinguer la spéculation de la pratique : car la liaison de ces deux choses est si étroite qu'il est très facile de passer de l'une à l'autre et de se permettre dans la pratique ce qui est tenu pour probable dans la spéculation [401]. »

Les *Lettres* se vendent de mieux en mieux ; elles font de plus en plus mouche, et sont même parfois lues en chaire par des curés ; non seulement à Paris, mais aussi dans les provinces où le jansénisme est implanté.

Le 25 avril, dans la *Septième Lettre*, Pascal poursuit son œuvre de démolition. Il s'en prend cette fois à ce qu'il appelle la « direction d'intention », qui excuse les crimes les plus graves, y compris même le meurtre, dès lors que l'« intention » n'était pas criminelle, et la « dévotion aisée » qui autorise les crimes même en l'absence de remords.

On commence, dans les paroisses, à s'émouvoir qu'il se trouve des choses aussi extravagantes dans les livres des casuistes. Le 12 mai, l'Assemblée des curés de Paris, suivie de plusieurs autres en province, demande qu'on vérifie si les accusations portées dans *Les Provinciales* contre les casuistes sont ou non fondées. Voilà un grave danger pour les jésuites. Il ne s'agit plus là de pamphlets anonymes, mais de curés de la capitale, c'est-à-dire de confesseurs de base qui basculeront du côté des jansénistes si viennent à être établies les dénonciations contenues dans *Les Provinciales*. Il faut en finir.

Certains jésuites, de plus en plus nombreux, pensent que Blaise Pascal n'est pas pour rien dans la rédaction de ces *Lettres*. Et comme ils savent — par l'un des leurs, le père Fretat, dont le frère a épousé une cousine germaine de Blaise — que Florin Périer est installé à Paris à l'auberge du Roi David, ils « l'envoient l'en prévenir » et le chargent de transmettre à son beau-frère de « ne pas continuer, parce qu'il pourrait lui en arriver du chagrin » [289]. Le père Fretat s'assied au bord du lit couvert d'une vingtaine d'exemplaires de la *Septième Lettre* en train de sécher. Florin tremble, rougit ; Fretat s'en va, sans avoir vu, ou sans montrer qu'il a vu.

Marguerite Périer, la fille miraculée de Florin, racontera plus tard cette légende familiale un peu autrement, en faisant participer Blaise à la scène :

« M. Pascal alla loger dans une auberge, *Au Roi David*, dans une rue qui est derrière la Sorbonne, où M. Périer, son beau-frère, vint aussi se loger. Deux jésuites, dont l'un était son parent, l'y vinrent visiter et entrèrent chez lui par hasard comme on lui venait d'apporter des feuilles encore toutes mouillées de chez l'imprimeur. Cette visite imprévue obligea de les jeter sur son lit et de les cacher en fermant les rideaux. Ce parent lui dit en sortant qu'il l'avertissait qu'on disait partout qu'il était l'auteur des *Lettres au provincial* et qu'il devait prendre garde à lui. M. Pascal ne se déferra [troubla] point et lui répondit qu'il lui était obligé de cet avis, mais qu'il n'avait rien à craindre sur cela ; qu'on attribuait ces lettres à bien des gens avec aussi peu de fondement ; qu'on ne pouvait pas empêcher le monde d'avoir de pareils soupçons et que le temps apprendrait un jour si ces bruits étaient bien fondés [432]. »

En niant être l'auteur des *Lettres*, Pascal ne ment pas vraiment. Il n'en est pas l'auteur. Un de ses doubles l'est. Encore sans nom, mais pas pour longtemps. La multiplication de ses personnalités — qui vont même bientôt proliférer — a commencé.

À ceux de ses amis qui lui conseillent de faire savoir qu'il est bien à l'origine de tous ces textes, il répond : « Que me promettez-vous enfin — car dix ans est le parti — sinon dix ans d'amour-propre, à bien essayer

de plaire sans y réussir, outre les peines certaines ? »
(fr. 186)

« Sans y réussir », là sont les mots importants ; car
il ne refuse pas la gloire, mais l'échec. Comme si sa
fuite du monde, depuis deux ans, était, au moins en
partie, déterminée par une peur de l'échec tel qu'il l'a
connu pour sa machine d'arithmétique, qui ne se vend
toujours pas. Et une peur de la polémique telle qu'il
l'a connue pour sa théorie du vide, dont on lui conteste
encore, injustement, la paternité.

Grâce au miracle de la Sainte Épine, l'étau se des-
serre cependant quelque peu autour de Port-Royal. Au
début de mai 1656, à la demande d'Arnauld d'Andilly,
très influent à la Cour, la reine mère, bouleversée,
obtient de Séguier qu'on revienne sur l'arrêt de dispersion qu'elle avait elle-même suscité. Marguerite peut
rester à Port-Royal de Paris. Quelques Solitaires s'en
reviennent même aux Champs[69]. Arnauld a perdu son
titre de docteur. On en reste là.

Les Provinciales, devenues sans objet, ne s'inter-
rompent pas pour autant. L'anonyme entend continuer
à en découdre avec le laxisme des jésuites. Et surtout
ne pas laisser sans riposte les critiques qui lui sont
adressées.

Le 28 mai, quelques jours avant que Pascal ne
dépose devant la commission d'enquête nommée par
l'archevêque de Paris sur le miracle de la Sainte Épine[357], une huitième *Provinciale* continue de disséquer
la morale relâchée des jésuites.

Il la commence par un défi à ceux qui cherchent à
le démasquer :

> Monsieur,
> Vous ne pensiez pas que personne eût la curiosité de
> savoir qui nous sommes ; cependant il y a des gens qui
> essayent de le deviner ; mais ils rencontrent mal. Les
> uns me prennent pour un docteur de Sorbonne ; les
> autres attribuent mes Lettres à quatre ou cinq per-

sonnes, qui, comme moi, ne sont ni prêtres ni ecclésiastiques. Tous ces faux soupçons me font connaître que
je n'ai pas mal réussi dans le dessein que j'ai eu de
n'être connu que de vous et du bon Père qui souffre
toujours mes visites, et dont je souffre toujours les discours... [401]

Le 3 juillet, dans une *Neuvième Lettre*, il s'en prend
à la pratique de la « restriction mentale » qui permet à
tout fidèle, selon certains casuistes, de mentir sans
risque de péché mortel à condition de compléter mentalement la phrase fausse pour la rendre vraie. Par
exemple :

> « On peut jurer qu'on n'a pas fait une chose, quoiqu'on
> l'ait faite effectivement, en entendant en soi-même
> qu'on ne l'a pas faite un certain jour, ou avant qu'on
> fût né [...] sans que les paroles dont on se sert aient
> aucun sens qui le puisse faire connaître [401]. »

Le 2 août, paraît une dixième *Provinciale*, toujours
plus violente et amère, haineuse cette fois même. Il est
loin le temps — en fait six mois seulement — où Pascal se contentait de faire rire aux dépens des patauds
docteurs en Sorbonne. Il s'en prend par exemple à
l'idée, admise par les jésuites, qu'un infidèle puisse
obtenir le salut sans croire en Jésus. Il a cette phrase :
« Depuis que Dieu a tant aimé le monde qu'Il lui a
donné son Fils unique, le monde racheté par Lui serait
déchargé de L'aimer ? » Son indignation éclate :
« Étrange théologie de nos jours ! On ose lever l'anathème que saint Paul prononce contre ceux qui n'aiment pas le Seigneur Jésus ! On ruine ce que dit saint
Jean, que qui n'aime point, demeure en la mort ; et ce
que dit Jésus-Christ même, que qui ne l'aime point, ne
garde point ses préceptes ! Ainsi on rend dignes de
jouir de Dieu dans l'éternité ceux qui n'ont jamais
aimé Dieu en toute leur vie ! Voilà le mystère d'ini-

quité accompli. Ouvrez enfin les yeux, mon Père ; et, si vous n'avez point été touché par les autres égarements de vos casuistes, que ces derniers vous en retirent par leur excès [401] ! »

Et comme les jésuites publient désormais partout que l'auteur des *Provinciales* est un homme de Port-Royal, l'anonyme répond : « Je ne suis pas de Port-Royal. »

Il ne ment pas : il n'est pas de Port-Royal. Son double encore moins.

« Les jésuites ont voulu joindre Dieu au monde, et n'ont gagné que le mépris de Dieu et du monde. » (fr. 809) Les jésuites en question ne savent plus comment répondre. Ils dénoncent le style de leur adversaire, qui ne se désigne encore lui-même que comme « l'auteur des *Lettres à un provincial* », mais n'en laissent pas moins pointer une certaine admiration dans l'une de leurs réponses : « Il faut bien avouer qu'il sait mieux qu'homme du monde l'art du ridicule, et qu'il s'en sert avec toute la perfection qu'on peut souhaiter. Se peut-il rien dire de plus délicat que le *pouvoir prochain* de sa première *Lettre*, de plus surprenant que le Mohatra de la huitième, de plus falot [comique] que le conte de Jean d'Albat, de plus nouveau que la simplicité de ce bon Père jésuite, qu'il sait si bien entretenir qu'il lui fait croire qu'il ne rit pas, lorsqu'il fait rire tout le monde à ses dépens [289] ? » Il est vrai que, pour les jésuites, faire rire n'est pas digne d'un théologien, et suffit à discréditer l'auteur des *Lettres*.

N'y tenant plus, renonçant à la fiction d'une *Lettre à un provincial*, Blaise décide de répondre directement à ceux qui mènent l'assaut contre lui. Dans la *Onzième Lettre*, le 18 août, l'anonyme apostrophe directement les jésuites. Plus question de *provincial*. Son double le libère. Il n'a pas peur de ses ennemis. Et il attaque sur un thème nouveau qui le hante depuis plusieurs mois — la calomnie dont il s'estime victime : « Quiconque se sert du mensonge agit par l'esprit du diable. Il n'y a point de direction d'intention qui puisse rectifier la calomnie ; et quand il s'agirait de convertir toute la terre, il ne serait pas permis de noircir des personnes innocentes[401]. »

C'est encore un énorme succès, même s'il ne faut pas exagérer l'impact de ces *Lettres* : pour beaucoup de mémorialistes de l'époque, 1656 est en effet avant tout l'année de campagnes militaires victorieuses, de la visite de l'ex-reine Christine de Suède en France — à qui Pascal a par ailleurs écrit — et surtout des galanteries du jeune roi[123]. Un contemporain, Talle-mant des Réaux, qui consacre, dans ses *Historiettes*[500], trois pages à Pascal, ne mentionne *Les Provinciales* qu'en quelques lignes : « Les douze premières *Lettres* furent présentées à la reine de Suède qui se trouvait alors à Paris et elle les reçut avec joie. Cette princesse avouait franchement aux Jésuites qu'elle avait peu d'estime pour leur Société ; qu'elle ne pouvait approu-ver qu'ils se mêlassent de tant de choses et qu'ils eus-sent de si étranges maximes[500]. »

Le public cultivé ne parle cependant que de ces *Lettres*. Les tirages cumulés de certaines dépassent dix mille exemplaires. On estime à près de deux cent mille le nombre des personnes qui ont alors lu les onze *Lettres*. Les feuilles volantes pénètrent dans tous les hôtels. De province, Mme de Sévigné les réclame. Guy Patin les collectionne. Les femmes du monde, les magistrats, les vaincus de la Fronde se plaisent à les lire, puisqu'elles ridiculisent les vainqueurs[491]. Maza-rin et le roi lui-même se les font lire. Quant au chance-lier Séguier, il n'a toujours pas reconnu en celui qu'il fait rechercher frénétiquement le fils de son collabora-teur d'il y a quinze ans.

Le 9 septembre, dans une douzième *Lettre* encore directement adressée aux jésuites, Pascal entend prou-ver l'authenticité des citations qu'on lui conteste. Son ton monte. Entendez sa violence : « Vous avez suivi votre méthode ordinaire, qui est d'accorder aux hommes ce qu'ils désirent, et de donner à Dieu des paroles et des apparences. » D'où des menaces : il va se « plaindre de vos calomnies et impostures ». Ce sera pour la lettre suivante.

Dans le même temps, un autre double continue à travailler à deux traités de mathématiques d'une importance primordiale, un autre encore à prendre des notes pour son grand livre de philosophie, tandis qu'un autre enfin écrit la première de ses longues lettres à Charlotte de Roannez. De tout cela il va être question plus loin.

Le 30 septembre, dans la *Treizième Lettre*, Pascal accuse les jésuites de vouloir gouverner le monde en faisant croire à l'homme qu'il peut être sauvé malgré ses péchés.

Dans une réponse à cette *Lettre*, les jésuites préposés à leur défense recourent à un bien curieux argument : la casuistique ne fait rien d'autre qu'utiliser la méthode propre à toute justice, religieuse ou laïque : la jurisprudence. Aussi attaquer les casuistes revient-il à attaquer toute la justice française. Le père Pirot écrit ainsi : « Les Parlements protègent les casuistes et considèrent que les jansénistes accusant les confesseurs de juger sur des probabilités font le procès à tous ceux qui se mêlent de la justice en France [66]. » L'argument est habile : en se rangeant derrière les magistrats laïcs, les jésuites espèrent rallier à leur cause tous ceux qui attachent de l'importance à l'ordre public. Les attaquer, c'est s'en prendre à l'autorité du roi. Ce qui, d'une certaine façon, est vrai...

Mais le public français n'est plus aussi perméable à leurs thèses. Car *Les Provinciales* ont commencé à les discréditer et, avec elles, l'Église de Rome, dont les jésuites sont l'avant-garde. Et quand, le 16 octobre 1656, la bulle *Ad sanctam*, d'Alexandre VII, allant plus loin que celle d'Innocent X du 31 mai 1653, *Cum occasione*, déclare explicitement que les cinq propositions sont non seulement hérétiques, mais bel et bien

tirées du livre de Jansénius, l'assemblée des évêques
de France ne se presse pas du tout d'entériner cette
contrevérité.

Les jésuites ne relâchent pas leurs attaques contre
les *Lettres*. Pascal commence à s'irriter de ne point
voir les Solitaires riposter et soutenir en leur nom
l'anonyme auteur des *Provinciales*. Dans sa *Quator-
zième Lettre*, du 23 octobre, le ton se fait encore plus
violent, plus sectaire même : il y a le bien et le mal, et
les jésuites sont du côté du mal.

> « Car enfin, mes Pères, pour qui voulez-vous qu'on
> vous prenne : pour des enfants de l'Évangile ou pour
> des ennemis de l'Évangile ? On ne peut être que d'un
> parti ou de l'autre, il n'y a point de milieu. *Qui n'est
> point avec Jésus-Christ est contre lui.* Ces deux genres
> d'hommes partagent tous les hommes. Il y a deux
> peuples et deux mondes répandus sur toute la Terre,
> selon saint Augustin [...]. Ainsi vos décisions meur-
> trières sont maintenant en aversion à tout le monde, et
> vous seriez mieux conseillés de changer de sentiments,
> si ce n'est par principe de religion, au moins par
> maxime de politique. [...] souvenez-vous que le premier
> crime des hommes corrompus a été un homicide en la
> personne du premier juste ; que leur plus grand crime
> a été un homicide en la personne du chef de tous les
> justes ; et que l'homicide est le seul crime qui détruit
> tout ensemble l'État, l'Église, la nature et la pitié[401]. »

Plus rien, pour lui, ne distingue les jésuites du
Malin : « Jamais on ne fait le mal si pleinement et si
gaiement que quand on le fait par conscience[401]. »

Le 25 novembre, soutenu par des curés de Paris et
de province, mais toujours introuvable, l'auteur de la
quinzième *Provinciale* revient sur la calomnie dont se
servent contre lui ses adversaires. C'est, dit-il, une formidable preuve de faiblesse, puisque cela revient à
abandonner la seule arme invincible, la vérité. Et
comme elle est éternelle, la vérité finit toujours par

gagner et le discours des jésuites se détruira donc lui-même. Aussi, Dieu aide les jansénistes en poussant leurs adversaires à la faute : « Il y a quelque chose de surnaturel en un tel aveuglement. » (fr. 796) Et il annonce que la *Lettre* suivante sera destinée à « rendre la réputation à tant de personnes calomniées ».

Les attaques à son encontre se multiplient. Et puisque les jésuites ne peuvent toujours identifier l'auteur des *Lettres*, ils accusent les jansénistes en général de comploter avec les protestants contre le pape. Le père jésuite Meynier explique ainsi, — dans *Port-Royal et Genève d'intelligence contre le Très-Saint Sacrement de l'Autel*, — que, comme les huguenots, Port-Royal ne croit pas en l'Eucharistie.

Le 4 décembre, une *Seizième Lettre*, écrite dans la maison du duc de Luynes à Saint-Lambert, le hameau de Vaumurier, où Pascal est venu se réfugier en compagnie d'Arnauld, y répond avec une violence inégalée. Cette *Lettre* est un peu plus longue que les quinze premières — il écrira d'ailleurs en *post-scriptum* : « Je n'ai fait celle-ci plus longue que parce que je n'ai pas eu le loisir de la faire plus courte[401]. »

Il y traite les jésuites d'« imposteurs », de « misérables les plus abandonnés », de « calomniateurs », de « menteurs » : « Tant l'Église a toujours été éloignée des erreurs de votre Société, si corrompue qu'elle excuse d'aussi grands crimes que la calomnie, pour les commettre elle-même avec plus de liberté [...]. Car, encore que je n'aie jamais eu d'établissement avec eux [Port-Royal], comme vous le voulez faire croire, sans que vous sachiez qui je suis, je ne laisse pas d'en connaître quelques-uns et d'honorer la vertu de tous. Mais Dieu n'a pas renfermé, dans ce nombre seul, tous ceux qu'Il veut opposer à vos désordres. J'espère avec son secours, mes Pères, de vous le faire sentir ; et s'Il me fait la grâce de me soutenir dans le dessein qu'Il me donne d'employer pour Lui tout ce que j'ai reçu de Lui, je vous parlerai de telle sorte que je vous ferai peut-être regretter de n'avoir pas affaire à un homme de Port-Royal[401]. »

Il en profite pour ajouter un correctif destiné à réparer une erreur qui lui a fait attribuer à tort un texte à tel ou tel jésuite dans sa lettre précédente. Souci de vérité, même à ses propres dépens...

Il y a une autre cause à sa colère : il ne supporte plus la présence et les conseils d'Arnauld. Il n'écrit plus pour le défendre, puisque le procès en Sorbonne est terminé, mais pour défendre sa propre vérité. Il n'a plus besoin qu'on lui tienne la main. Aussi, n'y tenant plus, en janvier 1657, soit un an après la *Première Lettre*, s'émancipe-t-il de toutes les prudences et, contre l'avis d'Arnauld, invective-t-il directement celui qui est à l'origine de toute cette bataille : le père Annat, le confesseur du roi.

La *Dix-Septième Lettre*, du 23 janvier 1657, est d'abord une déclaration d'indépendance de l'auteur des *Lettres* vis-à-vis de tous, y compris de Port-Royal. À Annat, cette fois, il redit qu'il n'est pas de Port-Royal ; il est seulement un retraitant. « Vous pouvez bien toucher le Port-Royal, mais non pas moi. On a bien délogé des gens de Sorbonne [Arnauld], mais cela ne me déloge pas de chez moi. [...] peut-être n'eûtes-vous jamais affaire à une personne qui fût si hors de vos atteintes, et si propre à combattre vos erreurs, étant libre. » Il dit plus haut : « Je n'ai d'attache sur la Terre qu'à la seule Église catholique, apostolique et romaine, dans laquelle je veux vivre et mourir, et dans la communion avec le pape, son souverain chef, hors de laquelle je suis très persuadé qu'il n'y a point de salut. » « Ainsi je n'aurai pas grand-peine à m'en défendre, puisque je n'ai qu'à vous dire que je n'en suis pas, et à vous renvoyer à mes *Lettres* où j'ai dit que je suis seul, et en propres termes que je ne suis point de Port-Royal [...]. Que je vous connais bien, mon Père ! et que j'ai de regret de voir que Dieu vous abandonne jusqu'à vous faire réussir si heureusement

dans une conduite si malheureuse ! Votre bonheur est
digne de compassion et ne peut être envié que par ceux
qui ignorent quel est le véritable bonheur [401]. »

Quant à Port-Royal, non seulement il n'en est pas,
mais il n'est pas toujours d'accord avec eux. Il écrit
même dans cette lettre adressée à Annat : « Peut-être
interprètent-ils Jansénius trop favorablement ; mais
peut-être ne l'interprétez-vous pas assez favorablement. Je n'entre pas là-dedans [...]. Ils ont plus exa-
miné Jansénius que vous ; ils ne sont pas moins
intelligents que ses vues ; ils ne sont donc pas moins
croyables que vous. Mais, quoi qu'il en soit de ce point
de fait, ils sont certainement catholiques, puisqu'il
n'est pas nécessaire, pour l'être, de dire qu'un autre ne
l'est pas ; et que, sans charger personne d'erreur, c'est
assez de s'en décharger soi-même [401]. »

On entend sa colère et son défi dans la péroraison
où il répond à Annat qui a fait savoir qu'il ne lisait pas
Les Provinciales parce qu'elles étaient écrites en trop
petits caractères, littéralement « illisibles » : « Mon
R.P., si vous avez peine à lire cette lettre, pour n'être
pas en assez beau caractère, ne vous en prenez qu'à
vous-même. On ne me donne pas de privilèges, comme
à vous. Vous en avez pour combattre jusqu'aux miracles ; je n'en ai pas pour me défendre. On court sans
cesse les imprimeries. Vous ne me conseillez pas vous-
même de vous écrire davantage dans cette difficulté.
Car c'est un trop grand embarras d'être réduit à l'impression d'Osnabrück [c'est-à-dire les petits caractères,
quasi illisibles, dont Pascal a besoin pour faire tenir
tout son texte sur un seul folio] [401]. »

Cette *Lettre* bat tous les records de vente : plus de
dix mille exemplaires dès sa sortie. Il a fallu beaucoup
de papier pour l'imprimer en une nuit, en urgence. Au
grand dam de l'auteur, qui y découvre de nombreuses
coquilles...

Le pouvoir se fâche. Le libraire Langlois est à nouveau arrêté. Un autre, Desprez, qui se trouve être par

malchance le voisin de Petit, est condamné à cinq ans de bannissement hors du royaume. L'étau se resserre. Arnauld est inquiet : personne — surtout pas lui — n'a demandé à Blaise d'aller aussi loin. Et puis, critiquer le confesseur du roi, c'est un peu critiquer le roi lui-même. De cela Port-Royal s'est toujours gardé et Arnauld, comme certains autres Solitaires, voudraient à présent bien faire taire Pascal.

En province aussi, la polémique fait rage. Le 9 février 1657, au moment où paraissent les *Estats et Empires de la Lune*, œuvre posthume de Cyrano de Bergerac, le Parlement de Provence condamne *Les Provinciales* à être brûlées sur la place des Prêcheurs d'Aix-en-Provence. Mais personne, à Aix, ne voulant se dessaisir de son exemplaire, c'est un almanach qui est brûlé à la place [169].

Le 17 mars, à la demande d'Annat, en application de la bulle du pape, l'Assemblée du clergé débat de l'idée de faire signer, comme évoqué il y a six mois, un formulaire obligeant tout ecclésiastique de France à condamner le jansénisme. Port-Royal s'inquiète : l'initiative serait terrible, mortelle même pour le jansénisme si elle était suivie d'effet. Mais rien n'est décidé. La bulle n'est reçue par le roi de France que le 4 avril 1657, soit six mois après son envoi de Rome. Et le Parlement tarde à l'enregistrer, ce qui empêche qu'elle ait force de loi. Certains parlementaires soulignent d'ailleurs que le texte n'évoque qu'une question de fait en indiquant que les cinq propositions se trouvent dans l'ouvrage de Jansénius, alors qu'une bulle pontificale ne doit stipuler qu'un point de doctrine. Le Parlement, disent-ils, n'est donc pas tenu de l'entériner.

Pascal est encore à Vaumurier quand Arnauld, Nicole et Fontaine viennent lui demander de rédiger une dix-huitième *Provinciale* pour en revenir à la défense des jansénistes et écarter la menace du Formulaire. Il accepte, après leur avoir reproché de ne guère s'exprimer pour le soutenir. Ils veulent encore lui tenir la plume. Il refuse et leur échappe : il travaille seul, récrit treize fois[357] sa *Lettre* et la publie, toujours anonymement, en réponse à toutes les critiques formulées contre lui et à tous ces amis qui voudraient le modérer.

Des jansénistes, il dit : « Je les vois si religieux à se taire que je crains qu'il n'y ait en cela de l'excès. Pour moi, mon Père, je ne crois pas pouvoir le faire[401]. »

Au pape qui, par-delà le père Annat, est maintenant son véritable ennemi, il lance comme un défi : comme son prédécesseur s'est trompé en niant l'existence d'un Nouveau Monde et en condamnant Galilée, Alexandre VII se trompe encore en voulant faire croire que les cinq propositions sont dans l'*Augustinus* : « Que ce qui rend la chose plus croyable est qu'ils ont cette maxime, l'une des plus autorisées de leur théologie, qu'ils peuvent calomnier sans crime ceux dont ils se croient injustement attaqués[401]. »

Puis vient le coup de grâce : si les jésuites s'attaquent à Jansénius, ce n'est pas parce qu'ils ont à lui reprocher quelque manquement à la foi — ils n'ont pu en trouver —, mais parce que celui-ci a osé les attaquer. Et le pape ne les soutient que parce qu'il se sent visé à travers eux. Ce n'est donc pas une querelle théologique, mais une lutte pour le pouvoir sur les âmes.

Suit cette magnifique exhortation finale, point d'orgue aux *Provinciales* :

> « Toutes les puissances du monde ne peuvent par autorité persuader un point de fait, non plus que le changer ; car il n'y a rien qui puisse faire que ce qui est ne soit pas. [...] Laissez l'Église en paix, et je vous y laisserai de bon cœur. Mais, pendant que vous ne travaillerez qu'à y entretenir le trouble, les enfants de la paix seront obligés d'employer tous leurs efforts pour y conserver la tranquillité[401]. »

« Les enfants de la paix » : beau résumé de l'ensemble de son combat. Car c'est bien sa voix qu'on entend ici synthétiser le contenu des *Lettres* :

« L'homme, par sa propre nature, a toujours le pouvoir
de pécher et de résister à la grâce, et, depuis sa corruption, il porte un fond malheureux de concupiscence qui
lui augmente infiniment ce pouvoir ; mais, néanmoins,
quand il plaît à Dieu de le toucher par Sa miséricorde,
Il lui fait faire ce qu'Il veut et en la manière qu'Il le
veut, sans que cette infaillibilité de l'opération de Dieu
détruise en aucune sorte la liberté naturelle de l'homme
[...]. Dieu dispose de la volonté libre de l'homme sans
lui imposer de nécessité ; et [...] le libre arbitre, qui peut
toujours résister à la grâce, mais qui ne le veut pas
toujours, se porte aussi librement qu'infailliblement à
Dieu lorsqu'Il veut l'attirer par la douceur de Ses inspirations efficaces[401]. »

Il a du mal à trouver un libraire parisien qui ait l'audace d'imprimer ce texte. Arnauld et les Solitaires ne
l'y aident pas avec l'enthousiasme antérieur. Les temps
ont changé. Il en trouve quand même un, au bout de
deux mois, sous le nom de « Nicolas Schouten, imprimeur à Cologne », en réalité dans un des moulins à
côté du pont au Change. Le succès est encore plus
considérable que précédemment. Victoire contre le
silence des timorés :

« Si ce que je dis ne sert à vous éclaircir, il servira
au peuple. Si ceux-là se taisent, les pierres parleront.
Le silence est la plus grande persécution. Jamais les
saints ne se sont tus. Si mes *Lettres* sont condamnées
à Rome, ce que j'y condamne est condamné dans le
Ciel. » (fr. 920)

En avril 1657, il réfléchit à une *Dix-Neuvième Lettre*
et prend des notes : « Consolez-vous, mon Père : ceux
que vous haïssez sont affligés. [...] On attaque la plus
grande des vertus chrétiennes, qui est l'amour de la
vérité. [...] [Ils] témoignent le déplaisir de se voir pris
entre Dieu et le pape[401]. » Mais le cœur n'y est plus.
Il a déjà tout dit. Il est ailleurs. Il pense désormais que
« l'éloquence amuse plus de personnes qu'elle n'en
convertit »[94], et qu'il est temps pour lui de se consacrer

à son grand œuvre, son livre sur la condition humaine, et de terminer aussi les chapitres mathématiques d'un livre collectif, la *Logique de Port-Royal*[436].

Pour éviter que ces dix-huit *Lettres* ne se perdent et que jésuites et jansénistes les enterrent, il se décide, poussé par Nicole, à les faire publier toutes ensemble à Cologne, chez Pierre de La Vallée — nom et adresse évidemment fictifs qui masquent le grand éditeur hollandais alors le premier du monde, la famille Elzévir, qui existe encore aujourd'hui —, sous le titre *Les Provinciales ou Lettres écrites par Louis de Montalte à un provincial de ses amis et aux R.R.P.P. jésuites sur le sujet de la morale et de la politique de ces Pères*. Cette fois, il a décidé d'utiliser un pseudonyme auquel il a songé il y a plusieurs mois déjà : Louis de Montalte. On reparlera plus loin de l'origine de ce nom.

Dans la préface à cette première édition, sans doute soigneusement revue par Pascal lui-même, on peut lire cet extraordinaire et ironique portrait de lui par Nicole qui veut faire croire qu'il ne le connaît pas :

« Je voudrais bien pouvoir dire maintenant quelque chose de celui de qui nous les tenons, mais le peu de connaissance qu'on en a ne m'en offre le moyen. Car on ne sait de lui que ce qu'il en a voulu dire. Il s'est fait connaître depuis peu par le nom de *Louis de Montalte*. Tout ce qu'on sait de lui est qu'il a déclaré plusieurs fois qu'il n'est ni prêtre ni docteur. Les jésuites ont amplifié cette déclaration : car ils font comme s'il avait dit qu'il n'est pas théologien, ce que je n'ai trouvé en aucun endroit de ses *Lettres*. Mais il ne faut que les voir pour juger de ce qu'il sait en la véritable théologie, et pour connaître en même temps, par la manière ferme et généreuse dont il combat les erreurs d'un corps aussi puissant qu'est la Compagnie des Jésuites, quel est son zèle pour la religion. Enfin sa fidélité paraîtra de même à tout le monde quand on voudra vérifier sur les casuistes la vérité de ses citations. Il me semble que rien ne montre mieux la sincé-

rité que ce qu'il a ajouté à la fin de la seizième pour
rétracter un mot qu'il avait mis dans la quinzième, touchant une personne qu'il avait accusée, sur un bruit
commun et sans la nommer, d'être auteur de quelques
réponses qu'on avait faites à ses *Lettres*. Cette peine
qu'il témoigne de ressentir pour une faute si légère, et
qui l'a porté à en faire un désaveu public, fait assez
voir combien il serait incapable de supporter le
reproche de sa conscience s'il avait imputé faussement
à des religieux des impiétés si étranges, et combien il
serait prêt à les reconnaître sincèrement. Aussi il en est
tellement éloigné qu'il n'a pas même rapporté contre
eux tout ce qu'il aurait pu faire. Car il les a épargnés
en des points si essentiels et si importants que tous
ceux qui ont l'entière connaissance de leurs maximes
ont estimé et aimé sa retenue ; et il a cité si exactement
tous les passages qu'il allègue, qu'il paraît bien qu'il
ne désire autre chose sinon qu'on les aille chercher
dans les originaux mêmes[423]. »

Les *Provinciales* sont alors traduites en anglais, sans
doute par le grand Milton. Le secrétaire de Cromwell
est alors aveugle ; parlant un grand nombre de langues,
théologien et poète, homme politique, combattant de la
liberté, marié trois fois, il espère que la lecture de ces
Lettres provoquera en France un schisme gallican analogue au schisme anglican. Il terminera sa vie dans la
misère, écrivant les chefs-d'œuvre assurant son éternité, dont *Le Paradis perdu*.

Les *Provinciales* sont aussi traduites en latin par
Pierre Nicole sous le pseudonyme de « Guillaume
Wendrock », ce qui leur assurera bientôt une diffusion
internationale. Nicole prépare en outre une préface et
des notes pour replacer ces lettres dans la perspective
de Port-Royal.

*Rupture avec Charlotte de Roannez : la fin du monde
(1656-juillet 1657)*

Tout occupé à ses batailles, Blaise ne trouve plus de
place pour l'amour de ses proches ni pour lui-même.
Il ne mange presque pas, se laisse aller, se montre distant avec tout le monde, même avec Gilberte et ses
enfants, ce dont celle-ci se plaint bien des années plus
tard : « Il distinguait deux sortes de tendresse, l'une
sensible, l'autre raisonnable, avouant que la première
était de peu d'utilité dans l'usage du monde [...]. Mais
il ajoutait que la tendresse ne peut être parfaite que
lorsque la raison est éclairée de la foi et qu'elle nous
fait agir par les règles de la charité. C'est pourquoi il ne
mettait pas beaucoup de différence entre la tendresse et
la charité, non plus qu'entre la charité et l'amitié[431]. »

Comme Jacqueline le défend, Gilberte écrit : « Ma
sœur me remettait le mieux qu'elle pouvait en me rap-
pelant les occasions où j'avais eu besoin de mon frère
et où il s'était appliqué avec tant de soins et d'une
manière si affectionnée, que je ne devais avoir nul lieu
de douter qu'il ne m'aimât beaucoup[431]. »

Pascal a toujours la même distance avec la sexualité,
au point même de ne pas avoir relevé les plus croustil-
lantes pratiques que les casuistes autorisaient dans
leurs recueils et qui auraient pu nourrir ses arguments.

Là se situe sans doute sa dernière histoire d'amour :
on l'aime, il n'aime pas. Il va falloir écarter l'amoureuse sans se fâcher. Et c'est particulièrement difficile,
car il s'agit de la jeune sœur d'Arthus, Charlotte, qu'il
a connue enfant.

Le 4 août 1656, Charlotte de Roannez — elle a vingt
ans —, qu'on veut marier au marquis d'Alluye, refuse
et se précipite à Port-Royal de Paris. D'après le roman
familial, elle est venue là pour toucher l'Épine miraculeuse avec sa mère. En réalité, elle compte y rencontrer
Blaise à qui elle a donné rendez-vous. Pour lui dire
que, s'il ne veut pas d'elle, elle entrera en religion.

Arthus est décidé à tout pour empêcher sa sœur de devenir religieuse. Peut-être a-t-il même deviné les sentiments de Charlotte envers Blaise et ne se froisserait-il pas qu'elle l'épouse, malgré leur différence de condition. En tout cas, il demande à Blaise de l'aider à contrer le projet religieux de Charlotte ; et, comme il doit partir pour le Poitou et emmener Charlotte avec lui pour la distraire, il propose à Blaise de les accompagner. Blaise refuse. Il écrit la onzième *Provinciale* à ce moment-là et, surtout, n'a aucune envie de dissuader Charlotte d'entrer au couvent si elle devait prendre son intervention comme la marque d'un sentiment à son égard.

Étrange renversement : lui qui a tout fait pour empêcher sa propre sœur de prendre le voile, voilà qu'il refuse d'aider son meilleur ami à éviter le même sort à sa sœur. Il accepte cependant d'écrire à Charlotte pour l'orienter, en somme à la manière d'un directeur de conscience. Les deux jeunes gens vont beaucoup correspondre, entre septembre 1656 et février 1657, dans l'ambiguïté de leurs sentiments respectifs.

Pendant tout le temps qu'il écrit les neuf dernières *Provinciales*, tout en fuyant la traque policière, Blaise ne laissera aucune lettre de Charlotte sans réponse, s'efforçant de l'éloigner de lui, de la conduire même à accepter le couvent, sans pour autant trahir l'amitié d'Arthus qui d'ailleurs lit toutes les lettres qu'il échange avec Charlotte. Délicat exercice !

Charlotte aime Blaise qui aime Jacqueline qui aime Dieu. Charlotte feint d'aimer Dieu pour rendre jaloux Blaise. Blaise la pousse sans le dire dans les bras de Dieu...

On ne connaît presque rien de cette correspondance, hormis neuf extraits conservés par le duc de Roannez : les originaux ont été détruits en 1683 par Charlotte à la demande de celui qu'elle a épousé, le duc de La Feuillade, sur le lit de mort de ce dernier.

Dans l'une de ces lettres, datée d'octobre 1656, en

réponse à Charlotte qui lui demande si elle doit se marier ou sortir du monde, Blaise lui répond qu'il faut inverser sa question : il est évident qu'il faut sortir du monde, sauf si on a de très bonnes raisons d'y rester. Mais en a-t-elle ? « Il ne faut pas examiner si on a vocation pour y demeurer, comme si on ne consultait point si on est appelé à sortir d'une maison pestiférée. » Quand Charlotte lui répond qu'elle ne veut ni épouser celui qu'on lui destine ni quitter le monde — l'un et l'autre seraient, dit-elle, un « commencement de douleur »[401] —, il lui recommande un temps d'épreuve pour se détacher d'un amour terrestre — en fait son amour pour lui. Simultanément, on entend là comme un écho de son propre départ du monde, deux ans plus tôt :

« Je ne sais, écrit-il, ce que c'est que ce commencement de douleur dont vous parlez ; mais je sais qu'il faut qu'il en vienne, chez toute personne qui, en se convertissant, détruit le vieil homme en elle : ainsi, pour faire place à de nouveaux cieux, il faudra que l'univers entier soit détruit. Assurément on ne se détache jamais sans douleur [...]. Il faut sortir après un tel désordre, et malheur à celles qui sont enceintes ou nourrices en ce temps-là, c'est-à-dire à ceux qui ont des attachements au monde qui les y retiennent[401]. »

Dans une autre lettre, d'octobre : « Il faut tâcher de ne s'affliger de rien et de prendre tout ce qui arrive pour le meilleur[401]. »

Et quand, le dimanche 5 novembre 1656, Charlotte se plaint que Blaise la néglige pour ne correspondre qu'avec son frère Arthus, il lui répond : « Je ne sais pourquoi vous vous plaignez de ce que je n'avais rien écrit pour vous : je ne vous sépare point vous deux, et je songe sans cesse à l'un et à l'autre. Vous voyez bien que mes autres lettres, et encore celle-ci, vous regardent assez[401]. »

En décembre 1656, il la pousse de plus en plus ouvertement vers le couvent : « Tous les honneurs du monde n'en sont que l'image ; celui-là seul est solide et réel, et néanmoins il est inutile sans la bonne disposition du cœur. Car ce ne sont ni les austérités du corps ni les agitations de l'esprit, mais les bons mouvements du cœur qui méritent, et qui soutiennent les peines du corps et de l'esprit. Car enfin, il faut ces deux choses pour sanctifier, peines et plaisirs. [...] Et ainsi, comme dit Tertullien, il ne faut pas croire que la vie des chrétiens soit une vie de tristesse. On ne quitte les plaisirs que pour d'autres plus grands [401]. »

De quels « plaisirs » parle-t-il ici, sinon de ceux du monde et de l'amour ? Et de quel amour parle-t-il, sinon de l'amour de lui, puisqu'elle-même n'aime pas celui qu'on lui destine ?

Elle comprend alors qu'elle ne peut plus rien attendre de lui. En février 1657, malgré l'opposition de sa mère et de son frère, sans doute par dépit plus que par foi véritable, elle entre à Port-Royal.

Arthus fait encore tout pour l'en sortir. Il use de ses privilèges de grand seigneur et obtient un ordre du roi pour l'en extraire. Le 20 juillet 1657, une parente de la marquise de Boissy, mère d'Arthus et de Charlotte, Mme Martel, débarque à Port-Royal avec une lettre de cachet :

« De par le roi, chère et bien-aimée abbesse, nous ayant été représenté que la damoiselle de Roannez s'est retirée en l'abbaye de Port-Royal pour y prendre l'habit de religion contre le gré de la dame marquise de Boissy, sa mère, nous avons bien voulu vous faire cette lettre par laquelle nous vous ordonnons très expressément de remettre ladite damoiselle entre les mains de ladite marquise de Boissy, sa mère ; et nous en assurant que vous satisferez à ce qui est en cela de votre devoir, nous ne vous ferons la présente plus longue ni plus expresse. »

Port-Royal doit bien s'incliner : sans doute toujours éprise de Blaise, Charlotte rentre chez elle et vit cloîtrée, en religieuse, chez sa mère. La suite montrera d'ailleurs que ses démonstrations de foi n'étaient pas si solides : elle s'en éloignera dès la mort de Blaise pour se marier.

Quant à lui, c'est au hasard d'une correspondance familiale qu'il livrera la clé de ses sentiments. Peu après cet épisode, Gilberte lui écrit pour lui annoncer le probable mariage de sa fille aînée, Jacqueline — elle n'a que quinze ans —, avec un bourgeois auvergnat, et sollicite son avis sur ce « mariage avantageux ». Non seulement Blaise, dans sa réponse, se dit scandalisé qu'on veuille marier une enfant si jeune — ce qui est pourtant fréquent à l'époque —, mais il exprime surtout son aversion pour le mariage en général — « la plus basse condition du christianisme » —, sa haine des époux — « tous des francs païens » —, et plus encore son dégoût de la procréation : pour lui, le respect de la chasteté des enfants est la seule façon de faire absoudre l'acte sexuel de leurs parents.

« Vous ne pouvez en aucune manière, sans blesser la charité et votre conscience mortellement et vous rendre coupable d'un des plus grands crimes, engager un enfant de son âge et de son innocence, et même de sa piété, à la plus périlleuse et la plus basse des conditions du christianisme. Qu'à la vérité, suivant le monde, l'affaire n'avait nulle difficulté et qu'elle était à conclure sans hésiter ; mais que, selon Dieu, elle en avait plus de difficulté et qu'elle était à rejeter sans hésiter, parce que la condition d'un mariage avantageux est aussi souhaitable suivant le monde qu'elle est vile et préjudiciable selon Dieu. Que, ne sachant à quoi elle devait être appelée, ni si son tempérament ne sera pas si tranquillisé qu'elle puisse supporter avec piété sa virginité, c'était bien peu en connaître le prix que de l'engager à perdre ce bien si souhaitable pour chaque personne à soi-même et si souhaitable aux pères et aux mères pour leurs enfants, parce qu'ils ne le peuvent plus désirer pour eux, que c'est en eux qu'ils doivent essayer de rendre à Dieu ce qu'ils ont perdu d'ordinaire pour d'autres causes que pour Dieu [...]. De plus, que les maris, quoique riches et sages suivant le monde, sont en vérité de francs païens devant Dieu [401]. »

Cette lettre capitale jette à mon sens un éclairage radicalement neuf sur la nature de ses propres troubles et sur le regard qu'il porte sur l'humanité : Blaise ne s'est jamais fait à l'idée d'être né d'une relation sexuelle de ses parents ; il hait la sexualité qui l'a fait naître, même s'il sait que, sans elle — il le reconnaît ailleurs —, la vie même disparaîtrait. Par son abstinence, son humilité, sa haine de lui-même, son refus de la tendresse des autres à son égard, il veut donc se repentir d'être né de cet acte monstrueux commis par son géniteur, qu'il n'a aimé que parce qu'il ne l'a connu que veuf. La seule personne avec laquelle il se reconnaît le droit d'avoir une relation d'amour, c'est sa sœur Jacqueline, parce que, née du même péché que lui, elle n'a pas eu, elle non plus, d'époux terrestre.

Tout le comportement amoureux de Pascal s'explique à mon sens par cette blessure d'enfance jamais cicatrisée.

Malade, perclus de douleurs, il notera un peu plus tard :

« Il est injuste qu'on s'attache à moi, quoiqu'on le fasse avec plaisir et volontairement. Je tromperais ceux à qui j'en ferais naître le désir, car je ne suis la fin de personne et n'ai pas de quoi les satisfaire. Ne suis-je pas prêt à mourir et ainsi l'objet de leur attachement mourra. Donc comme je serais coupable de faire croire une fausseté, quoique je la persuadasse doucement et qu'on la crût avec plaisir et qu'en cela on me fît plaisir, de même je suis coupable si je me fais aimer et si j'attire les gens à s'attacher à moi. Je dois avertir ceux qui seraient prêts à consentir au mensonge qu'ils ne le doivent pas croire, quelque avantage qu'il m'en revînt, et de même qu'ils ne doivent pas s'attacher à moi, car il faut qu'ils passent leur vie et leurs soins à plaire à Dieu ou à le chercher. » (fr. 15)

5

La douleur de l'espérance

(juillet 1657-19 août 1662)

> « *Qu'on s'imagine un nombre d'hommes dans les chaînes, et tous condamnés à la mort, dont les uns étant chaque jour égorgés à la vue des autres, ceux qui restent voient leur propre condition dans celle de leurs semblables, et, se regardant l'un l'autre avec douleur et sans espérance, attendent à leur tour !* »

> *(fr. 686)*

Les cinq dernières années de la vie de Blaise Pascal constituent un défi pour tout biographe. Quand il interrompt *Les Provinciales* au milieu de la rédaction de la dix-neuvième, il entre dans la période la plus créative de sa vie. La plus douloureuse aussi : il vit rue des Francs-Bourgeois-Saint-Michel avec un valet et les Delfaut. Parfois ses nièces Jacqueline et Marguerite, qui sont élevées à Port-Royal, et ses neveux Étienne et Louis viennent lui rendre visite.

Lui-même se rend encore chez les ducs de Roannez et de Luynes, l'un et l'autre désormais jansénistes. Tous les après-midi, lorsqu'il en a la force, il va à Port-Royal s'entretenir avec Jacqueline. Même s'il ne quitte Paris qu'une fois, en 1660, pour un court séjour en Auvergne, tout se passe comme s'il menait alors — entre trente-quatre et trente-neuf ans — six existences simultanées : le scientifique travaille à la théorie des probabilités et au calcul intégral en veillant à protéger jalousement ses découvertes ; le polémiste ferraille avec les jésuites et le pape ; le philosophe produit une réflexion désespérée sur la condition humaine dans la plus belle langue qu'on ait encore jamais écrite ; l'entrepreneur invente les transports en commun et défend ses intérêts d'actionnaire dans les marais poitevins ; le pédagogue enseigne aux enfants des plus grands ; enfin, Blaise Pascal se prépare à mourir dans l'obsession de l'humilité et du salut... Cinq « doubles » assumés, lucides, polémiquant volontiers l'un avec l'autre, contradictoires sans écartèlement, exempts de tous symptômes schizophréniques. Plutôt comme une sorte de bouquet final : cinq doubles, cinq œuvres, cinq ans.

Les curés de Paris entrent dans la bataille
(juillet 1657-février 1659)

Depuis que *Les Provinciales* ont fait connaître le laxisme moral de certains de leurs casuistes, maintes protestations se sont élevées contre les jésuites. Partout à travers la France, des curés haussent le ton en chaire pour les accuser de conduire de bons chrétiens en Enfer en les laissant commettre de bonne foi des péchés mortels.

La première protestation a émané des curés de Paris lors de leur assemblée ordinaire de mars 1656 (ils se réunissent tous les mois). Leur syndic, M. Rousse, curé de Saint-Roch, a porté plainte auprès de l'archevêque, mais l'affaire s'est enlisée. Puis c'est à Rouen que des prêtres s'en prennent à la Compagnie. Prenant obstinément fait et cause pour leurs casuistes, les jésuites dénoncent la complicité de ces curés avec ce qu'ils appellent « le complot janséniste visant à les abattre ». Ils se sentent encouragés à le faire par la mise à l'Index des *Provinciales* en septembre 1657 ; ils osent alors,

au mois de décembre suivant, faire publier un texte
— anonyme — d'une incroyable agressivité contre les
Lettres sous le titre d'*Apologie pour les casuistes
contre les calomnies des jansénistes*, traitant ceux qui
soutiennent l'*Augustinus* d'ignorants, de factieux,
d'« hérétiques », de « loups » et de « faux pasteurs ».
Le libelle est d'une rare virulence : « Il est bien sensible à la Compagnie des Jésuites de voir que des accusations se forment contre elle par des ignorants qui ne
méritent pas d'être mis au nombre des chiens qui gardent le troupeau de l'Église, qui sont pris de plusieurs
pour les vrais pasteurs, et sont suivis par les brebis qui
se laissent conduire par ces loups. » S'appuyant sur les
bulles du pape, ce texte conclut que les rebelles sont
au bord de l'hérésie et que, *Les Provinciales* ayant été
dénoncées et sanctionnées, il convient de chasser de
l'Église, donc d'excommunier quiconque les défend.

Pamphlet si caricatural qu'il se trouve même certains jésuites pour en être choqués. Surtout lorsque
l'auteur en est démasqué : il s'agit d'un théologien
jésuite comptant au nombre des hommes d'Annat, le
père Pirot. Partout — notamment en Normandie, dans
le Nord, en Bourgogne et dans le Languedoc, là où
l'implantation janséniste est relativement forte —, le
scandale est grand. Des prêtres, jansénistes pour la plupart, demandent à leurs évêques de condamner l'*Apologie* de Pirot. C'est l'occasion pour les jansénistes
présents au sein de l'Église de se dévoiler. Au cours
de ces années de récession et de mauvaises récoltes,
les plus fervents parmi les défenseurs de Port-Royal
— les évêques Pavillon, Caulet et Leroy, l'abbé de
Hautefontaine — osent appliquer et prôner avec ostentation les recommandations jansénistes d'humilité. Ils
convoquent les gens riches de leurs diocèses, dénoncent leur luxe au cours de simulacres de procès, leur
infligent des pénitences publiques, parfois même au
risque de leur propre vie.

Pour les prêtres proches des jansénistes, l'*Apologie*

de Pirot est intolérable. Ils réclament sa condamnation par les juges ecclésiastiques (les officiaux des diocèses) et par les juges civils (les parlements). Le ton monte. On s'insulte. En guise de représailles, les jésuites veulent faire excommunier les prêtres qui osent critiquer l'un des leurs. C'est un conflit aigu entre l'élite théologique romaine et une large fraction des curés de base de France.

Le 7 janvier 1658, des curés frondeurs déposent une requête contre les jésuites devant le Parlement de Paris ; mais celui-ci, dominé par les amis du père Annat, la rejette dès le 25 janvier. La colère monte dans certaines paroisses. Inquiet, le lieutenant civil, responsable du maintien de l'ordre, décide, malgré les conclusions du Parlement, d'interdire l'impression et la vente de l'*Apologie*. Reste à attendre le jugement de la faculté de théologie. Ce sera plus long.

Parmi les curés parisiens, huit représentants des curés — dont Fortin, curé de Saint-Christophe, qui connaît Pascal — viennent solliciter l'aide d'Arnauld et de Nicole pour rédiger un texte appuyant leur requête. Plus exactement, ils sollicitent le soutien de l'auteur des *Provinciales*, qu'ils ne connaissent pas mais qu'ils imaginent connu d'Arnauld. Ils savent qu'ils prennent le risque d'être accusés d'hérésie ; que s'en prendre aux jésuites, c'est aussi attaquer le pape. Arnauld les rassure sur ce point ; le pape doit se soumettre à la majorité des évêques : « Quand un pape décide un dogme, les évêques peuvent et doivent consulter les lumières de la Parole de Dieu et de la Tradition pour recevoir sa décision si elle s'y trouve conforme [...]. Il est arrivé que ce qu'a dit un pape n'a point eu d'autorité parce que le plus grand nombre du collège épiscopal a refusé d'y consentir. »

Arnauld promet de transmettre la requête à l'auteur des *Provinciales* et d'obtenir son aide. Mis au courant, Pascal est ravi : voilà que l'Église — la vraie, pense-t-il, celle des prêtres de l'ensemble du pays — lui

demande son aide contre les jésuites ! Il se fait
connaître des meneurs et travaille avec eux à un texte
qui doit nourrir la polémique. Mais le secret de son
intervention doit être bien protégé : comme toujours,
on cloisonne, on sépare, on vit et agit comme dans les
réseaux d'espionnage ou les groupes de dissidents. Il
ne s'agit plus de défendre Jansénius et Arnauld en Sorbonne, mais de démontrer au vicaire général et à l'archevêque de Paris le caractère scandaleux de la morale
tolérée par les jésuites. Il est convenu que, cette fois,
le texte ne sera pas signé « Louis de Montalte », mais
par les huit curés eux-mêmes. Ce n'est d'ailleurs pas
du tout le même style, ni le même point de vue que
dans *Les Provinciales* : ce n'est pas un polémiste qui
ferraille, mais un curé qui défend l'Église.

Le 4 février 1658, le texte signé des huit curés est
remis aux vicaires généraux sous le titre *Factum pour
les curés de Paris contre un livre intitulé « Apologie
pour les casuistes contre les calomnies des jansénistes » et contre ceux qui l'ont imposé, imprimé et
débité*. Cette réplique est simple, claire, efficace. Elle
synthétise toute la querelle du jansénisme :

« Nous espérons que Dieu inclinera le cœur de ceux
qui peuvent nous rendre justice à prendre en main notre
défense, et qu'ils y seront d'autant plus portés qu'on
les rend eux-mêmes complices de ces corruptions. On
y comprend le pape, les évêques et le Parlement, par
cette prétention extravagante que les auteurs de ce
libelle établissent en plusieurs pages comme une chose
très constante : *Que les bulles des papes contre les
cinq propositions sont une approbation générale de la
doctrine des casuistes*. Ce qui est la chose du monde
la plus injurieuse à ces bulles, et la plus impertinente
en elle-même, puisqu'il n'y a aucun rapport d'une de
ces manières à l'autre [401]. »

À cette attaque les jésuites répondent à la fin
mars 1658 par un texte en défense qui, s'il est en recul
sur la forme par rapport aux injures de Pirot, reste sans

aucune concession sur le fond. Ils accusent en particulier les jansénistes et ceux des curés qui les soutiennent de se faire, en s'en prenant aux jésuites, les alliés objectifs des protestants.

En guise de réplique, Pascal rédige en une nuit [256] un second texte, adressé à l'archevêque le 2 avril et signé là encore par les huit mêmes curés. Toujours la même simplicité :

« Ainsi, ils ont bien changé de langage à notre égard ! Dans l'*Apologie des casuistes*, nous étions de faux pasteurs ; ici, nous sommes de véritables et dignes pasteurs. Dans l'*Apologie*, ils nous haïssaient comme des *loups ravissants* ; ici, ils nous aiment comme des *gens de piété et de vertu*. Dans l'*Apologie*, ils nous traitaient *d'ignorants* [...] *d'hérétiques* et de *schismatiques* ; ici, ils ont *en vénération non seulement notre caractère, mais aussi nos personnes*. Mais, dans l'une et dans l'autre, il y a cela de commun qu'ils défendent comme la vraie morale de l'Église cette morale corrompue [401]. »

À travers la France, les curés rebelles reçoivent copie de ces écrits et jubilent ; beaucoup les lisent en chaire. Ils en redemandent. Trop occupé par la mise au point des calculs de son essai majeur sur les propriétés de la cycloïde dont il sera question un peu plus loin, Pascal passe la main à Arnauld et à Nicole qui rédigent un troisième *Écrit*, puis un quatrième, respectivement envoyés les 7 et 24 mai. Le style en est à périr d'ennui. Puis Pascal, ayant parachevé sa découverte, à propos de la cycloïde, du calcul intégral, revient à la charge et travaille longuement à un cinquième texte.

Entre-temps, en province, les écrits des curés de Paris ont fait mouche. Le 4 juin, première victoire : l'*Apologie* est condamnée par l'évêque d'Orléans, par ceux de Sens et de Tulle, enfin par cinq évêques du Languedoc et de Guyenne. On attend toujours le jugement de Paris qui tarde à être prononcé, la faculté de théologie étant soumise à de fortes pressions contradictoires.

Le 11 juin est adressé à l'archevêque de Paris, pour la faculté de théologie, sous le nom de *Cinquième Écrit des curés de Paris sur l'avantage que les hérétiques prennent contre l'Église de la morale des casuistes et des jésuites*, un texte que Pascal — selon sa nièce Marguerite — considère alors comme son « plus bel ouvrage »[432]. Tout l'objet de cet *Écrit* est de montrer que les jansénistes, en critiquant les jésuites, n'en sont pas pour autant devenus les alliés des protestants. D'abord, explique-t-il, ce sont au contraire les jésuites qui, par leurs turpitudes, fournissent aux réformés des arguments pour attaquer l'Église. « Voilà l'état où les Jésuites ont mis l'Église. Ils l'ont rendue le sujet du mépris et de l'horreur des hérétiques, elle dont la sainteté devrait reluire avec tant d'éclat qu'elle remplît tous les peuples de vénération et d'amour[401]. » Suit un extraordinaire résumé des *Provinciales*, le meilleur qu'il soit possible d'écrire en si peu de lignes et tel que « Montalte » lui-même, soucieux de tout démontrer et de citer toutes ses sources, n'aurait pu rédiger :

« Nous voyons la plus puissante compagnie et la plus nombreuse de l'Église, qui gouverne les consciences presque de tous les Grands, liguée et acharnée à soutenir les plus horribles maximes qui aient jamais fait gémir l'Église. Nous les voyons, malgré tous les avertissements charitables qu'on leur a donnés en public et en particulier, autoriser opiniâtrement la vengeance, l'avarice, la volupté, le faux honneur, l'amour-propre et toutes les passions de la nature corrompue, la profanation des sacrements, l'avilissement des ministères de l'Église et le mépris des anciens Pères pour y substituer les auteurs les plus ignorants et les plus aveugles ; et cependant, voyant à nos yeux ce débordement de corruption prêt à submerger l'Église, nous n'oserons, de peur de troubler la paix, crier à ceux qui la conduisent : Sauvez-nous, nous périssons[401] ? » Les jésuites, poursuit-il, ont tort de prétendre que cette morale est autorisée par les écrits des Pères de l'Église. En le prétendant, ils

« sont des faussaires » et ne font que fournir des arguments aux protestants : « De sorte que si c'est sur cela que les calvinistes se sont fondés pour accuser l'Église d'erreur, ils sont bien ignorants de n'avoir pas su que toutes ces citations sont fausses ; et, s'ils l'ont su, ils sont de bien mauvaise foi d'en tirer des conséquences contre l'Église [401]. »

Suivent un appel à la mobilisation générale contre les jésuites et une défense des *Provinciales*. Puis il glisse au « nous ». Un « nous » qui devrait ici désigner les signataires, mais qui, en réalité, est le « nous » de majesté de « Louis de Montalte » qui a tout dit sur les dévoiements des casuistes :

« Y a-t-il quelqu'un qui n'ait entendu notre voix ? N'avons-nous pas publié de toutes parts que les casuistes et les Jésuites sont dans des maximes impies et abominables ? Avons-nous rien omis de ce qui était en notre pouvoir pour avertir nos peuples de s'en garder comme d'un venin mortel ? [...] Les Jésuites sont coupables de tous ces maux ; et il n'y a que deux moyens d'y remédier : la réforme de la Société, ou le décri de la Société [401]. »

Aussi le principal danger pour l'Église ne réside-t-il pas dans la séduction exercée par les calvinistes, mais dans « ces opinions relâchées des casuistes », un laxisme « plus dangereux en ce qu'il est plus conforme aux sentiments de la nature, et que les hommes y ont eux-mêmes une telle inclination qu'il est besoin d'une vigilance continuelle pour les en garder ». Il faut donc guérir l'Église des jésuites sans pour autant les amputer comme on ferait d'un membre malade, « encore que ce soient des membres de notre corps, [les jésuites] en sont des membres malades dont nous devons éviter la contagion ; [mais...] ne pas les retrancher d'avec nous, puisque ce serait nous blesser nous-mêmes, et ne point prendre de part à leur corruption, puisque ce serait nous rendre des membres corrompus et inutiles » [401].

Pascal n'a jamais été aussi limpide et efficace. On comprend qu'il soit plutôt content de lui.

Dans un sixième texte qui paraît le 24 juillet 1658, toujours sous la signature des curés et toujours rédigé par Pascal, nouvelle attaque contre la Compagnie de Jésus.

C'est la victoire : au moment où paraissent, sans être poursuivies, la traduction des *Provinciales* en latin et les notes détaillées rédigées l'année précédente par Nicole sous le nom de Wendrock, beaucoup dans l'Église approuvent les jansénistes ; et de nombreux jésuites se désolidarisent du père Pirot. Partout dans le pays, les protestations et pétitions se multiplient. Le 19 octobre, la faculté de théologie de Paris tranche : l'*Apologie pour les casuistes* est condamnée. Nul n'aurait cru envisageable un pareil arrêt six mois plus tôt. Les évêques volent maintenant au secours de la victoire : le 8 novembre, celui de Nevers donne tort aux jésuites, imité bientôt par ceux de Beauvais, Angers, Évreux, Caen, Lisieux, Cahors, Châlons, Vence, Soissons et Digne... *Les Provinciales* sont ainsi implicitement réhabilitées.

En novembre 1658 meurt Louise Delfaut, compagne de la vie de la famille Pascal depuis trente-cinq ans, après avoir fait de Blaise son exécuteur testamentaire ; sa sœur vient la remplacer chez lui avec mari et enfants.

En février 1659, l'état de santé de Blaise se dégrade brutalement. Ses douleurs au ventre et à la tête deviennent intolérables. Il doit cesser de travailler aux diverses recherches qui l'occupaient alors : théologie, mathématiques, philosophie, et d'abord renoncer à l'enseignement.

Enseigner aux Grands pour réformer la politique (juillet 1657-février 1659)

À Port-Royal, l'éducation est une priorité. Parmi les élèves des Petites Écoles — de retour aux Granges après le miracle de la Sainte Épine —, on trouve à la fois des enfants de grands seigneurs et des rejetons de paysans des environs. Le jeune Jean Racine, par exemple, est le neveu du régisseur du duc de Luynes. Les méthodes employées sont originales : on y enseigne en français, sans châtiments corporels ni recours à la plume d'oie. Tous les Solitaires sont mis à contribution pour rédiger des manuels. Claude Lancelot prépare un *Jardin des racines grecques* en 1657 et travaille avec le Grand Arnauld à une *Grammaire* ; Nicole écrit un *Traité de l'éducation d'un prince*, et Pascal — qui n'a jamais rêvé de conseiller les Grands, mais seulement d'instruire leurs enfants — se mêle à leurs travaux.

Sa philosophie politique est des plus simples : il n'estime pas possible d'améliorer l'organisation des sociétés, sinon par la réforme spirituelle et morale de ceux qui sont naturellement appelés à les gouverner : les princes dans les monarchies, les bourgeois dans les républiques. Il a trop vu les ravages de la guerre civile à Rouen, puis ceux de la Fronde, pour croire aux vertus de la révolution, quelle qu'elle soit, contre l'ordre établi, quel qu'il soit. Il ne croit qu'en la supériorité des savants et en l'éducation des princes. Écoutons-le s'exprimer à ce sujet par la voix de Gilberte : « Il considère l'ordre établi par Dieu comme naturel, attaché au service du roi ; il disait que, dans une république, c'est un grand mal de contribuer à y mettre un roi et opprimer la liberté des peuples à qui Dieu l'a donnée, mais que, dans un État où la puissance royale est établie, on ne pouvait violer le respect qu'on lui devait sans une espèce de sacrilège, parce que la puissance que Dieu y a attachée [est] non seulement une image, mais une participation de la puissance de Dieu [431]. » C'est donc en éduquant les héritiers et successeurs des princes, pour les préparer à devenir autre chose que des tyrans capricieux, qu'on pourra améliorer la société.

Boileau prétendra même qu'il aurait rêvé à ce moment-là d'être choisi comme précepteur du dauphin si le roi venait à avoir un fils.

Ces années-là — 1657 et 1658 —, Pascal écrit pour les grands élèves de Port-Royal deux textes sur l'art de s'exprimer, l'un en littérature, l'autre en mathématiques. Deux textes à des années-lumière de ce qu'on enseigne à l'époque dans les collèges.

D'abord, *De l'art de persuader* en littérature — qui ne sera publié qu'en 1728 — où l'on trouve, en vingt lignes, les principes indépassables de la rédaction d'un exposé clair sur un sujet quelconque. « *Règles pour les démonstrations.* 1. N'entreprendre de démontrer aucune des choses qui sont tellement évidentes d'elles-mêmes qu'on n'ait rien de plus clair pour les prouver. 2. Prouver toutes les propositions un peu obscures, et n'employer à leur preuve que des axiomes très évidents, ou des propositions déjà accordées ou démontrées. 3. Substituer toujours mentalement les définitions à la place des définis, pour ne pas se tromper par l'équivoque des termes que les définitions ont restreints. [...] *Règles nécessaires pour les définitions.* N'admettre aucun des termes un peu obscurs ou équivoques sans définition ; n'employer dans les définitions que des termes parfaitement connus ou déjà expliqués [...]. Ce n'est pas dans les choses extraordinaires et bizarres que se trouve l'excellence de quelque genre que ce soit. On s'élève pour y arriver, et on s'en éloigne : il faut le plus souvent s'abaisser. » Et cette formule si juste : « Les meilleurs livres sont ceux que ceux qui les lisent croient qu'ils auraient pu faire [401]. »

À la fin de ce texte que tout apprenti écrivain d'aujourd'hui devrait encore méditer, il résume dans un passage particulièrement célèbre son art d'écrire et son mépris du vocabulaire compliqué derrière lequel se cachent immanquablement le faux savoir et les idées banales :

« Il ne faut pas guinder l'esprit ; les manières tendues et pénibles le remplissent d'une sotte présomption par une élévation étrangère et par une enflure vaine et ridicule, au lieu d'une nourriture solide et vigoureuse.

Et l'une des raisons principales qui éloignent autant ceux qui entrent dans ces connaissances du véritable chemin qu'ils doivent suivre, est l'imagination qu'on prend d'abord que les bonnes choses sont inaccessibles en leur donnant le nom de grandes, hautes, élevées, sublimes. Cela perd tout. Je voudrais les nommer basses, communes, familières : ces noms-là leur conviennent mieux ; je hais ces mots d'enflure [401]. »

Dans un second texte, *Éléments de géométrie*, rédigé en 1658 — encore à la demande d'Antoine Arnauld, et toujours à l'intention des élèves de Port-Royal —, il applique cette même exigence de simplicité aux mathématiques. De ce texte on ne possède plus que l'introduction *(De l'esprit géométrique)*, exposé d'une extrême modernité — par la clarté des concepts et la simplicité des définitions — des mathématiques du temps. On y trouve par exemple ce paragraphe appliquant aux sciences ce qu'il vient d'écrire dans *De l'art de persuader* sur la précision des concepts : « Aussi, en poussant les recherches de plus en plus, on arrive nécessairement à des mots primitifs qu'on ne peut plus définir, et à des principes si clairs qu'on n'en trouve plus qui le soient davantage pour servir à leur preuve [401]. » Puis, à partir de cette réflexion sur l'unité des concepts en vient une autre, on ne peut plus profonde, sur l'unité des sciences physiques et mathématiques, du mouvement, de l'espace et des nombres, autrement dit sur l'unité mathématique de l'espace et du temps : « On trouvera peut-être étrange que la géométrie ne puisse définir aucune des choses qu'elle a pour principaux objets : car elle ne peut définir ni le mouvement, ni les nombres, ni l'espace ; et cependant ces trois choses [prennent...] ces trois différents noms de mécanique, d'arithmétique, de géométrie [...]. Ces trois choses [...] ont une liaison réciproque et nécessaire. Car on ne peut imaginer de mouvement sans quelque chose qui se meuve ; et cette chose étant une, cette unité est l'origine de tous les nombres ; enfin, le mouvement ne pouvant être sans espace, on voit ces trois choses enfermées dans la première. Le temps même y est aussi compris : car le mouvement et le temps sont relatifs l'un à l'autre ; la promptitude et la lenteur, qui sont les différences des mouvements, ayant un rapport nécessaire avec le temps [401]. »

C'est enfin, en passant, une sobre présentation de la nature de l'infini, qui est tel que « la somme des infinis peut être un infini », et, par exemple, qu'« un carré deux fois plus grand qu'un autre ne contient pas le double de carrés infiniment petits » [401].

Il applique ensuite ces principes à l'énoncé des théorèmes de base de la géométrie qu'il étudiait dans son enfance. Par exemple :

« Si, par un point pris au-dedans d'un espace borné de toutes parts par une ou par plusieurs lignes, passe une ligne droite, infinie, elle coupera les lignes qui bornent cet espace en deux points pour le moins [401]. »

Un peu plus loin, une erreur vénielle — ou plutôt un lapsus, trop évident pour être de Pascal : « Si une circonférence a un de ses points au-delà d'une ligne droite infinie, et son centre au-delà [non : il faudrait dire : en deçà !] ou dans la même ligne droite, elle coupera la même ligne droite en deux points [401]. » (Cette faute, qui persiste d'édition en édition jusqu'à aujourd'hui, vient sans doute de l'écriture très difficilement déchiffrable de Pascal, et de la négligence qui a entouré la publication posthume de ses travaux scientifiques.)

En même temps qu'il rédige ces cours destinés aux élèves des Granges, il travaille à trois autres textes que lui a commandés le duc de Luynes, pour son fils Charles Honoré de Chevreuse. Ces trois écrits, comme tous les autres, ne seront publiés qu'après sa mort sous le titre de *Discours sur la condition des Grands*. Ils constituent comme un énoncé des devoirs d'un puissant et se présentent comme une démonstration radicale de l'illégitimité des princes, que les révolutionnaires de 1789 — qui ne les connaissaient pas — n'auraient sans doute pas reniée.

Dans le premier de ces textes, Pascal explique à son élève que « le peuple croit, à tort, que la noblesse est une grandeur réelle », alors que l'héritage des biens et des titres n'est qu'une convention acceptée dans certaines sociétés et refusée par d'autres. D'ailleurs, ajoute-t-il, les hommes pourraient vouloir une société assurant « une parfaite égalité avec tous les hommes » en supprimant l'héritage. En conséquence, l'aristocratie n'a aucun droit naturel au pouvoir, et tout destin — celui d'un noble comme celui d'un mendiant — n'est que le produit d'une multitude de hasards. Aussi nul ne peut-il revendiquer son origine comme un mérite.

C'est là, pour Pascal, une façon d'aborder une autre forme de grâce, celle liée à la vie terrestre ; certains hommes y ont, comme dans la vie éternelle, plus de chance que les autres, non par décision de Dieu, mais par le jeu du hasard : ce n'est pas Dieu qui a choisi de faire naître chacun là où il voit le jour, mais c'est le fait d'« occasions imprévues » : « Votre naissance dépend d'un mariage, ou plutôt de tous les mariages de ceux dont vous descendez. Mais d'où ces mariages dépendent-ils ? D'une visite faite par rencontre, d'un discours en l'air, de mille occasions imprévues. Vous tenez, dites-vous, vos richesses de vos ancêtres ; mais n'est-ce pas par mille hasards que vos ancêtres les ont acquises et qu'ils les ont conservées [401] ? » Dieu n'y est pour rien — sauf que Dieu, qui sait tout, est, on le verra, un autre nom donné au hasard...

Dans son second *Discours*, Pascal en déduit que toutes les formes d'organisation sociale sont respectables : les Grands sont des hommes comme les autres, chaque pays a droit à sa propre conception de la justice sociale et de la hiérarchie des ordres, et les « grandeurs d'établissement » de chaque société ne doivent pas être remises en cause : « Pourquoi cela ? Parce qu'il a plu

aux hommes. La chose était indifférente avant l'établissement ; après l'établissement, elle devient juste
parce qu'il est injuste de la troubler [...]. C'est une
sottise et une bassesse d'esprit que de leur refuser ces
devoirs. [...] Il n'est pas nécessaire, parce que vous êtes
duc, que je vous estime ; mais il est nécessaire que je
vous salue [401]. »

Dans le troisième *Discours*, il explique que, malgré
les égards dus à un grand seigneur, on doit, s'il est
indigne de son rang, lui marquer « le mépris intérieur
que mériterait la bassesse de [son] esprit ». Car la seule
valeur d'un homme vient de sa capacité à faire et recevoir la charité. Et plus on est riche, plus on doit rendre
de ses richesses. Autrement dit, les Grands sont plus
méprisables que les autres hommes s'ils ne sont pas
charitables. « Il faut mépriser la concupiscence et son
royaume, et aspirer à ce royaume de charité où tous les
sujets ne respirent que la charité, et ne désirent que les
biens de la charité. D'autres que moi vous en diront le
chemin [401]. »

D'autres que lui, mais qui ?... Certes, il pense aux
Pères de l'Église, mais sans doute aussi à lui qui, sous
un autre nom, parlera bientôt de charité, c'est-à-dire de
l'amour de Dieu.

En lui déjà les personnalités se scindent, les caractères divergent, les logiques s'entrechoquent.

Car, à côté du précepteur, se tiennent déjà deux de
ses doubles qui affrontent les profondeurs vertigi-
neuses de l'infini, celles de la logique ou celles de
Dieu : le mathématicien, puis le philosophe.

La géométrie de l'infini (juillet 1657-février 1659)

En même temps qu'il polémique contre les jésuites,
qu'il participe à la rédaction de grammaires et de livres
de géométrie, qu'il rédige des leçons de politique, Pascal fait son ultime — et peut-être plus importante —

découverte mathématique, celle dont les conséquences pour la science et l'industrie sont aujourd'hui encore des plus considérables : sans elle, en effet, pas de ponts métalliques, de barrages, d'avions, de fusées, d'ordinateurs...

La légende familiale a voulu faire accroire que, depuis la minute même où il écrivit le *Mémorial*, en novembre 1654, Pascal renonça à toutes les sciences « profanes » pour ne plus se consacrer qu'à la méditation et à la prière. Gilberte l'écrit ; son fils Étienne — qui habite pourtant avec Blaise quand il n'est pas à l'école — le confirmera plus tard : « Monsieur Pascal ayant quitté fort jeune l'étude des mathématiques, de la physique et autres sciences profanes dans lesquelles il avait fait un si grand progrès qu'il y a assurément peu de personnes qui aient pénétré plus avant que lui dans les matières particulières qu'il en a traitées, il commença vers la trentième année de son âge à s'appliquer à des choses plus sérieuses et plus relevées, et à s'adonner uniquement, autant que sa santé le pût permettre, à l'étude de l'Écriture, des Pères et de la morale chrétienne [430]. »

On ne peut imaginer plus faux témoignage : Pascal n'a absolument pas cessé de contribuer aux progrès de la science. Ni pendant la rédaction des *Provinciales*, ni après. Et quand, deux ans plus tard, la maladie lui interdira tout travail effectif — en février 1659, soit à l'âge de trente-six ans —, c'est à l'ensemble de ses activités intellectuelles qu'il renoncera, et non pas seulement aux mathématiques.

Il faut d'abord rappeler qu'il n'est connu à cette époque — à trente-quatre ans — que pour ses travaux scientifiques. Si les Solitaires ont été flattés de le voir les rejoindre, c'est d'abord en raison de la gloire attachée dans toute l'Europe à l'inventeur de la machine d'arithmétique et surtout à l'auteur des *Expériences touchant le vide*, confirmées chaque année par des découvertes nouvelles.

Ainsi, en 1659, la machine pneumatique d'Otto von Guericke (l'auteur de l'expérience des deux hémisphères en 1654), permettant de faire le vide dans un récipient hermétiquement clos, conduit le physicien anglais Robert Boyle à démontrer que le son ne peut pas se propager dans le vide ; Boyle rappelle d'ailleurs à toute occasion ce qu'il doit à Pascal. Par ailleurs, la théorie des probabilités — connue par la publication que Blaise en a faite à l'académie de Mersenne — ouvre à la loi des grands nombres formulée alors par Jacques Bernoulli (elle ne sera publiée qu'après sa mort en 1713 dans l'*Ars conjectandi*).

Pascal n'a nullement interrompu ses recherches en mathématiques. En même temps qu'il écrit pour les curés de Paris, il travaille aux probabilités et correspond avec Huygens — ainsi qu'en témoigne une lettre du 2 mars 1657 de Miton à celui-ci —, avec Carcavy, un mathématicien ami de Fermat, et avec Sluse, un chanoine de Liège avec lequel il discute tout à la fois des centres de gravité des volumes engendrés par des courbes [491] et de la traduction de l'hébreu en latin d'un passage d'Isaïe [286].

À partir de ses travaux sur les jeux de hasard, il va être conduit à théoriser l'infiniment grand et l'infiniment petit. Il en déduira une méthode de mesure de la surface décrite par une courbe : il commencera par découper cette surface en une infinité de surfaces infiniment petites mais rectangulaires, et donc aisément calculables ; puis il démontrera que la somme d'un nombre infiniment grand de ces surfaces infiniment petites peut être un nombre fini : tout le calcul intégral est contenu dans cette dernière proposition.

Il y parviendra par plusieurs textes successifs auxquels il travaille, ces deux années-là, avec « une précipitation étrange » [431]. Il fera imprimer sous son nom les deux principaux traités qu'il aura écrits sur le sujet, mais sans les publier. Il en rédigera d'autres, dans le prolongement des premiers, qu'il fera imprimer, mais

sous un autre nom. Il faudra attendre nombre d'années
après sa mort pour qu'une partie de ces textes — ceux
qui n'auront pas été perdus — soient rendus publics.
Avant même d'être publiés, ils inspireront aux très
rares mathématiciens qui les liront — et d'abord à
Leibniz — la mise au point définitive des instruments
du calcul des surfaces et des volumes, autrement dit du
calcul intégral.

Tout commence, là encore, par le triangle arithmétique ; celui-là même qui lui servit quelques années plus
tôt à inventer le calcul des probabilités. C'est avec lui
qu'il a l'idée que la somme d'un nombre infini de
termes finis peut être finie. Trois ans plus tôt, il avait
déjà remarqué qu'un segment quelconque peut être
divisé en autant de segments infiniment petits qu'on le
souhaite. Il avait exposé ce constat à Méré qui n'y avait
rien compris et l'avait rejeté au nom du « bon sens » :
« On trouve mieux la vérité, écrivit le libertin à Pascal,
par le sentiment naturel que par vos démonstrations. »
Sur ce point, Blaise se moquait déjà de lui dans ses
lettres à Fermat : « M. de Méré ne comprend pas
qu'une ligne mathématique soit divisible à l'infini et
croit fort bien entendre qu'elle est composée de points
en nombre fini, et jamais je n'ai pu l'en tirer [401]. »

Il rencontre l'infini dans le triangle arithmétique par
le détour suivant : il remarque que les nombres de
chaque ligne du triangle arithmétique ne donnent pas
seulement le résultat du problème des « partis », mais
aussi les coefficients du développement d'un binôme
de puissance égale au rang de la ligne. Par exemple, si
on observe la sixième ligne d'un triangle arithmétique,
on remarque que les nombres qui s'y trouvent inscrits
sont : 1, 6, 15, 20, 15, 6, 1. Or, si on développe la
multiplication $(a + b)^6$, on trouve : $1. a^6 + 6 a^5b + 15 a^4$
$b^2 + 20 a^3 b^3 + 15 a^2 b^4 + 6 a b^5 + 1 b^6$. Si a et b
sont respectivement égaux à 1, $(1 + 1)^6 = 2^6$ est égal à
$1 + 6 + 15 + 20 + 15 + 6 + 1 = 64$. Autrement dit,
chaque ligne du triangle arithmétique donne la mesure

de la puissance d'un nombre égal au rang de la ligne. Autrement dit encore, le total des termes de chaque ligne du triangle constitue les termes d'une progression géométrique $(1, x^2, x^3, x^4, ... x^n)$.

Pascal cherche alors la somme des termes de cette progression $(1 + x^2 + x^3 + x^4 + ... + x^n + ...)$. D'autres avant lui s'étaient intéressés à ce problème dont Fermat disait en 1636 qu'il était « le plus beau de toute l'arithmétique », et dont l'utilité concrète est considérable. Par exemple, la valeur totale des intérêts dus sur un capital est justement la somme d'une progression géométrique, celle des intérêts composés.

Pascal trouve : le résultat est inscrit dans le triangle arithmétique.

Dans un texte qu'il intitule *Sommation des puissances numériques*, il montre que la valeur totale des nombres de toutes les lignes du triangle arithmétique jusqu'à une ligne donnée est proportionnelle à la valeur totale des nombres de la ligne suivante. Autrement dit, la somme de toutes les puissances d'un nombre jusqu'à un certain rang $(1 + x + x^2 + ...x^n...)$ est proportionnelle à la puissance de rang supérieur (x^{n+1}). Il formule ainsi la *Règle générale relative à la progression naturelle qui commence par l'unité* : « La somme des mêmes puissances d'un certain nombre de lignes est la puissance de degré immédiatement supérieur de la plus grande d'entre elles, comme l'unité est à l'exposant de cette même puissance. »

Chez les mathématiciens européens, l'étude des puissances est alors d'une grande actualité ; seulement un an auparavant, en 1655, dans *Arithmetica infinitorum*, le mathématicien anglais Wallis a systématisé l'usage des exposants négatifs et introduit le signe de l'infini. Pascal montre alors que la somme d'un nombre infini de ces nombres, devenant chacun infiniment petit, converge vers un nombre fini. Autrement dit, quand on continue à ajouter les uns aux autres les termes d'une suite géométrique inférieure à l'unité

— ou à exposant négatif —, ils deviennent si petits que leur addition finit par ne plus rien changer à la valeur du total. Par exemple, $\left(\frac{1}{3}\right)^3$ est plus petit que $\left(\frac{1}{3}\right)^2$ et $\left(\frac{1}{3}\right)^{1000}$ est négligeable par rapport à la somme $1 + \frac{1}{3} + \left(\frac{1}{3}\right)^2 + \dots \left(\frac{1}{3}\right)^{999}$.

Il montre ainsi qu'ajouter un numéro infiniment grand de nombres infiniment petits peut converger vers un nombre fini ; et qu'ajouter des puissances d'un nombre entier à des puissances supérieures de ce même nombre ne change pas l'ordre de grandeur du résultat :

« On n'augmente pas une grandeur continue d'un certain ordre lorsqu'on lui ajoute, en tel nombre que l'on voudra, des grandeurs d'un ordre d'infinitude inférieur. Ainsi, les points n'ajoutent rien aux lignes, les lignes aux surfaces, les surfaces aux solides ; ou, pour parler en nombres comme il convient dans un traité arithmétique, les racines ne comptent pas par rapport aux carrés, les carrés par rapport aux cubes, et les cubes par rapport aux quatro-carrés. En sorte qu'on doit négliger comme nulles les quantités d'ordre inférieur[401]. »

Il généralise ensuite ce qu'il vient de trouver à la somme de surfaces infiniment petites. D'abord de points : il démontre ainsi ce qu'il répétait depuis des années à Méré, à savoir qu'ajouter un point n'allonge pas une ligne (alors qu'un nombre infini de points peut donner, dans certains cas, un nombre fini : par exemple, la juxtaposition d'un nombre infini de points sur une même droite peut constituer un segment fini) :

« Quand une grandeur continue est d'un ordre d'infinitude supérieur, on ne l'augmente en rien lorsqu'on lui ajoute, en tel nombre que l'on voudra, des quantités d'un ordre inférieur. [...] Les points n'ajoutent rien aux lignes, les lignes aux surfaces, les surfaces aux solides[401]. »

Autrement dit, une surface n'est pas modifiée si on y ajoute une ligne : elle reste égale à la somme d'un nombre infini de ces surfaces élémentaires constituées par les lignes.

À la fin du traité, il observe la similitude entre la somme de nombres infiniment petits et la mesure de surfaces. C'est l'occasion de s'émerveiller à nouveau devant l'unité de la nature et de faire « ressortir la liaison, toujours admirable, que la nature, éprise d'unité, établit entre les choses les plus éloignées en apparence »[401].

Suit ce passage d'une surprenante modernité sur la similitude entre création scientifique et création naturelle : « La nature s'imite. Une graine jetée en bonne terre produit. Un principe jeté dans un bon esprit produit. Les nombres imitent l'espace qui sont de nature si différente. Tout est fait et conduit par un même maître[401]. » Le monde des idées, comme celui de la nature, est dirigé par un seul et même maître — Dieu, évidemment — dont la présence se manifeste dans les relations inattendues entre des concepts et des faits *a priori* on ne peut plus éloignés les uns des autres : « les racines, les branches, les fruits, les principes, les conséquences ». « Mouvement infini : le mouvement infini, le point qui remplit tout, le mouvement en repos, infini sans quantité, indivisible et infini... » (fr. 561)

Pascal va maintenant appliquer la sommation de nombres infiniment petits au calcul des surfaces et des volumes. Avant lui, on savait déjà évaluer très approximativement, dans certains cas particuliers, la surface et le volume décrits par certaines courbes. Si Archimède avait jadis esquissé cette démonstration, c'est en 1635 que le jésuite Bonaventura Cavalieri, élève de Galilée, avait, dans sa *Geometria indivisibilibus continuorum...*, montré que la surface des cercles horizontaux d'un cône vertical augmente de la base au sommet comme le carré des termes d'une progression arithmétique (soit $1, 2^2, 4^2, 6^2, 8^2$, etc.). Puis, le premier, il avait eu l'idée

que, pour calculer la surface décrite par une courbe
quelconque tracée sur un plan et fermée par des axes,
on pouvait ajouter ce qu'il appela des « indivisibles »,
c'est-à-dire des rectangles ayant pour longueur l'ordonnée d'un point quelconque de la courbe, et une lar-
geur infiniment petite [306]. En additionnant ainsi une
infinité de surfaces infiniment petites, on pouvait,
selon lui, mesurer la surface comprise entre la courbe
et les axes d'ordonnées. Mais Cavalieri s'était trompé
dans son calcul en croyant démontrer que la surface de
la courbe est comme la somme des ordonnées de tous
les points de la courbe, ce qui n'a aucun sens ; il
n'avait pas vu qu'en passant de la ligne à la surface, la
mesure change de nature. Un jésuite, le père Tacquet,
qui ne trouve pas non plus la solution, lui reproche
d'ailleurs fort justement de « procéder des lignes aux
surfaces, des surfaces aux volumes », d'« induire une
égalité ou une proportion du plan des lignes à celui des
surfaces » [352].

Après lui, entre 1640 et 1655, Descartes, Fermat et
Roberval achoppent sur ce même problème et donnent
des résultats faux. Roberval, par exemple, croit démontrer, à tort, qu'il existe une proportion stable entre la
surface d'une parabole et celle d'un parallélogramme.

C'est Pascal qui, le premier, établit, sur un cas très
général, que la surface décrite par une courbe est égale
à la somme d'un nombre infiniment grand de surfaces
infiniment petites. Il approche aussi par ailleurs l'idée
que, lorsque cette courbe est décrite par une équation
polynomiale d'une certaine puissance, cette surface est
proportionnelle à la valeur d'une courbe d'une puissance supérieure d'une unité : par exemple, si la courbe
est décrite par une équation en x^3, la surface est en x^4.
Il le fait en appliquant à des surfaces les résultats qu'il
vient de trouver sur les progressions géométriques de
nombres. Il a ainsi pleinement découvert le calcul
intégral.

Selon la tradition familiale, Pascal parvient à cette

démonstration majeure sur le cas d'une courbe particulière par une nuit de mai 1658 — il a alors trente-cinq ans — à un moment où ses maux de tête lui sont si insupportables qu'il ne peut s'en distraire qu'en s'absorbant dans les plus ardus problèmes mathématiques. La famille veut ainsi faire croire qu'il accomplit cette découverte en une nuit, mettant fin par là à quatre années de rupture avec les sciences par une découverte sans lendemain. Ce qui est évidemment faux : si les mathématiques sont certainement en partie un dérivatif à la douleur, et s'il travaille sans doute de nuit, il le fait en réalité depuis des années, sans avoir jamais cessé ni avant mai 1658, ni après.

Le problème qu'il achève de résoudre cette nuit-là est considéré comme l'un des plus difficiles de toute l'histoire des mathématiques : il s'agit de trouver la valeur de la surface et du volume de la courbe décrite par un point sur une « roulette », c'est-à-dire, explique Pascal, « le chemin que fait en l'air le clou d'une roue quand elle roule de son mouvement ordinaire »[401]. Cette courbe, connue aujourd'hui sous le nom de « cycloïde », a l'allure d'un pont composé d'un nombre infini d'arches. Si elle fascine depuis longtemps les philosophes, c'est parce qu'elle est aussi belle que simple et facile à tracer, et qu'on la rencontre dans la nature, comme l'hélice ou le colimaçon. Stevin, Galilée (qui y voyait déjà la forme idéale des arches d'un pont), Mersenne, Roberval, Descartes, Fermat et Torricelli l'ont étudiée. En 1634, Roberval la nomme « trochoïde », il trouve sa surface pour certains rayons particuliers, et met le problème qu'il vient de résoudre au concours pendant un an. Fermat et Descartes le résolvent, puis les défis s'enchaînent : interrogé par Descartes, Fermat trouve également comment tracer la tangente à cette courbe en un point quelconque. En 1638, un certain M. de Baugrand envoie la solution de Fermat à Galilée en substituant au nom de « trochoïde » celui de « cycloïde » — encore utilisé de nos jours — et en laissant entendre que la solution est de lui. Quand Galilée meurt, Torricelli, qui lui a succédé comme ingénieur hydraulicien de Florence, récupère ses papiers et laisse entendre qu'il n'est pas pour rien non plus dans le tracé de la tangente de la cycloïde. Petit monde : voilà qu'on entend de nouveau parler de l'ingénieur italien, celui-là même qui avait mis Pascal sur la voie de la « théorie du vide » ! Au même moment, sans doute alerté par Fermat, Pascal cherche la solution d'un problème encore beaucoup plus difficile posé par la cycloïde : où se situe son centre de gravité ? Il le trouve en se servant de la sommation de morceaux infiniment petits. Il étend ensuite son calcul à celui du centre de gravité de la spirale d'Archimède. Puis il trouve le volume décrit par la rotation de la spirale autour d'un axe et le centre de gravité de ce volume. Il découvre ainsi ce qu'on appellera plus tard les « intégrales doubles », qui mesurent des volumes, par opposition aux intégrales simples, qui mesurent des surfaces.

Au lendemain de cette — ou sans doute de ces — nuit(s) de souffrance, juste avant de rédiger le cinquième *Écrit des curés de Paris*, Blaise s'emploie à expliquer à Arthus de Roannez le problème qu'il vient de résoudre. Le duc n'y comprend goutte, mais lui conseille de faire connaître sa découverte aux autres mathématiciens. Pascal ne veut cependant pas apparaître. Jamais plus de « je » : un texte appartient à tout le monde. Il est « bourgeois », dit-il, de vouloir se nommer soi-même « auteur ». Il décide donc de mettre tous les mathématiciens au défi de résoudre les questions dont il vient de trouver lui-même les réponses. Mais publiera ensuite ses propres résultats sous un faux nom. N'est-ce pas déjà ce qu'il a fait avec *Les Provinciales* ? On convient qu'on consignera quarante pistoles pour doter un premier prix, et vingt pour un second. Arthus fournira la somme. Pascal confiera à l'avance sa solution à un jury incontestable.

Pascal choisit comme président du jury M. de Carcavy, collègue de Fermat à Toulouse, venu à Paris s'y
ruiner, de son propre aveu mathématicien sans génie
et familier de Liancourt. Même s'il a du mal à
comprendre la solution, Carcavy finit par la reconnaître
comme exacte. Roberval, professeur de mathématiques
au Collège royal, et Gallois, notaire à Paris, complètent
le jury.

Si la controverse qui va suivre est tellement passion-
nante, ce n'est pas seulement parce qu'elle illustre la
naissance d'une des branches des mathématiques
modernes les plus riches de conséquences économiques, industrielles et philosophiques, mais aussi
parce que Pascal s'y manifeste dans toute sa vertigineuse subtilité : il y est trois individus à la fois, chacun
tenant un rôle différent, avec son vocabulaire et son
tempérament propres.

Et comme, dans le même temps, il rédige le *Cinquième Écrit des curés* et qu'il travaille encore par ailleurs sous un autre nom encore à son grand livre sur
la condition humaine, on peut dire que Pascal, en 1658,
est en fait, à ce moment précis, sept personnages à la
fois, chacun doté de son idiosyncrasie, de sa logique,
de son énergie, de sa trajectoire particulières.

Il y a d'abord Pascal n° 1, c'est-à-dire lui-même,
qui enseigne et ne rêve qu'en termes d'humilité. Puis
Pascal n° 2, qu'il nommera « l'Anonyme », soucieux
de rigueur et de neutralité, qui lance le concours sur la
cycloïde. Pascal n° 3, qu'il nomme « Amos Dettonville », qui résout le problème soumis au concours et
défend bec et ongles l'originalité de ses découvertes.
Pascal n° 4, qui écrit sans se nommer, pour les curés
de Paris, des textes féroces sur la grâce. Pascal n° 5,
qu'il nommera « Salomon de Tultie », écrivain désespéré qui prend des notes pour ce qui deviendra les *Pensées*. Pascal n° 6, qu'il vient de nommer « Louis de
Montalte », qui corrige les incessantes réimpressions
des *Provinciales*. Enfin un Pascal n° 7, qui gère avec

soin ses intérêts matériels et se prépare à se lancer dans de nouvelles affaires.

Dans une lettre circulaire de juin 1658 adressée à d'autres géomètres — au moment même où il fait publier le *Sixième Écrit des curés de Paris* —, l'Anonyme (Pascal n° 2) propose six problèmes aux mathématiciens : calculer la surface d'un segment de roulette, son centre de gravité, les volumes des solides engendrés par la courbe tournant autour de son axe, puis autour de sa base, les centres de gravité de ces volumes, puis des volumes coupés par un plan suivant leur axe. Les solutions doivent être, dit-il, envoyées à un jury présidé par Carcavy avant le 1er octobre 1658, la date de réception de la réponse à Paris faisant foi pour prendre rang.

Le même jour, un certain « Amos Dettonville » (Pascal n° 3) dépose sa solution entre les mains de Roberval et de Me Gallois. Le premier lui annonce qu'il a lui-même déjà trouvé la réponse aux quatre premières questions.

Plusieurs réponses parviennent à Carcavy, dont celles du mathématicien anglais Wallis — inventeur du signe de l'infini : ∞ —, d'un jésuite toulousain, du père Lalouère, de Sluse et de Huygens. L'Anglais Wren se plaint que le délai pour répondre est trop court, compte tenu des difficultés de communications ; il propose de prendre pour référence la date de remise de la réponse dans le lieu de résidence du compétiteur.

À certains qui demandent de quelle courbe il s'agit au juste, l'Anonyme précise en juillet 1658 qu'il s'agit de la cycloïde ordinaire, et non de la cycloïde allongée ou raccourcie [401]. Il ajoute que, les quatre premiers problèmes ayant déjà été résolus par Roberval, il les retire du concours ; les compétiteurs seront jugés uniquement sur les deux derniers, portant sur le calcul des centres de gravité des solides de révolution et des solides partiels.

Là commence un étonnant jeu de miroirs. Le 4 septembre 1658, Pascal lui-même (le n° 1) intervient. Pour répondre, sans rompre son anonymat, au père Lalouère, le jésuite mathématicien de Toulouse, qui a fourni une réponse (fausse) à certains des problèmes que Roberval a déjà résolus, il imagine le jeu de masques suivant : l'Anonyme (le n° 2), informé par le président du jury de la réponse du jésuite, demande à celui-là de répondre à celui-ci que les résultats ont déjà été trouvés par Roberval ; n'ayant pas le temps de répondre, le président demande à l'un de ses amis, le dénommé Blaise Pascal (le n° 1), de le faire à sa place. L'Anonyme écrit dans un compte rendu de l'affaire : « Je priai donc instamment M. de Carcavy, non seulement de faire avertir le père que tout cela était de M. de Roberval, ou au moins enfermé manifestement dans ses moyens, mais encore de lui découvrir la voie par laquelle il y est arrivé [...]. M. de Carcavy, n'ayant pas eu assez de loisir, a fait mander tout cela, et fort au long, par un de ses amis au R.P. qui y a fait réponse [401]. »

« Un de ses amis » désigne Pascal n° 1 qui ironise sur la réponse donnée par le jésuite toulousain aux trois premières questions : « Et c'est pourquoi je ne puis assez admirer la vaine imagination de quelques autres, qui ont cru qu'il leur suffirait d'envoyer un calcul faux et fabriqué au hasard pour prendre date du jour qu'ils l'auraient donné, sans avoir produit autre marque qui fasse connaître s'ils ont résolu les problèmes : ce qui est une imagination si ridicule que j'ai honte de m'amuser à la réfuter [...]. Il n'y a que deux manières de montrer qu'on a résolu des questions, savoir de donner ou la solution sans paralogisme, ou le calcul sans erreur ; et c'est aussi une de ces deux choses que j'ai exigée pour pouvoir prendre date. Mais n'est-ce pas une plaisante prétention de vouloir passer pour avoir découvert la vérité par cette seule raison qu'on a produit une fausseté [401]. »

Le 10, Carcavy reçoit la réponse de Wallis qui

demande à prendre pour date de sa réponse celle de son enregistrement par des notaires d'Oxford.

Le 11, Pascal n° 1 récrit au père Lalouère pour lui faire savoir qu'en dépit de ses erreurs il a tout de même trouvé certaines des réponses attendues :

« Je vous supplie de croire qu'il n'y a personne qui publie plus hautement les mérites des personnes que moi ; mais il faut, à la vérité, qu'il y ait sujet de le faire ; [...] car je vous assure que j'ai autant de joie de publier que vous avez résolu les plus difficiles problèmes de la géométrie, que j'avais de regret en disant ceux-là [401]. »

Le 13 septembre, l'Anonyme (le n° 2) écrit à Carcavy que la date d'enregistrement des réponses ne peut être que celle de leur réception à Paris : autrement, toutes les fraudes seraient possibles, car quelqu'un pourrait toujours prétendre avoir déposé les mêmes solutions avant et ailleurs — des « solutions qui pourraient arriver tous les jours, premières en date [...] sur la foi des signatures des bourgmestres et officiers de quelque ville à peine connue du fond de la Moscovie, de la Tartarie, de la Cochinchine ou du Japon » [401]. C'est la seule occasion où Pascal reprend à son compte l'idée, si répandue à l'époque, qui fait de Paris le centre du monde, et du reste de la planète autant de contrées et recoins sauvages. Impérialisme de la puissance dominante.

Le 7 octobre 1658, l'Anonyme envoie une troisième lettre circulaire qui prolonge le délai d'un mois, jusqu'au 1er novembre.

Le 10 octobre, c'est l'entrée en lice d'une troisième incarnation : à côté de Pascal et de l'Anonyme, voici « Amos Dettonville », autre anagramme de « Louis de Montalte ». Autant Montalte est subtil et respectueux de ses adversaires, autant Dettonville est orgueilleux, prétentieux, peu charitable avec ses compétiteurs, jésuites ou non [286]. Il ne donne pas encore sa propre réponse, mais publie une *Histoire de la roulette appe-*

lée autrement trochoïde ou cycloïde, où l'on rapporte par quels degrés on est arrivé à la connaissance de la nature de cette ligne. Il y donne le beau rôle à Roberval, et minimise celui de Torricelli.

Le jury, réuni le 24 novembre, déclare que, personne n'ayant apporté la réponse demandée par l'Anonyme, il convient de rendre à ce dernier l'argent consigné pour le prix : « Le jugement de ces écrits ayant été ainsi arrêté, il fut conclu que, puisqu'on n'avait reçu aucune véritable solution des problèmes que l'Anonyme avait proposés dans le temps qu'il avait prescrit, il ne devait à personne les prix qu'il s'était obligé de donner à ceux dont on aurait reçu les solutions dans ce temps ; et qu'ainsi il était juste que M. de Carcavy lui remît les prix qu'il avait mis en dépôt [401]. »

Le 10 décembre, Amos Dettonville se manifeste à nouveau, cette fois par une lettre à Arnauld (désigné comme M. « A.D.D.S. », soit « Arnauld, Docteur De Sorbonne » [356], alors qu'il n'est plus docteur depuis sa mise en jugement et le verdict de la Sorbonne). C'est sur un tout autre sujet, « la démonstration à la manière des Anciens de l'égalité des lignes spirale et parabolique », autrement dit la comparaison de la surface d'une parabole avec celle d'une spirale et d'un cercle : « Je voulais, écrit Amos non sans orgueil, chercher comme si personne n'y avait pensé, et sans m'arrêter ni aux méthodes des mouvements, ni à celles des indivisibles, mais en suivant celles des Anciens afin que la chose pût être désormais ferme et sans dispute [401]. » Le Grand Arnauld sait, sans nul doute, que c'est l'auteur des *Provinciales* qui lui écrit ainsi à propos de géométrie. Mais les jansénistes vivent le Grand Siècle comme une gigantesque machine policière lancée à leurs trousses. En quoi ils n'ont pas tout à fait tort. Si bien que leur goût pour la clandestinité les pousse à en user même entre eux, lorsqu'elle n'est pas nécessaire. Créant ainsi entre eux des distances artificielles qui, on va le voir, finissent par devenir réelles.

Le même jour, Carcavy, se conformant aux conventions fixées par Pascal, demande à l'Anonyme de lui faire connaître ses propres réponses aux questions posées :

« Personne n'ayant donné les solutions des problèmes que vous avez proposés depuis si longtemps, vous ne pouvez plus refuser de paraître pour les donner vous-même, comme la promesse que vous en avez faite vous y engage. Je sais que ce vous sera de la peine d'écrire tant de solutions et de méthodes ; mais aussi c'est toute celle que vous y aurez : car, pour l'impression, je ne songe pas à vous la proposer ; j'ai des personnes qui en auront soin[401]. »

Le 12 décembre, Dettonville, dans une *Suite de l'Histoire de la roulette*, proteste auprès de Carcavy contre « le procédé d'une personne qui s'était voulu attribuer l'invention des problèmes proposés sur ce sujet ». Il y manifeste son obsession de la propriété intellectuelle et s'offusque qu'au concours on lui ait demandé de ne communiquer que les grandes lignes du résultat : « Il s'agit d'un livre entier et de cent propositions de géométrie avec leurs calculs, où il n'y a rien de si facile que de mettre un nombre ou un caractère pour un autre ; c'est une plaisante chose de prétendre que ce serait assez de produire le certificat d'un ami qui attesterait d'avoir vu ce manuscrit un tel jour[401]. » Et il ne donne toujours pas sa solution.

Le 6 janvier 1659, alors que ses maux de tête s'aggravent, Pascal continue de jouer avec ses différentes identités. Pascal n° 1 signe une lettre à Huygens qui s'émerveille des résultats que l'Anonyme prétend avoir trouvés. Pascal reconnaît que l'Anonyme est un de ses amis, et ajoute :

« Ne croyez pas, Monsieur, que je prétende par là m'acquitter de ce que je vous dois ; ce n'est au contraire que pour vous témoigner que je ne le puis faire, et que c'est véritablement de tout mon cœur que je ressens la grâce que vous m'avez faite en la personne de ce gentilhomme. Car, encore qu'il vaille bien mieux que moi, néanmoins, comme vous ne le connaissez pas, je me charge de tout et vous vous êtes acquis par là l'un et l'autre [401]. »

Le « gentilhomme », c'est l'Anonyme qui va bientôt publier ses résultats.

Car, à la fin de ce mois de janvier 1659, l'Anonyme (le n° 2) avoue qu'il est Dettonville (le n° 3), et publie à cent vingt exemplaires ses propres résultats dans une lettre à M. de Carcavy : « Puisque je suis enfin obligé de donner moi-même la résolution des problèmes que j'avais proposés, et que la promesse que j'en ai faite m'engage nécessairement à paraître, je veux, en découvrant mon nom... » Il se targue d'abord de la difficulté de sa démonstration : « Il me semble, selon le peu de lumière que j'en ai, que le moins qu'on en pouvait dire était qu'il n'avait été résolu rien de plus caché dans toute la géométrie, soit par les anciens, soit par les modernes, et je ne fus pas seul dans ce sentiment. » Puis il livre sa solution : « Je ne ferai aucune difficulté d'user de ce langage des indivisibles, la somme des lignes, ou la somme des plans, puisqu'on n'entend autre chose par là sinon la somme d'un nombre indéfini de rectangles faits de chaque ordonnée avec chacune des petites portions égales du diamètre, dont la somme est certainement un plan [et qui ne diffère de l'aire cherchée] que d'une quantité moindre qu'aucune donnée. [...] De sorte que, quand on parle de la somme d'une multitude indéfinie de lignes, on a toujours égard à une certaine droite par les portions égales et indéfinies de laquelle elles soient multipliées [401]. »

Depuis, personne n'a jamais expliqué en termes plus sobres le principe du calcul intégral.

En février 1658, Pascal souffre de plus en plus de migraines et du ventre ; il a des éblouissements, des coliques affreuses. Il continue à travailler et écrit de nouveau à l'abbé de Sluse sur « l'escalier, les triangles cylindriques et la spirale autour d'un cône », problèmes

dont il lui avait promis la solution « depuis si longtemps » et à propos desquels il lui a déjà écrit l'année
précédente [401]. Il progresse encore dans le calcul des
surfaces en élaborant la notion de « triangle caractéristique » dans un *Traité des sinus du quart de cercle* où
il calcule la surface d'une courbe tournant autour d'un
centre (telle la spirale) comme la somme des surfaces
de minuscules « triangles caractéristiques », trilignes
rectangles infiniment plats compris entre deux rayons
très proches de la courbe et un petit arc de cercle (ou
sa tangente). Cette méthode est encore utilisée de nos
jours.

On trouve dans ce *Traité des sinus* des exemples de
l'extrême pureté de son style qui lui permet de parler
clairement de mathématiques sans disposer des symboles d'aujourd'hui. Il sait mieux que personne allier
précision et concision. Par exemple : « La somme
triangulaire des mêmes espaces prise quatre fois, à
commencer par le moindre sinus, est égale au tiers du
cube de l'arc ; plus la moitié du solide compris de l'arc
et du carré du rayon ; moins la moitié du solide
compris du moindre sinus et de la distance d'entre
les extrêmes et du rayon ; le tout multiplié par le
rayon [401]. »

Au cours du mois de février 1659, ses identités se
mêlent, se croisent, se répondent. Ainsi, c'est Dettonville, dont les migraines deviennent de plus en plus
intolérables, qui disserte encore sur la *Dimension des
lignes courbes* ; c'est Pascal qui écrit à Carcavy et à
Huygens pour leur parler de son *Traité des trilignes
rectangles et de leurs onglets*, et de problèmes de
triangles cylindriques d'hélicoïdes. C'est encore lui qui
s'occupe de faire imprimer le *Traité des sinus* et celui
sur les puissances numériques. Il est pressé. Gilberte
témoigne d'ailleurs, à propos de l'impression simulta-
née de ces deux traités : « Il est incroyable avec quelle
précipitation il mit cela sur le papier, car il ne faisait
qu'écrire tant que sa main pouvait aller, et il eut fait

en très peu de jours. Il n'en tirait point de copie, mais il donnait les feuilles à mesure qu'il les faisait. On imprimait aussi une autre chose de lui qu'il donnait de même à mesure qu'il la composait, et ainsi il fournissait aux imprimeurs deux différentes choses [431]. »

Contrairement à ce que la même Gilberte affirme par ailleurs, rien ne montre donc son intention de renoncer aux mathématiques.

Et ce n'est pas tout : dans le même temps, il travaille à quatre chapitres sur la probabilité des miracles, pour un nouveau projet de livre collectif de Port-Royal, *De la logique*. À propos d'un jeu de dés à dix joueurs, il y donne le premier exposé complet de la pondération des probabilités par le gain : c'est la théorie de l'espérance mathématique et de l'utilité, déjà esquissée par lui quatre ans auparavant et qui constituera bientôt le noyau de l'« utilitarisme » de Hume et de la théorie de la décision [504]. Dans un autre chapitre du même livre des syllogismes [286], il se penche sur les diverses méthodes de raisonnement. Cet ouvrage fournit l'occasion de ses premières disputes avec Arnauld et Nicole [159]. Elles portent sur un problème de logique : il aime à utiliser le raisonnement par l'absurde (du genre : si A n'est pas B, et si B est C, alors A n'est pas C) alors que les théoriciens de Port-Royal se l'interdisent parce que, pour eux, il constitue une preuve insuffisante diffusée.

Pascal ne laissera paraître aucun de ces textes, même pas ceux dont il s'est efforcé d'obtenir qu'ils soient rapidement imprimés ; il ne reconnaîtra jamais être « Amos Dettonville » et laissera tous ces papiers en désordre. Quand *De la logique* paraîtra, juste après sa mort, on y lira cette remarque sceptique d'Arnauld : « Feu M. Pascal, qui savait autant de véritable rhétorique que personne en ait jamais su, allait jusqu'à prétendre qu'un honnête homme devait éviter de se nommer, et même de se servir des mots de *je* et de *moi* [12]. »

Quelques années plus tard, Leibniz, après lecture de ces manuscrits prêtés par Étienne Périer, y trouvera un raccourci pour résoudre plus rapidement les mêmes problèmes (surfaces et volumes inscrits dans une courbe). Le philosophe et savant allemand reconnaîtra toujours la paternité de Pascal sur le calcul intégral.

Si Blaise ne parvient plus à simplifier autant qu'il le voudrait ses propres calculs, alors que la simplicité reste par ailleurs sa hantise, c'est qu'en cette phase de son travail et de ses raisonnements sur la cycloïde, à la fin février 1659, ses douleurs deviennent telles qu'il ne peut plus ni écrire, ni lire, ni même souvent parler.

Gilberte écrit : « Ce n'était pas trop pour son esprit, mais son corps n'y put résister, car ce fut le dernier accablement qui acheva de ruiner entièrement sa santé et qui le réduisit dans cet état si affligeant que nous avons dit de ne pouvoir avaler[431]. »

Or ce n'est pas encore tout : durant cette période d'intense activité — qui va de juillet 1657 à février 1659 —, il ne cesse de travailler à une autre tâche plus colossale encore : sa fresque sur la condition humaine.

Préparation des Pensées *: le cœur et la raison (juillet 1657-février 1659)*

Ni l'auteur des *Factums*, ni le pédagogue, ni l'Anonyme, ni « Amos Dettonville », ni « Louis de Montalte », ni Blaise Pascal lui-même ne le comblent. Il a encore bien d'autres absolus à poursuivre, bien d'autres personnalités à faire s'exprimer. Dont l'une, « Salomon de Tultie » — troisième anagramme de « Louis de Montalte » après Amos Dettonville —, rêve depuis longtemps de rédiger un grand livre sur la condition humaine, une œuvre qu'aucun scientifique, aucun polémiste, trop tenus l'un par l'orgueil, l'autre par la haine, ne sauraient concevoir.

Pourtant, « Salomon » a besoin de ses « doubles » pour fixer sa position. Chacune des incarnations dialogue donc désormais d'égale à égale avec les autres. Par exemple, « Amos » explique à « Salomon » le scepticisme du savant dans la meilleure formulation qui soit de l'agnosticisme : « Incompréhensible que Dieu soit, et incompréhensible qu'il ne soit pas ; que l'âme soit avec le corps, que nous n'ayons point d'âme ; que le monde soit créé, qu'il ne le soit pas ; etc. ; que le péché originel soit, et qu'il ne soit pas. » (fr. 656) Et « Salomon » de répondre magnifiquement à « Amos », en lui montrant que la science elle-même est un chemin vers Dieu : « L'unité jointe à l'infini ne l'augmente de rien, non plus qu'un pied à une mesure infinie. Le fini s'anéantit en présence de l'infini et devient un pur néant. Ainsi notre esprit devant Dieu, ainsi notre justice devant la justice divine. Il n'y a pas si grande disproportion entre notre justice et celle de Dieu qu'entre l'unité et l'infini. » (fr. 680)

Si son idée était d'écrire une apologie de la religion chrétienne elle n'aurait rien eu de très original. Depuis le début du XVIIe siècle, l'apologie est même devenue un genre littéraire en vogue. Pour contrer l'influence des libertins, on en a déjà publié une centaine. Mais Pascal n'entend pas simplement démontrer la vérité du christianisme, mais raconter toute l'histoire de la condition humaine, depuis la Genèse, pour écarter cette « obscurité douteuse dont nos doutes ne peuvent ôter toute la clarté ni nos lumières naturelles en chasser toutes les ténèbres ». (fr. 141)

Il souhaite montrer comment la Chute — dont il ne met pas en doute la réalité historique, juste après la création du monde, soit trois mille ans avant Jésus-Christ — a affaibli l'homme et lui a interdit d'espérer tout bonheur ici-bas. Il veut faire rendre raison aux philosophes, ces « demi-habiles » qui croient pouvoir prouver qu'on peut vivre sans Dieu, et leur démontrer que la seule voie vers le bonheur est celle de Jésus, pas celle des philosophes : « Se moquer de la philosophie, c'est vraiment philosopher. » (fr. 671)

Mais, s'il écarte les philosophes, il écarte aussi bien les théologiens, et leurs preuves métaphysiques de l'existence de Dieu : pour lui, Dieu n'est pas une évidence naturelle ni une donnée rationnelle. Il ironise par exemple sur Descartes qui prétend avoir prouvé la nécessité logique de Dieu et qui n'a pas vu, par exemple, que la logique est incapable d'établir l'immortalité de l'âme. On ne peut pas, pense-t-il, amener quelqu'un vers Dieu en lui transmettant un savoir ou en lui imposant une vérité. Dieu n'est pas un argument d'autorité.

Lui qui a tant fréquenté la science, qui en a été repu et parfois déçu au point de ne plus en faire que par « doubles » interposés, s'attache à montrer que la raison ne saurait suffire à comprendre la condition humaine. Ceux qui cherchent à appréhender l'homme par la seule raison, et négligent ce qui, en lui, échappe à la logique, ont trop peur de le comprendre vraiment. C'est ce qu'il écrit dans le fragment suivant, qui reflète mieux que tout autre son état d'esprit, à ce moment où toutes ses identités convergent en une ultime bataille. Il a trente-six ans et parle comme s'il en avait mille :

« J'avais passé longtemps dans l'étude des sciences abstraites, et le peu de communication qu'on en peut avoir m'en avait dégoûté. Quand j'ai commencé l'étude de l'homme, j'ai vu que ces sciences abstraites ne sont pas propres à l'homme, et que je m'égarais plus de ma condition en y pénétrant que les autres en l'ignorant. J'ai pardonné aux autres d'y peu savoir. Mais j'ai cru trouver au moins bien des compagnons en l'étude de l'homme, et que c'est le vrai étude qui lui est propre. J'ai été trompé : il y en a encore moins qui l'étudient que la géométrie. Ce n'est que manque de savoir étudier cela qu'on cherche le reste. Mais n'est-ce pas que ce n'est pas encore là la science que l'homme doit avoir, et qu'il lui est meilleur de s'ignorer pour être heureux ? » (fr. 566)

Il faut donc prendre l'homme dans son « ignorance naturelle, qui est le vrai siège de l'homme », fuir ceux qui ont « quelque teinture de cette science suffisante et font les entendus. Ceux-là troublent le monde et jugent mal de tout ». (fr. 117) Et chercher ceux qui, après avoir « parcouru tout ce que les hommes peuvent savoir, trouvent qu'ils ne savent rien et se rencontrent en cette même ignorance d'où ils étaient partis. Mais c'est une ignorance savante, qui se connaît ». (fr. 117)

Cette « ignorance savante, qui se connaît », lui apparaît alors comme la meilleure définition de ce qu'il cherche. Elle exige de ne pas se contenter de la raison. D'ailleurs, en travaillant sur des théories difficiles, il a bien vu que, même en mathématiques, la découverte n'a rien de logique, de déductif, de rationnel ; elle est inductive, folle : « La fécondité sera fonction de l'amplitude intellectuelle. » L'essentiel gît dans l'intuition, le message venu de l'extérieur ; les démonstrations logiques n'en sont que la part la plus facile, qu'on peut confier à des machines ou à la partie la moins créative, donc la moins intéressante de l'esprit.

Il sait cependant qu'il ne pourra pas écarter totalement la raison, ne serait-ce que pour montrer aux sceptiques que Dieu ne la contredit pas. Il note : « Les hommes ont mépris pour la religion, ils en ont haine et peur qu'elle soit vraie. Pour guérir cela, il faut commencer par montrer que la religion n'est point contraire à la raison. Vénérable, en donner respect. La rendre ensuite aimable, faire souhaiter aux bons qu'elle fût vraie. » (fr. 46)

Il va donc d'abord utiliser toutes les armes de la raison pour rendre compte d'une réalité non raisonnable : « Amos Dettonville » conseillera « Salomon de Tultie » et lui soufflera des concepts comme « point », « centre », « appui », « balance » et « enceinte »[482].

La raison le conduira tout naturellement à démontrer des choses *a priori* peu raisonnables. Ainsi, en cherchant à connaître les causes et conséquences de toutes choses — qu'il nomme, dans son obsession des mots simples, les « raisons » et les « effets » —, il sent, comme il l'a déjà constaté en science, qu'une démonstration conduit souvent à un résultat paradoxal — « car les effets sont comme sensibles, et les causes sont visibles seulement à l'esprit ». C'est vrai de phénomènes physiques — le son, la montée du mercure, le feu ont des conséquences imprévisibles —, mais aussi de la maladie — il dira que celle de Cromwell a changé le cours de l'Histoire anglaise (fr. 622) —, mais aussi de l'amour, comme il le souligne dans l'un de ses textes les plus fameux : « Qui voudra connaître à plein la vanité de l'homme n'a qu'à considérer les causes et les effets de l'amour. La cause en est un *Je ne sais quoi* (Corneille). Et les effets en sont effroyables. Ce *Je ne sais quoi*, si peu de chose qu'on ne peut le reconnaître, remue toute la terre, les princes, les armées, le monde entier. Le nez de Cléopâtre, s'il eût été plus court, toute la face de la terre aurait changé. » (fr. 32)

Pour affronter les questions de la condition humaine telles qu'elles sont, c'est-à-dire insolubles, il lui faut donc aller au-delà de la raison. Il note : « *Deux excès*. Exclure la raison, n'admettre que la raison. » (fr. 214) Et il énonce alors l'une des plus belles énigmes jamais hasardées par la condition humaine : « *Athées*. Quelle raison ont-ils de dire qu'on ne peut ressusciter ? Quel est plus difficile : de naître ou de ressusciter ? Que ce qui n'a jamais été soit, ou que ce qui a été soit encore ? Est-il plus difficile de venir en être que d'y revenir ? La coutume nous rend l'un facile, le manque de coutume rend l'autre impossible. Populaire façon de juger ! » (fr. 444)

Autrement dit, puisqu'on admet sans le comprendre qu'il soit possible de venir au monde, il n'y a pas de raison de s'interdire de croire également qu'il soit possible de renaître !

Aussi ne faut-il pas chercher à expliquer rationnellement tous les mystères de la religion, tels que ceux de la Trinité, de l'Incarnation, de l'Eucharistie ou de la Chute. On ne peut se convaincre de l'existence de Dieu que par l'amour. Croire en Dieu parce qu'on croit en avoir démontré l'existence ne mène à rien. « Quand un homme serait persuadé que les proportions des nombres sont des vérités immatérielles, éternelles et dépendantes d'une première vérité en qui elles subsistent et qu'on appelle Dieu, je ne le trouverais pas beaucoup avancé pour son salut. » (fr. 690)

Pascal entend organiser sa démonstration en deux étapes : démontrer la réalité historique de Dieu, puis faire comprendre que le Christ est venu apporter toutes les réponses aux questions qui subsistent : « Pour donner la certitude entière des matières les plus incompréhensibles à la raison, il suffit de les faire voir dans les livres sacrés. »

D'abord chercher Dieu dans l'Histoire, puisqu'on ne peut inventer une expérience qui prouverait Son existence : « La religion n'est pas certaine » (fr. 480), et Dieu est comme ces choses si évidentes qu'on ne les voit pas alors qu'elles crèvent les yeux. « On ne dit point que ceux qui cherchent le jour en plein midi ou de l'eau dans la mer en trouveront. Et ainsi, il faut bien que l'évidence de Dieu ne soit pas telle dans la nature. » (fr. 644)

Dieu n'est donc pas démontrable expérimentalement, mais par des témoins ; et il ne faut croire que « les histoires dont les témoins se feraient égorger ».

Et pour le voir, il faut l'aimer. Blaise a trop vu de gens prétendre tout savoir sur lui, tels les casuistes, et ne pas l'aimer. « Qu'il y a loin de la connaissance de Dieu à l'aimer ! » (fr. 409) Ces gens-là pratiquent un ensemble de règles, mais « il vaut mieux ne pas jeûner et en être humilié, que jeûner et en être complaisant »[401]. (fr. 556) Car « le Dieu des chrétiens est un Dieu d'amour et de consolation ; c'est un Dieu qui remplit l'âme et le cœur de ceux qu'il possède ; c'est un Dieu qui leur fait sentir intérieurement leur misère et sa miséricorde infinie, qui s'unit au fond de leur âme, qui la remplit d'humilité, de joie, de confiance, d'amour ; qui les rend incapables d'autre fin que de lui-même ». (fr. 690) Mais, puisque la vraie certitude de l'existence de Dieu ne vient que quand on l'aime, il est difficile de persuader autrui de son existence ; c'est comme tenter de convaincre un de ses amis d'aimer aussi un autre de ses amis : « On se persuade mieux, pour l'ordinaire, par les raisons qu'on a soi-même trouvées, que par celles qui sont venues dans l'esprit des autres. » (fr. 617) Pour faire aimer l'idée de Dieu, il faut à la fois penser simple, comme le peuple, et penser vrai, comme le savant. C'est-à-dire à la fois suivre la raison et la rendre « ployable à tous sens ». (fr. 455) Mais comment nommer ce qui est au-delà de la justesse, de la géométrie, de la finesse même ? Y a-t-il là quelque chose qui serait le propre de l'homme, l'essentiel de sa nature ? Comment nommer cette pensée qui est au-delà de la raison ? « Par l'espace l'univers me comprend et m'engloutit comme un point, par la pensée je le comprends. » (fr. 145)

Il cherche, hésite, essaie des mots. Il l'appelle d'abord « instinct » : « Deux choses instruisent l'homme de toute sa nature : l'instinct et l'expérience [401]. » Et encore : « Malgré la vue de toutes nos misères, qui nous touchent, qui nous tiennent à la gorge, nous avons un instinct que nous ne pouvons réprimer qui nous élève. » (fr. 526)

Mais ce qu'il a en tête est bien plus que l'instinct, puisque cela englobe la notion d'amour. Alors il essaie la vertu théologale de « charité », amour de Dieu et amour du prochain : « L'unique objet de l'Écriture est la charité. [...] Dieu diversifie ainsi cet unique précepte de charité pour satisfaire notre curiosité, qui recherche la diversité, par cette diversité qui nous mène toujours à notre unique nécessaire, *car une seule chose est nécessaire*, et nous aimons la diversité. Et Dieu satisfait à l'un et à l'autre par ces diversités qui mènent à ce seul nécessaire. » (fr. 301)

Mais la charité pourrait se passer de Dieu. Il essaie alors le mot « foi » : « La foi est différente de la preuve : l'une est humaine, l'autre est don de Dieu. » Ou encore « sentiment » : « La mémoire, la joie sont des sentiments ; et même les propositions géométriques deviennent sentiments [...]. Il faut donc mettre notre foi dans le sentiment. » Il oppose ce « sentiment », qui « agit en un instant, et toujours prêt à agir », à la raison, qui « agit avec lenteur et avec tant de vues sur tant de principes, lesquels il faut qu'ils soient toujours présents, qu'à toute heure elle s'assoupit ou s'égare, manque d'avoir tous ses principes présents. [...] Tout notre raisonnement se réduit à céder au sentiment ». (fr. 455)

Ou encore le mot « sens » : « L'homme est donc si heureusement fabriqué qu'il n'a aucun principe juste du vrai, et plusieurs excellents du faux [...]. Mais la plus plaisante cause de ses erreurs est la guerre qui est entre les sens et la raison. » (fr. 78)

Rien ne le convainc vraiment ; il essaie encore « nature », « principes naturels », « idée du vrai »... Aucun vocable ne recouvre tout ce qu'il veut signifier. Et lui qui écrit — exactement au même moment — sur l'importance de la précision des définitions et de la simplicité des concepts enrage de ne point trouver.

Puis c'est l'illumination. En marge d'une note sur les « partis », il inscrit ces trois mots : « Cœur. Instinct. Principes. » (fr. 187) Disposés les uns au-dessous des autres, il les joint par une ligne brisée [286].

Il a trouvé : ce sera le mot « cœur » : « On ne peut trouver Dieu que si on Le cherche de tout son cœur. [...] La certitude n'est pas pour le cœur. » Il dit encore, rapporte un témoin (préface) : « L'Écriture sainte est la science du cœur, non de l'esprit. Elle n'est intelligible que pour ceux qui ont le cœur droit [401]. » Il ajoute dans une autre note : « Nous connaissons la vérité non seulement par la raison, mais encore par le cœur. » (fr. 329) Et encore : « Le cœur a son ordre, l'esprit a le sien, qui est par principe et démonstration. Le cœur en a un autre. On ne prouve pas qu'on doit être aimé en exposant d'ordre les causes de l'amour, cela serait ridicule. » (fr. 329) En revanche, la raison et le cœur se complètent : « La conduite de Dieu, qui dispose toutes choses avec douceur, est de mettre la religion dans l'esprit par les raisons et dans le cœur par la grâce. » (fr. 203) Mieux, même : seuls les gens de cœur sont raisonnables. « Il n'y a que deux sortes de personnes qu'on puisse appeler raisonnables : ou ceux qui servent Dieu de tout leur cœur parce qu'ils le connaissent, ou ceux qui le cherchent de tout leur cœur parce qu'ils ne le connaissent pas. » (fr. 681)

Et cette formule si universellement connue : « C'est le cœur qui sent Dieu, et non la raison : voilà ce que c'est que la foi. Dieu sensible au cœur, non à la raison. Le cœur a ses raisons, que la raison ne connaît point : on le sait en mille choses. » (fr. 680)

Pour raisonner avec le cœur, il doit donc n'être ni « Amos Dettonville », le scientifique jaloux, ni « Louis de Montalte », le féroce polémiste. L'auteur de ce livre-là sera tout autre : doux, désespéré, souriant. Le sourire face à la peur.

Le cadre posé, il peut se mettre au travail. Il sait qu'il lui faudra beaucoup de temps pour en voir le bout : « dix ans de santé », au moins. Naturellement, il lui faudra résoudre nombre de problèmes. À cette époque, trois le préoccupent plus particulièrement :

— Ne croit-il en Dieu et en Jésus-Christ que parce qu'il est né dans un environnement chrétien ?

— Que penser du peuple juif dont Jésus est issu mais qui ne croit pas en lui ?

— N'est-ce pas se contredire que de vouloir la gloire en publiant un livre dont l'objet sera l'apologie de l'humilité ?

Sur la première question : « On a beau dire, il faut avouer que la religion chrétienne a quelque chose d'étonnant. C'est parce que vous y êtes né, dira-t-on.

Tant s'en faut : je me roidis contre, par cette raison-là même, de peur que cette prévention ne me suborne. Mais quoique j'y sois né, je ne laisse pas de le trouver ainsi. » (fr. 659)

Concernant la deuxième, il lui faut résoudre la contradiction entre la centralité du peuple juif dans l'histoire de Dieu et son refus de Jésus Messie. En un temps ou l'Église ne voit dans le peuple juif qu'un peuple déicide et lui dénie toute place spécifique dans l'histoire, il étudie la Bible, en latin et en hébreu (langue qu'il comprend mal), au point d'en savoir bientôt la quasi-intégralité par cœur. Il aime surtout à réciter le Cantique des cantiques, ce récit d'un amour contrarié. Il travaille sur l'histoire juive, très délaissée à l'époque, et confectionne des fiches.

À la troisième question — n'est-il pas paradoxal de commettre un péché d'orgueil en signant et publiant un livre dont l'objet est de recommander l'humilité ? — la réponse est simple : encore une fois, il ne publiera pas sous son nom, mais sous un pseudonyme. Ou plus exactement en faisant s'exprimer une nouvelle personnalité. À tout prix disparaître, ne pas faire comme Montaigne qui ne parle que de lui : « Le sot projet qu'il a de se peindre ! Et cela non pas en passant et contre ses maximes, comme il arrive à tout le monde de faillir, mais par ses propres maximes et par un dessein premier et principal ! » (fr. 644)

Comment appeler ce nouvel auteur ? Il hésite, puis joue encore à permuter les lettres de « Louis de Montalte » qu'il vient de choisir pour signer les dernières *Provinciales*. C'est ce qu'il fait par ailleurs au même moment pour signer ses travaux de mathématiques du nom d'« Amos Dettonville ». Ici, il s'arrête sur « Salomon de Tultie ». Deux anagrammes de « Louis de Montalte » (sachant qu'à l'époque on ne distingue pas le *u* du *v*).

On a beaucoup glosé sur ce nom : Salomon de Tultie. Les meilleurs spécialistes d'aujourd'hui [286] y voient une référence à un verset de la première Épître de saint Paul aux Corinthiens : « Car puisqu'en la sapience de Dieu le monde n'a point connu Dieu par sapience, il a plu à Dieu par la folie de la prédication — *per stultitiam praedicationis* — de sauver les croyants. » Ils s'appuient sur le fait que Pascal connaît bien ce verset et le résume dans un de ses fragments par : « Contrariétés. Sagesse infinie et folie de la religion. » Pour eux, « Salomon » désignerait la sagesse, la raison, et « Tultie » renverrait à *stultitia*, « c'est-à-dire le cœur, la folie de la religion ». Ce qui voudrait dire que Salomon de Tultie choisit « l'ordre de la charité, non de l'esprit » (fr. 329) ; celui du cœur, non de la raison.

Même si cette hypothèse compliquée peut séduire des spécialistes, elle ne me convainc pas. Pascal vénérait par trop la simplicité ; il aimait en outre jouer avec les lettres, dans lesquelles il voyait une valeur mathématique — à l'époque, il se passionnait d'ailleurs pour la Kabbale. À mon sens, avant même de retenir le nom de Louis de Montalte, s'il a joué avec ces lettres, c'est parce qu'il y a, derrière les trois noms qu'il a forgés, une autre phrase, très particulière, qui l'a conduit à retenir ces lettres-là, et pas d'autres, pour en déduire ensuite « Louis de Montalte » et les deux autres patronymes.

Mais quelle formule première se cache dans ces lettres ? On peut en débusquer plusieurs auxquelles Pascal aurait pu penser. La plus convaincante à mon sens est la suivante :

LOM, TON DIEU EST LÀ
(L'homme, ton Dieu est là)

La transcription phonétique de « l'homme » n'est manifestement là que pour voiler le message, autrement trop évident. D'autant plus évident que « Dieu » est justement le mot le plus employé (564 occurrences) dans les fragments, juste avant « homme(s) » (531 occurrences), « choses » arrivant en troisième position (380 occurrences) [364].

Quoi qu'il en soit, une fois le nom choisi et la nouvelle personnalité endossée, Pascal se remet à prendre des notes sur de grandes feuilles d'une écriture ultra-rapide, exigeante, difficilement lisible. Il trace une petite croix en tête de chaque page et sépare ses notes, lorsqu'elles n'occupent pas toute la page, d'un trait de plume. Certains papiers se présentent sous la forme de très grandes feuilles pliées ou coupées en deux. Lorsqu'il est fatigué, ce qui lui arrive de plus en plus souvent, il dicte à un valet.

Au total, il a accumulé au fil des ans — avant 1658 — environ huit cents fragments[481], certains d'une seule phrase (fr. 76), d'autres de plusieurs pages (fr. 230). Certains sont des notes de lecture d'ouvrages de théologie, d'autres des méditations sur la Chine ou sur les Juifs (fr. 446), d'autres encore des réflexions conceptuelles (fr. 339).

Au cours du second semestre de 1658, il commence à classer ces papiers. Il les rassemble d'abord par thèmes. Ce n'est pas encore un plan : juste un regroupement par liasses, pour s'y retrouver. Et puis, comme on le fait couramment à l'époque pour éviter qu'elles ne s'égaillent, il perce avec une aiguille les feuilles de chaque liasse et les réunit par une ficelle, en ajoutant en tête une note portant le titre de la liasse[286]. Puis il noue la ficelle sans trop serrer, pour pouvoir la défaire aisément. Il regroupe d'abord trois cents fragments en vingt-huit liasses portant sur un thème spécifique, et sept autres sur des sujets à ses yeux marginaux, comme les miracles[286]. Ensuite, comme il constate que son plan ne convient pas, il ouvre un dossier « Ordre » dans lequel il dresse la liste des dossiers (fr. 1) et range des fragments portant sur des thèmes qu'il lui reste à aborder[69].

Il réfléchit de nouveau au plan (fr. 644). Mais comment en trouver un quand il s'agit d'inventer une nouvelle façon de penser, de faire ressentir Dieu comme une totalité, un tourbillon emportant tout ? Au reste, si un plan était possible, la logique ou la philosophie grecque suffiraient à démontrer l'existence de Dieu. La raison conduirait la pensée. Mais le cœur, lui, ne peut obéir à un plan. Comment aller de la raison au cœur ? Comment écrire en deux dimensions quand on pense en trois ? Il bute, ne trouve pas.

Une occasion de réfléchir à haute voix se présente à lui en novembre 1658, quand Arnauld et Nicole lui proposent d'exposer l'état d'avancement de sa réflexion devant les Solitaires. Il hésite : il n'est pas prêt. À ce moment, « Amos Dettonville » est en plein concours sur la cycloïde ; Pascal travaille sur les probabilités avec Fermat et se bat pour faire imprimer son *Traité sur les sinus* ; « Louis de Montalte » travaille pour sa part à la septième réponse des curés de Paris contre les jésuites et à corriger les épreuves de la traduction latine des *Provinciales* qui doit assurer une diffusion internationale.

Et puis pourquoi faire état d'un travail inachevé, pourquoi apparaître comme l'auteur d'un texte qu'il ne publiera de toute façon — s'il le publie jamais — que sous pseudonyme ? Il s'en ouvre à Arthus. Le duc est à présent de plus en plus proche de Port-Royal ; il vient souvent dans le vallon et pousse Blaise à accepter l'invitation d'Arnauld. Réfléchir devant les Solitaires ne pourrait que l'aider. Il lui propose même de l'y accompagner : il a envie d'entendre cet exposé.

Tous deux s'y rendent. Les quatre heures de trajet depuis le Luxembourg jusqu'à Port-Royal-des-Champs sont, ce jour-là, particulièrement pénibles.

La conférence dure deux heures. On en connaît la teneur grâce à un résumé rédigé par l'un des Solitaires. Filleau de La Chaise. C'est un texte éminemment précieux : même s'il ne s'agit que d'un *verbatim*, c'est l'unique occasion d'entendre Pascal parler de ce livre qui restera inachevé et qu'on appelle les *Pensées*.

Ce soir-là, aux Granges, ils sont tous présents : le Grand Arnauld, Singlin, Le Maistre de Sacy, Arnauld d'Andilly, Luynes, Liancourt, Roannez, Domat, Lancelot, Nicole, Baudry d'Asson. Blaise s'exprime lentement, d'une voix faible, et la fatigue le contraint à s'arrêter fréquemment. Il commence par exposer le critère de vérité qu'il compte employer pour prouver la nécessité de croire en Dieu. Il montre d'abord qu'il est d'autres accès au vrai que la raison. Par exemple l'Histoire : certaines choses établies historiquement n'ont nul besoin d'être démontrées pour exister. Filleau résume : « Qu'il y ait une ville qu'on appelle Rome, que Mahomet ait été, que l'embrasement de Londres soit véritable, on aurait de la peine à le démontrer ; cependant, ce serait être fou d'en douter et de ne pas exposer sa vie là-dessus, pour peu qu'il y eût à gagner. Les voies par où nous acquérons ces sortes de certitudes, pour n'être pas géométriques, n'en sont pas moins infaillibles et ne nous doivent pas moins porter à agir ; et ce n'est même pas là-dessus que nous agissons presque en toutes choses [188]. »

En se fondant précisément sur l'Histoire, Pascal se lance dans un récit à sa façon de l'histoire de l'homme et des religions. « Toutes ces religions ne sont remplies que de vanités, que de folies, que d'erreurs, que d'égarements et d'extravagances » ; il n'y trouve rien encore qui le puisse satisfaire. Il en arrive au judaïsme pour montrer qu'il est une « figure », c'est-à-dire un symbole, une annonce masquée de Jésus, que « tout ce qui était arrivé aux Juifs n'avait été que la figure des vérités accomplies à la venue du Messie [...]. M. Pascal entreprit ensuite de prouver la vérité de la religion par les prophéties ; et ce fut sur ce sujet qu'il s'étendit beaucoup plus que sur les autres [188] ».

Les Solitaires découvrent ainsi que le peuple juif occupe dans la pensée de Pascal une place centrale, très différente de celle que lui prête la théologie catholique de l'époque. Peuple dont on a alors un peu oublié que les prophètes et la Bible sont issus, peuple gênant, à contourner, que l'Église estime remplacer, par ce

qu'elle se veut la nouvelle Jérusalem [301]. Peuple gênant
et donc à éliminer, à oublier, à nier, à exterminer.
D'Origène au concile de Trente, le peuple juif disparaît
peu à peu des écrits théologiques. Peuple déicide et
donc peuple maudit à la Sorbonne et à Rome, il devient
chez Pascal — qui rejoint par là certains Pères alors
bien oubliés de l'Église — un peuple témoin, nécessaire et sacré. Le peuple dont Jésus est issu et dont la
religion n'est rien d'autre que la préfiguration de celle
des chrétiens.

Là s'interrompt son exposé : il est trop malade pour
aller plus loin.

Le retour de la maladie (janvier 1659-juin 1660)

De retour à Paris après cette conférence, il continue
à travailler pendant tout le début de l'hiver. À trente-
six ans, il est à la fois Blaise qui prie avec Sacy aux
Champs, « Amos » ferraillant avec ceux qui s'éver-
tuent à lui voler la paternité du calcul intégral, et écrivant sur le triligne rectangle et la spirale, l'Anonyme
auteur d'un septième et ultime *Écrit des curés de
Paris*, le précepteur attentif élevant ses neveux et écrivant pour les élèves de Port-Royal. De plus en plus, il
devient aussi un autre, « Salomon de Tultie ». Et toujours, pour tenir, il demeure le « dirigé » de Jacqueline.

Un jour qu'il est seul à Paris et qu'il crève de cette
solitude, il se surprend à entendre le Christ et note ce
qu'il dit : « Je te parle et te conseille souvent, parce
que ton conducteur ne te peut parler. Car je ne veux
pas que tu manques de conducteur. Et peut-être je le
fais à ses prières, et ainsi il te conduit sans que tu le
voies. » (fr. 756) Le « conducteur » est-il Dieu ? Est-
ce Le Maistre de Sacy, son directeur de conscience ?
Ou tout simplement Jacqueline ?

À partir de janvier 1659, il souffre davantage encore
du ventre, de la tête, des dents. Surtout des dents. Rien
pour calmer cette douleur qui ne le quitte plus.

À cette époque, alors qu'il est encore impossible d'éviter ou d'endormir les souffrances physiques, donner du sens au mal est une impérieuse nécessité. Pascal met alors la dernière main à une magnifique *Prière pour demander à Dieu le bon usage des maladies*, commencée deux ans plus tôt. Elle se développe comme une démonstration logique : l'homme doit remercier Dieu de lui avoir donné la souffrance en expiation de ses péchés, et doit s'en servir pour se détacher du monde et trouver Dieu. Bienheureux ceux qui souffrent, ils sont plus près de la vérité !

Ce texte aura une immense résonance dans l'Église confrontée aux malédictions des malades. Et bien que Pascal ne soit pas accepté comme un théologien orthodoxe, l'Église saura l'utiliser pour consoler et donner sens à la souffrance :

« Je ne Vous demande ni santé, ni maladie, ni vie, ni mort, mais que Vous disposiez de ma santé et de ma maladie, de ma vie et de ma mort pour Votre gloire, pour mon salut et pour l'utilité de l'Église et de vos saints. [...] Vous m'avez donné la santé pour Vous servir, et j'en ai fait un usage tout profane. Vous m'envoyez maintenant la maladie pour me corriger : ne permettez pas que j'en use pour Vous irriter par mon impatience. [...] Si j'ai eu le cœur plein de l'affection du monde pendant qu'il a eu quelque vigueur, anéantissez cette vigueur pour mon salut, et rendez-moi incapable de jouir du monde, soit par faiblesse de corps, soit par zèle de charité, pour ne jouir que de vous seul. [...] Par le mépris de Votre parole et de Vos inspirations, par l'oisiveté et l'inutilité totale de mes actions et de mes pensées, par la perte entière du temps que Vous ne m'aviez donné que pour Vous adorer, pour rechercher en toutes mes occupations les moyens de Vous plaire, et pour faire pénitence des fautes qui se commettent tous les jours [401]. »

En décembre 1658 et janvier 1659, il trouve encore la force d'achever la rédaction du calcul du volume de la cycloïde, de travailler au triangle des sinus, d'écrire à Huygens, à Sluse et à Gilberte. Puis les douleurs deviennent intenables.

Gilberte témoigne qu'il ne fait plus rien à partir de ce moment-là : « À la fin de l'année, c'est-à-dire la trente-cinquième qui était la cinquième de sa retraite, il retomba dans ses incommodités d'une manière si accablante qu'il ne put plus rien faire les quatre années qu'il vécut encore[401]. »

Là encore, Gilberte ment, car si Blaise s'interrompt bien dix-huit mois, entre février 1659 et l'été 1660, sa vie sera de nouveau occupée, après la mise au point de plusieurs textes, au lancement d'une entreprise commerciale, et surtout à une ultime bataille théologique pour défendre *sa* vérité. Mais si Gilberte occulte cette bataille-là, c'est que, par un extraordinaire retournement de positions, Pascal s'y trouvera en opposition farouche avec ses propres amis jansénistes. D'où leur volonté et celle de sa sœur, devenue leur alliée, de le faire définitivement taire. Pour eux, Pascal meurt en février 1659...

De fait, pendant dix-huit mois, la maladie occupe tout son esprit. Alors qu'il souffre le martyre et s'affaiblit jusqu'à ne consommer que des bouillons et les infâmes mixtures que les médecins lui prescrivent. Il ne peut plus ni écrire, ni lire, ni travailler, pas même répondre aux lettres qu'il reçoit. Il enrage. Parfois, il dicte encore quelques notes :

« Quand on se porte bien, on admire comment on pourrait faire si on était malade. Quand on l'est, on prend médecine gaiement : le mal y résout ; on n'a plus les passions et les désirs de divertissements et de promenades que la santé donnait, et qui sont incompatibles avec les nécessités de la maladie. La nature donne alors des passions et des désirs conformes à l'état présent. Il n'y a que les craintes, que nous nous donnons nous-mêmes et non pas la nature, qui nous troublent, parce qu'elles joignent à l'état où nous sommes les passions de l'état où nous ne sommes pas. » (fr. 529)

En mars 1659, les migraines deviennent telles que les médecins lui interdisent même de parler. Sa mémoire, sa prodigieuse mémoire fléchit : « En écrivant ma pensée, elle m'échappe quelquefois », dit-il. Il n'a même plus la force d'aller jusqu'à Port-Royal de Paris, voir Jacqueline. Arthus de Roannez et Jean Domat passent beaucoup de temps auprès de lui.

Peu d'événements dans sa vie durant le second semestre de 1659. Sauf que, le 31 août, il loue à de nouveaux locataires sa boutique de la Halle au Blé, pour un loyer de 360 livres[7]. Quand il le peut — et quand les médecins ne le lui interdisent pas —, il dicte des idées à toute personne présente, puis les insère dans une de ses liasses.

Il éprouve quelque satisfaction quand, le 21 août, après la publication d'un huitième *Écrit*, puis d'un neuvième, rédigé par Arnauld en réponse à un texte du père Annat sur « les faussetés et impostures contenues dans le journal des jansénistes », le Saint-Office, sur ordre d'Alexandre VII, met à l'Index l'*Apologie pour les casuistes* de Pirot. C'est la victoire des *Écrits* et surtout des *Provinciales*, dont le succès de la traduction latine est considérable. Les jésuites sont discrédités.

Mais Mazarin et le roi n'entendent pas laisser l'un des deux camps se renforcer. Dans leur souci d'équilibre, ils interdisent les assemblées synodales des curés de Paris, accusées d'être à l'origine de l'offensive contre les jésuites. On profite même de la maladie de Pascal pour censurer ses textes : à la fin de 1659, alors qu'il est encore souffrant, deux théologiens jansénistes, Saint-Amour, de la Sorbonne, et Nicole, de Port-Royal, font paraître, en vue de faire la paix entre jansénistes et jésuites, une édition expurgée des *Provinciales* bannissant les passages les plus polémiques, telle la onzième *Lettre*[289]. Depuis qu'il a traduit et annoté les *Lettres* en latin, Nicole s'en considère un peu comme l'auteur ; lui, le vrai théologien, se croit donc autorisé à rogner, ajouter, nuancer. Pascal n'a plus la force de s'y opposer.

Le 22 septembre, une lettre d'un certain Charles Bellair, adressée à Huygens, signale que Pascal ne peut « s'appliquer à tout ce qui a besoin de quelque contention d'esprit ». On le transporte de temps à autre jusqu'à Port-Royal de Paris où il s'entretient avec Jacqueline. Ses douleurs s'apaisent alors l'espace de quelques heures.

En novembre 1659, Jacqueline est élue sous-prieure de Port-Royal-des-Champs. Quand elle lui annonce la nouvelle, c'est un déchirement. Elle va s'en aller trop loin pour qu'il puisse lui rendre visite. Il comprend qu'il ne peut lui demander de refuser. Sa santé s'améliorera et il ira alors la voir...

Gilberte lui propose de venir se reposer à Bienassis, de profiter des sources thermales, mais il refuse : s'il n'a pas la force d'aller aux Champs, il a encore moins celle d'accomplir ce long voyage.

Pendant que Pascal se traîne ainsi entre la vie et la mort, le roi installe son pouvoir. Respectueux des compétences d'un Mazarin épuisé, le jeune monarque met en place avec lui les instruments de l'État absolu. Le Parlement de Paris perd peu à peu les pouvoirs qu'il s'était arrogés pendant la Fronde et la minorité de Louis XIV, la police d'État se modernise. Tout procède désormais du souverain. Et la paix vient l'y aider : le 7 novembre 1659, le traité des Pyrénées met fin à vingt-trois ans d'une guerre contre l'Espagne, gagnée l'année précédente par Turenne. Le traité donne à la France le Roussillon, la Cerdagne, l'Artois, des places flamandes et lorraines. L'ancien frondeur, Condé, réfugié à Madrid, peut rentrer en France, gracié ; les nobles, matés, échangent l'obligation d'une dangereuse gloire aux armées contre le droit aux délices de la Cour. Fouquet est nommé surintendant des Finances. Au début de 1660, le roi, en chemin vers la frontière espagnole, établit pour un temps la Cour près de Toulouse ; les bals y succèdent aux festins. Pascal note : « Le roi est environné de gens qui ne pensent qu'à divertir le roi et à l'empêcher de penser à lui. Car il est malheureux, tout roi qu'il est, s'il y pense. » (fr. 168) Puis encore : « Qu'on laisse un roi tout seul, sans aucune satisfaction des sens, sans aucun soin dans l'esprit, sans compagnie, penser à lui tout à loisir, et l'on verra qu'un roi sans divertissement est un homme plein de misères. » (fr. 169)

Pour la plus grande joie d'Anne d'Autriche, on prépare à Saint-Jean-de-Luz le mariage du jeune monarque avec Marie-Thérèse, fille de Philippe IV d'Espagne.

Pendant ce temps, à Londres, le pouvoir change de mains. Le 5 février 1658, Cromwell, lord protecteur d'Angleterre, qui rêvait d'occuper le trône et de fonder une dynastie, meurt en laissant un pouvoir chancelant à son fils, qui le perd dès le 25 mai de l'année suivante. La royauté est rétablie le 1er mai 1660. Pascal en tire une réflexion sur la disproportion entre les causes et les conséquences, entre les « raisons » et les « effets » : « Cromwell allait ravager toute la chrétienté, la famille royale était perdue, et la sienne à jamais puissante, sans un petit grain de sable qui se mit dans son uretère. Rome même allait trembler sous lui. Mais ce petit gravier s'étant mis là, il est mort, sa famille abaissée, tout en paix, et le roi rétabli. » (fr. 622)

Une fois de plus, un minuscule événement aura eu d'immenses conséquences. L'Histoire obéit aux caprices du sort beaucoup plus qu'aux rapports de forces...

Au début de mars 1660, à la surprise générale, Blaise va mieux. Il peut recommencer à lire, à écrire. Il semble échanger avec Jacqueline — qu'il n'a plus vue depuis novembre 1659 — de nombreuses lettres dont on a perdu la trace. Gilberte insiste sur l'intérêt d'une cure aux eaux de Bourbon-l'Archambault, entre

Moulins et Clermont. Sans être allé voir à Port-Royal-des-Champs, il se décide, fin mai, à accepter l'invitation.

Son voyage dure vingt-deux jours, en voiture et en coche d'eau. Il arrive épuisé. Les Périer aiment leur confort. À Bienassis, dans un luxe qui ne lui plaît guère, mais auquel il consent, Blaise achève de se rétablir. Le 28 juillet, une lettre reçue par Huygens mentionne que « M. Pascal se porte notablement mieux qu'il ne le faisait ». De fait, il reprend son travail. Il met la dernière main aux trois *Discours sur la condition des Grands*, tente de traduire lui-même Isaïe de l'hébreu — langue qu'il connaît mal — pour y trouver des preuves que le Messie annoncé par ce prophète est bien Jésus, retravaille les *Écrits sur la grâce*, et prend encore quelques notes pour l'*Apologie*. Mais de mathématiques il n'est pas question. Terminé : il n'en a plus vraiment ni le goût ni la force.

À Toulouse, Fermat, lui aussi malade — il a soixante ans —, ayant appris par Carcavy la présence de Pascal à Clermont, souhaite justement le rencontrer pour discuter enfin de vive voix de probabilités et d'arithmétique. Il lui écrit :

« Monsieur, dès que j'ai su que nous sommes plus proches l'un de l'autre que nous n'étions auparavant, je n'ai pu résister à un dessein d'amitié dont j'ai prié M. de Carcavy d'être le médiateur : en un mot, je prétends vous embrasser et converser quelques jours avec vous. Mais, parce que ma santé n'est guère plus forte que la vôtre, j'ose espérer qu'en cette considération vous me ferez la grâce de la moitié du chemin, et que vous m'obligerez de me marquer un lieu entre Toulouse et Clermont où je ne manquerai pas de me rendre[66]. »

Mais Pascal est trop fatigué. Pour lui, un tel voyage, qui ne peut se faire qu'à cheval, est impossible. Le 10 août, il répond à Fermat par une lettre pathétique annonçant qu'il en a fini avec ces jeux de l'esprit :

« Je peux à peine me rappeler qu'il y a quelque chose comme la géométrie. Je considère la géométrie si inutile [...]. Il est tout à fait possible que je n'y pense jamais plus [...]. Car, pour vous parler franchement de la géométrie, je la trouve le plus haut exercice de l'esprit ; mais, en même temps, je la connais pour si inutile que je fais peu de différence entre un homme qui n'est que géomètre et un habile artisan. Aussi je l'appelle le plus beau métier du monde ; mais enfin ce n'est qu'un métier ; et j'ai dit souvent qu'elle est bonne pour faire l'essai, mais non pas l'emploi de notre force [401]. »

Tout est dit : « Ce n'est plus un métier » — et il n'a pas le temps d'en exercer un. Il lui reste trop peu de « forces » pour ne pas chercher à en faire le meilleur « emploi ». Ce qui n'est pourtant pas tout à fait exact, comme on va voir...

Entre-temps, les jésuites ont attaqué la traduction en latin et les notes de Nicole sur *Les Provinciales* et, le 3 mai 1660, le Parlement renvoie l'examen de cette traduction à la faculté de théologie. Le 12 août 1660, le Conseil du roi se saisit de l'affaire et nomme pour procéder à l'examen quatre évêques — ceux de Rennes, Rodez, Amiens et Soissons — et neuf docteurs, tous partisans des jésuites. Le 25 septembre 1660, la traduction latine des *Provinciales* est condamnée et le Conseil ordonne de remettre le livre au lieutenant civil au Châtelet de Paris, « à la diligence du pouvoir du roi, de le faire lacérer et brûler [...] par les mains de l'exécuteur de la Haute Justice ».

Pascal rentre à Paris, rue des Francs-Bourgeois-Saint-Michel. Il y retrouve ses neveux : Louis, son élève depuis deux ans, et Étienne, alors élève en philosophie au collège (de jésuites) d'Harcourt. Il travaille encore à ses *Discours sur la condition des Grands*, ainsi qu'au calcul de la surface d'une spirale. Il n'a donc pas renoncé à la science, malgré ce qu'il a écrit à Fermat. Rien, jamais, ne le limite...

La problématique des Pensées *(octobre 1660)*

Jacqueline est à Port-Royal-des-Champs et il ne peut même pas trouver en lui la force de lui rendre visite. Presque un an maintenant sans elle ! Jamais il n'aurait imaginé pouvoir le supporter. Rien ne compte plus que trouver la force de finir ce qu'il a en train. « Rien n'est si important à l'homme que son état. Rien ne lui est si redoutable que l'éternité. » (fr. 681)

Il est comme ce blessé dont parlait la seconde *Provinciale*, spectateur de son propre sort, qui voudrait bien rentrer chez lui, mais qui ne peut même pas s'y traîner. Lui qui est habitué à vivre plusieurs vies à la fois se voit contraint de n'en vivre aucune, si ce n'est en imagination.

Il passe ses journées à penser son livre. Au-delà de son exposé aux Granges, dix-huit mois plus tôt, il en tient à présent la structure. Après avoir exposé la misère de l'homme sans Dieu, sa chute dans le péché originel, sa vanité, son échec, sa faiblesse, sa veulerie, il montrera que le peuple juif, seul dans le monde ancien, a reçu la révélation de Dieu. Et que, seul dans l'Histoire, ce peuple choisi par Dieu a reçu des prophètes pour lui annoncer la venue d'un Messie pour sauver le monde des conséquences du péché originel. Enfin, il montrera comment l'homme, s'il sait se haïr suffisamment, trouvera la paix dans l'amour du message divin.

Il n'a pas encore arrêté le plan précis du livre, mais songe à quatre grandes parties : la connaissance de l'homme, l'état des Juifs, le prophétisme, la morale de Jésus. Ou bien deux seulement. Il note :

« Première partie : Misère de l'homme sans Dieu. Seconde partie : Félicité de l'homme avec Dieu. — Autrement : Première partie : Que la nature est corrompue par la nature même. Seconde partie : Qu'il y a un réparateur. Par l'Écriture. » (fr. 40)

Et puis : « Préface de la première partie. Parler de

ceux qui ont traité de la connaissance de soi-même [...]. Préface de la seconde partie. C'est ce que l'Écriture nous marque quand elle dit en tant d'endroits que ceux qui cherchent Dieu le trouvent. Ce n'est point de cette lumière qu'on parle, comme le jour en plein midi. On ne dit point que ceux qui cherchent le jour en plein midi ou de l'eau dans la mer en trouveront. Et ainsi, il faut bien que l'évidence de Dieu ne soit pas telle dans la nature. Aussi elle nous dit ailleurs : *Vere tu es Deus absconditus.* » (fr. 644) Autrement dit : Dieu est caché, l'homme est visible. Il faut montrer Dieu et cacher l'homme.

Et comme le sceptique est son lecteur imaginaire, il résume ainsi pour lui son projet : « Si l'homme n'est fait pour Dieu pourquoi n'est-il heureux qu'en Dieu ? Si l'homme est fait pour Dieu pourquoi est-il si contraire à Dieu ? » (fr. 18)

Misère de l'homme sans Dieu : fuir les deux infinis par la distraction

D'abord, plus encore qu'il ne l'a fait dans son *Entretien avec M. de Sacy*, il entend expliquer que la condition de l'homme est désespérée : qu'il est incapable de vivre un bonheur qu'il ne sait pas même définir et qui n'est, comme la vie elle-même, qu'un songe parmi d'autres. Perdu dans le néant des infinis qui l'entoure, il n'a qu'une force, sa capacité à penser et à croire : « L'homme n'est qu'un roseau, le plus faible de la nature, mais c'est un roseau pensant. » (fr. 200)

Cette idée de l'homme perdu entre deux infinis — grand et petit — le hante. Il a rencontré ces infinis en mathématiques : l'infiniment grand — la ligne —, et l'infiniment petit — le point. Il a compris que le fini — l'homme — est une somme infiniment grande d'éléments infiniment petits — les atomes. Il a aussi retenu que l'homme est coincé entre deux doubles infi-

nis, ceux du temps et ceux de l'espace. Il a fait le lien
entre ces infinis théoriques et ceux, bien réels, que le
téléscope et le microscope permettent maintenant d'appréhender. Dans *De l'esprit géométrique*, il vient
d'écrire, pour ses élèves de Port-Royal : « S'ils trouvent étrange qu'un petit espace ait autant de parties
qu'un grand, qu'ils entendent aussi qu'elles sont plus
petites à mesure ; et qu'ils regardent le firmament au
travers d'un petit verre, pour se familiariser avec cette
connaissance, en voyant chaque partie du ciel en
chaque partie du verre. Mais s'ils ne peuvent
comprendre que les parties si petites qu'elles nous sont
imperceptibles puissent être autant divisées que le firmament, il n'y a pas de meilleur remède que de les
leur faire regarder avec des lunettes qui grossissent
cette pointe délicate jusques à une prodigieuse masse [401]. »

Ainsi, bien qu'à cette époque on ne sache encore
rien de la structure de la matière, et qu'on ignore
encore que des milliards d'étoiles peuplent des milliards de galaxies, Pascal en parle comme s'il n'ignorait rien de ce que l'astronomie, la physique et la
chimie découvriront dans les trois siècles suivants :

« En voyant l'aveuglement et la misère de l'homme,
en regardant tout l'univers muet, et l'homme sans
lumière, abandonné à lui-même et comme égaré dans
ce recoin de l'univers sans savoir qui l'y a mis, ce
qu'il y est venu faire, ce qu'il deviendra en mourant,
incapable de toute connaissance, j'entre en effroi
comme un homme qu'on aurait porté endormi dans une
île déserte et effroyable et qui s'éveillerait sans
connaître où il est, et sans moyen d'en sortir [401]. »

Car, par-dessus tout, l'homme est seul et ignorant de
tout ce qui est avant et après la vie ; il ne sait pas s'il
a une âme et si elle peut être éternelle. Et il n'a même
pas le courage de s'en préoccuper.

S'il est un texte qui mérite d'être plus longuement
cité, c'est le fragment, si célèbre, dit « des deux infi-

nis », écrit en janvier 1655 lors de son premier séjour à Port-Royal, dont toute la pensée occidentale s'est ensuite nourrie et dans lequel le relativisme, l'existentialisme et bien d'autres écoles ont puisé :

« Que l'homme contemple donc la nature entière dans sa haute et pleine majesté, qu'il éloigne sa vue des objets bas qui l'environnent, qu'il regarde cette éclatante lumière mise comme une lampe éternelle pour éclairer l'univers, que la terre lui paraisse comme un point au prix du vaste tour que cet astre décrit, et qu'il s'étonne de ce que ce vaste tour lui-même n'est qu'une pointe très délicate à l'égard de celui que ces astres qui roulent dans le firmament embrassent. [...] Nous avons beau enfler nos conceptions au-delà des espaces imaginables, nous n'enfantons que des atomes au prix de la réalité des choses. C'est une sphère infinie dont le centre est partout, la circonférence nulle part. Enfin, c'est le plus grand [des] caractères sensibles de la toute-puissance de Dieu que notre imagination se perde dans cette pensée [...]. Qu'est-ce qu'un homme, dans l'infini ?

« Mais pour lui présenter un autre prodige aussi étonnant, qu'il recherche dans ce qu'il connaît les choses les plus délicates, qu'un ciron lui offre dans la petitesse de son corps des parties incomparablement plus petites, des jambes avec des jointures, des veines dans ses jambes, du sang dans ses veines, des humeurs dans ce sang, des gouttes dans ces humeurs, des vapeurs dans ces gouttes, que, divisant encore ces dernières choses, il épuise ses forces en ces conceptions, et que le dernier objet où il peut arriver soit maintenant celui de notre discours. Il pensera peut-être que c'est là l'extrême petitesse de la nature.

« Je veux lui faire voir là-dedans un abîme nouveau, je lui veux peindre non seulement l'univers visible, mais l'immensité qu'on peut concevoir de la nature dans l'enceinte de ce raccourci d'atome. Qu'il y voie une infinité d'univers dont chacun a son firmament, ses planètes, sa terre, en la même proportion que le monde visible, dans cette terre des animaux, et enfin des cirons dans lesquels il retrouvera ce que les premiers ont donné, et trouvant encore dans les autres la même chose sans fin et sans repos, qu'il se perde dans ces merveilles aussi étonnantes dans leur petitesse que les autres par leur étendue ! Car qui n'admirera que notre corps, qui tantôt n'était pas perceptible dans l'univers imperceptible lui-même dans le sein du tout, soit à présent un colosse, un monde ou plutôt un tout à l'égard du néant où l'on ne peut arriver ? Qui se considérera de la sorte s'effraiera de soi-même et se considérant soutenu dans la masse que la nature lui a donnée entre ces deux abîmes de l'infini et du néant, il tremblera dans la vue de ces merveilles, et je crois que sa curiosité se changeant en admiration, il sera plus disposé à les contempler en silence qu'à les rechercher avec présomption. Car enfin qu'est-ce que l'homme dans la nature ? Un néant à l'égard de l'infini, un tout à l'égard du néant, un milieu entre rien et tout, infiniment éloigné de comprendre les extrêmes, la fin des choses et leur principe sont pour lui invinciblement cachés dans un secret impénétrable. [...] Il est également incapable de voir le néant d'où il est tiré et l'infini où il est englouti. » (fr. 230)

À cette situation de funambule les hommes cherchent à échapper de mille et une façons.

Certains par la raison, pour tenter de comprendre ce monde, arriver au bout des infinis, à tout le moins les sonder. Mais c'est illusoire, car la raison est aussi incapable « d'arriver au centre des choses » que « d'embrasser leur circonférence ». Elle se perd entre ces deux infinis qu'elle ne peut appréhender, car « il ne faut pas moins de capacité pour aller jusqu'au néant que jusqu'au tout ».

D'autres renoncent à comprendre leur condition et se concentrent sur le bonheur terrestre. À cette fin, ils mettent en œuvre une sorte de « machine », une partie de l'homme qui le fait agir inconsciemment. Mais, là encore, ce n'est qu'une illusion, car l'homme est incapable d'être heureux. Même s'il obtient ce qu'il croit vouloir pour l'être, il ne s'en satisfait jamais et se met toujours en quête d'un autre objet. Il est donc toujours malheureux : « Ainsi, nous ne vivons jamais, mais nous espérons de vivre, et nous disposant toujours à être heureux, il est inévitable que nous ne le soyons jamais. » (fr. 80)

Incapable de maîtriser le monde ou d'y trouver le bonheur, l'homme n'a plus alors qu'une seule solution : se divertir (du latin *divertere*, s'arracher), faire de la vie un jeu pour ne pas penser à la mort. Tous les divertissements sont bons à prendre : le pouvoir, les honneurs, la guerre, le bal, la chasse, le jeu de paume... — jamais Pascal ne mentionne le sexe. Tout cela n'est qu'illusion, tout n'est que jeu, poursuite et non conquête. C'est la « raison pour quoi on aime mieux la chasse que la prise et pourquoi l'on passe tout le jour à courir après un lièvre qu'on ne voudrait pas avoir acheté : ce lièvre ne nous garantirait pas de la vue de la mort et des misères mais la chasse qui nous en détourne nous en garantit ». (fr. 168)

Tout jeu n'est qu'une traque du bonheur : « Tel homme passe sa vie sans ennui en jouant tous les jours peu de chose. Donnez-lui tous les matins l'argent qu'il peut gagner chaque jour, à la charge qu'il ne joue point, vous le rendez malheureux. On dira peut-être que c'est qu'il recherche l'amusement du jeu et non pas le gain. Faites-le donc jouer pour rien, il ne s'y échauffera pas et s'y ennuiera. Ce n'est donc pas l'amusement seul qu'il recherche, [...] il faut [...] qu'il se forme un sujet de passion et qu'il excite sur cela son désir, sa colère, sa crainte pour l'objet qu'il s'est formé, comme les enfants qui s'effraient du visage qu'ils ont barbouillé. » (fr. 168)

Car, pour que le jeu donne toute sa mesure, l'homme a besoin de mettre en branle la pire partie de lui-même : l'imagination, « cette partie dominante dans l'homme, cette maîtresse d'erreur et de fausseté » (fr. 78), qui « grossit les petits objets jusqu'à en remplir notre âme par une estimation fantastique, et par une insolence téméraire elle amoindrit les grandes jusqu'à sa mesure, comme en parlant de Dieu ». (fr. 461)

Elle nous pousse à prendre nos jeux au sérieux, à y attacher de l'importance, à nous battre pour eux comme s'il s'agissait d'enjeux réels. Nul ne saurait échapper à ce besoin de distraction ; pas même le roi : « Il tombera par nécessité dans les vues qui le menacent des révoltes qui peuvent arriver et enfin de la mort et des maladies, qui sont inévitables. De sorte que s'il est sans ce qu'on appelle divertissement, le voilà malheureux, et plus malheureux que le moindre de ses sujets qui joue et qui se divertit. » (fr. 168)

C'est dans ces conditions que le divertissement atteint son but : empêcher l'homme de penser à la mort (« Nous courons sans souci dans le précipice après que nous avons mis quelque chose devant nous pour nous empêcher de le voir » [fr. 198]), de penser à l'approche de la mort (« Le divertissement nous amuse et nous fait arriver insensiblement à la mort. » [fr. 33]).

Cette distraction vaut néanmoins mille fois mieux que le désespoir qui constitue la réponse des philosophes, ces « demi-habiles » dénonçant la condition humaine sans rien proposer en échange. Elle est une « opinion du peuple saine ». La mondanité en est d'ailleurs la meilleure forme, car le mondain est à tout le moins assez lucide pour ne point être dupe de ses plaisirs. Mais cela tue l'ultime étincelle qui pourrait permettre de recevoir la grâce : « Cette négligence en une affaire où il s'agit d'eux-mêmes, de leur éternité, de leur tout, m'irrite plus qu'elle ne m'attendrit. Elle m'étonne et m'épouvante : c'est un monstre pour moi. » (fr. 681)

Pour faire mieux, il faut avoir le courage d'affronter la solitude et ne chercher à y échapper qu'en allant trouver non pas d'autres humains, mais les traces que Dieu a laissées de Sa présence : « Ces misérables égarés, ayant regardé autour d'eux et ayant vu quelques objets plaisants, s'y sont donnés et s'y sont attachés. Pour moi je n'ai pu y prendre d'attache, et considérant combien il y a plus d'apparence qu'il y a autre chose que ce que je vois, j'ai recherché si ce Dieu n'aurait point laissé quelque marque de soi. » (fr. 229)

Seul Dieu est une présence permettant d'échapper à la solitude. Aucune présence humaine ne permet de la combler.

S'il le cherchait, l'homme pourrait entendre ce que Dieu, puis Jésus ont à lui dire.

Rencontre de l'homme avec Dieu, mais sans Jésus

La rencontre avec Dieu ne peut passer, pense-t-il, que par les Juifs.

Blaise n'en a sans doute jamais rencontré. Il n'y en a pas du tout à Clermont ; il y en a quelques-uns dans le commerce international, à Rouen, et peut-être quelques centaines à Paris. Partout on les déteste, les méprise, les exècre. Ils fascinent Blaise. L'un des premiers dans l'Europe moderne, il reconnaît ce que leur doit le christianisme. Il les nomme comme un peuple, alors que le concile de Trente et les pères de l'Église ne s'intéressent qu'au message divin et les évacuent, les oublient, les nient.

D'abord, bien établir la chronologie du prophétisme. Il étudie tous les textes bibliques, les travaux des spécialistes qui passent à sa portée, et tranche : depuis qu'Il a créé les hommes, Dieu cherche à Se faire entendre d'eux. Et par un seul truchement : les Juifs. Le Déluge a eu lieu en 2348 av. J.-C. ; le premier prophète est Job (2000 ans av. J.-C.), le dernier est Malachie (400 ans av. J.-C.). Ces dates correspondent à celles que Port-Royal établit à ce moment même sous la direction de Sacy, et qui seront publiées en 1662 dans la *Chronologie sacrée* annexée à la *Bible de Vitré* par Cl. Lancelot. Cette même chronologie sera reprise en 1682 par Bossuet dans son *Discours sur l'Histoire universelle* et restera considérée comme historiquement vraie par tous les théologiens jusqu'à ce qu'au XIXe siècle les historiens allemands et Renan[69] remettent en cause la réalité même des prophètes et du Déluge. Et il faudra attendre encore un siècle pour que la date de naissance de l'univers recule de plusieurs milliards d'années.

Tous les autres peuples qui prétendent avoir entendu Dieu leur parler se trompent. De la Chine au Mexique, de la Grèce à l'Égypte, toutes les autres religions sont illusoires : car si Dieu existe, Il est évidemment universel, et seul le Dieu des Juifs Se revendique comme tel. Il est le seul Dieu à Se dire non seulement unique pour Son peuple, mais également unique pour tous les hommes. Si Dieu est jaloux du peuple juif, le peuple juif n'est pas jaloux de son Dieu.

Les événements de l'histoire humaine sont rythmés par ceux que décrit la Bible et pour lesquels il existe des témoins : ses rédacteurs mêmes. Alors que les histoires amérindienne, égyptienne, grecque ou chinoise sont des mythes, car, dit Pascal, ces peuples n'ont ni livre sacré, ni témoins, ni martyrs morts pour défendre leur histoire. Ils ne sont là que pour nous aveugler et s'aveugler eux-mêmes.

Voilà qui lui permet en tout cas de se débarrasser des problèmes d'importance que pose alors la Chine aux théologiens. À l'époque, en effet, de nombreux voyageurs, même parmi les jésuites, constatent que l'histoire chinoise contredit la Bible entendue littéralement. Par exemple, en décembre 1658, le père jésuite Martino Martini relève que, selon un calendrier chinois, un empereur chinois, Fohius, aurait vécu en 2952 av. J.-C., soit six siècles avant le Déluge, événement qu'on date de l'an 2348 av. J.-C. Un tel fait concret s'inscrit en faux contre la Bible, puisque aucun peuple, aucune société humaine n'est censée avoir survécu au Déluge. Mais les chroniques chinoises n'ont pas été rédigées par des contemporains des événements qu'elles relatent, à la différence de la Bible, entièrement due à des témoins oculaires. Rien n'est donc avéré.

Le peuple juif, lui, a bien reçu un message direct de Dieu. Cela suffit à conférer à ce message un poids supérieur à celui de tous les autres, y compris de l'Islam dont Mahomet fut « seul témoin ». Les Juifs ne sont donc pas, comme le laisse alors dire le Saint-Siège, le peuple « déicide », le « rebut des nations », à écarter de l'histoire, mais d'abord le peuple témoin de l'Histoire sainte, par lequel Dieu a choisi de s'adresser aux hommes. Sa religion est « toute divine dans son autorité, dans sa durée, dans sa perpétuité, dans sa morale, dans sa doctrine, dans ses effets ». (fr. 646) Le peuple juif est « historien unique contemporain » (fr. 711), « peuple sain » (fr. 11) et « peuple de Dieu » (fr. 645).

« Avantages du peuple juif. [...] La loi par laquelle ce peuple est gouverné est tout ensemble la plus ancienne loi du monde, la plus parfaite, et la seule qui ait toujours été gardée sans interruption dans un État » (fr. 691) : la plus ancienne civilisation du monde, apparue mille ans avant même que les Grecs ne songent à élaborer des lois, un peuple entièrement constitué autour du Livre dans lequel il a même consigné ses propres turpitudes. « Ils portent avec amour et fidélité ce livre où Moïse déclare qu'ils ont été ingrats envers Dieu. » (fr. 692), « [...] C'est un peuple tout entier qui l'annonce et qui subsiste depuis quatre mille années pour rendre [...] témoignage des assurances qu'ils en ont et dont ils ne peuvent être divertis par quelques menaces et persécutions qu'on leur fasse. » (fr. 736) Il faut donc croire les prophètes quand ils portent témoignage de la présence de Dieu et quand ils annoncent la venue d'un Messie. Or ils l'annoncent à quatre reprises : le Christ est venu à l'époque des successeurs d'Alexandre, c'est-à-dire à la quatrième monarchie, comme annoncé par le prophète Daniel. Il est venu juste avant la destruction du second Temple par Titus en l'an 70, ainsi que l'a prophétisé Aggée. Il est venu avant que les Juifs ne se reconnaissent sujets des Romains, comme le prophétise la Genèse. Enfin, il est venu à l'issue des sept et soixante-deux semaines prédites par Daniel[69]. Mais, naturellement, ces messages prophétiques ne sont ni clairs ni directs. C'est normal : « Qu'on ne nous reproche donc plus le manque de clarté, puisque nous en faisons profession » (fr. 260) ; l'obscurité est « un des desseins formels des prophètes ». (fr. 260) C'est d'ailleurs à cause de cette obscurité du message prophétique que les Juifs n'ont pas reconnu le Messie lorsqu'il est arrivé : « Les Juifs étaient accoutumés aux grands et éclatants miracles. Et ainsi, ayant eu les grands coups de la mer Rouge et la terre de Canaan comme un abrégé des grandes choses de leur Messie, ils en attendaient donc de plus éclatants, dont ceux de Moïse n'étaient que l'échantillon. » (fr. 295) Il ne faut donc pas leur reprocher de ne pas avoir reconnu Jésus.

Il faut même les en féliciter. Car c'est grâce à cela qu'ils sont les témoins insoupçonnables de l'historicité de Jésus. C'est grâce à sa mort que Jésus devient Messie : « Les Juifs, en le tuant pour ne le point recevoir pour Messie, lui ont donné la dernière marque du Messie. Et en continuant à le méconnaître, ils se sont rendus témoins irréprochables. Et en le tuant et continuant à le renier, ils ont accompli les prophéties. » (fr. 734) Ainsi, la vérité historique du christianisme « apparaît par les Juifs et contre les Juifs ». Jésus n'a rien fait d'autre alors qu'apporter la religion juive à tous ceux qui ne la pratiquaient pas : « Pour montrer que les vrais Juifs et les vrais chrétiens n'ont qu'une même religion. » (fr. 693)

Après la venue de Jésus, donc, plus besoin de prophètes : le relais est pris par l'Église, « miracle subsistant », et accessoirement par les autres miracles, « éphémères ».

Splendeur de l'homme avec Dieu et Jésus

« Jésus-Christ sans biens, et sans aucune production au-dehors de science, est dans son ordre de sainteté. Il n'a point donné d'inventions, il n'a point régné, mais il a été humble, patient, saint, saint, saint à Dieu, terrible aux démons, sans aucun péché. Ô qu'il est venu en grande pompe aux yeux du cœur et qui voient la sagesse ! » (fr. 339)

Grâce à ce Messie, s'ils savent aimer, les hommes peuvent sortir de la violence et de la solitude. Il « vient dire aux hommes qu'ils n'ont point d'autres ennemis qu'eux-mêmes ». (fr. 685) De ce fait, « l'homme passe infiniment l'homme » (fr. 164) et peut tirer sa « grandeur [...] de sa misère » (fr. 149), atteindre « l'unique objet de l'Écriture [qui] est la charité » (fr. 301), qui seule permet d'être *aimable* et *heureux* (fr. 680) (deux mots soulignés dans le manuscrit).

Pour définir la charité, un texte sublime la distingue de l'esprit et du corps :

« La grandeur des gens d'esprit est invisible aux rois, aux riches, aux capitaines, à tous ces grands de chair. La grandeur de la sagesse, qui n'est nulle sinon de Dieu, est invisible aux charnels et aux gens d'esprit. Ce sont trois ordres différents. De genre.

« Les grands génies ont leur empire, leur éclat, leur grandeur, leur victoire et leur lustre, et n'ont nul besoin des grandeurs charnelles, où elles n'ont pas de rapport. Ils sont vus non des yeux mais des esprits, c'est assez.

« Les saints ont leur empire, leur éclat, leur victoire, leur lustre, et n'ont nul besoin des grandeurs charnelles ou spirituelles, où elles n'ont nul rapport car elles n'y

ajoutent ni ôtent. Ils sont vus de Dieu et des anges, et
non des corps ni des esprits curieux : Dieu leur suffit.
[...]

« Tous les corps, le firmament, les étoiles, la terre et
ses royaumes ne valent pas le moindre des esprits. Car
il connaît tout cela, et soi et les corps rien.

« Tous les corps ensemble et tous les esprits
ensemble et toutes leurs productions ne valent pas le
moindre mouvement de charité. Cela est d'un ordre
infiniment plus élevé. » (fr. 339)

Jésus reviendra à la fin des temps, à un moment
inconnaissable, pour juger tous les hommes. « [...]
deux avènements, l'un de misère pour abaisser
l'homme superbe, l'autre de gloire pour élever
l'homme humilié. » (fr. 291) Jésus a rempli son rôle.
Il a laissé les hommes.

D'ici là, comment parvenir à aimer Dieu ? C'est
simple : l'homme doit détester tout ce qui est humain.
Il doit se haïr. « Nulle autre religion n'a proposé de se
haïr. Nulle autre religion ne peut donc plaire à ceux
qui se haïssent, et qui cherchent un être véritablement
aimable. Et ceux-là, s'ils n'avaient jamais ouï parler de
la religion d'un Dieu humilié, l'embrasseraient incontinent. » (fr. 253)

C'est le rôle de l'Église, corps visible de Jésus-
Christ, indépendante des nations et des pouvoirs laïcs,
que de l'y aider. « L'histoire de l'Église doit proprement être appelée l'histoire de la vérité. » (fr. 641)
Alors, malheur à elle quand elle faillit à sa mission
pour n'être plus qu'un lieu de pouvoir : « Bel état de
l'Église quand elle n'est plus soutenue que de Dieu ! »
(fr. 427)

Malheur aux hommes aussi s'ils restent seuls face
au vide de Dieu !

```
CARTE BANCAIRE
   SANS CONTACT


        ))))

A0000000031010
VISA
LE 12/10/23 A 12:37:50
RELAY 352831SV
95352831RELAY
4067498 54209533614451
30004
############7758
C08BEE35E38C1D78
002 000100 02 C @
NO AUTO: 743132
MONTANT :
                  24,70 EUR

DEBIT
TICKET CLIENT
A CONSERVER
```

La probabilité du vide de Dieu : le pari

Car parfois la raison l'emporte sur le cœur, et l'homme ne parvient pas à se haïr : « Ils sentent qu'ils n'en ont pas la force d'eux-mêmes, qu'ils sont incapables d'aller à Dieu et que si Dieu ne vient à eux, ils sont incapables d'aucune communication avec lui. » (fr. 413)

Pour convaincre ceux-là, reste un ultime argument, une botte secrète, le dernier atout, celui qu'on ne peut utiliser qu'en dernier ressort : si vous ne croyez pas, croyez quand même ! Vous n'avez rien à y perdre.

Bien d'autres avant Pascal ont écrit que l'homme ne risque rien à croire en Dieu, et tout à ne pas y croire. Mais lui va beaucoup plus loin : il ne s'agit pas de faire semblant de croire pour être en paix avec Dieu, mais de se convaincre de croire vraiment, de « s'autosuggérer » la foi, de vaincre son inconscient, de mater la « machine » qui ne croit pas, afin de libérer en son esprit la foi véritable qui s'y cache. C'est à une cure par la volonté qu'il exhorte son lecteur pour faire apparaître, enfouies, la foi et la grâce.

Et c'est le si célèbre « pari » dont le titre réel, trop souvent oublié, est justement « Discours sur la machine » :

« Vous avez deux choses à perdre : le vrai et le bien, et deux choses à engager : votre raison et votre volonté, votre connaissance et votre béatitude ; et votre nature a deux choses à fuir : l'erreur et la misère. Votre raison n'est pas plus blessée, puisqu'il faut nécessairement choisir, en choisissant l'un que l'autre. [...] Pesons le gain et la perte, en prenant croix [l'équivalent de « face » pour une pièce de monnaie] que Dieu est. Estimons ces deux cas : si vous gagnez, vous gagnez tout ; si vous perdez, vous ne perdez rien. Gagez donc qu'il est, sans hésiter ! — "Cela est admirable. Oui, il faut gager. Mais je gage peut-être trop." — Voyons. Puisqu'il y a pareil hasard de gain et de perte, si vous n'aviez qu'à gagner deux vies pour une, vous pourriez encore gager. [...] Il faudrait jouer (puisque vous êtes dans la nécessité de jouer), et vous seriez imprudent, lorsque vous êtes forcé à jouer, de ne pas hasarder votre vie pour en gagner trois à un jeu où il y a pareil hasard de perte et de gain. Mais il y a une éternité de vie et de bonheur, [...] une infinité de vie infiniment heureuse à gagner [...]. Cela ôte tout parti : partout où est l'infini et où il n'y a pas infinité de hasards de perte contre celui de gain. Il n'y a point à balancer, il faut tout donner. Et ainsi, quand on est forcé à jouer, il faut renoncer à la raison pour garder la vie plutôt que de la hasarder pour le gain infini aussi prêt à arriver que la perte du néant. » (fr. 680)

En fait, c'est aussi un texte sur deux infinis, mais, ici, des infinis dans le temps et non plus dans l'espace. En risquant une quantité infiniment petite de temps (la vie), on peut en gagner une quantité infiniment grande (l'éternité). Pascal fait ainsi le lien entre salut et hasard, entre les probabilités et la grâce, deux notions qui l'ont tant occupé.

Prendre la décision de croire, c'est aussi prendre celle de pratiquer, laquelle peut conduire à croire vraiment. C'est celle de se priver du plaisir de la vie de l'athée. Quiconque parie doit tout sacrifier pour tenter de sortir de la solitude en cherchant Dieu. Parier, c'est donc déjà croire qu'il vaut la peine de sacrifier la poursuite du bonheur terrestre à l'espérance d'éternité.

Parier, c'est vivre dans l'antichambre de l'éternité.

Mort de Jacqueline (octobre 1660-octobre 1661)

Ce livre, qu'il sait formidablement novateur — « Je crois que plusieurs de ces choses n'ont point été remarquées jusqu'ici » —, il n'aura plus la force de l'achever, d'« aller au-devant de toutes les objections pour boucher toutes les fissures du raisonnement ». À trente-six ans, il est usé, brûlé. Alors, ainsi qu'il l'a écrit, il se prépare à rencontrer Dieu par la pratique mystique de la haine de soi. Il élimine tout ce qui pourrait lui faire plaisir, vend ses meubles et ses tapisseries, se procure une ceinture de fer qu'il se noue à même la peau et qu'il serre chaque fois qu'une conversation lui fait trop plaisir. Tout cela sans la moindre ostentation. Gilberte rapporte : « Tout était si secret que nous n'en savions rien du tout, et nous ne l'avons appris qu'après sa mort[431]. » Il l'écrit pourtant noir sur blanc :

« Quand notre passion nous porte à faire quelque chose, nous oublions notre devoir : comme on aime un livre, on le lit, lorsqu'on devrait faire autre chose. Mais pour s'en souvenir, il faut se proposer de faire quelque chose qu'on a autre chose à faire, et on se souvient de son devoir par ce moyen. » (fr. 763)

Quand il a la force de sortir, il se rend dans les églises de Paris, en quête de reliques, ou pour assister à des messes particulières dont il se tient informé par la lecture régulière d'un *Almanach spirituel*. Jeune homme déjà si vieux, savant si docile, pécheur si orgueilleux...

Sans doute aurait-il cessé d'écrire si un coup porté à Port-Royal ne l'avait amené, pour son plus grand chagrin, à devoir une nouvelle fois défendre le jansénisme contre les jansénistes.

Se concrétise en effet la menace qui pèse sur le mouvement depuis le temps des *Provinciales* : le roi se donne les moyens d'en finir en exigeant de tous les clercs et religieuses de France, en gage d'orthodoxie, la signature d'un formulaire de soumission à la bulle d'Alexandre VII, c'est-à-dire la reconnaissance du caractère hérétique de l'œuvre de Jansénius[140]. L'idée d'imposer un tel serment, lancée trois ans plus tôt, était jusque-là restée lettre morte. Mais, en septembre 1660, sur l'initiative des jésuites — pour réagir à leur défaite sur l'*Apologie* —, Mazarin obtient des évêques de France qu'ils exigent la signature d'un tel texte par tous les clercs de leur diocèse. Le texte du serment, rédigé par l'archevêque de Toulouse, Pierre de Marca, est très dur :

« Je condamne de cœur et de bouche la doctrine des *cinq propositions* de Cornélius Jansénius contenues dans son livre intitulé *Augustinus*, que ces deux papes et les évêques ont condamnée ; laquelle doctrine n'est point celle de saint Augustin, que Jansénius a mal expliquée contre le vrai sens de ce saint docteur[239]. »

Tout y est. Pas d'échappatoire, pas de droit ni de fait : l'*Augustinus* est hérétique. C'est tout. Quiconque signe renie et dénonce le jansénisme. Forcer les prêtres et religieux de France à le faire, c'est contraindre à se déjuger une large part de l'élite de l'Église de France.

Les gens de Port-Royal ne sont pas prêtres ni religieux, ils n'ont donc pas à refuser de signer et sont libres de conduire la riposte à leur guise. « Le pape hait et craint les savants qui ne lui sont pas soumis par vœux. » (fr. 556) Ils sont cependant divisés sur la tactique à suivre.

Barcos — neveu de Saint-Cyran —, Guillebert, Du Mont, Le Maistre de Sacy pensent que l'on peut signer, car la pensée de saint Augustin, la seule à défendre, n'est pas mise en cause par le Formulaire ; quant à Jansénius, ce n'est après tout qu'un historien de la théologie parmi d'autres, sans système propre[239] : se dissocier de lui ne prête pas à conséquence. De plus, disent-ils, dans ce monde intrinsèquement pourri, on peut signer n'importe quoi sans que cela nuise au salut.

Arnauld et Nicole sont d'un avis contraire : signer, c'est admettre que Jansénius contredit saint Augustin. Or c'est faux, et on ne doit pas signer quelque chose de faux. On ne peut pas mentir. Pascal est du même avis. Il traite la proposition de Barcos — on signe en pensant à autre chose — de « ridiculé ». Les religieuses de Port-Royal soutiennent Pascal et le Grand Arnauld. Pour elles, Jansénius, c'est Saint-Cyran ; toucher à l'un, c'est attenter à l'autre[239]. Les plus déterminées sont mères Agnès, Angélique et Jacqueline. Sans avoir revu son frère depuis qu'elle a été élue sous-prieure des Champs en novembre 1659, Jacqueline et Blaise défendent la même position.

On dispute. Singlin, le directeur de conscience du couvent, hésite, puis se range derrière Pascal. Racine dira plus tard : « M. Pascal était respecté parce qu'il parlait fortement, et M. Singlin se rendait dès qu'on lui parlait avec force [443]. »

Un compromis est trouvé : on acceptera de signer, mais avec un amendement réintroduisant la distinction entre le droit et le fait, ce qui reviendra à ne plus affirmer que les cinq propositions sont dans l'*Augustinus*. Il faut donc préparer un projet de « mandement », c'est-à-dire d'ordre qu'on voudrait voir donné par l'archevêque en complément du Formulaire. Naturellement, c'est Pascal qu'on charge de sa rédaction. Il y travaille en novembre 1660, en même temps qu'il achève de relire les trois *Discours sur la condition des Grands* et la *Lettre sur l'égalité des lignes spirale et parabolique*, adressée à « Monsieur A.D.D.S. », qu'il transmet à Huygens, séjournant alors à Paris ; il le rencontrera d'ailleurs deux fois, les 5 et 13 décembre [401]. Preuve qu'il n'a pas tout à fait renoncé aux mathématiques... Il rédige également une lettre à Mme de Sablé.

Sa santé est meilleure. Comme si la bataille à venir lui redonnait des forces.

Le 16 novembre, un an exactement après leur dernière rencontre à Paris avant son départ pour les Champs, Jacqueline lui écrit [7]. D'abord pour s'inquiéter de sa santé et le féliciter de s'occuper si bien de ses neveux, d'être « devenu père de famille en une des manières dont Dieu même est notre père » [129]. Puis elle dispute : elle n'accepte pas la position de compromis adoptée par les Solitaires et les directeurs de conscience de Port-Royal sur le Formulaire ; signer, même avec ce « mandement », ce serait pour elle dire le contraire de ce qu'elle pense, soit ce que « Montalte » reprochait précisément aux jésuites dans la cinquième *Provinciale*, quand il accusait les casuistes de permettre de mentir en terminant mentalement ses phrases et par exemple aux indigènes des colonies de faire semblant de continuer à adorer leurs idoles, pour ne pas se distinguer de leur peuple, tout en adressant mentalement leur prière à une image de Jésus-Christ cachée dans une poche [129]...

Jacqueline conclut cette lettre à Blaise par une étrange remarque sur la mort, dans un style encore une fois sensible et magnifique, en référence à l'année qu'ils viennent de passer sans se voir [7] :

« Bon jour et bon an, mon très cher frère. Vous ne doutez pas que je vous l'aie souhaité de bon cœur dès le commencement, quoique je n'aie pu vous le dire qu'à la fin [...]. Mon Dieu ! quand je pense combien cette séparation, qu'il semblait que la nature devait appréhender, s'est passée doucement, et combien cette année a été tôt passée, je ne puis m'empêcher de désirer l'éternité, car en vérité le temps est peu de chose. »

Autrement dit, mourir est tout ce à quoi elle aspire désormais.

En attendant, voilà que se produit pour la première fois une rupture entre les religieuses et leurs directeurs, entre les onze femmes et les hommes de Port-Royal. Blaise se rallie aussitôt au point de vue de sa sœur.

Le 1er février 1661, alors que l'Assemblée du clergé décide d'imposer le Formulaire à tous les « ecclésiastiques, régents, maîtres d'école et religieuses » de France [69], le Grand Arnauld commence à négocier. Il espère réussir. Mazarin est mourant, c'est le moment d'obtenir quelque chose de l'Église.

Mais, dans la nuit du 8 au 9 mars, le Cardinal rend l'âme. Dès le lendemain, le roi décide de gouverner en personne. D'abord avec Fouquet, tout en laissant le chancelier Séguier présider le Conseil d'État et en associant au gouvernement des dynasties de grands commis issus de la bourgeoisie, tels les Colbert ou les

Louvois, cependant que les puissants seigneurs sont écartés et que commencent les travaux à Versailles.

Très mauvaise nouvelle pour Port-Royal, car l'une des premières décisions personnelles du souverain est d'exiger des évêques l'exécution immédiate des décisions de l'Assemblée du clergé : le 13 avril, un arrêt du Conseil d'État rend obligatoire la signature sans délai du Formulaire[69]. Le 23 avril, le roi ordonne le départ des directeurs de Port-Royal, le renvoi des pensionnaires, et que ne soient plus acceptés jusqu'à nouvel ordre ni novices ni pensionnaires nouveaux[69]. Autrement dit, tous les Solitaires, tous les messieurs, toutes les « amies » et tous les élèves doivent partir. C'est l'arrêt du recrutement des deux maisons. C'est donc leur condamnation à une mort plus ou moins rapide.

De Paris, Angélique Arnauld d'Andilly (sœur Angélique de Saint-Jean), mise au courant, avertit mère Angélique, sa tante, qui se trouve aux Champs. Comme aucun pensionnaire ne veut quitter la rue du Faubourg-Saint-Jacques, elle s'attend à un coup de force du pouvoir. Mère Angélique lui répond avec sa sérénité habituelle : « Dieu voit tout et préside ces conseils, quoiqu'on n'ait pas le dessein de suivre Son esprit. Mais Il ne laissera pas d'accomplir Ses volontés, ce qui doit être notre unique désir[69]. » Deux jours plus tard, mère Angélique apprend l'exil de Singlin aux Pays-Bas. C'est, pour elle, « la chose du monde la plus sensible »[69]. Elle prévient alors mère Agnès, sa sœur, de son arrivée pour le lendemain : elle entend protéger l'abbaye parisienne par sa présence. Elle quitte Port-Royal-des-Champs qu'elle confie à la prieure, mère Marie du Fargis d'Angennes, et à la sous-prieure, Jacqueline de Sainte-Euphémie. Mais, alors qu'elle est en route, par un acte inouï, le lieutenant civil envahit Port-Royal de Paris et en expulse dix-neuf postulantes et cinquante-six pensionnaires[69]. Racine raconte que, découvrant à son arrivée un couvent en désordre,

« mère Angélique se mit aussitôt à réciter le *Te Deum* avec les sœurs qui l'accompagnaient dans le carrosse, leur disant qu'il fallait remercier Dieu de tout et en tout temps. Elle arriva avec cette tranquillité dans la maison, et comme elle vit des religieuses qui pleuraient : "Quoi, dit-elle, mes Filles, je pense qu'on pleure ici ? Et où est votre foi ?".[443] ».

L'émotion est vive. La police a envahi un couvent... Du jamais vu ! Même les adversaires des jansénistes sont choqués. Le roi s'impatiente : pourquoi les signatures ne commencent-elles pas ? Un arrêt du Conseil d'État du 24 avril en réaffirme l'obligation. En province, les signatures vont bon train, malgré d'innombrables cas de résistance.

Le 8 juin 1661, les négociations menées par le Grand Arnauld et Pavillon avec les deux vicaires généraux de l'archevêque de Paris aboutissent : le prélat accepte d'ajouter au Formulaire le mandement distinguant le droit du fait, tel que rédigé par Pascal[69]. Le Formulaire se trouve par là vidé de son contenu. Victoire inattendue pour les jansénistes.

Le roi est furieux de ce camouflet. Le 11 juin, tous les confesseurs de Port-Royal reçoivent l'ordre de vider les lieux comme l'ont fait les directeurs de conscience peu auparavant. MM. de Rebours, du Mont, d'Alençon et de Sacy quittent Port-Royal-des-Champs[69] et se réfugient dans les couvents voisins, dont Saint-Jean-des-Tours à Chevreuse. Le roi fait annuler l'amendement et exige à nouveau qu'on signe le Formulaire dans sa première rédaction.

Craignant la destruction totale de Port-Royal, Nicole et Arnauld se rallient au point de vue de Barcos et des autres : signer est sans importance. Pascal y est toujours opposé, car « souscrire en ce qui regarde la foi, c'est admettre la condamnation de la grâce efficace, saint Augustin, saint Paul ». Pour la première fois, il entre en opposition ouverte avec Arnauld et Nicole. Appuyé seulement par Domat, Pavillon et Caulet, il exhorte à distance Jacqueline et mère Angélique à la résistance.

La querelle larvée qui l'oppose depuis quelque temps aux grands jansénistes éclate là au grand jour. Il en veut surtout à Arnauld d'Andilly qui, pense-t-il, se compromet à la Cour et publie d'humiliants sonnets courtisans « sur le tonnerre qui tomba près du roi Louis »[94]. Il écrit même dans un texte que les jansénistes chercheront plus tard à faire disparaître : « S'il y a jamais un temps auquel on doive faire profession des deux contraires, c'est quand on reproche qu'on en omet un. Donc les jésuites et les jansénistes ont tort en les celant, mais les jansénistes plus, car les jésuites en ont mieux fait profession des deux. » (fr. 645)

Mais Arnauld passe outre et veut imposer la signature du Formulaire par les religieuses en dépit du retrait de l'amendement. Pour sauver la face, il leur propose d'ajouter à côté de leur signature cet incroyable *considérant* :

« Considérant que, dans l'ignorance où nous sommes de toutes ces choses qui sont au-dessus de notre profession et de notre sexe, tout ce que nous pouvons est de rendre témoignage de la pureté de notre Foi [...]. C'est pourquoi nous embrassons sincèrement et de tout cœur ce que Sa Sainteté le Pape Innocent X en a décidé[69]. »

Autrement dit, nous sommes de simples femmes, donc des idiotes et nous ne pouvons rien comprendre à ces choses ; nous pouvons donc signer sans avoir à approuver ce que nous ne comprenons pas.

À Paris, à la mi-juin 1661, de nombreuses religieuses signent. Le jansénisme parisien bascule tout entier du côté de l'ordre. À Port-Royal-des-Champs, au contraire, c'est la mobilisation générale. Furieuse de voir Arnauld demander aux religieuses de se traiter elles-mêmes d'idiotes, Jacqueline prend la tête de la résistance. Les jésuites, pense-t-elle, n'ont pas fait pire dans les pires recueils de casuistes. Il est possible

qu'elle échange alors des lettres avec Blaise, qui a
adopté la même position, mais on n'en a pas gardé
trace.

Le 22 juin, le Grand Arnauld se rend à Port-Royal-
des-Champs pour y rencontrer Jacqueline. La conversation est orageuse. Arnauld veut la convaincre de
signer. Jacqueline ne cède pas. On en trouve témoignage dans la magnifique lettre qu'elle écrit le même
jour à mère Angélique de Saint-Jean, alors à Paris, et
qu'elle confie à Arnauld — qui ne l'a pas convain-
cue — pour la lui porter. C'est un texte d'une très
grande force. On y retrouve la Jacqueline de la Cour
et de Rouen, celle qui résistait à tout pour devenir elle-
même et qui n'a jamais pu l'être, tant d'« occasions »
ayant été manquées. Parce qu'elle est une femme, tout
simplement, et que ce n'est pas son siècle.

Pour elle, écrit-elle, signer équivaudrait à renoncer à
l'exigence d'absolu qui l'a entraînée au couvent, et à
transformer l'Église en une secte païenne :

« Car je vous demande, ma chère sœur, au nom de
Dieu, quelle différence vous trouvez entre ces déguise-
ments et donner de l'encens à une idole sous prétexte
d'une croix qu'on a dans sa manche [129]. »

Puis ces phrases terribles qu'elle a dû se répéter
toute sa vie :

« Je sais bien que ce n'est pas à des filles à défendre
la vérité, quoique l'on peut dire, par une triste rencontre, que puisque les évêques ont des courages de
filles, les filles doivent avoir des courages d'évêques.
[...] Mais si ce n'est pas à nous à défendre la vérité,
c'est à nous à mourir pour la vérité et à souffrir plutôt
toutes choses que de l'abandonner [129] ! »

« Mourir pour la vérité » : Jacqueline n'écrit jamais
un mot sans le peser. Elle se tiendra à sa règle, même
si cette règle est bannie. Car, elle l'a écrit on ne peut
plus clairement, signer, c'est mourir.

Elle fait lire sa lettre à Arnauld qui ne l'approuve
pas, mais accepte de l'emporter à Paris pour la remettre

à Angélique. Elle lui demande de n'en parler à son frère « que s'il se porte bien »[7].

Ainsi s'expose la profondeur de la solitude de ces deux êtres qui se sont tant aimés, qui s'aiment tant, tous deux cloîtrés dans leur absolu pour échapper l'un à l'autre, et qui, au moment où ils doivent se battre, une dernière fois ensemble, pour une vérité qui leur est encore commune, ne peuvent plus communiquer entre eux que par le truchement de leur nouvel adversaire, celui-là même qui leur avait fait découvrir leur idéal...

En apprenant de la bouche d'Arnauld le refus de Jacqueline de signer, Blaise pense rompre avec l'Église. Le 14 juillet 1661, appuyant la décision du souverain, Rome condamne le « mandement » de conciliation des vicaires généraux du diocèse de Paris.

À Port-Royal de Paris même, les religieuses se disputent entre celles qui signent et les réfractaires. Mère Angélique assiste à la première fracture entre ses « filles ». C'en est trop pour elle : le samedi 6 août, jour de la Transfiguration, vers 21 heures, à Port-Royal de Paris, elle meurt à l'âge de soixante-huit ans, dont soixante passés à Port-Royal. Son corps est inhumé à Paris sous les dalles du chœur de l'église, cependant que son cœur est transporté aux Champs[69]. Sa nièce Angélique Arnauld d'Andilly prend en charge, avec Jacqueline, les affaires de l'abbaye des Champs qui résiste encore.

Le 22 août, des représentants de l'archevêque de Paris viennent y interroger Jacqueline sur sa lettre du 22 juin, qu'on a naturellement interceptée : a-t-elle voulu y accuser l'Église d'idolâtrie ? Se met-elle en dehors de l'Église ? Sait-elle ce qu'elle risque à ce jeu-là ? Patiemment, elle répond. La séance se clôt sur de lourdes menaces.

Jacqueline est comme Antigone : forte parce que vulnérable, déterminée à se battre contre la raison d'État, pour celle de son frère, pour le respect de lois naturelles et humaines, même non écrites, qui lui paraissent impossibles à transgresser.

Et comme Antigone, quand on exigera d'elle qu'elle les transgresse, elle en mourra.

La bataille et la mort d'Angélique l'ont épuisée. Le 1er octobre, par solidarité avec ses sœurs et contre l'avis de son frère, elle signe : « Consentir au mensonge sans nier la vérité », dit-elle. Mais comme elle l'avait indiqué, signer, c'est mourir : trois jours plus tard, à l'aube du 4 octobre, exactement à la veille de son trente-sixième anniversaire, on la retrouve morte dans sa cellule. Apprenant la nouvelle, Singlin dit qu'« il faut s'en réjouir ». Blaise murmure : « Dieu nous fasse la grâce d'aussi bien mourir. »

On lui a beaucoup reproché cette phrase : comment être aussi indifférent, ne penser qu'à lui en apprenant cette nouvelle ? En fait, rien d'autre ne l'intéresse plus que rejoindre Jacqueline. Et la mort de sa sœur est celle qu'il souhaite à tous les hommes : pour être allée au bout d'elle-même. Elle est enterrée aux Champs, en présence de Blaise et de Gilberte. Arnauld, que Blaise tient pour responsable de la mort de sa sœur, est là aussi.

En septembre 1661, le roi se débarrasse de Fouquet et supprime la charge de surintendant des Finances. L'inamovible chancelier Séguier dirige le procès du trop puissant et trop riche ministre.

Louis XIV veut également en finir avec cet « abcès théologique » qui lui rappelle trop de mauvais souvenirs : le 31 octobre, un nouveau « mandement », rédigé cette fois par un ennemi de Port-Royal, ordonne de « souscrire sincèrement et de cœur » au Formulaire. Publié le 20 novembre, il doit être signé conjointement avec le Formulaire, sous quinze jours, par tous les ecclésiastiques du pays. Arnauld pousse les ultimes récalcitrants à accepter. Il sent bien que le roi n'attend qu'un refus pour liquider le jansénisme. Il faut donc signer.

Blaise n'est plus lui-même. La douleur, le chagrin le minent. Il sombre : « J'ai été si saisi de douleur que je

n'ai pas pu la soutenir[66] », confie-t-il à Gilberte. Il
n'est pas loin de considérer Antoine Arnauld comme
responsable de la mort de sa sœur par ce « considérant » qui l'a tant mise en colère. Il se déchaîne et
rédige alors un petit texte qu'il intitule *Écrit sur le
Formulaire* ; l'original en a disparu, sans doute brûlé
par ceux des jansénistes qui ne voudront pas laisser
apparaître la moindre fissure entre le grand homme et
eux. On n'en connaît donc que l'esprit, mentionné dans
certaines correspondances. Pascal y accuse Arnauld de
changer d'opinion par politique, et d'user d'équivoques[94]. Pour lui, une telle « profession de foi est au
moins équivoque et ambiguë, et par conséquent
méchante ». Il désigne Arnauld et ses amis comme des
« serviteurs timides de la vérité ». Et il conclut :
« Ceux qui signent en ne parlant que de la foi, n'ex-
cluant pas formellement la doctrine de Jansénius, prennent une voie moyenne qui est abominable devant
Dieu, méprisable devant les hommes, et entièrement
inutile à ceux qu'on veut perdre personnellement[94]. »

Vers le 20 novembre, les protagonistes se retrouvent
pour une réunion dramatique qui se tient chez Blaise,
trop malade pour se déplacer. Il y a là, d'un côté, ses
fidèles : Florin, Gilberte et Étienne Périer, Arthus de
Roannez et Domat ; de l'autre, les responsables de
Port-Royal, Arnauld, Nicole, Sainte-Marthe, et sans
doute Singlin et Le Maistre de Sacy. Discussion violente et passionnée. Comme dans la dix-huitième *Provinciale*, Pascal attaque le Saint-Siège : le pape n'est
pas infaillible, on a le droit de dire qu'il s'est trompé
en exigeant cette signature, tout comme il s'est trompé
autrefois en condamnant les conclusions philosophiques de Galilée. Cette fois, il s'est plus gravement
trompé sur un point majeur de théologie. Arnauld et
Nicole accusent Pascal de vouloir provoquer un
schisme. Il réplique que ce sont tous ceux qui ont signé
— et, avec eux, l'Église entière — qui sont schismatiques.

Un lourd silence suit cette réponse. Blaise est allé trop loin. Arnauld murmure qu'il dit n'importe quoi. Accuser le pape d'hérésie ? Domat et Arthus approuvent Arnauld. Les Périer se taisent. Nicole, Sainte-Marthe, Singlin réaffirment que signer est la seule solution. Pascal perd connaissance. Quand il revient à lui, il murmure : « Quand j'ai vu toutes ces personnes-là que je regardais comme étant ceux à qui Dieu avait fait connaître la vérité, et qui devaient en être les défenseurs, s'ébranler et succomber, j'ai été si saisi de douleur que je n'ai pu le soutenir[431]. »

Le 28 novembre, par de nouvelles menaces, Arnauld obtient des religieuses qui ont signé le Formulaire du 8 juin, assorti du « mandement », qu'elles signent de nouveau, mais cette fois sans réserve. Une vingtaine d'entre elles, aux Champs, continuent de résister, par fidélité à mère Angélique et à Jacqueline, et refusent catégoriquement.

À la fin de 1661, Blaise ne peut plus écrire ; il a trop mal à la tête. Jean Domat prend le relais et affronte Antoine Arnauld[164] par un texte — *Raisons qui empêchent que je ne me rende à l'écrit intitulé « Si on a le droit »*, etc. — dans lequel, comme Blaise, il rejette tout compromis : on ne signe pas ; ou, si on signe, c'est seulement moyennant un mandement défendant ouvertement la personne et la doctrine de Jansénius.

Restée à Paris depuis les obsèques de Jacqueline, Gilberte s'occupe de ses trois plus jeunes enfants — Louis, Marguerite et Jacqueline — dont Blaise n'est plus en état de prendre soin. Roannez, désormais entièrement acquis à la cause, propose à son ami de l'emmener en Amérique y créer une communauté janséniste. Il est même prêt à y consacrer toute sa fortune. Quelques Européens commencent à aller y chercher fortune et salut, comme l'ont fait les pionniers du *Mayflower*. Pascal hésite, puis refuse[7]. Il est trop las, il ne souhaite plus que se préparer à mourir. Sans rébellion. Mais parfois avec rage.

S'ouvre à ce propos un débat qui déchirera l'Église et les historiens durant des siècles : Pascal a-t-il, avant de mourir, renié Port-Royal ?

Cette année-là, un dernier hérétique, le prédicateur Simon Morin, est brûlé en place de Grève.

Les carrosses de Dieu (1662)

La misère populaire s'étale plus que jamais dans Paris. Dans le pays, les récoltes ont été très mauvaises. Le prix du blé grimpe en flèche. À Blois, des enfants meurent de faim par dizaines [302]. Dans les villes, des bandes de mendiants traînent jusque dans les églises des beaux quartiers. Pour y faire face, un édit royal multiplie les hôpitaux généraux dans le royaume. La charité devient l'obsession de Blaise. Il donne tous ses biens, ses meubles, veut accueillir des jeunes chez lui, ne voir qu'eux, rabroue Gilberte qui s'inquiète de le voir laisser filer sa fortune en aumônes et refuse d'y consacrer la sienne :

« J'aime la pauvreté, parce qu'Il l'a aimée. J'aime les biens, parce qu'ils donnent le moyen d'en assister les misérables. Je garde fidélité à tout le monde. Je [ne] rends point le mal à ceux qui m'en font, mais je leur souhaite une condition pareille à la mienne, où l'on ne reçoit pas de mal ni de bien de la part des hommes. » (fr. 759) Ou encore : « Le propre de la richesse est d'être donnée libéralement. » (fr. 650)

À ceux de ses amis qui lui parlent d'amples projets de réforme sociale, il répond qu'aucun de ces plans n'est sincère si leurs auteurs ne sont pas capables d'abandonner au préalable leurs propres biens. D'ailleurs, pense-t-il, les hôpitaux généraux ne résoudront rien, car n'iront se réfugier là que quelques-uns parmi les plus démunis. Nombre d'autres resteront à secourir. Seuls des actes de charité massifs seraient efficaces contre la pauvreté.

Dans le troisième *Discours sur la condition des Grands*, il a écrit : « Contentez leurs justes désirs ; soulagez leurs nécessités ; mettez vos plaisirs à être bienfaisants ; avancez-les autant que vous le pourrez[401]. »

Un jour de novembre 1661, Port-Royal lui annonce qu'on va lui restituer la dot de Jacqueline, comme convenu dans le contrat signé à son entrée dans les ordres. Plutôt aller en Enfer que toucher à cet argent ! Il se rappelle encore le mal que Jacqueline a eu pour l'obtenir, contre lui. Alors, évidemment, l'utiliser pour les pauvres ; mais comment ?

Surgit alors un projet qui lui permettra de créer avec quelques riches amis une entreprise capitaliste dont il entend consacrer sa part de profits aux pauvres. À ceux de la région de Blois, par exemple, où la famine, particulièrement terrible, émeut et scandalise jusqu'à Paris.

Cette entreprise constituera encore une fois une innovation : les premiers transports en commun dans une grande ville d'Europe. Peut-être sont-ce ses promenades dans Paris, à la recherche de messes et de reliques, qui lui donnent l'idée de créer un réseau de carrosses accessibles au public, circulant à intervalles réguliers selon des itinéraires précis ? « Carrosse versé ou renversé, selon l'intention. » (fr. 482)

Il y a quelque chose de surréaliste dans cette aventure : Blaise Pascal, qui vient de perdre sa sœur dans des circonstances épouvantables, mêlé à une formidable bataille philosophique planétaire, hanté par sa propre mort, trop malade pour achever la rédaction de l'essai qui lui tient à cœur sur la nécessité de renoncer aux ambitions de ce monde, s'associe à de grands seigneurs pour créer la première entreprise de transport en commun urbain. Jusqu'au bout, il pense et vit en plusieurs dimensions. Encore une fois, comme la machine d'arithmétique, il s'agit de faire gagner du temps à des utilisateurs, mais, ici, à des gens ayant intérêt à le faire, le tarif du voyage étant inférieur à la valeur du temps gagné. À la différence de la machine d'arithmétique où le travail du comptable est trop peu coûteux pour légitimer une machine.

Depuis Louis XIII existent des « coches de campagne » pour le transport des voyageurs d'une ville à l'autre. Mais, à Paris même, il n'y a que des chaises ou des voitures de louage, évidemment privées et fort chères. L'idée de Blaise est ainsi définie :

« Les chaises et les carrosses ne sont établis que pour des personnes de plus de considération, qui peuvent dépenser une pistole ou deux écus par jour, ce qui dépasse de beaucoup la portée des petites gens, lesquels pourront être pris en carrosse pour un prix si modique que pour les traites ordinaires on ne paiera que deux sols, et pour les plus éloignées quatre à cinq sols. » Il s'agit donc de faire gagner du temps aux « petites gens ».

Le financement est assuré par Arthus, conjointement avec deux amis : Pierre de Perrier, marquis de Crenan, Grand Éclaireur de France, et un neveu du Grand Arnauld, Simon Arnauld de Pomponne, alors en exil parce que proche de Fouquet. Roannez a trois parts ; Pascal, Crenan et Pomponne, chacun une. Par ailleurs, le prévôt de l'Hôtel du roi, Sourches, haut responsable, policier en charge de la sécurité dans Paris, dispose d'un revenu en échange de son appui à la réussite du projet [302]. Personne ne sait si Pascal a compris qu'il s'agit là d'un acte de corruption d'un agent du roi.

L'idée est d'utiliser comme concessionnaires, en leur proposant de s'associer aux bénéfices, les loueurs de carrosses existant déjà à Paris et travaillant à la commande [302]. Le 6 novembre 1661, juste avant la dramatique réunion chez Blaise à propos du Formulaire, les quatre actionnaires se retrouvent aussi chez lui, pour parapher un contrat rédigé par le jeune Étienne Périer, créant une Société d'exploitation des carrosses. Blaise y investit tout l'argent de la dot de Jacqueline et tente d'emprunter aussitôt aux autres actionnaires, sur sa part des bénéfices futurs de la société, de quoi secourir les pauvres de Blois, mais ses associés refusent.

Les statuts définissent deux tarifs, l'un pour les riches, l'autre pour les pauvres. On demande un privilège au Conseil du roi, dont l'un des membres est encore le chancelier Séguier. Encore lui. Le 7 février 1662, au grand dam de Blaise mais au vif plaisir des autres actionnaires, le privilège du roi n'est accordé que sous condition que « les soldats, pages, laquais et autres gens de bras ne pourraient utiliser les carrosses ». Blaise, lui, est déçu : à ses yeux, le projet n'a plus de sens, il devient même un blasphème : on va transporter les riches grâce à l'argent de Jacqueline ! Il se résigne à l'accepter mais décide de consacrer sa part des profits aux pauvres de Blois puisqu'il ne peut transporter ceux de Paris. On fixe le tarif à cinq sols. Chaque carrosse, équipé de deux chevaux, pourra recevoir huit personnes. Le client paiera le cocher, lequel ne sera pas tenu de rendre la monnaie [302].

Sourches fait enregistrer le privilège au Châtelet le 9 mars. Le monopole est acquis, Crenan est ravi : l'entreprise, désormais, sera sûrement rentable. Il écrit à Pomponne : « Notre affaire est maintenant crue aussi bonne qu'elle passait au commencement pour ridicule [64]. »

Pascal rédige alors depuis son lit des affiches, on dirait aujourd'hui « publicitaires », qu'on placarde dans Paris [7]. Elles annoncent « l'établissement dans la ville et ses faubourgs de carrosses publics destinés aux petites gens afin de leur procurer les mêmes commodités qu'aux riches » [401]. Les « petites gens », pas les pauvres... « Ceux qui voudront, par exemple, aller du quartier du Luxembourg vers celui des Petits-Capucins du Marais, se mettront dans un des carrosses de la rue de Tournon qui les mènera jusque dans la rue Saint-Denis, au bout de la rue des Lombards, où ils se feront descendre pour monter dans le premier carrosse qui passera par le coin de Saint-Innocent, qui les mènera au Marais. »

Le 5 mars 1662, Bossuet, dans un *Sermon du mauvais riche* prononcé devant la Cour, évoque la famine qui continue de sévir en France [302] : « Ils meurent de faim, oui, Messieurs, ils meurent de faim dans vos terres, dans vos châteaux, dans les villes, dans les campagnes, à la porte et aux environs de vos hôtels. [...] Qu'on ne demande plus maintenant jusqu'où va l'obligation d'assister les pauvres : la faim a tranché le doute... Si l'on n'aide pas le prochain de tout son pouvoir, on est coupable de sa mort [46]. »

Le 18 du même mois, la première ligne est inaugurée. Elle va du Luxembourg (près de chez Pascal) à la rue Saint-Antoine (à côté de l'hôtel de Roannez). Gilberte emmène Blaise, épuisé. Un commissaire du Châtelet — mis à contribution par Sourches [302] — proclame l'ouverture de la ligne. On applaudit. Pascal demande à être transporté dans le premier carrosse et malgré sa fatigue fait tout le trajet, au long duquel se massent d'innombrables badauds. C'est sans doute sa dernière sortie dans Paris. Dans une lettre du 21 mars 1662 à celui des actionnaires alors en exil, Arnauld de Pomponne, Gilberte écrit [302] :

« Le monde était rangé sur le Pont-Neuf et dans toutes les rues pour les voir passer comme le Mardi Gras [...], et c'était une chose plaisante de voir tous les artisans cesser leur ouvrage pour les regarder, en sorte que l'on ne fit rien samedi dans toute la route non plus que si c'eût été une fête. On ne voyait partout que des visages riants, mais ce n'était pas un rire de moquerie, mais un rire d'agrément et de joie. Cette commodité se trouve si grande que tout le monde la souhaite, chacun dans son quartier : les marchands de la rue Saint-Denis demandent une route avec tant d'insistance qu'ils parlent même de présenter requête. »

Le succès est en effet immédiat. L'entreprise s'organise. Chaque lundi après-midi, actionnaires et concessionnaires se réunissent chez Roannez [302]. Le 1er avril 1662, la compagnie ouvre une deuxième ligne, du faubourg Saint-Antoine vers Saint-Honoré. Puis, en mai, une troisième, du Luxembourg au Palais-Royal, et une quatrième, de la rue Montmartre au Luxembourg. L'argent rentre, entièrement réinvesti dans des voitures supplémentaires ; aucun profit n'est distribué aux actionnaires. L'entreprise prend de plus en plus de valeur. Du coup, Pascal devient riche, au moins en capital.

Gilberte conclut cette histoire dans son style inimitable et avec son cœur de comptable : « Néanmoins, comme les choses ne se font pas du jour au lendemain, les pauvres de Blois furent secourus d'ailleurs, et mon frère n'y eut que la part de sa bonne volonté [431]. »

Mort de Blaise

Les 5 et 6 juin 1662, pour la fête du Carrousel célébrant la naissance du dauphin, Louis XIV, costumé en empereur romain et entouré de toute sa Cour — dont le Grand Condé, devenu définitivement courtisan —, défile entre le Louvre et les Tuileries devant son bon peuple. Il proclame sa nouvelle devise — *Vidi et Vici* — et le choix du Soleil comme emblème.

Blaise héberge maintenant chez lui une famille d'ouvriers ramassée dans la rue, dont l'un des enfants vient d'être atteint de la petite vérole. Gilberte ne veut plus aller chez son frère par crainte d'être contaminée. Elle lui demande d'expulser ces gens de chez lui. Il refuse et déclare préférer aller lui-même aux Incurables (« Il y a moins de danger pour moi que pour cet enfant à être transporté », fait-il savoir à Gilberte). N'ayant pas d'autre choix, le 29 juin 1662, alors que s'ouvre la cinquième ligne de carrosses-omnibus, Gilberte décide de prendre son frère en pension dans la maison qu'elle possède à Paris, 8, rue Neuve-Saint-Étienne (aujourd'hui aux alentours du 75 de la rue du Cardinal-Lemoine).

Ses maux de tête et ses coliques redoublent. Gilberte fait venir des médecins pour l'examiner. Leur diagnostic est rassurant : Blaise n'est pas sérieusement malade ; ses douleurs ne sont que « de la migraine mêlée avec la vapeur des eaux » ; pour guérir, disent-ils, il lui suffit de boire du petit-lait. Il s'exaspère : « On ne sent pas mon mal, on y sera trompé, ma douleur de tête a quelque chose d'extraordinaire. » « Quoi qu'ils pussent dire, il ne les crut jamais[431] », rapporte Gilberte.

« [...] j'attends la mort en paix, dans l'espérance de lui être éternellement uni, et je vis cependant avec joie, soit dans les biens qu'il lui plaît de me donner, soit dans les maux qu'il m'envoie pour mon bien, et qu'il m'a appris à souffrir par son exemple. » (fr. 646)

Les médecins prennent les symptômes à la légère : il est trop jeune pour mourir. Lui ne les croit pas et s'inquiète de ce qu'il n'a pas eu le temps de faire, dans sa vie, pour les pauvres : « Je devais donc leur donner mon temps, et ma peine ; c'est à quoi j'ai manqué. Et si les médecins disent vrai, et que Dieu permette que je relève de cette maladie, je suis résolu de n'avoir d'autres préoccupations ni d'autre emploi, le reste de mes jours, que le service des pauvres[431]. »

Une ultime dispute intellectuelle l'occupe : dans *La Logique ou l'art de penser*, le livre collectif de Port-Royal qui va enfin paraître, Arnauld entend supprimer l'un des chapitres qu'a rédigés Pascal, « De la réduction des syllogismes ». Blaise argumente, négocie, se fâche[286].

Le 2 juillet, son état s'aggrave. Il est à nouveau en proie à de violentes coliques. Il ne peut trouver le sommeil. Le 3, Guénaut, le médecin de la reine — celui-là même qui inspira Molière sous le nom de Macroton dans *L'Amour médecin* —, est appelé par Gilberte[491]. On possède le texte de son ordonnance :

« *M. Pascal laborat infarctu viscerum ab humore melancolico ; qui humor, dum fermentatur, vapores emittit, symptomata producentes varia, prout partes quas attingunt, diversæ sunt ; ideo fermentatur quia ebullant et a colore fit haec ebullitio ; ideo mittendus sanguis ex utroque brachio, portea purgandus.* Etc. [491]. »

Le 4, Blaise est au plus mal. Ses douleurs sont devenues intolérables. Il demande à voir d'urgence un prêtre. On fait venir celui de la paroisse la plus proche, Saint-Étienne-du-Mont. Beurrier est un curé sans engagement particulier. Il a signé le Formulaire. Il ignore qu'il a devant lui l'auteur des *Provinciales*.

On se disputera un siècle durant, entre les jansénistes et les autres, pour savoir ce que Pascal a vraiment dit à ce modeste prêtre. En est-il resté à sa colère de novembre contre le pape, ou est-il revenu au contraire à sa colère d'octobre contre Arnauld ? Le génie français s'est-il mis au service du Saint-Siège ou est-il resté le défenseur du jansénisme ? Beurrier tranchera : Pascal a lâché Port-Royal.

Un peu plus tard, le prêtre rédigera un récit de leurs entretiens. On y découvre un Pascal soumis au pape et retiré « depuis deux ans » de toute polémique par ignorance théologique : « Il me dit qu'il gémissait avec douleur de voir cette division entre les fidèles, qui s'échauffaient si fort dans leurs disputes, soit de vive voix, soit par écrit, qu'ils se décriaient mutuellement les uns les autres avec tant de chaleur que cela préjudiciait à l'union et à la charité qui les devaient porter plutôt à joindre leurs armes spirituelles contre les véritables infidèles et hérétiques, que de se battre ainsi les uns les autres, m'ajoutant qu'on avait voulu l'engager dans ces disputes, mais que, depuis deux ans, il s'en était retiré prudemment, vu la grande difficulté de ces questions si difficiles de la grâce et de la prédestination [...]. Et, pour la question de l'autorité du pape, il l'estimait aussi de conséquence, et très difficile à vouloir connaître ses bornes ; et qu'ainsi, n'ayant point étudié la scolastique, et n'ayant point eu de maître, tant dans les humanités que dans la philosophie et dans la théologie, que son père qui l'avait instruit et dirigé dans la lecture de la Bible, des conciles, des saints Pères et de l'histoire ecclésiastique, il avait jugé qu'il se devait retirer de ces disputes et contestations, qu'il croyait préjudiciables et dangereuses, car il aurait pu errer en disant trop ou trop peu, ainsi qu'il se tenait au sentiment de l'Église touchant ces grandes questions et qu'il voulait avoir une parfaite soumission au vicaire de Jésus-Christ, qui est le Souverain Pontife [424]. »

Les biographes sont en désaccord sur la valeur de ce témoignage. Pour certains (comme Steinmann [491]), Beurrier est honnête et loyal, et n'a donc pu inventer ces propos de Pascal. Pour d'autres (comme Mesnard [362]), on a beaucoup de mal à croire qu'une quelconque des sept « incarnations » de Pascal ait pu proférer de telles contrevérités.

Fin juillet, Blaise va de plus en plus mal, mais les médecins ne s'inquiètent pas outre mesure, puisqu'il n'a pas de fièvre [431]. Il s'abstient de communier, pour ne pas effrayer son entourage. Il maigrit mais se sent mieux.

Le 3 août, il dicte son testament. Il demande premièrement à Dieu de « lui pardonner ses fautes et colloquer son âme, quand elle partira de ce monde, au nombre des bienheureux ». Les biens qui lui restent à répartir sont dérisoires, hormis ses actions dans la compagnie de carrosses. À Blaise Bardout, son filleul, la somme de 300 livres « pour être employée à lui faire apprendre métier », et à la nourrice normande de son autre filleul, Étienne Périer, 30 livres de pension annuelle [7]. Ses actions dans les carrosses publics — qui ont pris beaucoup de valeur — sont partagées en quatre quarts : un pour l'hôpital de Clermont-Ferrand, un autre pour celui de Paris, un troisième pour Jean Domat, le dernier pour Gilberte. Il nomme Florin Périer, son beau-frère, exécuteur testamentaire et, à défaut, Gilberte.

Celle-ci note avec un humour tout à fait involontaire :

« Il profita de ce temps-là pour faire son testament où les pauvres ne furent pas oubliés, et il se fit violence de ne leur pas donner davantage. Il me dit que si M. Périer eût été à Paris et qu'il y eût consenti, il aurait disposé de tout son bien en faveur des pauvres[431]. »

Autrement dit, il aurait aimé convaincre Florin de se délester de sa propre fortune. On imagine l'affolement de Gilberte.

Il se sent très vieux. « Je me sens une malignité qui m'empêche de convenir de ce que dit Montaigne, que la vivacité et la fermeté s'affaiblissent en nous avec l'âge. Je ne voudrais pas que cela fût. Je me porte envie à moi-même. Ce moi de vingt ans n'est plus moi. » (fr. 773)

Il s'en veut de ne pas posséder davantage pour l'offrir aux pauvres. À ceux qui lui rendent visite, il confie qu'il apprécie d'être malade (c'est ainsi, dit-il, qu'il peut éliminer les passions), et qu'il redoute de guérir. Il s'inquiète de savoir s'il s'est montré digne de ce que Dieu attendait de lui[302]. « À celui qui a le plus reçu sera le plus grand compte demandé, à cause du pouvoir qu'il a par le secours » (fr. 458), écrit-il en paraphrasant la parabole des talents.

Le 6 août, son mal de tête est tel qu'il s'évanouit.

La Logique ou l'art de penser paraît le 1er août 1662, mais sous la signature d'Antoine Arnauld au lieu d'être anonyme[286].

Le 8 août, trois célèbres médecins, Brayer, Renaudot et Vallot, se disputent sur le traitement à lui administrer et ne s'accordent que pour convenir que son « mal n'est pas grave ». Pascal, lui, sait qu'il est en train de mourir et ne demande plus qu'une seule chose : les derniers sacrements. Mais Beurrier les lui refuse, puisque les médecins affirment qu'il ne court pour l'heure aucun risque. Il réplique qu'il tient absolument à ce qu'on amène un pauvre et qu'on le soigne à côté de lui et comme lui. On prétend ne pas en trouver. Il demande alors à aller aux Incurables. Gilberte lui répond qu'il est intransportable. Il se fâche. Les médecins lui conseillent toujours de boire du petit-lait.

Le 17, par un ultime renversement, Pascal appelle Claude de Sainte-Marthe, le confesseur de Port-Royal, et demande de nouveau qu'on le transporte aux Incurables pour y mourir parmi les pauvres. Gilberte refuse encore. Convulsions, coma. Prévenu de l'arrivée de son rival janséniste, Beurrier se précipite chez Pascal et chasse Sainte-Marthe. Gilberte insiste pour que Beurrier entende le moribond en confession. « Qu'il rouvre les yeux, s'exclame Beurrier, qu'il rouvre les yeux [7] ! » Blaise se redresse, réclame derechef les derniers sacrements. Beurrier s'inquiète : le scandale serait énorme si Pascal venait à mourir sans avoir reçu l'extrême-onction. Gilberte raconte ainsi cette nuit du 17 au 18 août :

« Le curé, entrant dans sa chambre avec le Saint-Sacrement, lui cria : "Voici Notre-Seigneur que je vous apporte ; voici Celui que vous avez tant désiré !" Ces paroles achevèrent de le réveiller ; et comme M. le curé approcha pour lui donner la communion, il fit un effort, et il se leva seul à moitié pour le recevoir avec plus de respect ; et M. le curé l'ayant interrogé suivant la coutume, sur les principaux mystères de la foi, il répondit indistinctement : "Oui, monsieur, je crois tout cela, et de tout mon cœur." Ensuite, il reçut le saint viatique et l'extrême-onction avec des sentiments si tendres qu'il en versait des larmes. Il répondit à tout, remercia M. le curé ; et lorsqu'il le bénit avec le saint ciboire, il dit : "Que Dieu ne m'abandonne jamais !", qui furent comme ses dernières paroles [431]. »

Les convulsions le reprennent. Elles durent vingt-quatre heures. Il meurt le 19, à 1 heure du matin. Il a trente-neuf ans et deux mois.

Gilberte fait prendre un moulage du visage qu'on retrouvera à la fin du XVIIIe siècle chez un graveur de médailles, Duvivier, à qui la famille l'avait vendu.

Comme c'est l'usage à l'époque, les médecins

demandent à la famille l'autorisation de procéder à l'autopsie. Gilberte accepte. Jean Domat, le duc de Roannez et Antoine Arnauld y assistent :

« Estomac et le foie flétris et les intestins gangrenés sans qu'on eût pu juger précisément si ç'avait été la cause des douleurs des coliques ou si cela en avait été l'effet. Mais ce qu'il y eut de plus particulier fut à l'ouverture de la tête, dont le crâne se trouva sans aucune structure que la sagittale ; ce qui apparemment avait causé les grands maux de tête auxquels il avait été sujet pendant sa vie. Il est vrai qu'il avait eu autrefois la suture qu'on appelle fontale. Mais, ayant demeuré ouverte fort longtemps pendant son enfance, comme il arrive souvent à cet âge, et n'ayant pu se refermer, il s'était formé un callus qui l'avait entièrement couverte, et qui était si considérable qu'on le sentait aisément au doigt. Pour la suture coronale, il n'y en avait aucun vestige. Les médecins observèrent qu'il y avait une abondance prodigieuse de cervelle, dont la substance était si solide et si condensée que cela leur fit juger que c'était la raison pour laquelle, la suture fontale n'ayant pu se refermer, la nature y avait pourvu, ce à quoi on attribua particulièrement sa mort et les derniers accidents qui l'accompagnèrent ; on vit qu'il avait au-dedans du crâne, vis-à-vis des ventricules du cerveau, deux impressions comme du doigt dans de la cire, qui étaient pleines d'un sang caillé et corrompu qui avait commencé à gagner la dure-mère. »

Selon l'interprétation moderne d'une telle autopsie, on pourrait diagnostiquer une nécrose de l'intestin, un infarctus mésentérique et une hémorragie cérébrale.

Le lundi 21 août 1662 à 10 heures du matin, cinquante prêtres — de ces curés de Paris qui l'ont tant suivi — concélèbrent la messe en l'église Saint-Étienne-du-Mont où Pascal a demandé à être enterré. Tous ses amis sont présents.

Dans l'*Histoire de la Révolution française* de Michelet, on découvre un « ragot de Mme de Genlis

voulant que le corps de Pascal eût été déterré secrète-
ment en 1789 et brûlé au Palais-Royal pour servir aux
opérations d'alchimie du duc d'Orléans ».

Son tombeau, placé en l'église Saint-Étienne-du-
Mont, sous un pilier devant la chapelle de la Vierge, a
en tout cas été profané en 1793. Une plaque le signale
encore aujourd'hui.

« Le dernier acte est sanglant, quelque belle que soit
la comédie en tout le reste. On jette enfin de la terre
sur la tête, et en voilà pour jamais. » (fr. 197)

TROISIÈME PARTIE

LUMIÈRES

(1663-2000)

6

Mort et résurrection

(1663-2000)

> *« Nous sommes si présomptueux que nous voudrions être connus de toute la terre, et même des gens qui viendront quand nous ne serons plus. Et nous sommes si vains que l'estime de cinq ou six personnes qui nous environnent nous amuse et nous contente. »*
>
> *(fr. 152)*

D'abord censurée, puis négligée, puis admirée jusqu'à devenir l'objet d'un véritable culte, l'œuvre de Pascal doit sa mise au jour à ses faux amis du XVIIe siècle, sa survie à ses ennemis du XVIIIe, et sa gloire, au XIXe, à ceux qui voulurent en faire un pilier de l'identité nationale. Elle fut ensuite, dans son extrême ambiguïté, disputée entre toutes les écoles de pensée, chacune voulant en faire son précurseur, pour asseoir sa propre légitimité. Toutes en vain : le génie n'a ni père ni fils.

Mise en ordre, censure et falsification

Parmi les quelques centaines de personnes, familiers, curés de Paris ou grands seigneurs, qui assistent à ses obsèques, presque personne ne sait rien de son œuvre. On ne connaît alors, signés de lui, qu'une petite dizaine de textes très brefs, ne dépassant pas cent pages au total, consacrés pour l'essentiel à l'énoncé des résultats de ses expériences sur le vide et à la description de la machine d'arithmétique. Presque personne ne sait qu'il est aussi le féroce « Louis de Montalte » que tout le monde a lu dans *Les Provinciales*, ni l'auteur de textes théoriques sur la grâce et sur l'art d'écrire, celui des *Écrits des curés de Paris* qui ont fait plier les tout-puissants jésuites ; ni le génial « Amos Dettonville » qui vient d'inventer le calcul intégral. Seule une poignée d'intimes a entendu parler de « Salomon de Tultie » qui préparait une vaste fresque sur la condition humaine. Enfin, seuls cinq savants dans toute l'Europe ont vraiment lu ses travaux de géométrie, de probabilité et d'arithmétique.

Beaucoup de ceux qui l'ont connu et aimé sont morts : Étienne, son père ; Jacqueline, sa sœur ; Mersenne, son mentor. Ne restent que les jansénistes regroupés autour des Arnauld, les mondains autour des Roannez, la famille autour des Périer.

Encore les Périer sont-ils largement passés sous la coupe janséniste, et Arthus de Roannez lui-même est en train de s'y soumettre à son tour.

À peine le cercueil de Blaise refermé et la messe dite à Saint-Étienne-du-Mont, les jansénistes décident de faire connaître l'œuvre du défunt. À leur façon : ils rassemblent tous les manuscrits, ordonnent sa vie et son œuvre, écartent les mathématiques entachées de mondanité, éliminent ce qui peut les gêner dans l'œuvre théologique, font rédiger préfaces et biographies pour instaurer le mythe.

C'est que leurs besoins sont considérables. D'une certaine façon, la mort du grand homme tombe à pic pour les aider à rétablir une situation extrêmement compromise. Ils se savent encore protégés par une cousine du roi, la duchesse de Longueville, l'ancienne *pasionaria* de la Fronde, devenue janséniste, dernière « dirigée » de mère Angélique et réfugiée à Port-Royal depuis la mort, cette année-là, de son mari. Mais cette protection est fragile et le roi entend écraser ceux qu'il nomme maintenant « les républicains ». Pour lui, tout individualisme est un ennemi. Saint-Simon écrira que Louis XIV, qui était « suprêmement plein de son autorité, et qui s'était laissé persuader que les jansénistes en étaient ennemis, qui voulut se sauver et qui, ne sachant point la religion, s'était flatté toute sa vie de faire pénitence sur le dos d'autrui, et se repaissait de la faire sur celui des huguenots et des jansénistes, qu'il croyait peu différents et presque également hérétiques » [470].

Face à cette coalition de puissants, les Solitaires aspirent donc à gagner l'opinion de l'Église et celle des Grands, à rendre la France janséniste avant que la France ne se débarrasse du jansénisme. Pour y parvenir, il leur faut réunir les multiples avatars de Blaise Pascal, en faire un saint du mouvement, un intouchable symbole de ce génie national dont leur doctrine deviendrait la clé de voûte. Tel est le plan rapidement mis en œuvre.

Le 1er octobre 1662, les Périer quittent leur maison des Fossés-Saint-Victor, au n° 8 de la rue Neuve-Saint-Étienne, pour s'installer dans l'appartement de Blaise. Il est presque vide : ni meubles ni argenterie, presque pas de livres. Les amis s'y retrouvent. Étrange rencontre, jusque-là inconcevable, entre les différents univers pascaliens. Il y a là le duc de Roannez, Antoine Arnauld, Nicole, Dubois, Brienne, Filleau de La Chaise, Méré et Miton. On fouille, on trie, on range, on distribue quelques souvenirs, on pleure. On se dispute, on s'embrasse, on descend prier à l'église où Pascal a été inhumé. On découvre sa ceinture de fer dont personne, sauf Étienne, son filleul, et un valet, ne connaissait l'existence. Florin se charge d'exécuter le testament. Si peu de choses à répartir, à part les actions de la société des carrosses... Certaines lettres sont restituées à leurs auteurs, et quand personne ne les réclame, on les découpe et les enchâsse dans des croix ou des colliers [7].

Dans les tiroirs d'une commode, dans quelques coffres, jusque dans les vêtements, ils trouvent des textes imprimés et, surtout, d'innombrables manuscrits en désordre. Ainsi du *Mémorial*. Filleau de La Chaise raconte :

« Quelques jours après la mort de M. Pascal, un domestique sentit par hasard quelque chose d'épais et de dur dans sa veste. Ayant décousu cet endroit, il y trouva un petit parchemin plié écrit de la main de M. Pascal et, dans ce parchemin, un papier écrit de la même main. L'un était une copie fidèle de l'autre. Ces deux pièces furent aussitôt remises à Mme Périer qui les fit voir à plusieurs de ses amis. Tous convinrent qu'on ne pouvait douter que ce parchemin écrit avec tant de soin et avec des caractères remarquables ne fût un mémorial qu'il gardait très soigneusement pour conserver le souvenir d'une chose qu'il voulait toujours avoir présente à ses yeux et à son esprit, puisque depuis huit ans il prenait soin de le coudre et découdre à mesure qu'il changeait d'habit [188]. »

Mais les disputes entre « pascaliens » se multiplient. Le duc de Roannez voudrait tout diriger. Gilberte tient à éliminer tout papier susceptible de nuire à la sainteté du souvenir de son frère. Arnauld et Nicole ne songent qu'à éliminer ce qui pourrait gêner Port-Royal. Étienne, le neveu, seul, tente de préserver tous les textes sans restriction, y compris la correspondance scientifique à laquelle il ne comprend rien.

Et puis il y a ces feuillets que beaucoup d'intimes l'ont vu remplir au fil des années. Nul ne les a lus. On les découvre regroupés en quelques dizaines de liasses ficelées et soigneusement rangées dans un coffre. On les feuillette. Le fils de Gilberte défait les ficelles, coupe délicatement aux ciseaux certaines marges pour égaliser les fragments, les rassemble dans l'ordre où ils se présentent et les colle à la farine sur des feuilles blanches [481]. Cela forme un ensemble qu'on connaît aujourd'hui sous le titre de *Recueil original des Pen-*

sées ; déposé en 1711 à la bibliothèque de l'abbaye Saint-Germain-des-Prés, il passera ensuite à la Bibliothèque royale, devenue plus tard Bibliothèque nationale de France, dont il constitue aujourd'hui l'un des trésors[481].

Nicolas Martine, le secrétaire du duc de Roannez, les recopie d'une écriture régulière. Travail très ardu. Bien des passages sont illisibles, surchargés de ratures, de renvois en marge, de dessins, de calculs, de traits en tous sens, ainsi que de textes écrits par d'autres, dictés à des valets ou à Étienne. Ce travail occupe toute l'année 1663.

Étienne Périer raconte cette histoire à sa façon dans un texte qui deviendra, après bien des discussions, la préface à la première édition des *Pensées* :

« Comme l'on savait le dessein qu'avait M. Pascal de travailler sur la religion, l'on eut un très grand soin, après sa mort, de recueillir tous les écrits qu'il avait faits sur cette matière. On y trouva tout ensemble enfilés en diverses liasses, mais sans aucun ordre et sans aucune suite [...]. Et tout cela était si imparfait et si mal écrit qu'on a eu toutes les peines du monde à les déchiffrer. La première chose que l'on fit fut de les faire copier tels qu'ils étaient, et de la même confusion qu'on les avait trouvés[430]. »

Cette première copie du *Recueil original* a disparu. On en connaît deux autres, réalisées peu après.

Arnauld s'inquiète de ce qu'il lit : l'ouvrage est beaucoup moins avancé qu'il ne l'aurait cru, et contient des passages contraires aux intérêts du jansénisme. Avant de publier ces fragments, il veut donc censurer ce qui risque de gêner Port-Royal — les « éclaircir », dit-il pudiquement. Nicole, lui, est encore plus réservé : il trouve sans intérêt une bonne partie de ces brouillons, surtout lorsqu'il les compare à ses propres écrits. Depuis qu'il a traduit en latin et commenté *Les Provinciales*, quatre ans plus tôt, il se croit plus fort que leur auteur. C'est ce qu'il dit, le 3 septembre 1662, à M. de

Saint-Calais : « [Pascal] sera peu connu dans la postérité, ce qui nous reste d'ouvrages de lui n'étant pas capable de faire connaître la vaste étendue de cet esprit ; mais il n'y perd pas grand-chose en vérité : c'est bien peu de chose que les hommes, leur réputation et leur jugement [...]. Cependant, que reste-t-il de ce grand esprit, que deux ou trois petits ouvrages dont il y en a de fort utiles [286]. » Il écrira même plus tard à l'un des Solitaires, le marquis Charles de Sévigné : « Nous voilà réduits à n'en oser dire notre sentiment et à faire semblant de trouver admirable ce que nous n'entendons pas [381]. » Et encore : « J'y ai trouvé un grand nombre de pierres assez bien taillées et capables d'orner un grand bâtiment, mais le reste ne m'a paru que des matériaux confus, sans que je visse assez l'usage qu'il en voulait faire. Il y a même quelques sentiments qui ne paraissent pas tout à fait exacts. [...] Je pourrais faire plusieurs autres objections sur ces *Pensées*, qui me semblent quelquefois un peu trop dogmatiques et qui incommodent aussi mon amour-propre, qui n'aime pas être régenté si fièrement [263]. »

Arnauld et Nicole s'emparent néanmoins de la première copie. Chaque dossier — il y en a soixante — est retranscrit sur un même cahier que « révisent » les deux censeurs. La seconde copie — elle compte soixante et un dossiers — est conservée par Étienne Périer qui vérifie sa conformité à l'original [481]. C'est un très long travail : les fragments sont parfois illisibles et le copiste a commis beaucoup d'erreurs. Étienne Périer y travaillera jusqu'à sa mort en 1680 et son frère Louis continuera après lui jusqu'en 1710 [353].

Bien que l'ordre et le contenu de la seconde copie en fassent la version la plus proche de ce qu'a laissé Blaise, elle est écartée par les jansénistes. Et c'est sur la base de la première, soigneusement censurée, qu'on prépare l'édition des fragments. Arnauld et Nicole continuent de trier, corriger, éliminer, rajouter. Ils suppriment par exemple les phrases sur la vanité des juges, qu'Arnauld estime « insoutenables ». Le « silence éternel des espaces infinis » effraie Nicole — Dieu n'est pas silencieux, dit-il — et disparaît. Au lieu de « trognes » pour désigner les soldats du roi, il fait semblant de lire « troupes ». Plus énorme encore : Arnauld remplace « cœur » et « instinct » par « intelligence » et « sentiment » : escroquerie majeure ! On fait encore disparaître de nombreux autres textes, dont celui qui met directement en cause les jansénistes. On en ajoute d'autres, comme des extraits de lettres de Blaise à Arthus.

On se querelle, on s'entre-déchire. D'aucuns proclament que Pascal est un génie absolu. D'autres qu'il n'est qu'un prétentieux encombrant. Dans des *Lettres à l'auteur des hérésies imaginaires*, Racine lui-même, ancien élève de Le Maître de Sacy et de Lancelot, reproche à Port-Royal son sectarisme.

Le moment est pourtant mal choisi pour de telles chicanes. Car l'Église et le roi n'ont pas renoncé à imposer à tous la signature du Formulaire. Le nouvel archevêque de Paris, Hardouin de Péréfixe, nommé le 24 mars 1664 en remplacement du cardinal de Retz, enjoint aux sœurs récalcitrantes de le signer. À Port-Royal de Paris, l'opération se déroule sans difficulté : on fait élire une sœur « convenable » comme supérieure et toutes les sœurs signent. Mais, à Port-Royal-des-Champs, aucune ne cède. Pour leur extorquer leur paraphe, l'archevêque s'y installe en personne le 9 juin 1664 ; il reçoit chacune des sœurs séparément, puis leur fixe un ultimatum : signer dans les trois semaines, ou c'est l'expulsion. En vain. Il repart le 14 juin en grommelant : « Elles sont pures comme des anges, et orgueilleuses comme des démons[240]. » Le 26 août, comme elles n'ont toujours pas signé, Péréfixe met sa menace à exécution : il fait expulser par des hommes d'armes douze religieuses[164] — certaines sources disent seize, d'autres vingt — repérées comme les meneuses, et les disperse dans des couvents parisiens antijansénistes [240]. Mère Agnès, avec sa nièce Angélique de Saint-Jean, a pris la tête de la résistance après la mort de sa sœur Angélique et de Jacqueline de Sainte-Euphémie ; elle est envoyée à Paris à la Visitation Sainte-Marie. Mère Angélique de Saint-Jean raconte cette mémorable journée où la police a, pour la première fois, envahi Port-Royal :

« Le 26 août 1664, après que M. l'Archevêque nous eut parlé dans le chapitre et qu'il eut lu la liste de celles qu'il voulait enlever de la maison, notre mère abbesse et nous toutes protestâmes de la nullité de cette ordonnance, comme il a été marqué dans le procès-verbal, mais on y a oublié que M. l'Archevêque, s'en étant mis en colère, dit : "Oh ! J'entends bien ! Oui, oui, vous ne voulez pas obéir !" Et, regardant ses ecclésiastiques, leur dit : "Messieurs, vous savez ce que vous avez à faire." Cela nous fit comprendre qu'ils allaient faire entrer les archers, car quelques-uns sortirent de leurs places comme pour s'en aller ; et cela fit qu'une mère et quelques-unes de nous lui dîmes que ce n'était pas qu'on voulût faire de résistance, et que nous étions toutes prêtes à sortir, mais sans préjudice de notre protestation et de notre appel [337]. »

De son exil, mère Agnès écrit ensuite aux sœurs dispersées :

« Croyez-moi, mes filles, nous avions besoin de toutes les humiliations que Dieu nous envoie. Il n'y avait point de maison en France plus comblée de biens spirituels que la nôtre. Mais il pouvait être dangereux pour nous de rester dans notre abondance, et si Dieu ne nous eût éprouvées, nous serions peut-être tombées. Les hommes ne savent pas pourquoi ils font les choses, mais Dieu qui Se sert d'eux sait ce qu'il nous faut [170]. »

La nouvelle de l'irruption de la police à Port-Royal-des-Champs fait scandale dans toute l'Église de France. On murmure contre le roi et contre le pape qui, pour une fois d'accord, veulent ainsi imposer une pensée religieuse unique. Pascal l'avait prophétisé dans cette formule : « Lorsqu'on ne sait pas la vérité d'une chose, il est bon qu'il y ait une erreur commune qui fixe l'esprit des hommes. » (fr. 618)

L'idée d'un schisme français, à tout le moins d'une rébellion ouverte contre Rome, grandit et se répand dans bien des paroisses.

L'œuvre et la personnalité de Blaise Pascal constituent à l'évidence un enjeu considérable dans cette bataille, et les jansénistes tiennent à rédiger avec grand soin l'histoire de sa vie et de sa mort en écartant tout soupçon d'une révolte contre Port-Royal, en censurant toute soumission ultime au pape, en gommant l'existence de Jacqueline et l'influence qu'elle a exercée sur son frère et sur son œuvre, en altérant les souvenirs des témoins, en particulier ceux de l'abbé Beurrier, le curé de Saint-Étienne-du-Mont, avec qui Pascal s'était entretenu juste avant sa mort.

En 1665, l'archevêque de Paris — celui-là même qui a interrogé et dispersé les sœurs de Port-Royal — demande à ce curé de raconter par écrit les circonstances de l'agonie de Pascal : preuve de l'importance idéologique considérable que l'Église lui accorde déjà. Beurrier hésite à trahir les confidences d'un mourant. Il demande le secret à l'archevêque, qui jure tout ce qu'on veut. Beurrier écrit alors que Pascal lui aurait confié s'être retiré du parti des « messieurs » « parce qu'ils lui paraissaient aller trop loin »[491]. Bien qu'il ait juré le secret, l'archevêque rend immédiatement le texte public. Les jésuites triomphent. Port-Royal proteste et produit des témoignages contraires de Roannez, Domat, Nicole, Arnauld, Sainte-Marthe, qui viennent voir Beurrier pour le faire revenir sur ses assertions. Le pauvre curé, ballotté entre les deux camps, ne sait plus à quels saints se vouer :

« Les personnes des deux partis se mirent à gloser sur mon écrit, un chacun l'expliquant à sa mode et selon son sentiment, et plusieurs me vinrent voir pour me demander si c'était la réponse de M. Pascal, et l'expression de son sentiment ; et je répondis que oui assurément ; plusieurs me dirent que j'avais mal pris sa pensée en me priant de ne pas trouver mauvais s'ils l'expliquaient d'une autre manière que je le faisais. Je leur répondis qu'ils le pouvaient faire et que je me contentais d'avoir écrit ce que j'avais écrit[256]. »

Pendant qu'on écartèle ainsi le cadavre de Pascal, une nouvelle bulle pontificale, *Regiminis apostolici*, appelle les derniers prêtres et religieux port-royalistes récalcitrants à signer le Formulaire. En vain. Au contraire même, le mouvement de résistance s'étend, nourri par le scandale du martyre de Port-Royal. Quatre évêques — ceux d'Angers, d'Alet, de Pamiers et de Beauvais — accompagnent la promulgation de la bulle par un texte distinguant le droit du fait. Nombre de curés, et pas seulement dans ces quatre diocèses, refusent de signer le Formulaire sans cette restriction. Les jésuites sont sur la défensive. Jamais, prétendent-ils, la France n'a été aussi près de basculer dans le jansénisme. Face à cette menace, l'archevêque de Paris cède et, en juillet 1665, laisse toutes les religieuses revenir à Port-Royal-des-Champs, mais sous bonne garde et en les privant de tous les sacrements. Port-Royal « devient une bastille pour cisterciennes excommuniées »[140]. Les sœurs ne cèdent toujours pas.

Le pouvoir se venge alors sur les Solitaires : le 13 mai 1666, Sacy est enfermé à Vincennes. La protestation ne fait que gagner en amplitude. En janvier 1667, quelques mois avant le mariage de sa sœur Charlotte avec François d'Aubusson de La Feuillade, Arthus abandonne à son futur beau-frère, avec l'agrément du roi, son titre de duc de Roannez et se retire du monde, en janséniste conséquent. Saint-Simon écrit : « Le duc de Roannez prit une manière d'habit ecclésiastique, sans jamais être entré dans les ordres et vécut dans une profonde retraite[470]. »

En juin 1667, à la mort d'Alexandre VII, le nouveau pape, Clément IX, redoutant un schisme gallican, tente de se rapprocher des jansénistes et oublie le Formulaire. Le roi de France, qui ne craint rien tant qu'une entente entre Rome et Port-Royal, et qui se prépare à la guerre contre la Hollande, tente à son tour d'attirer les jansénistes dans son camp. Protecteur de l'Église de France, il s'en veut maintenant le rassembleur. Au printemps 1668, il ordonne qu'on cesse toute attaque contre Port-Royal. Arnauld d'Andilly est convié à la Cour pour y apprendre qu'un arrêt secret du Grand Conseil vient d'interdire toute critique théologique contre les jansénistes. Le Saint-Siège comprend qu'il n'aura jamais le soutien de l'Église de France contre le roi. Le gallicanisme est au plus haut.

Au cours de l'été 1668, un compromis est trouvé entre le roi, l'Église de France et Port-Royal. Aucune rétractation n'est plus exigée des religieuses[240]. Les quatre évêques rebelles s'engagent à faire signer le Formulaire par leurs curés, et, en échange, le pape consent à les laisser distinguer le droit du fait. Le Formulaire est vidé de son contenu.

Le 8 octobre, résigné à ce compromis, le souverain pontife proclame la « paix de l'Église ». Les jésuites y consentent en maugréant. À Paris, les jansénistes crient victoire. Arnauld est présenté au roi : incroyable rencontre entre le plus grand monarque d'Europe et le plus grand théologien du temps en présence des jésuites de la Cour ! Les salons se les arrachent, les religieuses reviennent au vallon, les « messieurs » se réinstallent aux Granges[240]. Le 15 février 1669, les sœurs encore rebelles signent le Formulaire assorti de la clause libératrice, et recouvrent le droit de communier. Pascal a gagné. Jamais l'influence de Port-Royal n'a été aussi grande : à Paris, à Reims, à Verdun, à Châlons, à Saumur, chez les bénédictins des congrégations de Saint-Vanne et Saint-Maur, dans l'ordre de Cîteaux, ils triomphent au grand jour.

Port-Royal entend profiter de cette embellie pour publier les manuscrits philosophiques de Pascal, soigneusement expurgés. On supprime encore quelques passages trop ouvertement hostiles aux jésuites, dont il serait dangereux désormais de réveiller la colère en ces temps de paix encore fragile. Arnauld choisit pour titre : *Pensées de M. Pascal sur la religion et sur quelques autres sujets, qui ont été trouvées après sa mort parmi ses papiers*.

Une compétition s'instaure alors pour décider à qui reviendra l'honneur de signer la préface des *Pensées*. Gilberte écrit une courte *Vie de Blaise Pascal*, et M. de La Chaise un texte de souvenirs limité à des sujets théologiques. Arthus de Roannez et Antoine Arnauld discutent avec les auteurs, puis refusent l'un et l'autre, et finissent par demander à Étienne, l'aîné des neveux, de rédiger un récit inoffensif. En octobre 1669, Florin, au nom de sa femme, héritière de Blaise, sollicite le privilège du roi pour la publication du livre. On le lui promet. L'ouvrage est imprimé par Guillaume Desprez, rue Saint-Jacques, un des libraires des *Provinciales*, un de ceux qui ont le plus souffert de la censure : il a été condamné à l'époque à cinq ans de bannissement. Le 27 décembre 1669, Florin Périer obtient le privilège pour cinq ans. Le livre paraît enfin, le 2 janvier 1670, avec un frontispice représentant un temple inachevé, et cette devise : *Pondent opera interrupta* (« Les œuvres interrompues pèsent lourd »).

Autre effet de la « paix de l'Église » : le 12 juin 1671, soit près de dix ans après la mort de Pascal, Beurrier, bousculé par Roannez et Arnauld, écrit à Gilberte Périer une lettre de rétractation dans laquelle il reconnaît avoir mal entendu certains propos de son pénitent...

Le livre connaît tout de suite un grand succès, mais rouvre les vieilles blessures. Dès l'année suivante, un certain Henri de Montfaucon, abbé de Villars, envoyé en avant-garde par les jésuites, publie une première attaque contre les *Pensées* dans le 5e dialogue d'un *Traité de la délicatesse*, où il reproche à Pascal de ne pas mentionner les preuves métaphysiques de l'existence de Dieu, dont l'Église, dit-il, reconnaît depuis toujours la valeur. Refuser d'user de ces arguments, insister sur le tragique de la condition humaine, c'est « renverser les bancs de la Sorbonne et démolir les universités », c'est aller contre « cette lumière si naturelle et si claire » qui nous fait voir Dieu « dans le livre de la nature » ; c'est « faire des athées au lieu de les combattre », faire « plus de pyrrhoniens que de chrétiens, et plus de libertins que de dévots »[481]. Pour Montfaucon comme pour l'Église officielle, l'âme est « naturellement chrétienne » et la nature donne une « démonstration si facile » de l'existence de Dieu. Il reproche enfin à celui qu'il nomme, en écorchant son nom, « Paschase », de « faire dépendre la religion et la divinité du jeu de croix et pile, en allusion au pari »[94].

Blaise n'est plus là pour lui renvoyer une de ses terribles diatribes. En fait, peu de gens savent encore qu'il est aussi l'auteur des *Provinciales*.

Les prédicateurs royaux se déchaînent alors contre l'auteur des *Pensées*, qu'ils mêlent à leurs critiques des jansénistes et des protestants en décrivant complaisamment leurs connivences, supposées volontaires. Toutes les vieilles disputes refont surface. La « paix de l'Église » n'aura été qu'une brève parenthèse.

Pendant ce temps, les *Litteræ provinciales* de « Ludovicus Montaltius », toujours clandestines, sont rééditées plusieurs fois, toujours avec le même succès, toujours sans privilège du roi, toujours à Paris, même si la couverture indique encore que le libraire est établi à Cologne. Presque personne ne fait encore ouvertement le rapprochement entre Louis de Montalte et Blaise Pascal.

Ses rares travaux scientifiques publiés ou connus des spécialistes produisent en revanche de plus en plus d'effets. Dès 1662, un marchand de boutons, John Grant, publie à Londres des *Observations politiques et naturelles sur les archives de mortalité*, première mesure statistique mettant en application les principes de calcul découlant du triangle arithmétique. De nombreuses villes hollandaises calculent maintenant, selon les mêmes principes, le coût des rentes viagères par estimation *probable* de l'espérance de vie des personnes concernées.

L'essentiel de ses autres études scientifiques — sur les coniques, sur la cycloïde, sur les nombres — n'est encore ni publié, ni imprimé, ni même répertorié. Presque personne au monde ne serait d'ailleurs capable à l'époque de comprendre ces pages en très grand désordre, souvent illisibles, aux démonstrations à peine esquissées. Mersenne est mort, Fermat est malade, Roberval entièrement occupé à inventer, cette année-là, la balance qui portera son nom.

Étienne Périer s'occupe pourtant du mieux qu'il peut des textes retrouvés. Il republie d'abord en 1665 ceux que Pascal avait fait imprimer et dont quelques exemplaires traînent encore rue des Francs-Bourgeois-Saint-Michel, à savoir le *Traité du triangle arithmétique* et les *Traités connexes*. Pour ce qui est des autres manuscrits mathématiques, ne sachant qu'en faire, il les oublie dans un tiroir. Ce n'est que dix ans plus tard, en 1675, qu'il les communiquera à Leibniz, à Leipzig, pour prendre son avis. Il y a là le *Traité des coniques*, rédigé à dix-huit ans, — on s'en souvient, Pascal y parlait de l'« hexagramme mystique », — et les manuscrits sur la cycloïde, écrits dix-huit ans plus tard. Leibniz prend connaissance de ces textes avec passion ; il voit dans l'un la base d'une nouvelle géométrie, dans l'autre celle d'une branche neuve des mathématiques. Le 30 août 1676, il les rapporte à Paris, insiste auprès d'Étienne sur l'importance majeure de ce qu'il vient de lire, et le supplie de les faire publier au plus vite :

« Je conclus, écrit-il, que cet ouvrage est en état d'être imprimé ; et il ne faut pas demander s'il le mérite ; je crois même qu'il est bon de ne pas tarder davantage, parce que je vois paraître des traités qui ont quelque rapport à ce qui est dit dans celui-ci ; c'est pourquoi je crois qu'il est bon de le donner au plus tôt, avant qu'il perde la grâce de la nouveauté [293]. »

Il n'a pas tort, car, trois ans plus tôt, soit en 1672, année de la mort de mère Agnès, Newton a fait paraître sa *Méthode des fluxions et des suites infinies* dans laquelle il précise les principes du calcul infinitésimal imaginés par Pascal à propos de la cycloïde. Leibniz ne cessera lui-même de répéter que c'est dans les manuscrits de Pascal sur la cycloïde qu'il a trouvé l'algorithme du calcul intégral. Mais Étienne Périer laisse cette lettre sans réponse et ne publie rien. Leibniz s'en inquiétera régulièrement, au moins jusqu'en 1692. En 1703, c'est encore inspiré par les travaux de Pascal en matière de probabilités qu'il fournira à Jacques Bernoulli l'intuition de la loi des grands nombres et de la théorie des échantillons.

À cette époque, ni Étienne Périer ni, après lui, son frère, devenu l'abbé Louis Périer, ne s'intéresseront plus à ces textes. Ils les négligent, les oublient. Pire : leurs descendants les égarent. En particulier, ils perdent les lettres dans lesquelles Fermat donnait à Pascal ses propres résultats, lettres dont il est établi qu'elles figurèrent dans les papiers de la famille Périer au moins jusqu'en 1736 [290]. Disparaissent ainsi l'essentiel de l'œuvre mathématique de Pascal et une partie de celle de Fermat — sans doute des résultats inédits en arithmétique et en théorie des probabilités...

Pour en finir avec Port-Royal

En janvier 1674, Mme de Sévigné vient à Port-Royal-des-Champs voir son oncle et M. d'Andilly [140] :

« Ce Port-Royal est une thébaïde ; c'est le paradis ; c'est un désert où toute la dévotion du christianisme s'est rangée ; c'est une sainteté répandue dans tout le pays à une lieue à la ronde ; il y a cinq ou six Solitaires qu'on ne connaît point, qui vivent comme les pénitents de saint Jean Climaque ; les religieuses sont des anges sur terre [...]. Tout ce qui les sert, jusqu'aux charretiers, aux bergers, aux ouvriers, tout est saint. Je vous avoue que j'ai été ravie de voir cette divine solitude dont j'avais tant ouï parler ; c'est un vallon affreux, tout propre à inspirer le goût de faire son salut [485]. »

En 1679, au lendemain des traités de Nimègue qui consacrent sa toute-puissance, et à la mort de Mme de Longueville, tant attendue du roi, après seize ans passés dans son château jouxtant Port-Royal-des-Champs, le Roi-Soleil, au faîte de sa gloire, peut enfin s'attaquer à ce repaire de dissidents qui le narguent à quelques lieues de Versailles. Et puis, ce nom de Port-*Royal* ! Cette épithète monarchique, usurpée à cause de l'orthographe déformée d'un marais, c'en est trop pour lui ! Le 16 mai 1679, il donne l'ordre d'interdire le recrutement de novices et retire aux dernières religieuses encore dans le vallon le droit de se confesser [69]. Elles ne « branlent » ni ne bronchent : la pénitence n'est pas pour elles un sacrement essentiel. Angélique du Mont, nièce d'Agnès et d'Angélique, dirige encore la résistance [33].

Racine écrit alors l'épitaphe de Port-Royal [239] :

Tu ne vois à présent que le triste tombeau,
Depuis que la Vertu, qui régnait dans ce temple,
Succombe sous l'effort et sous la dureté
De ceux qui ne pouvant la prendre pour exemple
L'immolent à leur lâcheté.

Le roi veut aussi en finir avec l'ensemble du mouvement janséniste. Arnauld n'est plus reçu à la Cour, il est même poursuivi par la police ; l'archevêque de Paris, le Conseil du roi et le Saint-Office censurent ses livres. Une édition de la Bible de Le Maistre de Sacy, parue sous le titre de *Nouveau Testament de Mons*, est interdite. En juin 1679, Antoine Arnauld (il a soixante-sept ans) s'exile à Mons, puis en Hollande, enfin à Bruxelles où il continue d'envoyer ses consignes à ses amis à Paris, avant d'être rejoint par quelques fidèles, dont un oratorien, le père Quesnel, qui fera beaucoup parler de lui plus tard[239].

La même année, décidément importante pour la postérité de Pascal, la compagnie des carrosses cesse ses activités. Pendant dix-sept ans, elle aura assuré quelques revenus aux Périer, à Jean Domat et aux hôpitaux généraux de Paris et de Clermont.

En 1681, le père Beurrier, toujours sensible à l'évolution des rapports de forces, revient sur sa rétractation d'il y a dix ans et déclare que Pascal « s'était éloigné des disputes de la grâce et avait déclaré faire pleine confiance à l'Église et se soumettre au pape »[201]. Jean Mesnard a certainement raison de ne pas accorder de valeur à un témoignage aussi fluctuant.

1682 procure quelques consolations aux jansénistes. D'abord, l'Église de France, sous l'impulsion du roi, marque ses distances avec Rome ; une *Déclaration des quatre articles*, votée par l'Assemblée du clergé, affirme que le pouvoir du pape est limité aux questions spirituelles, et sauvegarde ainsi la nécessité du consentement de l'Église de France[239] pour toute décision la concernant. Cette année-là encore, Innocent XI prend ses distances avec les excès des jésuites que *Les Provinciales* ont contribué à discréditer. Surtout, le roi décide d'en finir avec les protestants : en 1681, ont commencé les dragonnades qui forcent les protestants à se convertir ; en octobre 1685, à Fontainebleau, il leur assène le coup de grâce en révoquant l'édit de Nantes, leur interdisant notamment la pratique publique de leur culte. Le cinquième des protestants de France (deux cent mille sur un million) quitte alors le pays.

Jansénistes, protestants, jésuites sont provisoirement unis dans la même disgrâce pour l'ombre qu'ils portent, chacun à leur façon, au monarque de droit divin.

En 1683 Charlotte meurt, à l'âge de cinquante ans. Depuis son mariage, à trente-quatre ans, en 1667, avec le duc de La Feuillade, le malheur ne l'a plus quittée : son premier enfant est mort avant d'être baptisé, le second est né malformé ; agonisant, son mari a exigé qu'elle détruise les lettres qu'elle avait reçues de Pascal, ce qu'elle a fait, avant de mourir elle-même de terribles douleurs au ventre et d'une succession d'opérations manquées.

En janvier 1684, à quelques jours d'intervalle, meurent Angélique de Saint-Jean et Le Maistre de Sacy.

Le jansénisme a perdu : on glorifie désormais la lumière, le soleil, l'ordre, la raison, la transparence, la logique, la nature, le progrès, la distraction, le luxe, l'orgueil, le bonheur et Descartes. On fuit l'intuition, l'ambiguïté, la lucidité, l'introspection, la haine de soi et Pascal.

Les intellectuels au service de la Cour dénigrent celui dont ils avaient jusqu'ici loué les *Pensées*[31]. Fénelon et Malebranche le considèrent comme un amateur, un « théologien de raccroc », un « marchand de carrosses »[7]. Quelques théologiens de second rang sont chargés de le piétiner.

Pourtant, sans le savoir, le pays est déjà largement et irréversiblement pascalien. Une partie des élites intellectuelles et financières s'intéresse à la vie intérieure, rêve d'émanciper la France de toute influence romaine, fonde sa vie sur un scepticisme pessimiste et sophistiqué, et croit en la vérité, quel qu'en soit le prix. Ce qui compte dans les lettres françaises — Molière, Racine, Boileau, La Fontaine, Mme de La Fayette, Mme de Sévigné, Bossuet, Perrault —, à l'exception de Descartes, Fénelon et Malebranche[170], est largement pascalien. Tous ceux-là s'inspirent de sa langue, de sa technique littéraire, de son œuvre fragmentée. « La raison du plus fort est toujours la meilleure »[239], écrit La Fontaine, dont tant de « morales » trouvent leur source d'inspiration dans le jansénisme[239]. « La parfaite raison

fuit toute extrémité et veut que l'on soit sage avec
sobriété », écrit Molière, dont les comédies imitent
volontiers *Les Provinciales*, leur façon de faire rire des
« mots d'enflure ». La Rochefoucauld reprend dans ses
Maximes la conception pascalienne de l'homme
esclave de son amour-propre et de ses passions. Andro-
maque, Britannicus et Bérénice fuient le monde avec
une dignité éthique toute pascalienne [140]. Sainte-Beuve
remarquera : « Le grand personnage, ou plutôt l'unique
personnage d'*Athalie*, c'est Dieu [463]. » De réédition en
réédition, *Les Provinciales* restent le plus formidable
succès de librairie du siècle. On commence à se rendre
compte à la Cour que Blaise Pascal en est bien l'auteur.

Dans ses *Mémoires pour servir à l'histoire de Port-
Royal*, Fontaine, le secrétaire de Sacy, l'un des derniers
survivants à avoir bien connu Pascal depuis son arrivée
à Port-Royal, écrit :

« Je ne m'arrête point à dire qui était cet homme que
non seulement toute la France mais toute l'Europe a lu
et admiré. Son esprit toujours vif, toujours agissant,
était d'une étendue, d'une élévation, d'une fermeté,
d'une pénétration et d'une netteté au-delà de ce qu'on
peut croire ; il n'y avait point d'hommes habiles dans
les mathématiques qui ne lui cèdent. »

Jean Racine ose enfin parler des *Provinciales* non
plus comme d'un phénomène d'édition, mais comme
d'une œuvre littéraire majeure. Il le fait prudemment,
sans se prononcer sur le débat de fond, ni sur leur
auteur qu'il ne cite pas, mais seulement sur leur style.
Il veut lire « Louis de Montalte » comme un écrivain
de théâtre, comme lui-même, non comme un polémiste ; il désigne d'ailleurs le comique comme une des
dimensions de son génie littéraire :

« Et vous semble-t-il que les *Lettres provinciales*
soient autre chose que des comédies ? On y joue un
valet fourbe, un bourgeois avare, un marquis extrava-
gant, et tout ce qu'il y a dans le monde de plus digne
de risée. J'avoue que le Provincial a mieux choisi ses

personnages, il les a cherchés dans les couvents et dans la Sorbonne ; il introduit sur la scène tantôt des jacobins, tantôt des docteurs et toujours des jésuites. Combien de rôles leur fait-il jouer ! Tantôt il arrive un jésuite bonhomme, tantôt un jésuite méchant, et toujours un jésuite ridicule. Le monde en a ri pendant quelque temps, et le plus austère janséniste aurait cru trahir la vérité que de n'en pas rire [443]. »

Même Boileau [42] range *Les Provinciales* au rang de premier chef-d'œuvre littéraire français ; il en nomme l'auteur, « merveilleux et génie », et considère les « années 1656 et 1657 durant lesquelles ces dix-neuf *Lettres* ont paru comme la plus mémorable époque des progrès de la prose française ».

Après lui, Mme de Sévigné, qui a dévoré les *Lettres* l'une après l'autre lors de leur publication clandestine, les défend auprès d'un correspondant qui prétend s'ennuyer à leur lecture :

« Quelquefois, pour nous divertir, nous lisons les petites *Lettres*. Mon Dieu, quel charme ! et comme mon fils les lit ! Je songe toujours à ma fille, et combien cet excès de justesse de raisonnement serait digne d'elle ; mais votre frère dit que vous trouvez que c'est toujours la même chose. Oh ! mon Dieu, tant mieux ! Peut-on avoir un style plus parfait, une raillerie plus fine, plus naturelle, plus délicate, plus digne fille de ces dialogues de Platon qui sont si beaux. Et lorsque, après les deux premières *Lettres*, il s'adresse aux Révérends Pères, quel sérieux ! quelle solidité ! quelle force ! quelle éloquence ! quel amour pour Dieu et pour la vérité ! quelle manière de la soutenir et de la faire entendre ! C'est tout cela qu'on trouve dans les huit dernières *Lettres* qui sont sur un ton tout différent [485]. »

Entre-temps, certains des manuscrits écartés par les Arnauld surgissent d'un peu partout. Ainsi, après la mort d'Étienne en 1680, son frère, l'abbé Louis Périer, rassemble, en un recueil connu sous le nom de *Manus-*

crit *Périer*, un ensemble de fragments inédits (fr. 743-770) laissés de côté par les premiers copistes, dont un texte sur l'amour-propre (fr. 743)[481]. Ce manuscrit a disparu, mais on en connaît une copie datée de 1740. En 1678, on retrouve encore une quarantaine de fragments qu'Arnauld avait écartés. En 1684, quatorze autres fragments (fr. 772-785) réapparaissent[481]. Marguerite Périer, qui en a conservé une partie, les lègue à sa mort à un oratorien de Clermont, le père Guerrier, qui passera le restant de sa vie à les déchiffrer. Le texte de Gilberte Périer, *Vie de Blaise Pascal*, figure en 1686 en tête de la 7e édition des *Pensées* publiée à Amsterdam par le libraire Wolfgang.

À compter de cette époque, plus personne ne s'intéresse vraiment à la correspondance de Blaise, ni à ses écrits de physique ou de mathématiques.

À la mort de son mari, Gilberte s'installe à Bienassis avec ses filles, Jacqueline et Marguerite, restées toutes deux célibataires. Elle revient de temps à autre à Paris sur la tombe de son père, de son frère et d'un de ses fils, Blaise, mort tout jeune. Elle-même meurt à Paris le 25 avril 1687 et est enterrée à Saint-Étienne-du-Mont, tout près de son frère et de son plus jeune fils, et non loin de son père. Étrange famille restée auvergnate, mais où l'on s'obstine à venir mourir à Paris...

Les Provinciales, traduites maintenant en latin, en anglais, en espagnol et en italien, continuent de connaître un très large succès populaire. Mme de Sévigné écrit encore : « C'est l'illustre M. Pascal, avec ses dix-huit *Lettres provinciales*. D'un million d'hommes qui les ont lues, on peut assurer qu'il n'y en a pas un qu'elles aient ennuyé un seul moment. Je les ai lues plus de dix fois : tout y est pureté dans le langage, noblesse dans les pensées, solidité dans les raisonnements, finesse dans les railleries : et partout un agrément que l'on ne trouve guère ailleurs[485]. »

Les *Pensées* deviennent à leur tour un pilier de la littérature française, beaucoup plus lues dès 1695

— année où meurt Huygens — que toute l'œuvre de Descartes. Un périodique, les *Nouvelles ecclésiastiques*, qui, depuis longtemps déjà, anime et défend la pensée janséniste auprès des curés de province, commente à présent l'œuvre de Pascal : « En France on ne se soucie guère ni de Rome ni du pape ; on est persuadé qu'on peut faire son salut sans lui[239] », témoigne alors la princesse Palatine.

Durant cette année 1695 et la suivante meurent les dernières grandes figures du jansénisme : le Grand Arnauld à Bruxelles, Lancelot à Quimperlé, Nicole à Paris et le duc de Roannez, devenu ermite au terme d'un des plus singuliers destins parmi tous les Grands de l'Ancien Régime.

Quatre ans plus tard, en 1699, meurt Racine, qui demande à être enterré à Port-Royal. Le jansénisme va survivre, mais par d'autres Lumières.

Lumières sur Pascal

Vingt ans plus tard, la fin du Roi-Soleil accélère celle du jansénisme : le vieux monarque ne veut pas mourir avant d'en avoir fini avec son plus ancien ennemi. Par un extraordinaire acharnement, et pour que l'Histoire ne retienne pas de son règne autre chose que sa propre gloire, il s'emploie à effacer la mémoire d'une famille et d'un écrivain.

En 1707, sur son ordre direct, le cardinal de Noailles, nouvel archevêque de Paris, enjoint aux dernières religieuses de Port-Royal-des-Champs de signer le Formulaire, cette fois sans arrière-pensée ni distinction entre le droit et le fait. Toujours en vain. Par fidélité envers des directeurs de conscience morts depuis quarante ans, elles persistent à refuser. On les excommunie : la pire sanction pour ces femmes qui ont voué leur vie à Dieu. Cela ne suffit pas à les faire céder. Aussi, le 29 octobre 1709, le lieutenant de police d'Argenson disperse-t-il ces ultimes résistantes dans d'autres couvents. C'en est terminé de Port-Royal, même si les dispersées s'obstinent à dire que « quand on est bien unis avec Dieu, on trouve Port-Royal partout »[33].

Le vallon, qu'on nomme désormais le « saint désert », devient un lieu de pèlerinage où se rendent régulièrement tous ceux pour qui le jansénisme symbolise l'esprit de résistance.

Le monarque déclinant enrage de cet ultime défi à sa porte. L'année suivante, il ordonne d'effacer toute trace de ses ennemis : le 22 janvier 1710, un arrêt du Conseil ordonne que même l'église et les bâtiments conventuels de Port-Royal-des-Champs soient entièrement rasés. Pis encore : que les trois mille[239] dépouilles qui, depuis cinq siècles, reposent dans l'église, dans le cimetière du cloître et dans celui du dehors, soient exhumées, rendues aux familles lorsqu'on aura pu les trouver, à défaut jetées dans les fosses communes. Ne sont préservés que le pigeonnier, la ferme et le bâtiment des Granges. Le corps de Jacqueline est restitué à la famille Périer. Celui de Racine est transporté à Saint-Étienne-du-Mont, dans un pilier voisin de celui de Blaise.

« On procéda à raser la maison, l'église et tous les bâtiments, écrit Saint-Simon à la fin de son chapitre sur Port-Royal, comme on fait de la maison des assassins des rois, en sorte qu'enfin il ne resta pas pierre sur pierre [...]. Le scandale fut grand jusque dans Rome[470]. »

Le mémorialiste a raison. C'est bien le mot : Port-Royal a voulu *assassiner* le roi, au moins symboliquement. Il a perdu. Il paie.

Cela ne suffit pourtant pas encore au roi. Sous l'inspiration de Mme de Maintenon et de son confesseur, le père Le Tellier, il exige du pape une nouvelle bulle condamnant des commentaires de la Bible traduite en français que le successeur d'Antoine Arnauld, le père

Quesnel, vient de publier avec grand succès, à Amsterdam, sous le titre de *Réflexions morales*. Le roi ni le pape ne sauraient admettre que les Arnauld aient des disciples, ni qu'ils passent pour des martyrs. Le 8 septembre 1713, pour plaire au roi de France[501], Clément XI rend la bulle demandée (*Unigenitus Dei filius*), qui condamne cent une propositions de Quesnel dont « le venin est très caché sous des apparences de la piété et du respect pour l'Écriture sainte »[140]. Implicitement, le texte de cette bulle va beaucoup plus loin : il renforce le droit de censure de Rome sur tout texte théologique, en particulier sur toutes les traductions de la Bible en langue vulgaire, retirant aux évêques le droit d'interpréter les textes et réservant au seul pontife celui d'excommunier. C'est, déjà, une reconnaissance tacite de l'infaillibilité pontificale qu'instituera le concile Vatican I en 1870. Ironie de l'Histoire : c'est à la demande du monarque français que l'Église de France se met sous les ordres du Saint-Siège.

Mais le soleil se couche sur Versailles et le bas clergé s'insurge contre cette bulle inacceptable, sans crainte des représailles. Quinze évêques sur cent douze — dont celui de Paris — font lire ouvertement en chaire l'ouvrage de Quesnel. De 1713 à 1731, plus de mille textes hostiles à la bulle *Unigenitus* sont publiés en France[239]. Jansénisme et gallicanisme se conjuguent dans un combat pour la liberté de pensée.

La grâce est loin, les casuistes aussi, la libéralisation des mœurs est en marche. Les *Nouvelles ecclésiastiques* ne dénoncent plus que les complots politiques des jésuites, et par exemple les rendront responsables de l'attentat perpétré par Damiens contre Louis XV le 5 janvier 1757[239] ; en retour, les jésuites dénoncent chez les jansénistes des alliés des princes protestants contre le roi et le pape.

Ainsi, alors que Port-Royal se vide de ses religieuses, son substitut politique, le parti janséniste, s'éloigne de la question de la grâce pour ne plus s'intéresser, avec les gallicans et quelques centaines de républicains, qu'à la liberté de parole dans l'Église aussi bien que dans la nation. En imposant la rareté des sacrements, il aura conduit à un recul de la pratique, à une moindre peur de l'éternité et à la montée de l'individualisme [164]. Le courant janséniste finit dès lors par se confondre avec l'élaboration, la détention ou la publication de tout texte hostile au Saint-Siège, aux jésuites ou au roi. Plus des deux tiers des gens arrêtés pour « jansénisme » entre 1713 et 1760 le sont en réalité pour « délit de librairie » [239].

Les jansénistes lisent ; ceux qui lisent sont donc jansénistes. Voilà pourquoi ils sont dangereux !

Au hasard de déménagements ou de dispersions d'héritages, on continue à découvrir des manuscrits oubliés de Pascal. C'est ainsi que resurgissent enfin du néant familial, en 1727, des « fragments sur les miracles », puis d'autres encore, à la mort de Marguerite en 1733, enfin, en 1740, le long « fragment sur l'amour-propre » parmi les papiers du père Pierre Guerrier — l'oratorien de Clermont qui en avait hérité de Marguerite Périer [481], laquelle la tenait de son frère Louis —, la précieuse seconde copie des *Pensées*, la seule fidèle au manuscrit.

Le Grand Siècle meurt avec le Roi-Soleil, et le jansénisme dépérit, l'un ayant tué l'autre. Bientôt les jésuites, avec qui les jansénistes ont continué de disputer malgré leur disgrâce conjointe, s'effaceront aussi.

Pascal, lui, survit, petite flamme vacillante dans une France où commencent à s'allumer les Lumières.

Car cette bataille mortelle entre les deux branches du catholicisme n'a servi que ses ennemis laïcs. Le mouvement des Lumières puise dans le jansénisme l'esprit de révolte, le désir de savoir, et s'en sert pour nourrir ses idées de « raison », de « bonheur », de « progrès », valeurs montantes du XVIIIe siècle. Il remise au magasin des vieilles lunes le débat sur la grâce et sur le péché originel qui avait tant fasciné les hommes du XVIIᵉ siècle. Mais, d'une certaine façon, c'est toujours des conditions d'exercice de la liberté qu'il s'agit, et le rêve pascalien d'une Église rénovée inspire ceux qui rêvent de la rénovation politique du pays [239]. Comme ils ignorent encore presque tout de son œuvre scientifique, les gens des Lumières considèrent Pascal comme un génie littéraire aux préoccupations philosophiques fumeuses. Dangereuses même, lorsqu'il décrit l'homme comme mauvais par nature, irréversiblement déchu, incapable d'être heureux, de rendre heureux et même de rechercher le bonheur. S'il intéresse, c'est seulement par sa langue et par le siècle où il a vécu.

Car le XVIIIᵉ siècle vénère son prédécesseur et nourrit même une vive nostalgie pour ce Grand Siècle considéré comme une « belle époque », en tout cas une grande époque dont Pascal est l'un des fleurons, fondateur d'une langue dont les gens des Lumières entendent à leur tour, comme l'auteur des *Provinciales*, faire une arme politique.

Parmi eux, le premier à reconnaître le génie philosophique de Pascal est le marquis de Vauvenargues. Pour lui, écrire comme Bossuet et penser comme Pascal est l'idéal de l'homme de lettres [378]. Il note : « Qui, comme Pascal, recherche la gloire par la vertu ne demande que ce qu'il mérite [518]. » Au passage, il critique néanmoins les *Pensées* comme trop sévères à l'égard des Juifs : « Les prophéties ne s'accomplissent que parce que les chrétiens, qui constituent le plus grand nombre d'habitants de l'Europe, ont rendu les Juifs odieux et les empêchent de former des établissements [518]. » Les Juifs gardent leur identité non « pour servir de témoins au Messie, mais parce qu'ils n'ont aucune raison valable de se convertir » et parce que « leur état présent n'est pas assez différent de leurs calamités passées pour leur paraître un motif indispensable de conversion » [518]. Aux yeux de Vauvenargues, Pascal a également tort de prétendre que Juifs et chrétiens ont une même religion :

« Comment donc a-t-on pu nous dire de deux religions différentes dans un objet capital (la croyance en l'éternité de l'âme) qu'elles ne composent qu'une seule et même doctrine[518] ? » Ainsi s'ouvre, à partir d'une critique des *Pensées*, le débat sur le droit des Juifs à être eux-mêmes.

Puis vient Voltaire. Contrairement à ce qu'on écrit en général, il ne déteste pas Pascal. Il remarque d'abord avec envie, à propos du Grand Siècle :

« C'était un temps digne de l'attention des temps à venir que celui où les héros de Corneille et de Racine, les personnages de Molière, les symphonies de Lully et (puisqu'il ne s'agit ici que des arts) les voix de Bossuet et des Bourdaloue se faisaient entendre à Louis XIV, à Madame, si célèbre par son goût, à un Condé, à un Turenne, à un Colbert, et à cette foule d'hommes supérieurs qui parurent en tout genre. Ce temps ne se retrouvera plus où un duc de La Rochefoucauld, l'auteur des *Maximes*, au sortir de la conversation d'un Pascal et d'un Arnauld, allait au théâtre de Corneille[528]. »

« Conversation » signifie ici « fréquentation ». Et même s'il tient les thèses des *Provinciales* pour fausses, il voit en Pascal un maître en polémique, en clandestinité et en complot. Mais avec une différence que Sainte-Beuve a bien analysée : « Le procédé de Voltaire dans ses pamphlets anonymes est exactement le même [que celui de Pascal], et lui aussi se félicite de "tirer à cartouche sur les bêtes puantes sans se découvrir". Mais voilà la différence : dans les "bêtes puantes". Voltaire a du fiel, Pascal n'en a pas. Et c'est pour cela que ses pamphlets contre les jésuites, soulevés par la passion, par la colère, poussés jusqu'à la raillerie, jusqu'à l'invective et jusqu'à l'injure, gardent toujours la dignité des plaidoyers écrits pour une noble cause par un homme qui engage dans ce qu'il dit son âme tout entière[463]. »

Voltaire tient même « Louis de Montalte » pour le

fondateur de la littérature française : « Le premier livre de génie qu'on vît en prose fut le recueil des *Lettres provinciales*. Toutes les sortes d'éloquence y sont renfermées, depuis le sarcasme et l'anathème jusqu'à la méditation et à l'adjuration pathétique[528]. »

Par contre, tout dans les *Pensées* irrite Voltaire : comment Pascal pouvait-il s'intéresser à des concepts aussi absurdes que la grâce, le péché, le salut ? Comment pouvait-il entretenir de si « vaines spéculations », poussant les hommes à « se faire horreur de leur être », et les détournant du bonheur terrestre ? Il n'y voit qu'une explication possible : Pascal était fou.

Voltaire reprend là ce qu'il a lu chez Leibniz, qui ne voyait lui non plus d'autre explication au refus de Pascal de publier ses découvertes scientifiques qu'« une intelligence de bonne heure dérangée par des austérités excessives ». Souscrivant à son avis, d'Holbach écrira un peu plus tard dans *Le Bon Sens*[126] : « On nous cite un grand nombre de savants, d'hommes de génie qui ont été fortement attachés à la religion. Cela prouve que des hommes de génie peuvent avoir des préjugés [...]. Pascal ne prouve rien en faveur de la religion, sinon qu'un homme de génie peut avoir un petit coin de folie, et n'est plus qu'un enfant quand il est faible pour écouter ses préjugés[248]. »

C'est évidemment commode : Pascal écrit juste mais il pense mal, donc il est fou. L'enfermement psychiatrique pour délit d'opinion n'est pas très loin...

La thèse fait long feu : non, Pascal n'est pas fou, et même quand il jongle avec cinq ou six doubles, même quand il se complaît dans la pauvreté ou la mortification, c'est toujours avec la plus grande maîtrise, la plus parfaite lucidité, sans le moindre dérapage. Voltaire lui-même se rend compte qu'il ne peut écarter aussi facilement les *Pensées*. Aussi, dans ses *Lettres philosophiques*, en fait-il sa cible principale. Il n'a rien contre « Louis de Montalte » qui piétine les jésuites, mais tout contre « Salomon de Tultie » qui prétend expliquer la condition humaine par des fautes imaginaires commises cinq mille ans plus tôt par un hypothétique « premier homme » dans un illusoire « Jardin d'Éden ». Nul ne saurait, pense-t-il, être tenu pour responsable de fautes commises par d'autres, et chaque homme d'aujourd'hui est libre et responsable de lui-même. Il écrit très drôlement dans une lettre à M. de La Condamine datée du 22 juin 1734 :

« Les misères de la vie, philosophiquement parlant, ne prouvent pas plus la chute de l'homme que les misères d'un cheval de fiacre ne prouvent que les chevaux étaient tous autrefois gros et gras et ne recevaient jamais de coups de fouet ; et que, depuis que l'un d'eux s'avisa de manger trop d'avoine, tous ses descendants furent condamnés à traîner des fiacres. Si la Sainte Écriture me disait ce dernier fait, je le croirais ; mais il faudrait du moins m'avouer que j'aurais eu besoin de la Sainte Écriture pour le croire, et que ma raison ne suffisait pas[528]. »

Ailleurs, il s'exprime plus gravement contre l'explication de la condition humaine par le péché originel :

« Quelle étrange explication ! L'homme est inconcevable sans un mystère inconcevable. C'est bien assez de ne rien entendre à notre origine sans l'expliquer par une chose qu'on n'entend pas [ou] par un système inintelligible. Ne vaut-il pas mieux dire : je ne sais rien ? Un mystère ne fut jamais une explication[528]. »

Le 1er juillet 1733, dans un texte on ne peut plus célèbre, il écrit enfin : « Le misanthrope chrétien, tout sublime qu'il est, n'est pour moi qu'un homme comme les autres quand il a tort, et je crois qu'il a tort très souvent. Ce n'est pas contre l'auteur des *Provinciales* que j'écris, c'est contre l'auteur des *Pensées* où il me paraît qu'il attaque l'humanité beaucoup plus cruellement qu'il n'a attaqué les jésuites[528]. »

Soixante ans après sa mort, Pascal rencontre enfin un adversaire à sa mesure, une autre figure du génie français. Un misanthrope déiste se dresse face au « misanthrope chrétien ».

En dépit de ces nouvelles attaques venues de toutes parts, la France lettrée continue de lire Pascal. Plus que jamais, même. En 1769, avec la trente-cinquième réédition des *Provinciales*, certaines des *Petites Lettres* atteignent désormais un tirage total de cent mille exemplaires. Elles ont alors enseigné la langue française à cinq ou six générations.

Elles sont même à l'origine d'une ultime victoire posthume de « Montalte » : déjà expulsés du Portugal à la suite d'un attentat manqué contre le roi Joseph Ier, les jésuites le sont aussi de France en 1764, pour la seconde fois en cent cinquante ans, après le scandale causé par la découverte du rôle tenu par un membre de la Compagnie, le père Valette, dans la faillite d'une maison de commerce de la Martinique.

Pascal fascine aussi les encyclopédistes. En 1746, Diderot relève dans ses *Pensées philosophiques* : « Pascal a dit : "Si votre religion est fausse, vous ne risquez rien à la croire vraie ; si elle est vraie, vous risquez tout à la croire fausse." » Il voit dans *Les Provinciales* une description prophétique des errements qui conduiront à la mort de l'Ancien Régime [126] : « Qu'a produit le génie incompréhensible de Pascal ? Un petit traité de la roulette, et les *Lettres au provincial*, c'est-à-dire la haine des sottises qui disposèrent de son temps, dépravèrent son caractère moral et ouvrirent à ses côtés un abîme sur lequel il mourut les regards attachés [167]. »

L'un des plus impitoyables réquisitoires prononcés à la fin du siècle des Lumières contre lui est signé par André Chénier :

« Beaucoup d'hommes invinciblement attachés aux préjugés de leur enfance mettent leur gloire, leur piété à prouver aux autres un système avant de se le prouver à eux-mêmes [...]. Alors, plus ils ont de l'esprit, de pénétration, de savoir, plus ils sont habiles à se faire illusion, à inventer, à unir, à colorer des sophismes, à tordre et défigurer tous les faits pour en étayer leur échafaudage. Et, pour ne citer qu'un exemple et un grand exemple, il est bien clair que, dans tout ce qui regarde la métaphysique et la religion, Pascal n'a jamais suivi d'autre méthode [89]. »

Ces assauts visant le mystique n'entament en rien l'admiration littéraire des hommes des Lumières pour le génie de la Splendeur. Comme Voltaire, d'Alembert date la vraie naissance de la langue française de Pascal : « La langue française était loin d'être formée, comme on peut en juger par la plupart des ouvrages alors publiés et dont la lecture est intolérable. Dans les *Lettres provinciales*, il n'y a pas un seul mot qui ait vieilli, et ce livre, bien que composé il y a plus d'un siècle, semble n'être écrit que d'hier [133]. » Il ajoute plus loin : « Les *Lettres provinciales*, qui paraissaient alors, étaient un modèle d'éloquence et de plaisanterie. Les meilleures comédies de Molière n'ont pas plus de sel que les premières *Lettres provinciales*. Bossuet n'a rien de plus sublime que les dernières [133]. »

Les encyclopédistes s'intéressent à son œuvre scientifique. L'astronome et physicien Pierre Simon de Laplace en souligne l'importance dans son *Essai philosophique sur le fondement des probabilités*, tout en ridiculisant son application à la théologie. Même en suivant le raisonnement de Pascal, dit-il, le pari ne vaut pas la peine d'être tenté, puisque l'espérance du gain, égale au produit de la valeur (infiniment petite) des témoins par la valeur (considérable mais finie) du bonheur qu'ils promettent, est nécessairement infiniment petite.

En 1779, l'abbé Bossut, mathématicien et janséniste, héritier de la famille Guerrier, elle-même héritière des papiers de Marguerite Périer qui les tenait de Louis et d'Étienne, entame la première publication d'ensemble des écrits scientifiques de Pascal, y compris ceux sur sur la cycloïde et le *Traité des sinus*. Comme il les joint aux textes religieux encore interdits, l'édition en est clandestine ; l'éditeur est présenté comme étant

Detune, à La Haye, ce qui masque en réalité le nom de Nyon, à Paris[94].

À la veille de la Révolution, Port-Royal est un désert et les jansénistes, noyés dans une constellation dont sortira le « parti patriote », ne constituent plus une force autonome. Leurs combats, leurs exigences propres ont disparu[239]. Après avoir monopolisé l'attention de la France cultivée pendant un siècle et demi, le débat sur la grâce, la Providence et l'*Augustinus* disparaît sans avoir été tranché. Il ne sera pas, dans l'histoire de France, le seul sujet d'affrontement civil à se dissoudre ainsi dans le temps sans avoir jamais été résolu.

Seuls deux cahiers de doléances réclameront la suppression du Formulaire : disparition complète d'un enjeu qui, plus d'un siècle auparavant, occupait tous les esprits.

Il faudra attendre mars 1790 pour lire dans les *Nouvelles ecclésiastiques* la première allusion à la révolution en cours[239]. Quand celle-ci éclate, Port-Royal-des-Champs est un terrain vague appartenant à l'abbaye de Paris. En 1791, l'un et l'autre seront vendus comme biens nationaux.

Naissance d'un mythe :
de l'abbé Grégoire à Victor Cousin

Il y a du Pascal chez Robespierre : dans sa chasteté, sa rigueur, sa probité, sa fougue, sa passion pour sa sœur, son goût pour l'extrême. Il y en a aussi chez l'abbé Grégoire. Au point que deux des premiers historiens de la Révolution, Jules Michelet et Louis Blanc, considéreront Pascal comme l'une des premières sources d'inspiration intellectuelle de la Révolution.

À la fois disciple des jansénistes et des jésuites, Henri Baptiste Grégoire, né le 4 décembre 1750, nourrit sa longue traversée de la Révolution, de l'Empire et de la Restauration imprégné de jansénisme et de sa passion pour l'auteur des *Pensées*. Son sort personnel reflète l'évolution de la place occupée par Pascal durant cette période troublée.

Le Lorrain Grégoire déteste les jésuites, mais ce n'est pas un janséniste. Il admire et lit les encyclopédistes autant que Pascal ; il ne s'est jamais déclaré hostile à la dernière bulle antijanséniste, *Unigenitus*, et il reproche au journal janséniste, les *Nouvelles ecclésiastiques*, son militantisme caricatural[239]. Il s'intéresse au sort des Juifs dès 1788, avant même de découvrir le jansénisme. Quand la Révolution éclate, il se range, comme la plupart des prêtres jansénistes, du côté des sans-culottes. Il collabore à l'élaboration de la Constitution civile du clergé, votée par l'Assemblée constituante le 12 juillet 1790. À la même époque, fortement marqué par ce qu'il a lu dans Pascal sur les Juifs, Grégoire s'attache à leur faire reconnaître la citoyenneté française. On compte alors quelque cinquante mille Juifs dans le royaume, implantés surtout en Alsace, et à Metz, à Bordeaux, à Bayonne. En 1779, il a déjà publié un mémoire « sur les moyens de recréer le peuple juif et de partout l'amener au bonheur ». De l'émancipation il escompte l'assimilation[20]. Après un premier refus de l'Assemblée nationale, le 24 décembre 1789, de reconnaître aux Juifs autres que ceux d'Avignon et du Sud-Ouest les droits concédés aux protestants, Grégoire obtient satisfaction le 27 septembre 1791. Étrange postérité pour Blaise Pascal : c'est grâce à un disciple d'un mathématicien janséniste et auvergnat que les Juifs d'Alsace et du Comtat Venaissin deviennent alors français.

L'abbé Grégoire participe à la mise en place de l'Église constitutionnelle[239], aboutissement, par certains aspects, du rêve pascalien d'une Église rassemblant tous les fidèles autour de leurs évêques, hors l'autorité de Rome. Il devient évêque constitutionnel de Blois et, avec la majorité du clergé janséniste, il se range du côté constitutionnel lors du premier — et dernier — concile national de 1797, ultime expression collective du jansénisme [239].

Membre du Conseil des Cinq-Cents, puis du Corps législatif, ensuite sénateur, Grégoire s'éloigne de Napoléon du jour où le régime impérial se durcit. En 1809, il prend prétexte du centième anniversaire de la destruction de l'abbaye des Champs pour publier, sous couvert d'une *Histoire de Port-Royal*, une critique sévère mais implicite de l'Empire [239]. Port-Royal, écrit-il, prônait la vertu et l'opposition à tous les princes. C'était « un fanal qui de toutes parts répandait la lumière ; mais il offusquait l'envie, qui se ligua avec la haine pour l'anéantir [...]. Les sentiments que doivent inspirer à jamais l'aspect et le souvenir de Port-Royal acquièrent plus de force à la fin de la période séculaire et empruntent une nouvelle énergie dans les circonstances où nous sommes placés. L'auguste religion ordonne de rendre le bien pour le mal. Les sacrificateurs de Port-Royal léguèrent leur fureur au siècle suivant ; les victimes, en tombant sous le glaive de l'iniquité, léguèrent leur douceur inaltérable. Les hommes qui continuent d'outrager la vérité et ses défenseurs doivent être l'objet spécial de votre tendresse et de vos prières [227] ».

Malgré cette critique voilée de l'« Usurpateur », la Restauration ne lui pardonnera pas son ralliement à la Révolution et à l'Empire qu'il a malgré tout refusé de trahir. Elle ne verra en lui que le chef d'une secte de prêtres « dévoyés », « fanatiques », « jansénistes » et « gallicans », ayant collaboré avec les régicides. Malgré son élection en 1819 à la Chambre des députés, il est chassé de l'Institut puis du Parlement lui-même. On lui refusera même, à sa mort, les derniers sacrements [239].

Car la Restauration n'est pas tendre avec les jansénistes. Et la plupart des écrivains chrétiens du XIXe siècle poursuivront Pascal de leur vindicte. Joseph de Maistre, qui voit dans la Révolution un signe de la Providence venue châtier « les mauvais chrétiens », appelle *Les Provinciales* « les *Menteuses* »[316].

Pascal n'est pas loin de basculer dans le néant en compagnie des auteurs et penseurs régicides, quand les romantiques le sauvent : pour eux, il n'est pas seulement un grand écrivain, un grand mystique, c'est aussi un immense créateur.

Dès 1802, Chateaubriand a parlé de lui comme de l'« effrayant génie » dans une célèbre page du *Génie du christianisme*. Première tentative de présenter les multiples facettes de la personnalité de Blaise :

« Il y avait un homme qui, à douze ans, avec des *barres* et des *ronds* avait créé les mathématiques ; qui, à seize, avait fait le plus savant traité des coniques qu'on eût vu depuis l'Antiquité ; qui, à dix-neuf, réduisit en machine une science qui existe tout entière dans l'entendement ; qui, à vingt-trois, démontra les phénomènes de la pesanteur de l'air, et détruisit une des grandes erreurs de l'ancienne physique ; qui, à cet âge où les autres hommes commencent à peine de naître, ayant achevé de parcourir le cercle des sciences humaines, s'aperçut de leur néant et tourna ses pensées vers la religion ; qui, depuis ce moment jusqu'à sa mort, arrivée dans sa trente-neuvième année, toujours infirme et souffrant, fixa la langue que parlèrent Bossuet et Racine, donna le modèle de la plus parfaite plaisanterie comme du raisonnement le plus fort ; enfin qui, dans les courts intervalles de ses maux, résolut, par abstraction, un des plus hauts problèmes de géométrie, et jeta sur le papier des pensées qui tiennent autant de Dieu que de l'homme. Cet effrayant génie se nommait *Blaise Pascal*[88]. »

Chateaubriand — qui va écrire la biographie du restaurateur de la Trappe, Rancé — se retrouve aussi dans la personnalité torturée de Pascal, exilé volontaire du monde, mystique, conscient de son échec mondain, et le dépassant par le génie littéraire. Il insiste sur la tristesse de Pascal : « Les sentiments de Pascal sont remarquables surtout par la profondeur de leur tristesse et par je ne sais quelle intensité. [...] Ni l'Angleterre ni l'Allemagne n'a produit Pascal ni Bossuet, ces deux grands modèles de mélancolie en sentiments et en pensées [88]. »

Stendhal et Balzac construiront eux aussi leur propre discours sur la mélancolie à partir de Pascal. Stendhal écrit même avec une spontanéité déconcertante : « Quand je lis Pascal, il me semble que je me relis [230]. »

Par contre, Victor Hugo est trop optimiste, trop sûr de lui, il a trop foi en l'homme et en « Quatre-Vingt-Treize », il croit trop au progrès pour apprécier celui qui dénonce la pourriture de l'âme humaine et affiche sa haine des utopies. Il fait donc silence sur Pascal — sauf que, comme le remarque Paul Bénichou dans *Les Mages romantiques*, certains de ses vers laissent parfois deviner sa lecture de Pascal [32]. Par exemple, « Qu'Il [Dieu] se montre surtout dans ce qui Le cache » sonne comme une lointaine résonance du *retrait de Dieu* de Pascal [282].

En 1824, un bourgeois janséniste, Louis Silvy, rachète Port-Royal-des-Champs et le restaure dans l'état où il se trouve encore aujourd'hui [33]. Quiconque n'y est pas venu un jour s'y recueillir ou simplement écouter le silence a peu de chances d'appréhender le destin du « génie français ».

Avec le règne de Louis-Philippe, la querelle religieuse s'estompe quelque peu alors que les idées « voltairiennes » se répandent. Il devient presque possible de parler d'une des composantes de la nation française sans risquer de se faire étriper par une autre. Sans plus verser dans l'anathème, les Français commencent même à admettre qu'ils partagent tous l'héritage contradictoire des diverses périodes de leur Histoire.

Par l'extrême complexité des réseaux — à la fois scientifiques, théologiques et littéraires — auxquels on peut le raccorder, Pascal est alors reconnu peu à peu comme un lieu géométrique, un fédérateur possible des diverses facettes du génie national. Il est même accepté comme un « philosophe », c'est-à-dire un lettré ayant le droit de parler de tout.

Tout au long du siècle, écrivains et penseurs vont se le disputer. Les premiers y voient le maître des moralistes, les seconds reconnaissent en lui le prince des sceptiques. Chacun y trouve ce qu'il cherche.

Mais c'est au tour des philosophes d'imposer aux autres leur propre vision de Pascal. Sainte-Beuve, le premier, a l'intuition de cette position centrale de Pascal dans l'histoire de la pensée française. Le jour où il a entre les mains des fragments inédits des *Pensées* copiés sur un manuscrit qui vient d'être retrouvé parmi les papiers d'un des neveux de Blaise, il ne cherche pas à les éditer, mais à les commenter[94] dans une série de conférences universitaires qu'il donne en 1837 et 1838 à Lausanne, et publiées en 1840. Subjugué par l'œuvre, même s'il n'en partage pas toutes les thèses, il écrit qu'il faut cesser de lire Pascal dès les premiers mots « si l'on ne veut pas lui laisser le temps de faire en quelque sorte son nœud, dans lequel il vous tient ensuite et vous serre »[464]. Il le cite parmi les grands réformateurs du plus grand siècle français : Pascal pour la prose, Arnauld pour la théologie, Malherbe et Boileau pour la poésie, Mme de La Fayette pour le roman, Perrault et Vaugelas pour la critique, Malebranche pour la philosophie et Domat pour le droit. Même si, pour lui, ce Grand Siècle était avant tout cartésien, puisque, à son avis, hormis Pascal, tous ces grands réformateurs le sont, même Arnauld.

Au même moment, l'auteur des *Pensées* tend à être présenté comme un philosophe sceptique, à l'occasion du premier grand débat moderne sur l'identité nationale, ouvert en vue de réformer l'enseignement de la philosophie, alors entre les mains de l'Église. Ce débat est lancé par un très étonnant intellectuel et homme politique, Victor Cousin[285]. Ami de Schelling et de Hegel, introducteur avec d'autres de Kant en France, traducteur de Platon, spiritualiste et libéral, Victor Cousin enseigne la philosophie à l'École normale et à la Sorbonne depuis quatorze ans quand il décide de consacrer son cours de 1829 à Pascal[239] ; il n'a alors que trente-six ans. Sa rencontre avec les *Pensées* est un véritable coup de foudre. En 1836, il délaisse même l'étude de la philosophie allemande pour se consacrer entièrement à celle des auteurs français du Grand Siècle : « La France n'a pas l'air de se douter qu'elle compte dans ses annales le plus grand siècle de l'humanité, celui qui comprend en son sein le plus d'hommes extraordinaires[285]. » Devenu conseiller d'État, puis ministre de l'Instruction publique de Louis-Philippe, sans cesse attaqué par la gauche comme par le parti clérical, il entreprend de réorganiser l'enseignement de la philosophie sous les insultes des catholiques qui ne voient dans son projet qu'une manœuvre des laïcs, partisans d'enseigner les philosophies spéculatives d'origine allemande. Pourtant, Cousin n'est pas inspiré par l'anticléricalisme. Pour lui, l'enseignement de la philosophie ne doit se réduire ni à la théologie, comme le voudrait l'Église, ni à la spéculation, comme le voudrait une partie de la gauche. En 1838, devant la Chambre des pairs, il dénonce d'ailleurs la domination ecclésiastique sur l'enseignement tout en se défendant d'être lui-même anticlérical[285].

En 1842, ayant quitté son ministère, il décide de s'intéresser sérieusement aux *Pensées*. Comme l'écrit malicieusement Jean Mesnard, il ne tombe pas « dans le défaut si courant à son époque et à toutes les époques » qui consiste à parler d'un auteur sans l'avoir lu. Il s'installe à la Bibliothèque royale, consulte longuement le manuscrit des *Pensées*, le compare aux éditions de Port-Royal et de Bossut et découvre que des lettres de Blaise — notamment à Charlotte de Roannez — se trouvent mêlées aux fragments proprement dits. Il comprend que, dans l'édition de 1779 qui fait encore autorité alors, l'abbé Bossut a introduit parmi les *Pen-*

sées des extraits de l'*Entretien avec M. de Sacy* sur
Montaigne et Épictète, et du *Traité de Géométrie*, l'un
et l'autre trouvés dans les papiers de Guerrier. Il
découvre encore d'innombrables autres différences,
plus ou moins ténues, entre le manuscrit original et le
texte publié. Et il démontre que ces différences relèvent plus de la falsification que de la négligence. Il est
ainsi le premier à déchiffrer « athéisme, marque de
force d'esprit », au lieu de ce qu'Arnauld avait voulu
lire : « athéisme, manque de force d'esprit » ; « trognes » au lieu de « troupes » pour désigner les soldats
du roi. Il ressuscite « cœur » et « instinct » qu'Arnauld
avait remplacés sans vergogne par « intelligence » et
« sentiment » ; il rétablit « le silence éternel de ces
espaces infinis », écarté par Nicole au prétexte que
Dieu n'est pas silencieux ; et aussi des fragments sur
la révolte contre les Grands, qu'Arnauld avait jugés
« insoutenables ».

Rassemblant ses découvertes, il écrit en 1842 un
« Rapport à l'Académie française sur la nécessité
d'une nouvelle édition des *Pensées* de Pascal ». Il y
critique aussi l'ordre des fragments retenu par les éditeurs depuis 1670 : « Le point essentiel est que l'ordre
suivi, quel qu'il soit, ne détruise pas le dessein des
Pensées [285]. » Il suggère de « considérer ces petits
papiers, qui souvent forment chacun un tout indivisible, comme autant de cartes qu'il ne s'agit plus que
de classer sous les étiquettes qu'elles ont dans le
manuscrit lui-même, tout cela avec une certaine
rigueur, mais sans prétendre à une rigueur trop grande ». Il ajoute : « Une telle apologie [si elle avait été
achevée] eût été un monument tout particulier qui
aurait eu pour vestibule le scepticisme et pour sanc-
tuaire une foi sombre et mal assurée d'elle-même [...].
Pareil monument eût peut-être convenu à un siècle
malade comme le nôtre, il eût pu attirer et recevoir
Byron converti, Faust ou Manfred, des hommes en
proie aux horreurs du doute et voulant s'en délivrer à
tout prix [130]. »

Autrement dit, pour Victor Cousin, Pascal parle aux sceptiques, c'est-à-dire aux hommes du XIXᵉ siècle.

Il poursuit ses recherches. Il attribue sans hésiter à Pascal — à tort, on l'a dit plus haut — un manuscrit intitulé *Discours sur les passions de l'amour*, qu'on vient de retrouver, et le publie avec enthousiasme dans la *Revue des Deux Mondes*, le 15 septembre 1843. « Dès la première phrase, je sentis Pascal » [285], écrit-il. Il publie en 1844 une deuxième édition de son rapport, et se consacre ensuite à la rédaction de huit biographies de femmes du Grand Siècle. La première porte sur Jacqueline Pascal dont il redécouvre l'essentiel des textes et des lettres ici cités, sans toutefois hasarder une quelconque hypothèse sur ses relations avec son frère ni sur l'influence qu'elle a exercée sur lui. La première biographie de Jacqueline précède ainsi celle de Blaise, qui attendra encore vingt ans.

Grâce à Cousin, Pascal cesse donc d'être perçu exclusivement comme un théologien et un écrivain, pour être rangé parmi les philosophes et être enseigné à côté de Kant et de Hegel.

Deux ans plus tard, Armand Faugère établit le texte dont rêvait Cousin. En 1873, dans une préface non signée de la magnifique édition des *Pensées* qui paraît alors chez Plon, accompagnée pour la première fois d'un index thématique, on peut lire, dans le style ampoulé de l'époque, cette autoglorification de l'éditeur narrant l'histoire de ce livre :

« Comme l'édition de Port-Royal, celles de Bossut et de ses copistes doivent être reléguées parmi les curiosités bibliographiques. Condamnées à l'oubli, ces éditions, qui trop longtemps ont fait autorité, ne doivent plus désormais trouver de lecteurs ; tandis, au contraire, que la faveur publique et un durable avenir d'admiration, qui a déjà commencé, sont réservés au texte vrai dont nous enrichissons aujourd'hui la *Collection des Classiques français* que nous avons entreprise dans le but de reproduire avec un soin pieux les leçons originales de nos grands écrivains [...]. Rien n'ayant été négligé pour rendre notre édition digne du grand écrivain dont elle reproduit avec la plus scrupuleuse fidélité le dernier ouvrage, elle occupera, nous sommes en droit de le croire, dans nos bibliothèques, la place que les éditeurs des dix-septième et dix-huitième siècles, avec plus de respect pour la mémoire de l'auteur, auraient dû lui conquérir au profit des générations éteintes[409]. »

À compter de cette époque, l'Europe commence à s'intéresser à l'histoire des religions, dans l'esprit de vérité scientifique dont rêvait Pascal. Des « philosophes, des philologues, des paléographes, des savants et des historiens des sciences, des spécialistes de la littérature, des théologiens professionnels ou amateurs[351] » travaillent à faire connaître sa vie et son œuvre.

Lui qui griffonnait, en marge de certains fragments, ses calculs sur la date du Déluge, n'aurait sans doute pas changé un mot à ce qu'écrit Ernest Renan en 1887 dans l'introduction à son *Histoire du peuple d'Israël*, ouvrage fondateur de l'histoire moderne des religions :

« Les critiques à l'esprit borné, qui nient l'existence des périodes obscures sur lesquelles on n'a pas de documents rigoureusement historiques, se privent de la partie la plus vraie et la plus importante de l'Histoire. [...] Longtemps on s'occupera des religions après avoir cessé d'y croire. La ruine de la théologie n'entraîne pas la ruine de l'histoire de la théologie, pas plus que le peu d'intérêt que l'on attache maintenant à l'étude de la philosophie métaphysique n'enlève son intérêt à l'histoire de l'ancienne philosophie. [...] La tendance qui porte le XIXe siècle à tout laïciser, à rendre civiles une foule de choses, d'ecclésiastiques qu'elles étaient, est une réaction contre le christianisme ; mais, en supposant même que ce mouvement aille jusqu'au bout, le christianisme laissera une trace ineffaçable. Le libéralisme ne sera plus seul à gouverner le monde. L'Angleterre et l'Amérique garderont longtemps des restes d'influence biblique, et chez nous les socialistes, élèves sans le savoir des prophètes, forceront toujours la politique rationnelle à compter avec eux[448]. »

Pascal rejoint alors Descartes au premier rang des philosophes français. Mais on veille à occulter sa foi. On ne voit plus en lui que le rationnel sceptique, et non plus le croyant. L'homme de la « raison » ; le « cœur », lui, a disparu.

On trouve la meilleure illustration de ce virage, négocié tout au long du XIXᵉ siècle, dans un texte sur « l'histoire de la philosophie française de Descartes à la fin du XIXᵉ siècle », rédigé en 1890 par le grand anthropologue Lucien Lévy-Bruhl[338]. Écrivant en anglais pour un ouvrage collectif, *History of Modern Philosophy in France*, il y définit le « génie français » par la spécificité de sa pensée, la seule au monde — par Pascal, Descartes et Leibniz résidant alors en France — à avoir su mêler mathématiques et philosophie, et donc à avoir fait de la raison l'arme ultime. Sous sa plume, voilà Pascal devenu un double de Descartes :

« La spécificité française de ces trois siècles de philosophie est l'importance du lien entre mathématiques et philosophie, à la différence de la pensée allemande (corps de doctrines) et anglaise (empirisme) [...]. La philosophie française offre peu de place au mysticisme et à la théologie, et rien n'est moins mystique que les habitudes de pensée de Pascal [...] qui est la clarté et la précision mêmes [...]. Il serait [donc] inconcevable qu'une histoire de la philosophie française passât le nom de Pascal sous silence. Bien qu'on ne puisse le classer dans aucune catégorie de philosophes, pourtant, par la puissance de son esprit et la splendeur sans égale de son style, il a exercé une profonde influence sur la pensée française. Il est, de loin, le plus grand de tous les *moralistes* dont la France a produit un si grand nombre, auteurs de "maximes", "pensées", "carac-

tères" dont le but principal était l'analyse du cœur
humain et du fonctionnement des passions. Il s'élève
au-dessus d'eux de toute la hauteur d'une intelligence
qui le met de plain-pied avec les problèmes les plus
difficiles de la science et de la philosophie ; et s'il n'a
pas exploré ces problèmes complètement, s'il n'y a
souvent jeté qu'un regard rapide, c'est parce que sa foi
lui faisait un devoir impérieux d'employer son génie
dans d'autres directions [299]. »

On croit rêver : Pascal n'est plus mystique...

Naturellement, pour Lévy-Bruhl et les philosophes
de la fin du XIXᵉ siècle, l'auteur des *Pensées* convainc
plus par son exposé de la misère de l'homme sans Dieu
que par sa foi en l'homme avec Dieu. Mieux même,
c'est, selon eux, par la raison qu'il prétend démontrer
l'existence de Dieu ; et c'est par la raison qu'il
convainc involontairement au contraire :

« Pascal nous laisse à choisir entre un mystère qui
blesse notre raison et répugne à notre conscience,
et l'impossibilité, sans l'aide de ce mystère, de
comprendre la nature de l'homme. C'est jeter les âmes
timorées dans un état terrible de perplexité ; et il est à
craindre que la plupart n'en viennent à une décision
opposée à celle que Pascal tient pour la plus rationnelle [299]. »

En passant, Lévy-Bruhl situe Pascal par rapport à la
philosophie allemande. En un temps où les deux
nations commencent à s'affronter sur tous les terrains,
cette comparaison est aussi celle des génies nationaux :

« À la différence de Leibniz et Kant, écrit-il, Pascal
quitte le domaine de la raison et en appelle à la foi.
[...] Là où Leibniz (le Règne de la grâce) et Kant (le
Royaume des fins) parviennent par les seuls efforts de
la raison, [...] Pascal y atteint par l'autorenoncement
de la raison [299]. »

« Autorenoncement » est ici le mot important : car
c'est encore la raison qui renonce à la raison. Pascal,
pour Lévy-Bruhl, reste rationnel même lorsqu'il donne

congé à la raison. Pascal est bien cartésien ! L'honneur de la raison française est sauf...

Sept ans plus tard, Léon Brunschvicg, professeur à la Sorbonne, biographe de Pascal, grand intellectuel, publie sous forme d'un petit livre vert une édition populaire des *Pensées* qui connaît un énorme succès. Il répartit les fragments « logiquement », par sujets, en quatorze sections[481]. Pascal reste un philosophe plus qu'un « moraliste », dit-il dans sa préface : « Les littérateurs [...] ont fait rentrer l'auteur des *Pensées* dans la classe des moralistes [mais] Pascal n'est pas proprement un moraliste. » Car la spécificité du moraliste tient à « ce souci du style, cette recherche des pointes et des mots d'auteur, cette affectation de raffinement psychologique, ce goût du paradoxe et de la satire, cette apparence perpétuelle de supériorité sur le lecteur, qui rendent tout à la fois charmante et stérile l'œuvre des moralistes français[68] ».

C'est à ce moment que paraissent les premières biographies de Blaise Pascal, celles de Strowski et de Steinmann. Simultanément, d'autres écrivains chrétiens, tel Péguy[428], ou proches d'eux, tel Suarès[499], le redécouvrent. La bataille de Port-Royal s'est éloignée ; les catholiques français récupèrent leur plus grand écrivain.

Au tournant des XIXᵉ et XXᵉ siècles, Pascal se trouve donc revendiqué par tout le monde et dans le monde entier. Français qui ne parle jamais de la France, il devient un de ces « génies universels » dont il parlait lui-même.

En Allemagne, Nietzsche l'admire et écrit : « On ne devrait jamais pardonner au christianisme d'avoir chassé des hommes comme Pascal [...]. Ce que nous attaquons dans le catholicisme, c'est qu'il veuille briser les forts, décourager leur courage, utiliser leurs heures mauvaises et leurs lassitudes, transformer en inquiétude et en tourment de conscience leur fière assurance. Horrible désastre dont Pascal est le plus illustre exemple[385] ! »

En Espagne, Miguel de Unamuno écrit en 1909 : « Il y a peu d'âmes plus espagnoles que le Français Pascal. Et comme Pascal, en même temps qu'espagnol, était français, il possédait le sens scientifique, le sens de l'ironie et du scepticisme, en même temps que son opposé, le sens tragique de l'Espagnol, la faim de l'éternité ; et de là naquit cette lutte terrible qui se livra en son âme... Nous autres, Espagnols, nous comprenons parfaitement, et mieux sans doute que les Français, le mot de Pascal : *Il faut s'abêtir* [515]. »

En France même, les études sur Pascal se développent ; on est même parfois « pascalien » de père en fils. Quand, en 1904, Hachette demande à Léon Brunschvicg de préparer une édition d'ensemble de l'œuvre de Pascal pour « Les grands écrivains de France », celui-ci prend pour collaborateur Pierre Boutroux, fils du philosophe Émile Boutroux qui avait lui-même écrit en 1900 « un excellent petit livre sur Pascal » [356]. Ils publient ensemble en 1908 la plupart des écrits mathématiques et tous les écrits de physique. Puis Brunschvicg, cette fois assisté de Félix Gazier, lui-même fils d'un autre pascalien, Augustin Gazier, historien de Port-Royal, entame la publication des textes religieux. Huit volumes sont déjà en librairie quand la publication se trouve interrompue par la guerre. Elle est définitivement arrêtée quand Félix Gazier tombe à Verdun en 1916.

Le retour du « cœur » face aux massacres du XXᵉ siècle

C'est la Première Guerre mondiale qui rend à Pascal sa vérité. Car alors la « raison » explose sous l'absurde impact des obus et des bombes. Catholique antijanséniste, Jacques Chevalier, un de ses meilleurs biographes, note en particulier en 1922 : « Pour beaucoup, je le sais, ce petit volume fut un fidèle compagnon du front : dans leur sac comme dans leur cantine, il y eut toujours une place pour les *Pensées* de Pascal ; nous le chérissions comme l'un des soutiens des heures d'isolement, de lassitude, de détresse physique ou morale : il fut pour nous un viatique [94]. » Il cite alors le fragment qu'aimaient à relire, avant de monter à l'assaut, les professeurs et intellectuels en uniforme : « *Vanité des sciences.* La science des choses extérieures ne me consolera pas de l'ignorance de la morale au temps d'affliction, mais la science des mœurs me consolera toujours de l'ignorance des sciences extérieures. » (fr. 57) L'absurdité de la violence, l'abjection à laquelle tout homme peut atteindre s'il laisse libre cours à sa « machine », la nécessité de se préparer à rencontrer Dieu à tout instant — tout cela pouvait s'entendre parfaitement dans le fracas de mort des combats.

Pascal retrouve alors toutes ses dimensions. Au sortir de la guerre, en ce moment de gloire impudente qu'on appela les « Années folles », le même Jacques Chevalier (qui sera vingt ans plus tard ministre sous Vichy) se risque à l'une des premières descriptions du « génie français » à partir de celui de Pascal, comme un mélange d'idéal et de scepticisme, d'esprit de géométrie et d'esprit de finesse, de pragmatisme et d'absolu, de cœur et de raison :

« Pascal, à maints égards, peut être tenu pour l'homme le plus représentatif du génie de notre race : ce qu'est un Platon pour la Grèce, un Dante pour l'Italie, un Cervantès ou une sainte Thérèse pour l'Espagne, un Shakespeare pour la Grande-Bretagne, Pascal l'est pour la France. Autant, et plus peut-être, qu'aucun de ces héros nationaux, Pascal incarne l'esprit de son pays en sa plus admirable plénitude. Comme savant, comme penseur, comme artiste, comme homme, dans l'ironie la plus fine comme dans la satire la plus mordante, dans l'exposé le plus serré comme dans l'éloquence la plus pressante et la plus splendide poésie, dans la logique de l'esprit comme dans la logique du fait, enfin dans la plus intime, la plus haute et la plus pure spiritualité, s'il a eu des égaux, Pascal n'a pas eu de maîtres ; et nul n'a réuni en lui tant de qualités diverses. Il concentre dans son génie de flamme tous les dons qui nous caractérisent et dont est fait notre génie propre : l'esprit de géométrie et l'esprit de finesse, la dialectique et le cœur, le sens du positif et la foi en l'idéal, la soumission aux faits, mais pour les dépasser sans cesse en les approfondissant, et pour ne se reposer que dans l'infini, parce que l'infini seul est capable de donner à celui qui le cherche, qui croit en lui et qui l'aime, la raison de ce qui est, la clef de l'énigme et le remède à nos misères, dans la joie et dans la paix divines [94]. »

Pascal devient ainsi, au tournant des années 1920, une sorte d'icône nationale. Il commence même à supplanter Descartes au panthéon des gloires patriotiques. Après Charles Péguy qui l'a vénéré dès avant-guerre pour finir, comme lui, errant dans les églises de Paris [94], c'est Bergson qui s'intéresse au Dieu de Pascal et rejette celui de Descartes, « avatar moderne du Dieu d'Aristote » qui, dit-il, « n'a rien à voir avec la religion, parce qu'il n'est pas susceptible d'être prié ».

Dans un entretien de février 1922 avec Jacques Chevalier, le même Bergson retrouve Stendhal sans le citer : « Plus je vais, plus je me sens proche de Pascal. » Et il ajoute dans un résumé quelque peu simpliste de la pensée pascalienne : « Pascal a introduit en philosophie une certaine manière de penser qui n'est pas la pure raison, puisqu'elle corrige par l'esprit de finesse ce que le raisonnement a de géométrique, et qui n'est pas non plus la contemplation mystique, puisqu'elle aboutit à des résultats susceptibles d'être contrôlés et vérifiés par tout le monde [95]. »

La France s'espère alors un bref instant comme l'improbable synthèse de ceux qui croient au Ciel et de ceux qui n'y croient pas. La référence à Pascal y devient une figure imposée. Sceptiques, moralistes, mystiques, Mauriac, Bernanos, Céline, Guitton, Malraux, mais aussi Barrès, Sorel, Maurras, Drieu La Rochelle et tant d'autres, tous se croient tenus de payer leur écot à la gloire d'une œuvre d'autant plus appréciée qu'elle n'est presque plus lue.

Albert Camus résume dans ses *Carnets* ce consensus général par le plus simple des hommages : « Pascal le plus grand de tous, hier et aujourd'hui [79]. »

Placé si haut en un siècle qui voit l'avènement accéléré de doctrines de plus en plus contradictoires, le révolté du Grand Siècle ne pouvait que devenir le rival — donc la cible et l'ancêtre plus ou moins reconnu — de tous ceux qui rêvent de trouver la clé ouvrant toutes les portes...

Freud, Marx et les autres

Il faudra attendre l'après-guerre pour voir la psychanalyse et le marxisme s'intéresser à l'inventeur du « cœur » et de la dialectique. Et tenter à leur tour de se l'approprier.

La psychanalyse le redécouvre quand Lacan s'intéresse à ses jeux de mots, à sa haine de lui-même, à ses réflexions sur la confession, à sa définition de la « machine » comme inconscient.

Le marxisme, lui, ne prise guère ce qu'Henri Lefebvre appelle la « folie janséniste » [284], et ridiculise l'analyse pascalienne de la société : pour lui, ce qui manque à Pascal, c'est de produire « les médiations concrètes entre l'individu et le monde naturel et social » [284], c'est-à-dire « le besoin, le désir, le travail » [284]. Il lui reproche de ne s'intéresser qu'aux « divertissements dans lesquels le Moi se cherche et s'égare » [284]. Et surtout, lacune inacceptable, de ne parler ni de plus-value, ni de profit. « Quel spectacle singulier, qui devrait soulever l'horreur au lieu de l'exaltation, que celui de cet agonisant, de ce débris humain qui tente encore de tirer de sa souffrance des

arguments en faveur de sa religion [284] ! » C'est pourquoi, pour les marxistes orthodoxes, les *Pensées* ne
sont qu'une des plus vastes entreprises de tricherie
« tentées par la pensée humaine [284] ». Certes, ils voient
en lui un « génial précurseur » de la « théorie dialectique du vrai, vérité relative et absolue à la fois [...] où
la contradiction entre l'infini et le fini se résout par le
mouvement de la connaissance qui progresse vers la
vérité absolue, de connaissance finie en connaissance
finie. [... Mais] on ne peut sympathiser ou aimer un
janséniste, même Pascal, car le fondement de cette
doctrine est une utopie réactionnaire et sans grâce. [...]
L'œuvre de Pascal est même] la plus sinistre entreprise
de démoralisation et de décomposition de l'humain qui
ait jamais été tentée : l'existentialisme contemporain
n'en est que la caricature. [...] Qui oserait aujourd'hui
— écrit enfin Lefebvre —, sauf un adolescent inquiet,
fils de petits-bourgeois (mais c'est ce qu'il ne faut pas
pardonner à Pascal : que d'adolescents poussés par
l'inquiétude s'adressent encore à lui !), qui oserait définir l'homme par la contradiction du repos et du divertissement [284] ? »

À lire la question de nos jours, la réponse ne serait
sans doute pas celle qu'escomptait Lefebvre...

Dans une vision marxiste moins simpliste, Lucien
Goldmann voit en Pascal « la première réalisation
exemplaire de l'homme moderne » [210]. Curieusement,
comme Victor Cousin qu'il ne cite pas, il voit en l'auteur des *Pensées* une réincarnation de Faust, déçu par
la science et réfugié dans la sorcellerie : « La pièce
commence lorsque Faust comprend l'insuffisance,
l'inanité de ce savoir (la pensée rationnelle et universelle), qui ne mène pas à quelque chose au-delà,
quelque chose qui lui permette de comprendre l'essence et la totalité [210]. » Il fait de Pascal un précurseur
de Goethe, Kant, Hegel, Marx et Lukács, « ouvrant une
lignée de penseurs qui, dépassant la tradition chrétienne et les conquêtes du rationalisme, créent une

morale nouvelle, encore actuelle aujourd'hui »[210] : la dialectique marxiste, évidemment !

Pascal devient par là un obscur maillon d'une chaîne de production intellectuelle où chaque produit nouveau chasse son devancier. Où le neuf est bien sûr nécessairement le meilleur, en philosophie comme en économie ou en littérature... Ainsi, quand l'existentialisme, puis le structuralisme, puis la « déconstruction », en attendant dix autres écoles de pensée ou de non-pensée, viennent remplacer le marxisme au hit-parade des modes, Pascal recule à chaque fois d'une case dans le jeu de l'oie des systèmes.

Et chaque théoricien nouveau se croit obligé de lui assigner la place qui l'arrange dans la cartographie de la pensée française. Comme le remarque malicieusement le philosophe et historien Leszek Kolakowski : « J'ai lu un livre qui prétendait montrer que le grand mérite de Pascal était d'être un précurseur — incomplet, assurément — de M. Jacques Derrida[260]. »

Blaise Pascal, qui aimait la plaisanterie, aurait goûté celle-là.

Un génie universel

> « *Les grands génies ont leur empire, leur*
> *éclat, leur grandeur, leur victoire et leur lustre,*
> *et n'ont nul besoin des grandeurs charnelles, où*
> *elles n'ont pas de rapport. Ils sont vus non des*
> *yeux, mais des esprits, c'est assez.* »
>
> *(fr. 339)*

Pascal ne parle jamais de la France, si ce n'est pour
ironiser sur le caractère local de ses coutumes. Il n'est
pas un amoureux de son pays, mais l'un de ses inventeurs, un pilier de son génie.

Mais ce génie-là a-t-il un sens aujourd'hui ? Existe-
t-il encore, pour un pays de taille moyenne pris entre
les infinis du monde, les particularismes régionaux et
les aspirations individualistes, quelque chose comme
une identité ? Pascal a-t-il quelque chose à dire à ce
sujet ?

Le territoire de la France a évolué, sa population
s'est mêlée, son système politique s'est modifié, son
art de vivre a changé. Ceux qui parlent d'elle disent
tous s'en être fait une « certaine idée », parce qu'elle
est justement, avant tout, une idée sans frontières, formée dans la douleur et la gloire, jusqu'à se cristalliser,
en un siècle de splendeur, le Grand Siècle, comme le
royaume du style, la république des défis, l'empire de
la splendeur. Mais aussi comme le pays de la mesure,

où tous les excès finissent par lasser, où une idée ne vaut que s'il est possible de briller en défendant son contraire.

Le monde eût été différent si la France n'avait jamais existé ; et il serait différent si elle venait un jour à disparaître. Pour autant, elle ne mérite pas aujourd'hui d'être protégée plus qu'une autre nation, et sa défense ne saurait reposer sur une prétendue supériorité culturelle ou de civilisation. Elle est simplement un aspect de la diversité humaine qu'il importe de préserver au même titre que les autres, aussi précieux qu'elle.

En ces temps de mélange et de transparence, de syncrétisme et d'universalisme, l'ensemble de la planète semble converger vers un modèle unique fait de démocratie anglo-saxonne, de divertissement hollywoodien et de commerce américain. Le génie de la France (bon et mauvais à la fois) n'est plus pour l'essentiel qu'un souvenir diffus, celui d'une histoire oubliée. Le mauvais ne se manifeste plus que dans l'arrogance puérile de quelques donneurs de leçons, et le bon n'est plus visible, aux yeux du plus grand nombre, que dans une équipe issue des quatre coins de la planète pour triompher dans un jeu de balle devenu le divertissement majeur du monde.

Quoi qu'il en soit, personne n'identifie plus la France à l'enfant prodige du Grand Siècle. Et tout semble éloigner les hommes du XXIe siècle de Blaise Pascal : son mépris du monde, son refus d'être aimé, son obsession religieuse, son ascétisme, son apologie de la solitude, son amour de la pénitence, son aversion du divertissement sont étrangers à notre temps.

Tout aussi semble éloigner la France d'aujourd'hui de celle de Pascal : elle a cessé d'être la superpuissance démographique, culturelle et politique qu'elle était alors ; on n'y trouve pas, comme en ce temps-là, les plus grands géants de la littérature, de la philosophie et de la science mondiales ; elle n'est plus dominée par sa culture chrétienne ; le jansénisme en a totalement disparu ; elle est devenue l'une des contrées les moins religieuses de la planète, et beaucoup s'y font une gloire de se reconnaître dans une caricature de Descartes faite de rationalité et d'athéisme, de scepticisme intellectuel et de pragmatisme naturaliste. Enfin, son idéal est aujourd'hui fait d'un hédonisme et d'une douceur de vivre qu'auraient totalement rejetés les Solitaires.

Enfin, le Grand Siècle, avec son obsession de gloire, sa passion de la démesure, sa quête de vie intérieure, son exigence de dignité, sa soif de culture, sa passion des débats d'idées, semble à des années-lumière du troisième millénaire naissant.

Pourtant, la France d'aujourd'hui reste l'héritière de ce passé. Aussi longtemps qu'il existera un pays portant ce nom, la gloire, l'absolu, l'universel en resteront les rêves ; le christianisme demeurera l'une de ses dimensions majeures ; le jansénisme y vivra à jamais sous d'autres noms : conscience, exigence, résistance, dissidence... On y verra s'opposer des projets et des rêves. Et Pascal, figure pivot du Grand Siècle, restera à jamais l'exemplaire incarnation du génie français.

Comme lui la France s'estime à l'origine de tout ce qu'elle pense et ne cesse de s'autodénigrer. Comme lui elle se prétend guidée par la mesure et ne se nourrit que de passion des extrêmes. Comme lui elle se sait éternelle, mais vacille au bord des gouffres. Comme lui elle est provinciale et ne rêve que de Paris. Comme lui elle ne jure que par l'ordre et ne vit qu'au rythme du hasard. Comme lui elle est capable de s'astreindre à toutes les rigueurs mais ne se révèle que dans l'excès. Comme lui elle se vante d'être unique, mais vit plusieurs vies à la fois. Comme lui elle démystifie tous les puissants, mais vénère tous les princes. Comme lui elle se méfie des bouleversements, tout en rêvant de les provoquer. Comme lui elle montre toutes les audaces en science, et toutes les prudences en politique. Comme lui elle se méfie de toute influence étrangère sans poser de limites à son propre rayonnement. Comme lui elle a l'obsession de l'épargne, mais est capable de consacrer sa fortune à un projet de hasard. Comme lui, enfin, elle est un enchevêtrement de contradictions qui ne tient debout que par les mots.

Sans qu'il faille en faire un modèle, un gourou, un guide (il n'a pas voulu avoir de disciples et on doit se garder de lui en reconnaître !), il faut voir le prodige du Grand Siècle comme l'archétype du génie français. Et aussi comme l'auteur de concepts qui fournissent des débuts de réponse à quelques questions réputées insolubles. Parmi celles-ci : la France a-t-elle encore quelque chose à dire au monde ? Est-il encore possible d'être et de se dire français ? Mais aussi, plus généralement : comment maîtriser la science ? Dieu a-t-Il un avenir ? Comment vivre et se conduire décemment ? Que reste-t-il de la liberté ?

Et d'abord, puisque ce pays ne serait rien sans sa langue : le français survivra-t-il au siècle qui s'achève ?

Le génie du français

C'est au XVIIᵉ siècle — exactement au moment où Pascal écrit *Les Provinciales* —, dans une période de grand trouble géopolitique et de remarquable créativité à l'échelle planétaire, que le nombre des langues parlées sur la planète est passé par un maximum : sans doute autour de quinze mille. C'est aussi pendant cette période qu'achèvent de se fixer d'un même mouvement la langue et la nation françaises. Et que tout ce qui pensait, cherchait et écrivait en Europe échappe au latin en se tournant vers le français.

D'une certaine façon, c'est Pascal qui contribue alors le mieux à en faire un véhicule exceptionnel de la démonstration, de la polémique et de l'art ; un instrument universel.

Juste avant lui, au début du Grand Siècle, quelques

hommes énoncent les règles du français moderne. Malherbe écarte les mots vieillis et définit le « bon usage ». Boileau précise l'art poétique. Desprez, Petit et quelques autres imprimeurs fixent l'orthographe et la ponctuation. L'Académie française impose une langue suffisamment « pure et élégante » pour qu'elle puisse devenir « le meilleur instrument de pensée du monde ». Guez de Balzac, Voiture, Vaugelas, Ménage la promeuvent comme la seule langue au monde capable d'exprimer les pensées « en la manière qu'elles naissent dans l'esprit » [164].

Puis Pascal établit les règles du « style naturel », encore valables de nos jours. Langue moderne, toujours aussi lisible, toujours aussi universelle : « Quand on voit le style naturel, on est tout étonné et ravi, car on s'attendait de voir un auteur, et on trouve un homme. Au lieu que ceux qui ont le goût bon et qui en voyant un livre croient trouver un homme, sont tout surpris de trouver un auteur. » (fr. 554)

Beaucoup se sont émerveillés devant ce mélange de simplicité et de force que constitue la langue de Pascal. Et si l'on a pu contester son œuvre, personne, on l'a vu, n'a jamais mis en cause la miraculeuse limpidité de sa langue. Ce miracle n'est pas le produit d'une improvisation. Il puise sa force dans l'obéissance fidèle à des règles que Pascal a lui-même définies. Même s'il ne les énonce jamais, elles sont partout à l'œuvre dans ses écrits littéraires et scientifiques : dans *De l'art de persuader* comme dans les ouvrages sur *la cycloïde*, dans *Les Provinciales* comme dans les *Pensées*. Elles portent sur le choix des mots, la structure de la phrase, l'organisation du texte.

Pour Pascal, la qualité d'un texte se jauge d'abord à la précision du vocabulaire. Il faut chercher le mot exact, l'essayer, hésiter, raturer, y revenir, jusqu'à le trouver et à la fin s'y tenir. Au hasard des textes, il explique que le mot doit être « juste », « simple », « précis », « parfaitement défini », « limpide », « évi-

dent », « sincère », « populaire », sans « enflure » ni
« obscurité », établissant une correspondance « entre
l'esprit et le cœur ». Si le mot trouvé est le bon, rien
n'interdit de le répéter. Si aucun mot n'existe pour
exprimer un concept clairement défini, on peut l'importer d'une autre langue, ou bien le créer : le français
est une langue hospitalière aux néologismes comme
aux vocables étrangers. Quoique à un degré bien
moindre que Rabelais, Pascal lui-même fabrique sans
cesse des mots nouveaux tout en conférant leurs lettres
de noblesses à des termes ou expressions populaires, et
en se livrant à des jeux de mots qu'aucun lettré n'aurait
hasardés depuis la « purge » malherbienne. Aussi est-
il amplement cité dans les trois premiers dictionnaires
de langue française (celui de Richelet, paru en 1680 à
Genève pour contourner le privilège de l'Académie ;
celui de Furetière, en 1684 ; celui de l'Académie, en
1694).

Pascal fixe ensuite trois règles simples pour que la
phrase « naturelle » communique un message efficace :
elle doit être *courte, symétrique et contrastée*. La brièveté force l'auteur à la précision et aide le lecteur à
mémoriser. La symétrie pousse l'auteur à l'exhausti-
vité et le lecteur à l'admiration. Le contraste force l'auteur à s'autocritiquer, voire à se contredire, et le lecteur
à penser au-delà du texte. L'une renvoie à la clarté,
l'autre à la beauté, la troisième à l'errance.

À cette époque, si l'on fait abstraction des auteurs
de maximes, voire de comédies, la phrase courte est
pratiquement inconnue des prosateurs. Au point que les
premiers éditeurs des *Provinciales*, libraires travaillant
dans l'urgence sous la contrainte de la censure, furent
si surpris par le manuscrit reçu qu'ils en supprimèrent
les points et les points-virgules des premières phrases.
La brièveté, rendue possible par la précision du mot,
permet de se débarrasser des lourdeurs et des longueurs
de la rhétorique, tout en se tenant assez près du langage
parlé, aux propositions toujours relativement brèves,

même si la ponctuation s'y trouve négligée. Elle est le moyen le plus efficace d'imprimer une idée dans l'esprit du lecteur : « Elle s'insinue le mieux », « demeure plus dans la mémoire » et « se fait le plus citer, parce qu'elle est toute composée de pensées nées sur les entretiens ordinaires de la vie ». (fr. 618)

Deuxième principe, la symétrie est elle aussi naturelle, puisque « fondée [...] sur la figure de l'homme ». (fr. 482) Est beau tout ce qui est à la semblance de l'homme. Ce critère conduit à modeler la forme d'un message sur celle du corps humain. Ce qui donne par exemple : « Exclure la raison, n'admettre que la raison. » (fr. 214)

Enfin, les contrastes permettent de mettre en perspective des points de vue opposés en confrontant des vocables contraires sous forme d'oxymores. Ainsi « roseau pensant », « homme et univers », « chose et vie », « personne et Dieu », « fini et infini », « ange ou bête », « cœur et raison », « homme et Jésus », etc. Cela donne des phrases telles que : « Il faut n'aimer que Dieu et ne haïr que soi » (fr. 405) ; « La nature a des perfections, pour montrer qu'elle est l'image de Dieu, et des défauts, pour montrer qu'elle n'en est que l'image. » (fr. 762)

Mêler ces trois principes crée des effets de perspective, de tourbillon, de vertige qui conduisent l'esprit à s'échapper vers le haut, à penser par le texte et non dans le texte. On en trouve un bel exemple dans la phrase suivante : « On doit avoir pour les uns une pitié qui naît de tendresse, et pour les autres une pitié qui naît du mépris. » (fr. 662) Ou encore : « Il n'y a rien sur la terre qui ne montre, ou la misère de l'homme, ou la miséricorde de Dieu, ou l'impuissance de l'homme sans Dieu, ou la puissance de l'homme avec Dieu. » (fr. 705)

Les trois règles applicables à la phrase s'appliquent au texte lui-même. Pour être naturel, un texte doit être court, symétrique et contrasté.

Tous les écrits de Pascal sont courts : il n'a rien laissé d'achevé qui dépasse cent pages (personne ne peut dire ce que seraient devenus dans leur forme définitive les fragments publiés comme les *Pensées*). La technologie, la censure, la rigueur mathématique, le hasard le poussent à la brièveté. Il écrit en post-scriptum à la seizième *Provinciale* qu'on ne fait long que si l'on n'a pas « trouvé le temps de faire court ». Et comme tout dans sa vie arrive par accident, c'est par celui de sa mort qu'il invente *de facto* le « fragment », nouveau genre littéraire à placer entre la « maxime » de La Rochefoucauld, le « caractère » de La Bruyère et la « fable » de La Fontaine, qui ouvre la pensée au lecteur comme par effraction. Il parvient ainsi à éviter de parler de lui. En style naturel, c'est en parlant de l'universel qu'on parle de soi ; jamais l'inverse.

La symétrie d'un texte compense ce qu'il peut y avoir de frustrant, voire d'angoissant dans la brièveté. Elle oblige à organiser l'harmonie de la pensée. Ainsi le plan auquel Pascal pensait pour son *Apologie* était-il articulé de manière symétrique : une première partie sur la misère de l'homme sans Dieu, une seconde sur la grandeur de l'homme avec Dieu. La plupart de ses autres textes — l'adresse sur la machine d'arithmétique, la prière sur la maladie, les traités sur la cycloïde, etc. — sont fondés sur ce rythme.

Le contraste organise la confrontation des arguments. Un bon exemple en est le texte suivant : « La grandeur de l'homme est grande en ce qu'il se connaît misérable. Un arbre ne se connaît pas misérable. C'est donc être misérable que de [se] connaître misérable, mais c'est être grand que de connaître qu'on est misérable. » (fr. 146)

Parfois, brièveté, symétrie et contraste poussent à leur propre dépassement. Alors Pascal s'autorise des digressions — car « la digression sur chaque point qui a rapport à la fin, pour la montrer toujours ». (fr. 329) Ou bien il introduit un troisième facteur pour dépasser la symétrie : « À la vérité, vous ne serez point dans les plaisirs empestés, dans la gloire, dans les délices. » (fr. 680) Ou il a recours à des triades pour dépasser le contraste : « Il y a trois ordres de choses : la chair, l'esprit, la volonté. Les charnels sont les riches, les rois : ils ont pour objet le corps. Les curieux et les savants : ils ont pour objet l'esprit. Les sages : ils ont pour objet la justice. » (fr. 761)

Rien de cela n'est jamais le fait du hasard, Pascal sait fort bien qu'il invente ainsi une façon d'écrire. Il vante d'ailleurs comme la meilleure possible « la manière d'écrire d'Épictète, de Montaigne et de Salomon de Tultie » (fr. 618) — autre lui-même.

Ces trois règles du style naturel (brièveté, symétrie, contraste) sont au moins aussi importantes que celles qui gouvernent le théâtre classique (unité de temps, de lieu et d'action). Les unes et les autres portent sur l'art de séduire par la pureté ; de transformer la raison en instrument d'expression du cœur ; d'évacuer (au moins en apparence) toute sensualité pour faire vibrer les mots comme des cordes tendues. En ce sens, on peut dire que la langue française est janséniste. Et c'est donc à l'occasion du jansénisme et par la plume de son génial défenseur qu'elle trouve son universalité.

Car même si ces règles ne sont pas propres au français (l'anglais prône la concision, l'espagnol le contraste, le russe la symétrie ; le chinois valorise concision et symétrie ; l'hébreu, comme l'arabe, s'appuie sur la concision et le contraste), aucune langue ou presque ne combine, comme le français, ces trois règles à la fois. Cela confère à la langue de Pascal une force et une ambiguïté particulièrement modernes.

L'apparition de l'imprimerie, dont on a cru d'abord qu'elle permettrait de répandre partout l'usage du latin, a, à l'inverse, conduit à son remplacement par les langues vernaculaires. La baisse des coûts a ensuite permis l'apparition de la gazette (Théophraste Renaudot), puis du pamphlet isolé ou en feuilleton *(Les Pro-*

vinciales), enfin de l'édition à bon marché (initiée par les Elzévir en Hollande qui les publient les premiers comme un livre). À la charnière des XXe et XXIe siècles, l'émergence d'Internet et du livre électronique va probablement contribuer à rapprocher, comme au XVIIe siècle, les métiers disjoints d'éditeur, d'imprimeur et de libraire, et permettre la fabrication sur mesure de livres, voire d'hyperlivres mêlant textes, sons et images.

Dans cet enchevêtrement de langue, de messages et de technologie, le français pourrait disparaître de plusieurs façons contradictoires.

D'une part, comme les parlers celtiques, du fait de son invasion par d'autres langues, si rapide qu'il ne serait plus capable de les assimiler et qu'il y perdrait son identité. Il ne s'agirait plus alors d'un métissage nourricier, mais d'une colonisation meurtrière.

D'autre part, comme le latin, en se subdivisant en plusieurs branches — il existe déjà au moins quatre « français » qui se comprennent encore mutuellement mais qui prennent leurs distances les uns vis-à-vis des autres —, jusqu'à ce qu'il devienne peut-être un jour — sort qui attend aussi l'anglais — la matrice morte de plusieurs langues d'avenir.

Enfin et surtout, parce que l'affaiblissement de la France entraînerait inéluctablement celui du français. La France est l'un des rares pays dont l'identité est inséparable de la langue. Et à force de céder à d'autres instances toutes les compétences dévolues jusqu'ici à l'État, de renoncer à défendre sa littérature, son cinéma, sa culture, sa science, sa diplomatie, elle pourrait finir par perdre le désir et les moyens de défendre sa langue.

Pour que le français survive, il faut qu'il reste véhicule d'idées, d'affaires, de distractions, de savoirs, de conversation. Et, pour cela, il importe de privilégier tout ce qui le valorise, de protéger et de développer les moyens de créer et de diffuser des produits culturels en français, de faire en sorte que le monde ait envie de lire des auteurs français, de voir des pièces françaises, d'écouter des chansons françaises, de voir du cinéma français, de s'émerveiller de la grandeur de cette langue et du pays qui la parle. Une langue n'est rien sans la splendeur de ceux qui l'utilisent.

Le Grand Siècle n'aurait pas existé sans Pascal ; pas non plus sans Roi-Soleil.

Le génie de la France : « des gens universels »

Comme il participe à l'épanouissement de la langue française, Blaise Pascal participe à celui du génie français. Il aide même à en cerner la spécificité.

Définir le génie d'un pays est toujours une tâche suspecte : définir, c'est distinguer, séparer, tendre à considérer comme unique. Puis, par glissements successifs, c'est désigner comme supérieur, sans défaut, pur et à protéger des influences extérieures. Comprendre ce génie à travers l'œuvre d'un écrivain permet de lui rendre sa fragilité, sa relativité. En particulier, à travers l'œuvre de Pascal, le génie français apparaît comme ambigu, complexe, contradictoire, fait d'un mélange de raison, d'insoumission et d'universalité : la France est plus pascalienne que cartésienne.

Le génie français est un art de vivre nourri du jansénisme et de son exact contraire, de puritanisme et d'hédonisme, de refus du monde et d'« honnêteté » mondaine, de jouissance de la souffrance et de douceur de vie, mêlant la passion de l'autodénigrement à celle d'être aimé.

Après la Fronde, l'ordre français s'unifie sous le signe de la *raison*. C'est elle qui organise la vie publique et la vie privée. L'État en devient la clé de voûte, assurant la cohérence des réseaux, l'abaissement des pouvoirs locaux, la solidarité entre les ordres, le brassage des administrateurs (tel Étienne Pascal, de

Clermont à Rouen), l'unité de la langue, des lois, des pratiques et des normes, le lancement de grands travaux (comme l'assèchement des marais poitevins, entreprise dont Blaise Pascal est actionnaire), la délivrance de privilèges (comme celui qu'il obtient pour sa machine d'arithmétique) ou l'octroi de concessions monopolistiques (ainsi celle que reçoit sa compagnie de carrosses à cinq sols). Et la raison aussi est là pour penser l'architecture, l'art des jardins, l'art de réfléchir et de gouverner. La raison organise aussi la vie privée de chaque citoyen, pour lui permettre de prendre les meilleures décisions possibles face aux risques (théorisés par les probabilités de Blaise Pascal et le calcul intégral d'« Amos Dettonville »), pour gagner du temps (comme Pascal le tente avec la machine d'arithmétique et les carrosses à cinq sols), pour construire l'éternité du nom en transmettant les biens par l'héritage (enjeu majeur pour Blaise Pascal), pour atteindre à l'éternité de l'âme par le pari (proposition de « Salomon de Tultie »).

Mais ce génie français n'est pas fait que de raison. Il ne se contente pas, comme le voulait Descartes, de rêver d'une « mathématique universelle », d'une harmonie, d'un ordre, d'une symétrie ; il mêle la raison et le cœur, la science et la foi, la logique et le caprice, la puissance et la rébellion, la démonstration et l'intuition. Comme celui de Pascal, le génie français est sans cesse en *rébellion* contre sa propre raison, contre celle de son État et de son Église lorsqu'ils préfèrent le mensonge à la vérité, l'orgueil à l'humilité, l'égoïsme à la charité, la logique à l'intuition.

Ce refus de l'objectivité, cette volonté de se trouver dans le regard subjectif posé sur soi de l'extérieur, dans le refus de sa propre logique, conduit Pascal et la France plus loin encore, au service d'une ambition qui dépasse raison et rébellion : le *désir d'universalité*.

Depuis et avec Pascal, certains rêvent en France d'une société sans frontières (fr. 84), pacifique et ouverte aux étrangers, égalitaire et transparente. Et beaucoup rêvent de faire de la France un modèle pour le monde, un modèle exportable. Comme Pascal, les révolutionnaires et les philosophes pensent pour chaque homme et pour tous les hommes ; ils proposent une vision universelle de la condition humaine et de l'organisation des sociétés.

Peu de nations sont ainsi à la fois fières de leur spécificité et soucieuses de la proposer au monde pour modèle. C'est le cas aujourd'hui encore de deux peuples au moins : français et américain, qui proposent au monde l'un un art de vivre et l'autre un mode de vie. Deux figures modernes de l'universalité, de ce que Pascal nomme « des gens universels » (fr. 486), capables d'être tout ce que le monde exige d'eux, de se vouloir modèles et objets d'admiration, de se donner en spectacle et en exemples. Depuis Pascal, le génie français se propose ainsi comme modèle aux autres peuples et il « n'est pas satisfait s'il n'est dans l'estime des hommes ». (fr. 707)

Aujourd'hui, ce génie universel, cette passion de plaire, de séduire, de se donner en exemple sont menacés de voler en éclats par la fascination qu'exerce, dans le monde et en France, l'autre modèle universel, l'américain.

Reste alors à vérifier si, comme au temps de Pascal, le pouvoir des mots suffira à contrecarrer et inverser les mots du pouvoir.

Une posture française : l'intellectuel

Même si le mot « intellectuel » n'apparaît qu'à la fin du XIXe siècle, et même si bien d'autres lettrés avant lui, comme Montaigne, ont fait de l'acte de penser l'essentiel de leur vie, Blaise Pascal est le premier « intellectuel » au sens que l'on donne aujourd'hui à ce mot. Parce qu'il est le premier dans la France moderne à avoir mis son art d'écrire au service d'une action politique, sans pour autant devenir un acteur de pouvoir. De l'intellectuel il donne d'abord, comme par inadvertance, la meilleure des définitions : celui qui ne doit jamais dormir — « Jésus sera en agonie jusqu'à la fin du monde. Il ne faut pas dormir pendant ce temps-là. » (fr. 749) Même si la référence religieuse s'est éloignée et si, aujourd'hui, c'est de l'agonie du monde qu'il conviendrait de parler, le rôle de l'intellectuel est très exactement celui-là : veilleur, somnambule, guetteur, celui dont la vie est tout entière dédiée à la recherche de la raison cachée des choses et qui est décidé à la dire, quoi qu'il lui en coûte, pour influer sur les destinées du monde.

L'intellectuel est celui qui cherche, traque, démystifie, *révèle les raisons cachées*. Pour démontrer que les plus petites « raisons » ont parfois de grands « effets », selon les mots de Pascal. Et qui, pour y parvenir, jette des passerelles entre des phénomènes apparemment sans relation les uns avec les autres.

La vie de Pascal elle-même démontre d'ailleurs comment une anecdote infime, un événement sans importance peut conduire à la découverte d'une grande théorie (celles du vide ou des probabilités) ; comment un débat apparemment dérisoire peut renvoyer à un enjeu universel (comme c'est le cas du Formulaire).

Au-delà de lui, la vie de tout individu comme de tout peuple peut parfois se trouver bouleversée par un simple incident ; et le propre des intellectuels est de savoir les déceler dans le passé, dans le présent et surtout, si possible, pour l'avenir. L'histoire des peuples peut ainsi dépendre des prouesses amoureuses de leurs dirigeants (le « nez de Cléopâtre » qui changea l'histoire de Rome [fr. 32]) ou de leurs maladies (les calculs rénaux de Cromwell qui permirent la restauration de la monarchie anglaise [fr. 622]). On sait aujourd'hui qu'il en va de même pour des enjeux plus importants encore ; ainsi un climat peut se trouver modifié par les effets en chaîne du battement d'ailes d'un papillon situé à des milliers de kilomètres, une image à la télévision peut faire changer d'avis un peuple au moment de choisir ses dirigeants, et une infime mutation génétique peut conduire à la disparition d'une espèce.

L'intellectuel est aussi celui qui doit *dire la vérité, quoi qu'il lui en coûte.* Il doit n'obéir à aucune mode, ne faire « profession » de rien, ne rien respecter, hormis la vérité de la pensée. « Par l'espace l'univers me comprend et m'engloutit comme un point, par la pensée je le comprends. » (fr. 145) Refusant les doctrines préétablies, les idées préconçues, les étiquettes, il ne doit rien admettre sans en avoir été convaincu par sa propre raison : « Les gens universels ne veulent point d'enseigne, et ne mettent guère de différence entre le métier de poète et celui de brodeur. » (fr. 486) Il doit oser poser les questions qu'il n'est plus — ou pas encore — à la mode de poser, et que le divertissement voudrait faire oublier. Il doit être prêt à mourir plutôt qu'à mentir, à s'opposer à la raison d'État au péril de sa vie, à vivre en contrebande, sa tête mise à prix. Il doit être prêt à affronter le pouvoir lorsqu'il est confié à des gens qui ne le méritent pas : « On ne choisit pas pour gouverner un vaisseau celui des voyageurs qui est de la meilleure maison. » (fr. 64) Il doit avoir le courage de dénoncer l'illégitimité du souverain, de montrer qu'il ne tient son pouvoir que « de gardes, de tambours, d'officiers et de toutes les choses qui ploient la machine vers le respect et la terreur ». (fr. 59) Mais il doit savoir qu'il ne combat pas sur le même terrain que les politiques. Face à la vérité, la violence ne peut rien, écrit Pascal à la fin de la douzième *Provinciale*, comme la vérité ne peut rien contre la violence. Elles sont de nature différente : « Tous les efforts de la violence ne peuvent affaiblir la vérité, et ne servent qu'à la relever davantage. Toutes les lumières de la vérité ne peuvent rien pour arrêter la violence, et ne font que l'irriter encore plus [401]. » Ses pires ennemis sont la calomnie — qui peut tuer beaucoup mieux que n'importe quelle arme — et la censure — dont Blaise et Jacqueline beaucoup plus encore sont des victimes. Il doit savoir reconnaître ses propres erreurs, comme Pascal le fait dans la seizième *Provinciale* ; admettre qu'on puisse ne pas être de son avis, que tout point de vue mérite d'être pris en considération : « Chaque chose est ici vraie en partie, fausse en partie. Rien n'est purement vrai, et ainsi rien n'est vrai en l'entendant du pur vrai. » Il doit admettre qu'il n'y a pas de vérité absolue et que l'on peut sortir d'une erreur pour tomber dans une autre. Pascal note d'ailleurs dans les *Écrits sur la grâce* : « Il ne suffit pas de fuir l'erreur pour être dans la vérité [401]. » Il sait garder la bonne distance : « Je ne puis juger d'un ouvrage en le faisant : il faut que je fasse comme les peintres et que je m'en éloigne, mais non pas trop. De combien donc ? Devinez. » (fr. 465) Il sait que tout homme, placé dans des circonstances particulières, peut devenir — comme son père l'a été — collaborateur du tortionnaire, ou — comme lui l'a été — délateur. Il sait que la violence menace en premier lieu les marginaux et les peuples dont la vérité est différente et d'abord le peuple juif, qui le fascine et dont, à trois reprises, il prédit l'extermination. Il sait que « tous les hommes se haïssent naturellement l'un l'autre ». (fr. 243) Il sait donc qu'il ne faut pas leur faire confiance, qu'il faut faire barrage à toutes les utopies, aux sociétés trop parfaites : « L'homme n'est ni ange ni bête, et le malheur veut que qui veut faire l'ange fait la bête. » (fr. 557)

La politique doit donc se réduire à dire la vérité au peuple, à ne pas lui nuire et à accepter la diversité. « À mesure qu'on a plus d'esprit, on trouve qu'il y a plus d'hommes originaux. » (fr. 669) « Tout est un, tout est divers. » (fr. 162)

L'intellectuel ne doit donc pas craindre de soutenir un pouvoir juste si celui-ci a besoin d'utiliser la force pour se protéger contre les ennemis de la justice : « La justice sans la force est impuissante. La force sans la justice est tyrannique. [...] Il faut donc mettre ensemble la justice et la force, et pour cela faire que ce qui est juste soit fort ou que ce qui est fort soit juste. » (fr. 135)

Mais, aujourd'hui que la politique s'efface devant le marché, les mots peuvent-ils encore orienter ou seulement infléchir les grandes forces qui façonnent la condition humaine ? L'intellectuel peut-il, par la seule puissance de son verbe, protéger la dignité humaine, étendre sa liberté ?

L'illimité

Avec les progrès des sciences physiques et humaines apparaissent de nouvelles raisons de s'intéresser à Pascal. Ils révèlent en effet chaque jour davantage que les sujets qu'il a traités, en apparence si disparates (le salut et la grâce, la géométrie perspective et les coniques, les risques et les probabilités, le calcul intégral et la théorie du vide), étaient en fait reliés logiquement l'un à l'autre pour former un ensemble cohérent d'une ampleur vertigineuse, jetant un éclairage irremplaçable sur la condition humaine.

Voici comment pourrait s'exprimer cette unité dans un vocabulaire contemporain :

Toute personne humaine est caractérisée par une « existence », une « situation » et une « conscience ». Elle est confrontée à un ensemble d'« infinis » et doit prendre des décisions pour survivre.

L'« existence » d'un être vivant est faite de sa réalité physique — de sa « grandeur charnelle », dirait Pascal. Elle peut être représentée comme la somme — l'*intégrale* — d'une infinité d'éléments génétiques infiniment petits, rassemblés par le *jeu du hasard* en une personne humaine, une plante ou un animal.

La « situation » d'une personne humaine est ce qui

la caractérise ou la *prédétermine* physiquement (sexe, couleur de peau, prédisposition à certaines affections), intellectuellement (qualités intellectuelles, inconscient), socialement (langue maternelle, famille, religion, milieu social) et — si on y croit — spirituellement (prédestination) ; c'est ce qui vient avec la *grâce*, dirait Pascal.

La « conscience », enfin, exprime le champ d'exercice de la volonté et de la liberté d'une personne particulière (du « pouvoir prochain », dirait Pascal). Elle est aussi ce qui est appelé à durer au-delà de chaque vie : l'esprit ou l'*âme*, dirait Pascal.

La détermination des frontières entre « existence », « situation » et « conscience » constitue le principal sujet des œuvres de Pascal philosophiques et scientifiques. Ces frontières varient avec la nature des croyances et avec l'état de la science.

La « situation » dépend en partie de l'« existence » (par exemple, la langue maternelle d'un être humain dépend des conditions qui ont présidé à sa naissance) et prédétermine en partie le comportement de la « conscience » (par exemple, la capacité de créer ou le désir de se droguer pourraient être en partie au moins expliqués par une prédétermination génétique).

De même, le génie est un produit mêlé de la personne, de la situation et de la conscience. Celui de Pascal est fait sans doute d'un héritage génétique, d'une éducation particulière et d'une liberté extrême de la conscience.

Tous les progrès des sciences, depuis l'époque de Pascal, ont consisté à mieux cerner ces frontières entre « existence », « situation » et « conscience » dont l'analyse occupe l'essentiel des *Provinciales* et des *Pensées*.

Ce que l'homme ne sait pas de lui, il le nomme « inconnu » ; s'il s'y résigne, il l'appelle « situation » ; s'il essaie de le réduire, il le mesure ou le nomme « hasard » et « probabilités ». Et Pascal a travaillé à réduire le champ de l'ignorance.

La psychanalyse dit que la « conscience » est en partie prédéterminée par l'« inconscient » — ce que Pascal nomme la « machine » — qui fait partie de la « situation ».

Les découvertes les plus récentes de la génétique conduisent à réduire le champ de l'« existence » et de la « conscience » et à élargir celui de la « situation », comme Pascal en avait l'intuition.

Autrement dit, elles conduisent à attribuer une dimension de contrainte, fondée sur la situation, à presque tous les domaines d'exercice de la volonté. Par exemple, le désir de manger, de boire, la façon d'aimer, la sexualité, semblent tous être, en partie, prédéterminés génétiquement, même si on ne peut évidemment pas localiser un gène du désir ou de la sexualité. On pourrait même penser que le désir d'être libre ou celui d'être heureux ne sont pas seulement la manifestation de la « conscience », mais aussi le résultat d'une « situation », d'une prédétermination extérieure à la volonté, d'un désir génétiquement déterminé : le désir de liberté ne serait pas un choix de liberté.

Tous ces concepts pascaliens interfèrent. Ainsi, « existence » et « situation » subissent aussi l'influence du hasard : comme Pascal l'avait si bien décrit dans ses *Discours sur la condition des Grands*, on naît homme ou animal, noble ou misérable selon les hasards de la génétique, de l'amour, de l'histoire. On sait même maintenant qu'il n'y a pas de « situation » qui ne soit en partie le fruit du hasard ; et le déterminisme lui-même, celui qui, depuis Darwin, organise l'évolution des espèces, n'est que le résultat du hasard dans la survivance des plus aptes. Ainsi s'établit le lien entre la théorie des « partis » et celle de la grâce, entre les probabilités et le salut, que Pascal étudia en même temps dans deux de ses incarnations.

Toute personne humaine ainsi définie par ces trois dimensions (existence, situation, conscience) doit survivre dans un environnement lui-même défini par trois dimensions : l'espace, le temps et l'esprit. Et qui, en conséquence, s'inscrit à l'intérieur de trois couples d'infinis (infiniment grand et infiniment petit) : les deux infinis de l'espace (l'infiniment petit, l'atome, et l'infiniment grand, l'univers, sujets du célèbre fragment sur les *deux infinis*) ; les deux infinis du temps (l'instant et l'éternité, qui constituent les deux principaux sujets des *Pensées*) ; et les deux infinis de l'esprit : l'inconscient (la « machine », dit Pascal) à l'intérieur, l'« imagination » (ainsi nommée par Pascal) à l'extérieur.

Le propre de la personne humaine est d'avoir conscience de la finitude de sa situation dans l'immensité des six infinis dans lesquels elle s'inscrit. *Et d'en avoir peur.*

Dans les infinis de l'espace, à propos desquels les plus récentes découvertes de l'astrophysique confirment les intuitions de Pascal, l'homme a peur « du silence éternel des espaces infinis ». (fr. 230)

Dans les infinis du temps — l'infiniment grand de l'éternité et l'infiniment petit du présent —, il a peur de ce qui l'attend après la mort et de la précarité de la vie, car « la vie est un songe, un peu moins inconstant ». (fr. 653)

Dans les infinis de l'esprit, il a peur de ce à quoi peuvent l'entraîner l'inconscient comme l'imagination. L'homme a le vertige devant ces infinis et rêve de les explorer.

L'idée du péché originel est d'ailleurs mesure de la conscience prise par l'homme de sa propre imperfection, de ses limites, de sa petitesse au milieu des infinis. Le péché est métaphore de la distance qui le sépare de son idéal, voyage aux confins des trois infinis.

Dans un texte moins connu que d'autres, celui sur la *Conversion du Pécheur* (qu'il a écrit lors de son premier séjour à Port-Royal en janvier 1655), Pascal donne à mon sens l'une de ses plus modernes

réflexions sur la condition humaine, en la définissant
justement par le refus de se laisser enfermer dans des
limites, par la volonté de la « conscience », qui se
pense éternelle, de faire en sorte que l'« existence » et
la « situation » le soient aussi. Méditez ce texte magnifique : « Tout ce qui doit retourner dans le néant, le
ciel, la terre, son esprit, son corps, ses parents, ses
amis, ses ennemis, les biens, la pauvreté, la disgrâce, la
prospérité, l'honneur, l'ignominie, l'estime, le mépris,
l'autorité, l'indigence, la santé, la maladie et la vie
même, *enfin tout ce qui doit moins durer que son âme
est incapable de satisfaire le désir de cette âme qui
recherche sérieusement à s'établir dans une félicité
aussi durable qu'elle-même*[401]. »

Le propre de l'homme est donc de refuser la finitude, de vouloir assurer la maîtrise de la « conscience »
sur l'« existence » et sur la « situation », d'éloigner
sans cesse les limites qui l'enferment dans l'espace, le
temps et l'esprit. C'est-à-dire d'affronter l'illimité. Et,
puisque Dieu est dans les infinis, d'affronter Dieu.

Aux quatre coins de l'infini

Depuis la chute, l'homme a choisi de ne pas se
contenter de l'ennui paradisiaque, de plonger dans l'inconnu, de se mesurer aux trois univers (espace, temps,
esprit), de s'y frayer un chemin et de chercher à
connaître et à étendre le domaine limité de l'Espace,
du Temps et de l'Esprit dans lequel il est pour l'instant
confiné.

Il cherche d'abord à agrandir son espace (par les
voyages), à explorer son esprit (par la psychanalyse) et
à maîtriser le temps qui lui est donné sur la terre, qu'il
nomme « l'avenir » (par la prédiction).

C'est dans le combat contre les limites du temps que
l'homme met l'essentiel de ses forces.

Les quatre façons de reculer les limites du temps

que Pascal a explorées restent les seules dont nous disposions aujourd'hui, les seules auxquelles nous recourions encore : croire en la possibilité de devenir illimité, ne pas penser à sa finitude, l'assumer, enfin tenter d'écarter les limites.

La première réponse des hommes à la peur de la finitude du temps a été — et reste encore — de chercher l'éternité par la reproduction de l'« existence », comme toute espèce vivante, ce que Pascal a refusé pour lui-même ; puis par la recherche de l'éternité de la « conscience ». D'abord par la foi en la réincarnation, ou encore en un Paradis des consciences. Pour cela, il lui faut croire — c'est le *pari* — en un Dieu qui englobe les trois infinis. Un Dieu qui sache tout de l'espace, du temps et de la conscience ; qui sache tout du hasard. Un Dieu infini qui transmet à l'élu son infinitude. Un Dieu dans lequel l'homme rêve de fondre sa finitude après sa mort.

Mais le Paradis est aujourd'hui de plus en plus flou. Et même contradictoire : s'il est le lieu de satisfaction des désirs, il est amoral ; mais, s'il est moral, il élimine les désirs, y compris celui de retrouver les proches, il est de ce fait un lieu d'amnésie (pas de désir sans mémoire), un lieu de néant, et nul n'a envie d'y aller. Aussi l'idée d'espérer l'éternité dans la communion avec Dieu ne satisfait plus tous les hommes.

L'homme peut aussi chercher à être éternel simplement dans la mémoire des générations futures, dans la conscience des autres frères humains : par la gloire, par la survie de son souvenir, comme un Paradis aménagé dans la conscience de l'humanité ; l'oubli, lui, fait alors figure d'Enfer, voire de Purgatoire s'il est provisoire — et la confession publique des hommes rêvant de gloire leur donne alors une nouvelle chance de durer par la repentance. Depuis l'Égypte ancienne, obtenir que son nom soit prononcé par les générations à venir est un gage d'éternité.

La deuxième réponse à la peur de la finitude — celle

qui domine aujourd'hui —, c'est tout simplement de tout faire pour ne pas y penser. Pascal a d'ailleurs vu avant tout le monde la place qu'allait occuper le *divertissement* dans la modernité ; il a prédit que celui-ci allait devenir la réponse essentielle à l'angoisse de mort, à la solitude, à la précarité, qu'on allait tout tenter pour oublier les limites de la vie et la réversibilité des goûts et des passions, par le jeu, le spectacle (fr. 70), le narcissisme autiste, une sorte de « Aimez-vous les uns sans les autres ». Il a vu avant tout le monde que l'industrie du jeu et du spectacle, drogue réelle ou virtuelle, allait devenir le plus important secteur d'activité de l'économie mondiale. Sans voir, toutefois, que le spectacle pouvait aussi être une occasion de produire des œuvres d'art, et donc de créer les conditions d'une éternité pour les artistes : la musique, dont il parle si peu, n'est jamais seulement divertissement ; et, par le divertissement même, elle atteint parfois à la transcendance. Par elle, l'homme démontre que, même lorsqu'il se contente d'être le plus futile, il ne pense qu'à son éternité.

La troisième réponse moderne à la finitude n'a pas échappé non plus à Pascal. Elle consiste à se résigner à vivre à l'intérieur de certaines limites, à accepter lucidement la finitude, à ne pas se battre, à organiser le repos, l'arrêt, le refus du désir, la sérénité, le voyage intérieur et l'immobilité extérieure, à trouver un autre usage du temps : « [...] tout le malheur des hommes vient d'une seule chose, qui est de ne savoir pas demeurer en repos dans une chambre. » (fr. 168) Il rejoint par là très précisément les quatre méditations du bouddhisme (réflexion, sérénité, indifférence, pureté d'attention), cette philosophie dont la morale est souvent si étonnamment proche de la sienne. « Il ne faut pas dormir pendant ce temps-là » (fr. 749), dit Pascal là où le Bouddha se nomme justement « l'Éveillé ». L'un et l'autre recommandent de « se connaître soi-même » (« Quand cela ne servirait pas à trouver le vrai, cela au moins sert à régler sa vie. Et il n'y a rien de plus juste » [fr. 106]), de s'imposer des exigences éthiques, de dresser la « machine », de traquer l'orgueil même lorsqu'il se travestit en humilité. « Rien n'est si semblable à la charité que la cupidité. » (fr. 508)

Enfin, l'ultime réponse à la finitude consiste, après avoir reconnu son existence, à tenter d'en reculer les limites. À augmenter la part de la conscience et à réduire celle de la « situation ». Là encore, Pascal a indiqué toutes les voies que la modernité explore aujourd'hui. « On ne montre pas sa grandeur pour être à une extrémité, mais bien en touchant les deux à la fois et remplissant tout l'entre-deux. » (fr. 560)

D'abord, tout faire pour comprendre notre condition : voilà pourquoi Pascal ne peut s'empêcher de chercher, d'affronter les énigmes, de glorifier la science qui, de génération en génération, accumule du savoir sur la nature humaine.

La science fait reculer la finitude et la mort sans pour autant laisser croire que l'ignorance puisse disparaître, que la prédétermination puisse être entièrement démasquée, que le destin puisse s'effacer derrière la liberté. Il faut, dit Pascal, en arriver à « une ignorance savante qui se connaît » pour prendre conscience des limites de la condition humaine et les refuser. Pour tenter en somme d'accéder à quelque forme d'éternité terrestre.

Car connaître les limites permet de lutter contre la fatalité et le destin, de réduire la place de Dieu dans la vie terrestre, sans s'occuper de son rôle dans l'au-delà. De réduire son influence sur l'existence, et non sur la conscience. D'abord par le travail et la médecine qui produisent l'un et l'autre des moyens de prolonger quelque peu la vie terrestre. Puis par l'art des décisions rationnelles, qui réduisent les obscurités du hasard et les incertitudes du destin. Enfin, un jour peut-être, par la mise au jour du profil génétique, sorte de grâce terrestre qui déterminera en partie ce qui attend chaque être humain pendant sa vie et non après sa mort : on pourra connaître les risques que chacun court devant la maladie, les pulsions et les désirs, et déduire le cours prévisible de chaque existence. Chacun aura alors, au départ de la vie, non pas une quantité de grâce pour l'éternité, mais une qualité génétique, limitée, qui décidera de sa durée de vie. Il lui appartiendra alors de tenter de l'augmenter, non par ses bonnes actions, mais par une thérapie génétique.

Bien plus tard, pour prolonger plus loin encore la vie, dans une sorte d'approximation génétique du Paradis — ou de l'Enfer —, l'homme tentera de transformer l'être vivant en un artefact reproductible indépendamment de la sexualité : un clone. Cela lui permettra de rêver de vivre plusieurs vies l'une après l'autre, d'abord comme copies d'une existence, sans perpétuation de la « situation » ou de la conscience : le clone n'est en effet que la copie génétique d'un corps ; il n'est pas placé dans la même « situation » (le clone ne peut pas naître au même moment que celui dont il est la copie) et n'a pas la conscience d'être celui dont il reproduit l'existence.

Au-delà, l'homme continuera de chercher l'éternité de la conscience, la seule qui préoccupait Pascal. On peut imaginer qu'un jour, au-delà du clonage de l'existence, il réussira à se retrouver entièrement dans son clone, d'avoir conscience d'être en lui. Ce qui, en l'état actuel du savoir, est évidemment impossible : le clonage de la « situation » supposerait de pouvoir revenir au moment de la naissance de l'original, c'est-à-dire qu'il impliquerait une réversibilité du temps ; le clonage de la conscience supposerait sa localisation génétique et son transfert. Et, au delà, il engloberait le clonage des autres dimensions de l'être : pas d'Espace, pas de Temps sans une conscience pour l'observer. L'un et l'autre n'existent que par la conscience : cloner la conscience d'un être signifierait donc cloner aussi l'Univers et le Temps, tels qu'ils sont perçus par cet être. Pascal, qui avait, avant les autres, montré que changer de point de vue c'est changer d'être, aurait eu beaucoup à dire de cette multiplication des univers d'un être à l'autre.

En attendant que de tels fantasmes deviennent peut-être un jour des sujets de science, il existe un ersatz de ces clonages du Temps et de l'Espace. Cet ersatz que Pascal a exploré plus que d'autres, c'est la vie multiple, ce sont les personnalités simultanées.

La conscience ne revendique plus alors le droit de se répliquer en d'autres corps, ni d'être éternelle, ni même d'être libre à l'intérieur des frontières de la finitude, mais seulement le droit de vivre simultanément plusieurs destins, de s'incarner dans plusieurs situations, plusieurs consciences. Le droit, pour chacun, d'être, comme Pascal l'a été, « Salomon », « Amos », « Louis », « l'Anonyme » et « Blaise » en même temps. Jusqu'à trouver peut-être une unité dans une sorte de tourbillon, de vortex, de roue tournant indéfiniment tout en avançant : car *la vie est comme une cycloïde*, cette courbe dessinée par un point d'une roue tournant et progressant, dessinant ce pont aux mille arches dont Pascal chercha à percer les secrets tout à la fin de sa vie.

Et puis, en désespoir de cause, dans cette philosophie de l'effroi, le sourire... le sourire moqueur, narquois et tendre, celui qu'on devine si souvent sur le visage de Pascal, malgré le chagrin et la douleur. Le sourire devant le spectacle de la folie des grandeurs de son beau-frère, devant celui de l'hypocrisie des jésuites, de la panique des philosophes cramponnés à leurs planches, de la prétention des docteurs de Sorbonne, de la vanité des princes, de la bêtise des policiers lancés à ses trousses. Le sourire du condamné à mort face au peloton d'exécution, le sourire de celui qui sait que la mort peut venir à chaque instant. Le sourire du Bouddha.

Le sourire, propre de l'esprit humain, comme le dit la langue française, qui mêle le religieux et le comique en un même mot : *spirituel*.

Le sourire, ce qu'il y a de meilleur à partager avec les autres, le plus sérieux défi lancé aux dictatures, le meilleur juge de la qualité d'une œuvre d'art, l'ultime preuve de vie.

Telle est l'ultime leçon du génie de Pascal et de celui de la France : toute occasion de sourire est bonne à prendre. De sourire aux éclats. Encore et encore.

De la dérisoire splendeur de l'humanité.

BIBLIOGRAPHIE

1 –   AILLY (abbé d'), *Pensées diverses, in* La Rochefoucauld, *Réflexions ou sentences et maximes*, Paris, Laffont, coll. « Bouquins ».

2 –   ADAM, A., *Du mysticisme à la révolte. Les jansénistes du XVIIᵉ siècle*, Paris, Fayard, 1968.

3 –   ALCANTARA, J.-P., *Pascal et Calvin*, non publié, conférence à la journée d'études sur les *Écrits sur la grâce*, Clermont-Ferrand, 26-27 mai 2000.

4 –   ANDRÉ, Robert, « Pascal et la question du style », *Europe*, janvier-février 1979.

5 –   ANGLADE, Jean, *Histoire de l'Auvergne*, Hachette, 1974.

6 –   ANGLADE, Jean, *Les Grandes Heures de l'Auvergne*, Librairie académique Perrin, 1977.

7 –   ANGLADE, Jean, *Pascal l'insoumis*, Paris, Librairie académique Perrin, 1988.

8 –   ANNAT, père, *Le Rabat-Joye des jansénistes*.

9 –   APPOLIS, E., *Le Tiers parti catholique au XVIIᵉ siècle*, Paris, Picard, 1960.

10 – ARNAULD D'ANDILLY, Angélique (mère Angélique de Saint-Jean), *Relation de captivité*, éditée par L. Cognet, Paris, Gallimard, 1954.

11 – ARNAULD, Antoine (dit le Grand Arnauld), *De la fréquente communion ou les sentiments des pères...*, Paris, A. Vitré, 1643.

12 – ARNAULD, Antoine, *La Logique ou l'Art de penser*.

13 – ARNAULD, Antoine, *Lettre à une personne de condition*, Paris, 1655.

14 – ARNAULD, Antoine, *Seconde lettre à un duc et pair*, Paris, 1655.

15 – ARNAULD, Antoine, *Œuvres éditées à Paris-Lausanne de 1755 à 1783* (38 volumes).

16 – ARNAULD D'ANDILLY, Robert, *Œuvres diverses*, Paris, chez Camusat et Petit, 1644 (3 vol.).

17 – ARNOLD, Keith, « Pascal's Great Experiment », Dialogue, *Revue canadienne de philosophie*, vol. XXVIII, n° 3, 1898, p. 401 à 415.

18 – ATTALI, Jacques, *Fraternités*, Paris, Fayard, 1999.

19 – AUBINEAU, L., Article sur l'édition des *Provinciales* par Maynard (1852) reproduit dans les Notices littéraires d'Aubineau sur le XVIIᵉ siècle (1859).

20 – BADINTER, Robert, *Libres et égaux... L'émancipation des juifs, 1789-1791*, Paris, Fayard, 1989.

21 – BAILLET, Adrien, *Vie de M. Descartes*, Paris, D. Hortemels, 1691, Paris, rééd. La Table Ronde, 1992.

22 – BAIRD, A.W.S., *Studies in Pascals Ethics*, La Haye, Nijhoffe, 1975.

23 – BAREAU, André, *La Voix du Bouddha*, Paris, éd. du Félin, 1996.

24 – BARRÈS, Maurice, *L'Angoisse de Pascal*, Paris, Georges Crès, 1916.

25 – « Pascal. Les enfances », in *Revue hebdomadaire*, 1923, n° 28.

26 – BARUZI, Joseph, *Leibniz et l'organisation religieuse de la Terre*, Paris, Alcan, 1907.

27 – BAUDIN, Émile, *Études historiques et critiques sur la philosophie de Pascal*, t. I, Neuchâtel, La Baconnière, 1948.

28 – BEAUFRET, Jean, « Pascal savant », in *Revue*

des sciences philosophiques, XL, 1950, repris in *Dialogue avec Heidegger*, t. II, Paris, Éditions de Minuit, 1973.

29 – BEAUREPAIRE, Charles de, *Blaise Pascal et sa famille à Rouen*, Rouen, Cagniard, 1902.

30 – BÉGUIN, Albert, *Pascal par lui-même*, Le Seuil, coll. « Écrivains de toujours », 1952.

31 – BÉNICHOU, Paul, *Morales du Grand Siècle, le parti janséniste*, Paris, 1948, rééd. Gallimard, coll. « Folio », 1997.

32 – BÉNICHOU, Paul, *Les Mages romantiques*, Paris, Gallimard, 1988.

33 – BÉRENGUIER, Raoul, *Port-Royal et la vallée de Chevreuse*, Paris, Nouvelles Éditions latines, 1974.

34 – BERNSTEIN, Peter L., *Against the Gods*, Wiley.

35 – BERGSON, Henri, *Les Deux Sources de la morale et de la religion*, Paris, PUF, 1982, 217ᵉ édition.

36 – BERTRAND, Joseph, *Blaise Pascal*, Paris, Calmann-Lévy, 1891.

37 – BÉRULLE, cardinal, Pierre de, *Discours de l'État et des Grandeurs de Jésus*, rééd. Le Cerf, Paris, 1934.

38 – *Bible de Vitré (La)*, sous la direction de Le Maistre de Sacy, éditée par Cl. Lancelot, 1662, rééd. coll. « Bouquins », Laffont, 1990, préface de Philippe Sellier.

39 – BLUCHE, François, *Louis XIV*, Paris, Fayard, 1986.

40 – BLUMENKRANZ, Bernhard, *Augustin et les juifs. Augustin et le judaïsme*, Recherches augustiniennes, Paris, 1958.

41 – BOILEAU, abbé Jean-Jacques, *Lettre sur différents sujets de morale et de piété*, Paris, Osmont, 1737-1742.

42 – BOILEAU-DESPRÉAUX, Nicolas, *Satires*, l'Art poétique, *Épitres*, in *Œuvres complètes*, Gallimard, 1985.

43 – Bold, Stephen, *Pascal geometer. Discovery and inventions in seventeenth century France*, Genève, 1996.

44 – Borne, Étienne, *De Pascal à Teilhard de Chardin*, texte de deux conférences prononcées à l'occasion du tricentenaire de la mort de Pascal à Clermont-Ferrand.

45 – *Défense de la tradition et des saints pères, 1743.*

46 – Bossuet, *Discours de l'histoire universelle*, 1681.

47 – Bouchilloux, Hélène, *Apologétique et raison dans les Pensées de Pascal*, Klincksieck, 1995 (thèse).

48 – Bouchilloux, Hélène, « Apologétique et philosophie : Pascal lu par les philosophes », Bilan, in *Courrier du CIBP*, n° 19, Clermont-Ferrand, 1997.

49 – Bouchilloux, Hélène, « La théologie dans le schème pascalien de la *Raison des effets* », in *Courrier du CIBP*, n° 20, 1998.

50 – Boulet-Sautel, Marguerite, *Survivances actuelles du droit classique*, dans « Destins et enjeux du XVIIe siècle », PUF, 1985.

51 – Bouquet, F., *La Famille Pascal à Rouen*, La Normandie, t. VI, 1989.

52 – Bourdieu, Pierre, *Méditations pascaliennes*, Paris, Le Seuil, coll. « Liber », 1997.

53 – Boutroux, Émile, *Pascal*, Hachette, 1900, coll. « Les grands écrivains de la France ».

54 – Bouvier-Ajam, Maurice, « Pascal face aux souffrances et aux affaires de son temps », *Europe*, janvier 1979.

55 – Braudel, Fernand, *Économie matérielle, civilisation et capitalisme*, Paris, Armand Colin, 1979.

56 – Bremond, Henri, *Histoire littéraire du sentiment religieux en France depuis la fin des*

guerres de Religion, nouv. éd., 12 vol., Paris, Armand Colin, 1967-1971.

57 – Brimo, Albert, *Pascal et le droit. Essai sur la pensée pascalienne, le problème juridique et les grandes théories du Droit et de l'État*, Paris, Sirey, 1942.

58 – Brisacier, R.P. Jean de, *Le Jansénisme confondu dans l'avocat du sieur Callaghan*, Paris, 1661.

59 – Brooks, Peter, *Troubling confessions*, Yale University Press, 2000.

60 – *Un prétendu traité de Pascal : le Discours sur les passions de l'amour*, Paris, Éditions de Minuit, 1959.

61 – Brunet, Georges, « Pascal poète », *Mercure de France*, n° 600, t. CLXIV, 15 juin 1923.

62 – Brunet, Georges, *Pascal*, Paris, Rieder, 1932.

63 – Brunet, Georges, *Le Pari de Pascal*, préface de Jean Mesnard, Paris, Desclée de Brouwer, 1956.

64 – Brunetière, Ferdinand, *Études critiques sur l'histoire de la littérature française*, Paris, Hachette, 1907.

65 – Brunschvicg, Léon, *Le Génie de Pascal*, Paris, Hachette, 1924.

66 – Brunschvicg, Léon, *Pascal*, Paris, Rieder, 1932.

67 – Brunschvicg, Léon, *Descartes et Pascal, lecteurs de Montaigne*, Neufchâtel, 1942, rééd. Pocket, 1995.

68 – Brunschvicg, Léon, *Introduction à Pascal, Pensées et opuscules*, Hachette, 1897.

69 – Bugnion-Secrétan, Perle, *Mère Angélique Arnauld*, Musée national des Granges de Port-Royal, Paris, 1991.

70 – Bugnion-Secrétan, *Angélique Arnauld, 1591-1661, abbesse et réformatrice de Port-Royal, d'après ses écrits*, Paris, Le Cerf, 1991.

71 – Busnelli, Manlio Duilio, « Encore quelques

preuves que le *Discours sur les passions de l'amour* n'est pas de Pascal », *Mercure de France*, n° 870, t. CCLIV, 15 septembre 1934.

72 – BUSSAC, G. de, *Les Pensées de Pascal ont trois cents ans*, Clermont-Ferrand.

73 – BUSSON, H., *La Pensée religieuse, de Charron à Pascal*, Paris, Vrin, 1933.

74 – *Cahiers de l'Amitié Charles Péguy*, 1re année, novembre 1947.

75 – *Cahiers de l'Amitié Charles Péguy, Péguy et Pascal* par Jules Riby.

76 – *Cahiers de l'Association internationale des Études françaises*, juillet 1953, n° 3-4-5, Paris (publiés avec le concours de l'Unesco). Compte rendu du IIIe Congrès de l'association sur le thème « Qu'est-ce que le jansénisme ? », août 1951 ; Louis Cognet, *Les Petites-Écoles de Port-Royal* ; Jean Dagens, *Le XVIIe siècle, siècle de saint Augustin* ; Jean Orcibal, *Qu'est-ce que le jansénisme ?* W.M. Stewart, *L'Éducation de Racine*.

77 – Cahiers de Royaumont, *Blaise Pascal, l'homme et l'œuvre*, Paris, Éditions de Minuit, 1956.

78 – *Cahiers Recherches et débats du Centre catholique des intellectuels français*, Paris, Fayard, octobre 1955. *Justice et procès criminels : pour et contre le jansénisme*, p. 168-200. Débat réunissant Étienne Borne, Pierre de Bois-deffre, Bernard Dorival et Jean Steinmann.

79 – CAMUS, Albert, *Carnets*, Paris, Gallimard, 1962.

80 – CAILLOIS, Roger, *Pascal et Bossuet, Fontaine* n° 47 (dirigée par Max-Pol Fouchet), décembre 1945.

81 – CALVET, J., *La Littérature religieuse, de François de Sales à Fénelon*, Paris, 1938.

82 – CALVIN, Jean, *L'Institution chrétienne*, Paris, PUF, 1985.

83 – Carroud, Pierre, *Les idéalités casuistiques aux origines de la psychanalyse*, Paris, PUF, 1992.

84 – Catalogue de l'exposition à la Bibliothèque nationale sur *Pascal*, 1962.

85 – Cavalieri, Bonaventura, *Geometria indivisilibus continuorum nova quandam ratione promota Terrare*, 1635.

86 – Chaise-Ruy, Jules, *Le Jansénisme, Pascal et Port-Royal*, Alcan, 1930.

87 – Changeux, J.-P., Connes A., *Matière à penser*, Paris, Odile Jacob, 1989.

88 – Chateaubriand, François René de, *Génie du christianisme*, rééd., Paris, Flammarion, 1990-1991, 2 vol.

89 – Chénier, André, *Hermès, Œuvres complètes*, Gallimard, 1989.

90 – Chéruel, A., *Histoire de la France pendant la minorité de Louis XIV*, Hachette, 1879, 4 vol.

91 – Chéruel, A., *Histoire de France sous le ministère de Mazarin*, Hachette, 1882, 3 vol.

92 – Chestov, Léon, « Les favoris et les déshérités de l'Histoire, Descartes et Spinoza », *Mercure de France*, 15 juin 1923.

93 – Chevalley, Catherine, *Pascal. Contingence et probabilités*, Paris, PUF, 1995.

94 – Chevalier, Jacques, *Pascal*, Paris, 1922.

95 – Chevalier, Jacques, *Entretiens avec Bergson*, Paris, 1959.

96 – Chevalier, Pierre, *Louis XIII*, Fayard, 1979.

97 – Chouraqui, André, *Ce que je crois*, Paris, Grasset, 1979.

98 – Chouraqui, André, *La Bible*, présentation et traduction, Desclée de Brouwer, 1989.

99 – *Chroniques de Port-Royal*, revue dirigée par Philippe Sellier, 1963, nos 11 et 14.

100 – *Chroniques de Port-Royal, Les Réseaux d'amitiés parisiennes de Port-Royal*, nº 38, Paris, Bibliothèque Mazarine, 1989.

101 – *Chroniques de Port-Royal*, Numéro du tricen-
       tenaire des *Pensées*, Paris, 1972.
102 – CIORANESCU, Alexandre, *Pascal dans la Biblio-
       graphie de la littérature française du
       XVIIᵉ siècle*, Paris, CNRS, t. III, 1969.
103 – CLEMENCET, *Histoire générale de Port-Royal
       depuis la réforme de l'abbaye jusqu'à son
       entière destruction*, Amsterdam, 1756.
104 – CLÉRO, Jean-Pierre, *Pascal, figures de l'imagi-
       nation*, en coll. avec Gérard Bras, Paris, PUF,
       1994.
105 – CLÉRO, Jean-Pierre, « Pascal et les mathéma-
       tiques », in *Les philosophes et les mathé-
       matiques*, Ellipse, Paris, 1996.
106 – CLÉRO, Jean-Pierre, « La naissance du calcul
       infinitésimal au XVIIᵉ siècle », *Cahiers d'his-
       toire de philosophie des sciences*, nᵒ 16, 1980
       (en coll. avec É. Le Rest).
107 – CLÉRO, Jean-Pierre, « Pascal et les probabili-
       tés », in *Cahiers pédagogiques de philosophie
       et d'histoire des mathématiques*, nᵒ 4, 1993.
108 – CLÉRO, Jean-Pierre, « Pascal et la géométrie »,
       in *Cahiers pédagogiques de philosophie*, nᵒ 5,
       1993.
109 – COCHET, Marie-Anne, « Montaigne, Descartes
       et Pascal selon Léon Brunschvicg », *Revue de
       métaphysique et de morale*, t. LVI, nᵒ 2, 1946.
110 – COGNET, Louis, *Le Jansénisme*, Paris, PUF,
       1968 (coll. « Que sais-je ? »).
111 – COGNET, Louis, « Les petites écoles de Port-
       Royal », *Cahiers de l'AIEF*, juillet 1953.
112 – COGNET, Louis, « Antoine de Rebours confes-
       seur de Port-Royal, ami de la famille Pascal »,
       in *Clermont-Ferrand, ville de Pascal*, Cler-
       mont-Ferrand, Volcans, 1962.
113 – COHN, Lionel, *Pascal et le judaïsme*, dans les
       « Chroniques de Port-Royal », Bibliothèque
       Mazarine, 1963, nᵒ 11-14.
114 – Colloque du Centre d'étude des philosophes

français (actes du), 5 et 6 avril 1991, Université de Paris-IV-Sorbonne : *Pascal au miroir du XIXᵉ siècle*, Mame, 1993.

115 – Colloque de l'Université de Tokyo (actes du) : *Pascal, Port-Royal, Orient, Occident*, 27 et 29 sept. 1988, Paris, Klincksieck, 1991. Jean MESNARD, Philippe SELLIER, Laurent THIROUIN, etc.

116 – Colloque (actes du), *Droit et pensée politique autour de Pascal*, septembre 1990, Clermont-Ferrand, publiés sous le titre : *Justice et force. Politique au temps de Pascal*, Klincksieck, Paris, 1996.

117 – Colloque de Versailles (actes du), *Jansénisme et Révolution*, 1989, Chroniques de Port-Royal, 1990.

118 – CONDORCET, Jean Antoine Nicolas de Caritat, marquis de, *Éloge de Blaise Pascal*, in *Pensées*, Londres-Paris, 1785, 2 vol.

119 – COTTIER, Élie, *Montdory*, Clermont-Ferrand, Mont-Louis, 1937.

120 – COUFFIGNAL, Louise, *Les Machines à calculer*, Paris, 1933.

121 – COURCELLE, Pierre, *L'Entretien de Pascal et Saci*, Paris, Vrin, 1960.

122 – COURCELLE, Pierre, De Saint Augustin à Pascal par Sacy, in *Pascal présent*, Clermont-Ferrand, 1962.

123 – *Courrier du Centre international Blaise Pascal* (Clermont-Ferrand), nᵒ 15.

124 – *Courrier du CIBP*, nᵒ 16/1995.

125 – *Courrier du CIBP*, nᵒ 18/1996.

126 – *Courrier du CIBP*, nᵒ 19/1997, sur Sir Balthasar Gerbier et la machine de Pascal.

127 – *Courrier du CIBP*, nᵒ 20/1998.

128 – *Courrier du CIBP*, nᵒ 21/1999.

129 – COUSIN, Victor, *Jacqueline Pascal*, Paris, 1845.

130 – COUSIN, Victor, *Des Pensées de Pascal*, rap-

port à l'Académie française sur la nécessité d'une nouvelle édition de cet ouvrage, Paris, Ladranze, 1843.

131 – CYRANO DE BERGERAC, *L'Autre Monde ou les Estats et Empires de la Lune*, Paris, Champion, 1977.

132 – JEAN LE ROND dit D'ALEMBERT, *Traité de Dynamique*, 1758.

133 – JEAN LE ROND dit D'ALEMBERT, *Œuvres*, Genève, Slatkine, 1967, 5 vol.

134 – DAGENS, Jean, *Le XVIIᵉ siècle, siècle de Saint Augustin*, communication au IIIᵉ congrès de l'Association internationale d'études françaises, Paris, 28 août 1951.

135 – DAVANTURE, Maurice, « Le Pascal de Barrès », dans *Les Pensées de Pascal ont 300 ans*.

136 – DAVIDSON, H.M. et DUBÉ, P.H., *A Concordance to Pascal's Pensées*, Cornell University Press, 1975.

137 – DAVIDSON, Hugh, *The Origins of Certainty : Means and Meaning in Pascal*, Chicago University Press, 1979.

138 – FONTAINE, Nicolas, *Mémoires pour servir à l'histoire de Port-Royal*, Genève, Slatkine, 1970, 2 vol.

139 – DELFORGE, Frédéric, *Les Petites Écoles de Port-Royal, 1637-1660*, Paris, Le Cerf, 1985.

140 – DELUMEAU, Jean, *Le Catholicisme entre Luther et Voltaire*, Paris, PUF, 1992 (2ᵉ éd.).

141 – DELUMEAU, Jean, *L'Aveu et le Pardon : les difficultés de la confession, XIIIᵉ-XVIIIᵉ siècle*, Paris, Fayard, 1990.

142 – DELUMEAU, Jean, *Que reste-t-il du Paradis ?* Paris, Fayard, 2000.

143 – DENIEUL-CORMIER, Anne, *Paris à l'aube du Grand Siècle*, Arthaud, 1971.

144 – DENJOY, Armand, « Pascal penseur géomètre », article paru à l'occasion du tricentenaire de la mort de Pascal, Clermont-Ferrand.

145 – DEMOREST, Jean-Jacques, *Dans Pascal. Essai en partant de son style*, Paris, Éditions de Minuit, 1953.

146 – DESARGUES, *La Méthode universelle de perspective*, Lyon, 1636.

147 – DESCARTES, René, *Œuvres et lettres*, Paris, Gallimard, coll. « La Pléiade », 1953.

148 – DESCARTES, René, *Le Monde ou le Traité de la lumière*, Paris, 1661.

149 – DESCARTES, René, *Discours de la méthode*, Paris, Henry Le Gras, 1658.

150 – DESCARTES, René, *Les Météores*, Paris, Le Gras, 1658.

151 – DESCARTES, René, *Méditations métaphysiques*, rééd., Paris, PUF, 1970.

152 – DESCOTES, Dominique, *L'Argumentation chez Pascal*, PUF, Paris, 1993.

153 – DESCOTES, Dominique, « Espaces infinis égaux au fini », in *Le Grand et le petit*, CRDP Clermont-Ferrand, 1990.

154 – DESCOTES, Dominique, « Sur quelques signes géométriques de Dieu chez le P. Mersenne et Pascal », in *Les Signes de Dieu*, Clermont-Ferrand, 1993.

155 – DESCOTES, Dominique, « Aux origines du triangle caractéristique », in *l'Ane*, n° 54-55, 1993.

156 – DESCOTES, Dominique, « Pascal et le marketing », in *Mélanges offerts au professeur Maurice Descotes*, Pau, 1988.

157 – DESCOTES, Dominique, « Disproportion de l'homme : de la science-fiction au poème », in *l'Accès aux Pensées de Pascal*, Klincksieck, Paris, 1993.

158 – DESCOTES, Dominique, « La responsabilité collective dans *les Provinciales* », in *L'imposture littéraire dans les Provinciales de Pascal*, de Roger Duchêne, P.V. Provence, Aix, 1985.

159 – Descotes, Dominique, « Chronique », dans *Courrier du CIBP*, n° 19, 1997.

160 – Descotes, Dominique, « La raison des effets, concept polémique », *Courrier du CIBP*, n° 20, 1998.

161 – Descotes, Dominique, « La calomnie dans *les Provinciales* », *Courrier du CIBP*, n° 18, 1996.

162 – Descotes, Dominique, *Pascal, biographie, étude de l'œuvre*, Paris, 1994.

163 – Dhombres, J. et Sakarovitch, J. (dir.), *Desargues en son temps*, Blanchard, Paris, 1994, avec des textes de J. Mesnard, « Desargues et Pascal » ; René Taton, « Desargues et le monde scientifique de son époque » ; J. Dhombres, « La culture mathématique au temps de la formation de Desargues : le monde des coniques ».

164 – *Dictionnaire du Grand Siècle*, sous la direction de François Bluche, Paris, Fayard, 1990.

165 – *Dictionnaire de Théologie catholique* (dir. A. Vacant, E. Mangenot, E. Amman), 15 t. en 30 vol., Paris, Letouzey-Ané, 1903-1972, 1973.

166 – *Dictionnaire critique de la Révolution française*, sous la direction de François Furet et Mona Ozouf, Paris, Flammarion, 1989.

167 – Diderot, Denis, *Mémoires pour Catherine II*, Paris, Garnier, 1966.

168 – Diderot, Denis, *Pensées philosophiques*, Paris, Actes Sud, 1998.

169 – Dorival, Bernard, *Album Pascal*, Paris, Gallimard, coll. « La Pléiade », 1978.

170 – Dorival, Bernard, « De quoi est faite la spiritualité de Port-Royal ? », in *Recherches et débats*, octobre 1955, n° 13.

171 – Du Fossé, Pierre Thomas, *Mémoires pour servir l'histoire de Port-Royal*, Utrecht, 1739.

172 – Duvergier de Hauranne, Jean, abbé de Saint-Cyran, *Lettres*, Paris, 1672.

173 – EHRARD, Jean, « Pascal au Siècle des Lumières », in *Pascal présent*, à l'occasion du tricentenaire de sa mort.

174 – ENRIQUEZ, Enrique, *De fine hominis*, Salamanque, 1591.

175 – ÉPICTÈTE, *Entretiens*, livres I à IV, in *Les Stoïciens*, Paris, Gallimard, coll. « La Pléiade ».

176 – ÉQUINOXE (numéro spécial d'une revue japonaise d'études françaises), Tokyo-Genève, Slatkine, 1990.

177 – ESCHOLIER, Marc, *Port-Royal*, Robert Laffont, 1965.

178 – EUCLIDE, *Elementa mathematica*, Paris, Jean-Louis Tileteur, 1545.

179 – FAGUET, Émile, *Pascal amoureux, Revue de Fribourg*, février-mars 1904.

180 – FAUGÈRE, Armand, Introduction à l'édition des *Pensées*, 1844.

181 – FAUGÈRE, Armand, *Lettres, opuscules et mémoires de Mme Périer et de Jacqueline Pascal, sœurs de Blaise Pascal, et de Marguerite Périer, sa nièce*, Paris, Auguste Vattier, 1845.

182 – FÉNELON, François de SOLIGNAC DE LA MOTHE, *Réfutation du système de Malebranche sur la nature et la grâce*, in tome II, *Œuvres complètes*, coll. « La Pléiade », 1999.

183 – FERREYROLLES, Gérard, *Pascal et la raison politique*, Paris, PUF, 1994.

184 – FERREYROLLES, Gérard, *Les Reines du monde. L'imagination et la coutume chez Pascal*, Champion, Paris, 1995.

185 – FERREYROLLES, Gérard (dir.), Actes du colloque « Droit et pensée politique autour de Pascal » (sept. 1990), sous le titre : *Justice et Force politiques au temps de Pascal*, Klincksieck, 1996.

186 – FERMAT, Pierre de, *Lettres*, éditées par Paul Tannery et Charles Henin, Paris, 1896.

187 – FICIN, Marcile, *Théologie platonicienne de l'immortalité des âmes*, Paris, Les Belles-Lettres, 1964, 1970, 3 vol.

188 – FILLEAU DE LA CHAISE, Nicolas, *Discours sur les Pensées de M. de Pascal*, Paris, Despras, 1672.

189 – FLANNERY, William, *Defence of the Jesuits : calumnies of Pascal, Pietro Sarpi and Rev. B.F. Austin triumphantly refuted*, London, T. Coffey, 1889.

190 – FLÉCHIER, Esprit, *Mémoires sur les Grands Jours d'Auvergne*, Hachette, 1856.

191 – FORCE, Pierre, *Le Problème herméneutique chez Pascal*, Paris, Vrin, 1989.

192 – FORTON, Jacques, *L'Alliance de la foi et du raisonnement*, Paris, 1642.

193 – FRIEDRICH, Hugo, « Pascals Paradox. Das Sprachbild einer Denkform », dans la revue *Zeitschrift für romanische Philologie*, 1936.

194 – GABRIEL, Daniel, 1649-1728, *Réponse aux Lettres provinciales* de L. de Montalte, ou *Entretiens de Cléandre et d'Eudoxe*, Bruxelles, 1699.

195 – GALILÉE, Galileo, *L'Essayeur*, Paris, Les Belles-Lettres, rééd., 1979.

196 – GALILÉE, Galileo, *Dialogue sur les deux grands systèmes du monde*, rééd. Paris, Le Seuil, 1992.

197 – GARDIES, Jean-Louis, *Le Raisonnement par l'absurde*, Paris, PUF, 1991.

198 – GARDIES, Jean-Louis, « Arnauld et la reconstruction de la géométrie euclidienne », in *Arnauld, philosophie du langage et de la connaissance*, de Scl. Pariente, Vrin, Paris, 1995.

199 – GASTELLIER, Fabian, *Angélique Arnauld*, Paris, Fayard, 1998.

200 – GASSENDI, Pierre, *Correspondance*, Terradon, 1992.

201 – GAZIER, Augustin, *Les Derniers Jours de Pascal*, Champion, 1911.

202 – GAZIER, Augustin, *Histoire générale du mouvement janséniste des origines jusqu'à nos jours*, 2 vol., Paris, Champion, 1922.

203 – GAZIER, Augustin, *Revue bleue* du 24 novembre 1877.

204 – GIRARD, René, *La Violence et le Sacré*, Paris, Grasset, 1972.

205 – GIRARD, René, *Des choses cachées depuis la fondation du monde*, Paris, Grasset, 1961.

206 – GIRARD, René, *Vérité romanesque et mensonge romantique*, Paris, Grasset, 1961.

207 – GIRAUD, Victor, *Pascal*, Paris, Bonne presse, 1948.

208 – GISCARD D'ESTAING, Edmond, « Pascal et le bon usage de la raison », article paru à l'occasion du tricentenaire de la mort de Pascal, Clermont-Ferrand.

209 – GLUCKSMAN, André, *Descartes, c'est la France*, Paris, Flammarion, 1987.

210 – GOLDMANN, Lucien, *Le Dieu caché, Études sur la vision tragique dans les* Pensées *de Pascal et dans le théâtre de Racine*, Paris, Gallimard, 1955, nouv. éd., 1976.

211 – GOUBERT, Pierre, *Mazarin*, Paris, Fayard, 1990.

212 – GOUBERT, Pierre, *Le Siècle de Louis XIV*, Paris, De Fallois, 1996.

213 – GOUHIER, Henri, *Pascal et les humanistes chrétiens*, Paris, Vrin, 1977.

214 – GOUHIER, Henri, *Blaise Pascal, commentaires*, Paris, Vrin, 1966 (rééd.).

215 – GOUHIER, Henri, *Blaise Pascal. Conversion et apologétique*, 1986.

216 – GOUHIER, Henri, *L'Antihumanisme au XVIIᵉ siècle*, Paris, Vrin, 1987.

217 – GOUHIER, Henri, *Cartésianisme et augustinisme au XVIIᵉ siècle*, Paris, Vrin, 1978.

218 – GOUHIER, Henri, « Pascal et les humanismes de son temps », in *Pascal présent*, à l'occasion du tricentenaire de sa mort.

219 – GOUHIER, Henri, préface à l'édition des *Œuvres complètes* de Pascal par Lafuma, Paris, Le Seuil.

220 – GOYET, Thérèse, « Le visage de 1670 », *Les Pensées de Pascal ont 300 ans.*

221 – GOYET, Thérèse et HELLER, Lane, *Bibliographie Blaise Pascal (1960-1969)*, Clermont-Ferrand, Adosa, 1989.

222 – GRANEL, Gérard, « Le tricentenaire de Pascal », *Critique*, avril 1964, n° 203.

223 – GRANT, John, *Observations politiques et naturelles sur les archives de mortalité.*

224 – *Great shorter works of Pascal*, Philadelphia, Westminster, 1948.

225 – GREENGRASS, Mark, *Courrier du CIBP*, n° 19, p. 11, 1977. (Traduction, en collaboration avec Dominique Descotes, de la lettre de Sir Balthazar Gerbier adressée à Samuel Hartlib datée du 4 octobre 1646.)

226 – GREEN, Mary Jean, « Pascalian Motifs in the Thought of Camus », *Stanford French Review*, 1977, I, 2, p. 229 à 242.

227 – GRÉGOIRE, abbé, *Les Ruines de Port-Royal-des-Champs en 1809, année séculaire de la destruction de ce monastère*, éd. Rita Henon-Belot, RMN, Paris, 1995.

228 – GUÉMÉNÉ, Mme de, Correspondance avec Jansénius.

229 – GUENANCIA, Pierre, *Du vide à Dieu. Essais sur la physique de Pascal*, Maspero, Paris, 1976.

230 – GUERSANT, Martial, *Les Pensées de Pascal*, 1957.

231 – GUEZ DE BALZAC, *Le Prince*, rééd., Paris, La Table Ronde, 1996.

232 – GUILLERMOU, A., *Les Jésuites*, 1963.

233 – GUITTON, Jean, « Le génie de Pascal », article

paru à l'occasion du tricentenaire de la mort de Pascal, Clermont-Ferrand.

234 – HARRINGTON, Thomas More, *Vérité et méthode dans les* Pensées *de Pascal*, Vrin, 1972.

235 – HARRINGTON, Thomas More, *Pascal philosophe. Une étude unitaire de la pensée de Pascal*, SEDES-CDU, Paris, 1982.

236 – HELLER, M., communication au Colloque de Tokyo (septembre 1988), « Pascal Port-Royal-Orient-Occident », intitulée *Pascal et la Chine*.

237 – HELME, François, « Pascal malade », *La Vie médicale*, 12 oct. 1923.

238 – HERTRICH, Charles, *Le Génie de Pascal*, Flambeaux, Paris, 1940.

239 – HILDESHEIMER, Françoise, *Le Jansénisme. L'histoire et l'héritage*, « Petite encyclopédie moderne du christianisme », Desclée de Brouwer, 1992, Paris.

240 – HILDESHEIMER, Françoise, *Le Jansénisme*, Paris, Publisud, 1992.

241 – HISTOIRE DE L'ÉGLISE (dir. A. Fliche et V. Martin), t. 19, *Les Luttes politiques et doctrinales aux XVIIᵉ et XVIIIᵉ siècles* (par E. Préclin et E. Jarry), Paris, Bloud-et-Gay, 1955.

242 – HISTOIRE DES CATHOLIQUES EN FRANCE, du XVᵉ siècle à nos jours, dir. F. Lebrun, Toulouse, Privat.

243 – HISTOIRE DES DIOCÈSES DE FRANCE, éd. Beauchesne.

244 – HISTOIRE DE LA FRANCE (dir. A. Burguière et J. Revel), *L'État et les conflits. Le jansénisme*, par S. Deyon, Paris, Le Seuil, 1990.

245 – HISTOIRE DE LA FRANCE RELIGIEUSE, t. II, *Du christianisme flamboyant à l'aube des Lumières* (dir. F. Lebrun), Paris, Le Seuil, 1987, t. III, *Du Roi très chrétien à la laïcité républicaine* (dir. Ph. Joutard), Paris, Le Seuil, 1991.

246 – HOBBES, Thomas, *Le Léviathan*, Paris, Sirey, 1990.

247 – HOLBACH, baron d', *Le Bon sens ou idées naturelles opposées aux idées surnaturelles*, Londres, 1772.

248 – HUMBERT, P., *L'Œuvre scientifique de Blaise Pascal*, Paris, Albin Michel, 1947.

249 – HUYGENS, Christiaan, *Horologium Oscillatorium*, 1673, 1981.

250 – JANSEN, Cornelius ou JANSENIUS, *Augustinus de gratia*, 1640, 3 vol.

251 – JANSEN, Cornelius, *Mars Gallicus*, 1635.

252 – JANSEN, Cornelius, *Discours sur la réformation de l'homme intérieur*, traduit par Robert Arnauld d'Andilly, Paris, 1642.

253 – JANNELLE, Pierre, « Pascal et l'Angleterre », article in *Pascal présent*, à l'occasion du tricentenaire de sa mort.

254 – JOVY, Ernest, *Études pascaliennes*, 1927, rééd. 1936.

255 – JOVY, Ernest, *La Vie inédite de Pascal*, par dom Clemenceau, Paris, Vrin, 1933.

256 – JUGE-CHAPSAL, Charles, *Ce que Pascal doit à son Auvergne, à son hérédité, à son milieu familial et social*, article paru à l'occasion du tricentenaire de la mort de Pascal, Clermont-Ferrand.

257 – JUNGO, M., *Le Vocabulaire de Pascal étudié dans les fragments pour une apologie*, Paris, 1950.

258 – KEPLER, *Epitome astronomiae copernicanae*, 1621.

259 – KOLAKOWSKI, Leszek, *Dieu ne nous doit rien*, Paris, Albin Michel, 1995.

260 – LACAN, Jacques, *Écrits 1 et 2*, Paris, Le Seuil, 1970-1971.

261 – LACOMBE, R.-E., *L'Apologétique de Pascal*, Paris, PUF, 1958.

262 – LAFOND, Jean, *Moralistes du XVIIe siècle*, Paris, Robert Laffont, coll. « Bouquins », 1992.

263 – LA FONTAINE, Jean de, *Œuvres complètes*, Paris, Le Seuil, 1990.

264 – LAFUMA, Louis, présentation et notes de l'édition des *Œuvres complètes* de Pascal, Paris, Le Seuil, 1963.

265 – LAFUMA, Louis, « L'histoire des manuscrits des *Pensées* et le problème de leur édition », *La Table ronde*, no 171, avril 1962.

266 – LAFUMA, Louis, « Le *Discours sur les passions de l'amour* n'est pas de Pascal », *Revue Mercure de France*, 48e année, no 2, avril-juin 1949.

267 – LAFUMA, Louis, *Sur les pas de Blaise Pascal. Le château de Bien-Assis*, Clermont-Ferrand, Volcans, 1964.

268 – LAFUMA, Louis, *Recherches pascaliennes*, 1949.

269 – LAGARDE et MICHARD, « XVIIe siècle », Bordas, 1970.

270 – LANAVÈRE, Alain, « L'argument des deux infinis chez Pascal et chez La Bruyère », article paru in *Les Pensées de Pascal ont 300 ans*.

271 – LANCELOT, Claude, *Jardin des racines grecques*, 1657.

272 – LANCELOT, Claude, *Mémoires touchant la vie de Monsieur de Saint-Cyran*, Cologne, 1738.

273 – LANSON, Gustave, « Pascal », article de la *Grande Encyclopédie*.

274 – LAPLACE, Pierre Simon de, *Essai philosophique sur les probabilités*, rééd., Paris, Bourgois, 1986.

275 – LAPLACE, Pierre Simon de, *Mémoires divers*.

276 – LAPLACE, Pierre Simon de, *Œuvres complètes*, Paris, Gauthier-Villars, 1912.

277 – LAPORTE, Jean, *Le Cœur et la Raison selon Pascal*, Paris, Elzevir, 1949.

278 – Laporte, Jean, *La Doctrine de Port-Royal*, Paris, Vrin, 1951.

279 – Laporte, Jean, *Blaise Pascal, l'homme et l'œuvre*, Cahiers de Royaumont, Paris, Éditions de Minuit, 1956.

280 – La Rochefoucauld, *Maximes et réflexions morales du duc de La Rochefoucauld*, Paris, 1819.

281 – Leduc-Lafayette, Denise, *Pascal au miroir du XIXe siècle*, colloque Sorbonne, avril 1991.

282 – Leduc-Lafayette, Denise, *Pascal et le mystère du mal. La clef de Job*, Paris, Le Cerf, 1996.

283 – Lefebvre, Henri, *Pascal*, Paris, Nagel, t. i, 1949, t. ii, 1954.

284 – Lefranc, J., *Pascal au miroir du XIXe siècle*, Mame, 1993.

285 – Le Guern, M., et M.-R., *Les Pensées de Pascal*, Paris, Larousse, 1972.

286 – Le Guern, M., et M.-R., *L'Image dans l'œuvre de Pascal*, Paris, Armand Colin, 1969.

287 – Le Guern, M., et M.-R., *Pascal et Descartes*, Nizet, 1971.

288 – Le Guern, M., et M.-R., *Introduction à l'étude des* Provinciales, Paris, Gallimard, 1987.

289 – Le Guern, M., et M.-R., *Présentation et notes de l'édition des Œuvres complètes de Pascal*, Paris, Gallimard, coll. « La Pléiade », 1998.

290 – Leibniz, Gottfried Wilhelm, *Principes de la nature et de la grâce*, rééd., Paris, Flammarion, 1996.

291 – Leibniz, Gottfried Wilhelm, *La Réforme de la dynamique*, rééd., Paris, Vrin, 1994.

292 – Leibniz, Gottfried Wilhelm, *Le Caractère géométrique*, rééd., Paris, Vrin, 1995.

293 – Le Maistre de Sacy, *Le Nouveau Testament*, Gaspard Migeot, Mons, 1667.

294 – Lequenne, Fernand, *Riom*, Volcans, 1962.

295 – Lesne-Jaffro, Emmanuel, « La réception des

Provinciales dans les Mémoires du temps », in *Courrier du CIBP*, nº 18, 1996.

296 – LEVER, Maurice, *Romanciers du Grand Siècle*, nouv. éd., Paris, Fayard, 1996.

297 – LÉVY-BRUHL, Lucien, *Pascal précritique*.

298 – LÉVY-BRUHL, Lucien, *History of modern philosophy in France : histoire de la philosophie française de Descartes à la fin du XIXᵉ*.

299 – LOVSKY, F., *Pascal et les juifs*, Cahiers sioniens, décembre 1951.

300 – LUBAC, Henri de, *L'Écriture dans la tradition*, Paris, Aubier, 1966.

301 – LUNDWALL, Éric, *Les carrosses à cinq sols*, Paris, Science infuse, 2000.

302 – LUYNES, duc de, *Sentences tirées de l'Histoire sainte*.

303 – MACKENNA Anthony, *De Pascal à Voltaire*, Oxford, The Voltaire Foundation.

304 – MAGGIONI, Mary Julie [sœur de La Meri], *The Pensées of Pascal*, Washington Catholic University Press, 1950.

305 – MAGNARD, Pierre, « La parabole de la racine et du greffon », in *Études philosophiques XVIᵉ siècle*, octobre-décembre 1980, PUF.

306 – MAGNARD, Pierre, *Nature et Histoire dans l'apologétique de Pascal*, Paris, Les Belles-Lettres, éd. augmentée en 1991, La Clé du Chiffre, Éd. universitaires.

307 – MAGNARD, Pierre, « Pascal dialecticien », dans *Pascal présent*, à l'occasion du tricentenaire de sa mort.

308 – MAGNARD, Pierre, « Utilité et inutilité de la philosophie selon Pascal », *Revue Philosophie*, nº 7, 1985.

309 – MAGNARD, Pierre, « Pascal », *Dictionnaire du Grand Siècle*.

310 – MAGNE, Émile, *La Vie quotidienne au temps de Louis XIII*, Hachette, 1942.

311 – MAIRE, Albert, *Bibliographie générale des*

Œuvres de Blaise Pascal, Paris, Giraud-Badin, 5 vol., 1925.

312 –   MAIRE, Albert, *L'Œuvre scientifique de Blaise Pascal*, Paris, Hermann, 1912.

313 –   MAIRE, Catherine, *Les Convulsionnaires de Saint-Médard. Miracles, convulsions et prophètes à Paris au XVIIIe siècle*, Paris, Gallimard, coll. « Archives », 1985.

314 –   MAIRE, Catherine, *De la cause de Dieu à la cause de la nation. Le jansénisme au XVIIIe siècle*, Paris, Gallimard, 1998.

315 –   MAISTRE, Joseph de, *Soirées de Saint-Pétersbourg*, éd. critique, reprint Genève, Slatkine, 1979, Presses-Pocket, 1994.

316 –   MALEBRANCHE, Nicolas de, *Traité de la nature et de la grâce*, rééd. Gallimard, 1992.

317 –   MALEBRANCHE, Nicolas de, *Œuvres*, Paris, Gallimard, coll. « La Pléiade », 1999, 2 vol.

318 –   MANRY, André-Georges, *Histoire de l'Auvergne*, Volcans, 1965.

319 –   MANRY, André-Georges, *Histoire de Clermont-Ferrand*, Volcans, 1969.

320 –   MARIN, Louis (avec la collaboration de Daniel Arasse, Giovanni Careri, Danièle Cohn, Pierre-Antoine Fabre, Françoise Marin), *Pascal et Port-Royal*, Paris, PUF, 1997.

321 –   MARIN, Louis, *La Critique du discours. Sur la logique de Port-Royal et les* Pensées *de Pascal*, Paris, Éditions de Minuit, nouv. éd., 1991.

322 –   MARIN, Louis, « Réflexions sur la notion de modèle chez Pascal », *Revue de métaphysique et de morale*.

323 –   MARIN, Louis, « Die Fragmente Pascals », in *Fragment und Totalität*, Suhrkamp Verlag.

324 –   MARTIN, H.-J., *Livre, pouvoirs et société à Paris au XVIIe siècle (1598-1701)*, Genève, Droz, 1969, 2 vol.

325 –   MATHIEU, Félix, « Pascal et l'expérience du

puy de Dôme », in *La Revue de Paris*, 1906-1907.

326 – Mauriac, François, *La Rencontre avec Pascal*, Paris, Éd. des Cahiers libres, 1926.

327 – Mauriac, François, *Blaise Pascal et sa sœur Jacqueline*, Paris, 1931.

328 – Melzer, Sara, *Discourse of the Fall*, Los Angeles, University of California Press, 1986.

329 – Mercure de France, « Pascal poète », Brunet Gabriel, n° 600, t. clxiv, 15 juin 1923, p. 577-609.

330 – Mercure de France, « Les favoris et les déshérités de l'histoire. Descartes et Spinoza », Chestoff L., n° 600.

331 – Mercure de France, « Le massacre des "*Pensées* de Pascal" », Z. Tourneur, n° 854, t. ccxlix, 15 janvier 1934.

332 – Mercure de France, « À propos des *Pensées* de Pascal. L'art d'interpréter les textes », Z. Tourneur, n° 862, t. cclii, 15 mai 1934.

333 – Mercure de France, « Port-Royal d'aujourd'hui. Pascal et la conquête de l'air », Louise Faure-Favier, n° 869, t. ccliv, 1er septembre 1934.

334 – Méré, Antoine Gombaud, chevalier de, *Des agréments de l'esprit de la conversation*, Paris, Guignard, 1936.

335 – Méré, Antoine Gombaud, chevalier de, *De la vraie honnêteté*, Paris, Guignard.

336 – Mère Agnès, *Lettres publiées* par Rachel Gillet, Paris, 1858.

337 – Mérillié, D., *Pascal au miroir du xixe siècle*, Mame, 1993.

338 – Mesnard, Jean, *La Culture du xviie siècle, Enquêtes et synthèses*, Paris, PUF, 1992.

339 – Mesnard, Jean, préface à *Destins et enjeux du xviie siècle*, Paris, PUF, 1985, chap. vi : « Pascal et Port-Royal ».

340 – Mesnard, Jean, « Aux origines de l'édition

des *Pensées* : les deux copies », in *Les Pensées de Pascal ont 300 ans*.

341 – MESNARD, Jean, « Les premières relations parisiennes de Christian Huygens », in *Huygens et la France*, Paris, Vrin, 1982.

342 – MESNARD, Jean, « Sur le chemin de l'Académie des sciences : le cercle du mathématicien Claude Mylon, 1654-1660 », in *Revue d'histoire des sciences*, XLIV, 2, 1991.

343 – MESNARD, Jean, édition des Œuvres complètes de Pascal, 4 vol., Paris, Desclée de Brouwer, 1964-1994.

344 – MESNARD, Jean, « Leibniz et les papiers de Pascal », in *Leibniz à Paris (1672-1676)*, t. I, Les sciences de A. Heinekamps et Dieter Mettler (dir.).

345 – MESNARD, Jean, *L'Horizon européen dans l'œuvre de Pascal*, PUF, 1992, p. 305 à 317.

346 – MESNARD, Jean, *Pascal et les Roannez*, Desclée de Brouwer, 1965, 2 vol.

347 – MESNARD, Jean, *Pascal*, Connaissance des lettres, 1973.

348 – MESNARD, Jean, *Pascal, l'homme et l'œuvre*, Paris, Hatier-Boivin, 1951.

349 – MESNARD, Jean, *Pascal*, Paris, Desclée de Brouwer, coll. « Les Écrivains devant Dieu ».

350 – MESNARD, Jean, *Les Pensées de Pascal*, Paris, SEDES.

351 – MESNARD, Jean, *Le Texte des Œuvres de Pascal de 1779 à 1914*.

352 – MESNARD, Jean, *Les Pensées de Pascal ont trois cents ans*, 1971.

353 – MESNARD, Jean, *Blaise Pascal et la vocation de sa sœur Jacqueline*, dans XVIIe siècle, nos 11 et 15, 1951-1952.

354 – MESNARD, Jean, « L'invention chez Pascal », in *Pascal présent*, à l'occasion du tricentenaire de sa mort.

355 – MESNARD, Jean, « Point de vue et perspective

dans les *Pensées* », in *Courrier du CIBP*, n° 16, p. 3 à 8, 1994.

356 – MESNARD, Jean, « Prélude à l'édition des *Provinciales*, explication de la genèse de l'édition des *Provinciales* », in *Courrier du CIBP*, n° 18, 1996.

357 – MESNARD, Jean, « Logique et sémiotique dans le modèle de la "Raison des Effets" », in *Courrier du CIBP*, n° 20, 1998.

358 – MESNARD, Jean, *Recueils de Saint-Jean-d'Angély*.

359 – MESNARD, Jean, « Le testament de Florin Périer », in *Clermont ville de Pascal...*

360 – MESNARD, Jean, « Les demeures de Pascal à Paris », in Mémoires publiés par la Féd. des sociétés historiques et archéologiques de Paris et de l'Île-de-France, 1995.

361 – MESNARD, Jean, « Pascal et la contestation », *Revue d'Auvergne*, n° 3, 1971.

362 – *Méthodes chez Pascal*, Paris, PUF (42 études), 1979.

363 – MEURILLON, Christine, « Le concept d'"'homme" dans les *Pensées* », *Courrier du CIBP*, n° 16, 1994.

364 – MEYNIER, B., *Port-Royal et Genève d'intelligence contre le très saint sacrement de l'Autel*, 1656.

365 – MICHELET, Jules, *Histoire de la Révolution française*, Paris, Robert Laffont, 1979, 2 vol., coll. « Bouquins ».

366 – MIEL, Jean, *Pascal and Theology*, Baltimore et Londres, Johns Hopkins University Press, 1970.

367 – MILHAUD, Gérard, « Pascal savant », *Europe*, janvier-février 1979 (Hexagramme mystique).

368 – MOLIÈRE, *Théâtre*, Gallimard, coll. « La Pléiade », 1992, 2 vol.

369 – MOLINA, *Accord du libre arbitre avec les dons de la grâce, la prescience divine, la Provi-*

dence, la prédestination et la réprobation, Lisbonne, 1588.

370 – MOLLAT, Michel (dir.), *Histoire de Rouen*, Toulouse, Privat, 1979.

371 – MONTFAUCON, Henri de, *Traité de la délicatesse*, Paris, Claude Barbin, 1671.

372 – MONTAIGNE, *Les Essais*, Paris, PUF, 1992, 3 vol.

373 – MORALISTES FRANÇAIS, Paris, Librairie F. Didot frères, 1855.

374 – MORALISTES DU XVIIe SIÈCLE, édition dirigée par Jean Lafond, préfaces et notes de Jean Lafond, André-Alain Morello, Philippe Sellier, Patrice Soler et Jacques Chupeau, Paris, Robert Laffont, coll. « Bouquins » ; Pascal, texte de Philippe Sellier.

375 – MORELLO, André-Alain, présentation de LA ROCHEFOUCAULD, in *Moralistes du XVIIe siècle*, Paris, Robert Laffont, coll. « Bouquins », 1992.

376 – MUCHEMBLED, Robert, *L'Invention de l'homme moderne*, Paris, Fayard, 1988.

377 – MYDLARSKI, Henri, « Vauvenargues, lecteur de Pascal », *Revue des Sciences humaines*, n° 146, avril-juin 1972.

378 – NEWTON, Isaac, *Méthode des fluxions et des suites infinies*, rééd. 1964.

379 – NICOLE, Pierre, *Histoire des Provinciales*, 6e éd. latine, traduite par Mlle de Joncoux, 1767.

380 – NICOLE, Pierre, *Essais et morale*, t. VIII, 1715, lettre 88.

381 – NICOLE, Pierre, *Traité de l'éducation d'un prince*, Paris, 1670.

382 – NICOLE, Pierre et ARNAULD, Antoine, *La Logique ou l'Art de penser*, Paris, 1662.

383 – NICOLE, Pierre, *Système touchant la grâce universelle*, Cologne, 1701.

384 – Nietzsche, *Ainsi parlait Zarathoustra*, trad. fr., Paris, Gallimard, 1989.

385 – Noël, père (Correspondance avec Blaise Pascal).

386 – Nolhac, Pierre de, « La ville de Pascal », in *Revue de France*, 1er sept. 1923.

387 – Norman, B., *Portraits of Thoughts. Knowledge, Methods and Styles in Pascal*, Columbus, Ohio University Press, 1988.

388 – Orcibal, Jean, « Le premier Port-Royal. Réforme et Contre-Réforme », conférence reproduite dans *Recherches et Débats*, octobre 1955.

389 – Orcibal, Jean, « Les jansénistes face à Spinoza », *Revue de littérature comparée*, 23e année, no 4, oct.-déc. 1949, Paris, Boivin.

390 – Orcibal, Jean, « Qu'est-ce que le jansénisme ? » Communication au IIIe congrès de l'Association internationale des études françaises, 1953.

391 – Orcibal, Jean, *Saint-Cyran et le jansénisme*, Paris, Le Seuil, coll. « Maîtres spirituels », 1961.

392 – Orcibal, Jean, *Jansénius d'Ypres*, 1585-1638, Paris, Vrin, 1989.

393 – Orcibal, Jean, *Le Jansénisme et la société*.

394 – Pagès, Georges, *La Guerre de Trente Ans*, nouv. éd., Payot, 1972.

395 – « Pascal poète », *Mercure de France*, 15 juin 1923.

396 – *Pascal présent*, Clermont-Ferrand, G. de Bussac.

397 – *Pascal*, Textes du tricentenaire, Paris, Fayard.

398 – Pascal, Blaise, *Œuvres complètes*, Paris, Gallimard, coll. « La Pléiade ».

399 – Pascal, Blaise, *Pensées*, Paris, Vrin, 1942.

400 – Pascal, Blaise, *Œuvres complètes*, présentation et notes de Louis Lafuma, préface d'Henri Gouhier, Paris, Le Seuil, 1963.

401 – PASCAL, Blaise, *Discours sur la religion sur quelques autres sujets*, restitués et publiés par Emmanuel Martineau, Paris, Fayard/Armand Colin, 1992.

402 – *Les Provinciales*, introduction et notes de Clément Rosset, Paris, Jean-Jacques Pauvert, 1964.

403 – PASCAL, Blaise, *Pensées*, Paris, Mercure de France, 1976.

404 – PASCAL, Blaise, *Pensées de M. Pascal sur la relation et sur quelques autres sujets*, l'éd. de Port-Royal (1670) et ses compléments (1678-1776), présentée par Georges Couton et Jean Jehasse, Saint-Étienne, Centre interuniversitaire d'éditions et de rééditions, 1971.

405 – PASCAL, Blaise, *Pensées de Blaise Pascal*, édition paléographique des manuscrits originaux conservés à la Bibliothèque nationale (n° 9202 du fonds français) enrichie de nombreuses leçons inédites et présentée dans le classement primitif, avec une introduction et des notes descriptives par Zacharie Tourneur, Paris, Vrin, 1942.

406 – PASCAL, Blaise, *Les Lettres de Blaise Pascal* accompagnées de lettres de ses correspondants, Paris, Crès, 1922.

407 – PASCAL, Blaise, *L'Entretien de Pascal et Sacy, ses sources et ses énigmes*, Paris, Vrin, 1960.

408 – PASCAL, Blaise, *Pensées de Blaise Pascal*, Paris, Plon, 1873.

409 – PASCAL, Blaise, *Textes inédits de Blaise Pascal*, recueillis et présentés par Jean Mesnard, Paris, Desclée de Brouwer, 1962.

410 – PASCAL, Blaise, *Œuvres complètes*, Paris, Gallimard, 1954.

411 – PASCAL, Blaise, *Œuvres complètes*. Texte établi et annoté par Jacques Chevalier, Paris, Gallimard, 1954.

412 – PASCAL, Blaise, *Entretien avec M. de Saci sur*

Épictète et Montaigne, Aix, Éditions proven-
çales, 1946.

413 – PASCAL, Blaise, *Œuvres complètes de Blaise
Pascal*, Paris, Hachette, 1958.

414 – PASCAL, Blaise, *Pensées, fragments et lettres
de Blaise Pascal*, publiés pour la première fois
conformément aux manuscrits originaux en
grande partie inédits par Faugère, Paris,
Andrieux, 1844.

415 – PASCAL, Blaise, *Pensées sur la religion et sur
quelques autres sujets*, texte intégral des *Pensées* établies, classées et annotées par Jean
Steinmann, Monaco, 1961.

416 – PASCAL, Blaise, *Pensées de Blaise Pascal*, éd.
complète, Montréal, Variétés, 1944.

417 – PASCAL, Blaise, *Pascal par lui-même*, images
et textes présentés par Albert Béguin, Paris, Le
Seuil, 1952.

418 – PASCAL, Blaise, *Les Provinciales, écrits des
curés de Paris, Pierre Nicole et Jean Racine,
lettres, le Père Daniel, réponse aux Provinciales*, texte établi et présenté par Jean Steinmann, Paris, Armand Colin, 1962.

419 – PASCAL, Blaise, *Œuvres complètes*, texte établi, présenté et annoté par Jean Mesnard, Paris,
Desclée de Brouwer, 1964.

420 – PASCAL, Blaise, *Pensées de Pascal*, texte de
l'édition Brunschvicg, Paris, Librairie Garnier
frères, 1925.

421 – PASCAL, Blaise, *De l'esprit de géométrie.
Écrits sur la grâce*, Flammarion, 1985.

422 – PASCAL, Blaise, *Les Provinciales*, 1785.

423 – PASCAL, Blaise, *Œuvres complètes*, éd. Jean
Mesnard, Paris, Desclée de Brouwer, 1964-
1992, 4 vol.

424 – PASCAL, Blaise, *Pensées*, éd. Philippe Sellier,
Paris, coll. « Classiques Garnier », 1991.

425 – PARAF, Pierre, *Europe*, janvier-février 1979.

426 – PATIN, Guy, *Correspondance*, Laffont, coll. « Bouquins ».

427 – PÉGUY, Charles, *Un nouveau théologien, M. Laudet*, rééd., Paris, 1936.

428 – PERCE, Léon, *Écrits sur Pascal*, Paris, 1959.

429 – PÉRIER, Étienne, *préface à la première édition des Pensées*, Paris, Guillaume Desprey, 1670.

430 – PÉRIER, Gilberte, *Vie de Monsieur Pascal*, éd. intégrale, Le Seuil, 1980.

431 – PÉRIER, Marguerite, *Mémoire de la vie de Monsieur de Pascal*, Paris, 1854.

432 – PISANI, P., *Les Compagnons de prêtres des XVIIe et XVIIIe siècles*, Paris, 1928.

433 – PINTARD, René, « Pascal et les libertins », article paru dans *Pascal présent*, à l'occasion du tricentenaire de sa mort.

434 – PINTARD, René, *Documents inédits sur Pascal mondain*, Société des Amis de Port-Royal, 1953.

435 – PLATON, *La République*, Paris, Gallimard.

436 – PLATON, *Le Banquet*, Paris, Gallimard.

437 – PRÉCLIN, E., *Les Jansénistes du XVIIIe siècle et la Constitution civile du clergé. Le développement du richérisme. Sa propagation dans le bas clergé, 1713-1791*, Paris, 1929.

438 – PRIGENT, Jean, « Pascal : pyrrhonien, géomètre, chrétien », article paru dans *Pascal présent*, à l'occasion du tricentenaire de sa mort.

439 – QUESNEL, Pasquier, *Réflexions morales sur le Nouveau Testament*, Paris-Bruxelles, 1693.

440 – QUILLOT, R., « Un exemple d'influence pascalienne au XXe siècle : l'œuvre d'Albert Camus », article paru dans *Les Pensées de Pascal ont trois cent ans*.

441 – RABELAIS, *Œuvres complètes*, Paris, Bordas, 1991.

442 – RACINE, Jean, *Abrégé de l'histoire de Port-Royal*, Paris, Gallimard, coll. « La Pléiade », 1981.

443 – RACINE, Jean, *Lettres à l'auteur des hérésies imaginaires et des deux visionnaires*, 1666.

444 – RANCŒUR, R., *Bibliographie de la littérature française*, Paris, Armand Colin, 1986.

445 – RAPIN, R., *Mémoires sur l'Église et la société, la cour, la ville et le jansénisme, 1644-1669*, Aubineau, 1865.

446 – REGARD, Maurice, « Pascal et Sainte-Beuve, ou l'instinct de propriété », article paru dans *Pascal présent*, à l'occasion du tricentenaire de sa mort.

447 – RENAN, Ernest, *Histoire du peuple d'Israël*, Paris, Calmann-Lévy, 1887.

448 – REVUE DE MÉTAPHYSIQUE ET DE MORALE, Paris, Armand Colin (numéro spécial du tricentenaire).

449 – REVUE EUROPE, janvier-février 1979, n° 597-598.

450 – REVUE D'HISTOIRE LITTÉRAIRE DE LA FRANCE, 48ᵉ année, n° 2, avril-juin 1949. Louis Lafuma, *Le Discours sur les passions de l'amour n'est pas de Pascal*.

451 – REVUE DE LA TABLE RONDE, « Tricentenaire de la mort de Pascal », n° 171, avril 1962.

452 – REVUE DE MÉTAPHYSIQUE ET DE MORALE, Paris, Armand Colin (numéro spécial du tricentenaire).

453 – REVUE DU XVIIᵉ SIÈCLE, bulletin de la Société d'étude du XVIIᵉ siècle, n° 41, 4ᵉ trimestre 1958. *Missionnaires catholiques à l'intérieur de la France pendant le XVIIᵉ siècle*.

454 – REVUE DE LITTÉRATURE COMPARÉE, « Les jansénistes face à Spinoza », 23ᵉ année, n° 4, octobre-décembre 1949, Paris, Boivin.

455 – RICHELIEU, *Testament politique ou les maximes d'État...*, éditions D. Dessert, Paris, PUF, 1990.

456 – ROSSE, J.-C., *Introduction aux* Provinciales, Paris, Pauvert, 1964.

457 – Rouse Ball, W.W., *A Short Account of the History of Mathematics*, 4e éd., 1908.

458 – Russier, J., *La Foi selon Pascal*, Paris, PUF.

459 – Sablé, marquise de, *Maximes*, Paris, 1678.

460 – Saint Augustin, *Œuvres complètes*, Paris, Gallimard, coll. « La Pléiade ».

461 – Saint Augustin, *La Cité de Dieu*, revue et corrigée par Goulven Madec, Institut d'études augustiniennes, 1993.

462 – Sainte-Beuve, *Port-Royal*, Paris, Gallimard, coll. « La Pléiade », 1962.

463 – Sainte-Beuve, *Causeries du lundi*, Paris, Garnier.

464 – Sainte-Beuve, *Port-Royal*, Paris, 1840-1860, 6 vol.

465 – Saint-Cyran, *Œuvres chrétiennes et spirituelles*, Lyon, 1676, 4 vol.

466 – Saint-Cyran, *Le Cœur nouveau*.

467 – Saint-Girons, C., « L'Idée de nature dans l'esthétique de Pascal », *Bulletin de la Société d'études du XVIIe siècle*, no 49, 4e trimestre 1960.

468 – Saint-Girons, C., « Pascal poète », *Mercure de France*, 15 juin 1923.

469 – Saint-Simon, duc de, *Mémoires*, tome I, Paris, Gallimard, coll. « La Pléiade », 1982.

470 – Sainte Thérèse d'Avila, *Vie écrite par elle-même*, Paris, Le Seuil, coll. « Points Sagesse », 1995.

471 – Saint Thomas d'Aquin, *Somme théologique*, Les Actes humains, I, Cerf, 1997.

472 – Sales, François de, *Œuvres complètes*, Annecy, 1892-1912, 17 vol.

473 – Savaron, Jean, *Traité contre les masques*, 1611.

474 – Schmitz du Moulin, Henri, *Les Hésitations de Clément XI. L'affaire des rites chinois*.

475 – Scudéry, Madeleine de, *Clélie*, Genève, Slatkine Reprints, 1973.

476 – SECRET, B., « Saint François de Sales mission-
naire », *Bulletin de la Société d'études du
XVIIᵉ siècle*, n° 41, 4ᵉ trimestre 1958.

477 – SELLIER, Philippe, *Pascal et Saint Augustin*,
Paris, Armand Colin, 1970, rééd. Albin
Michel, 1995.

478 – SELLIER, Philippe, « La Bible de Pascal », dans
La Bible au Grand Siècle, Paris, Beauchesne.

479 – SELLIER, Philippe, « Le Fondement "prophétique" dans les *Pensées* », *Courrier du CIBP*,
n° 16, 1994.

480 – SELLIER, Philippe, « Pascal » dans *Les Moralistes du XVIIᵉ siècle, op. cit.*

481 – SERRES, Michel, *Système de Leibniz et ses
modèles mathématiques*, Paris, PUF, t. II,
1968.

482 – SERRES, Michel, *Leibniz retraduit en langue
mathématique*, dans *Hermès III*.

483 – SERRES, Michel, *Leibniz, aspects de l'homme
et de l'œuvre*, Paris, Aubier-Montaigne, 1968.

484 – SÉVIGNÉ, Mme de, *Correspondance*, Paris,
Gallimard, coll. « La Pléiade », 1972.

485 – SHIOKAWA, Tetsuya, *Pascal et les miracles*,
Paris, Nizet, 1977.

486 – SINÉTY, R. de, *La Maladie de Pascal*, Paris,
1923.

487 – SINGH, Simon, *Fermat's last theorem*, Fourth
Estate, London, 1997.

488 – SOBOUL, Albert, « Clermont au temps de Pascal », article paru dans *Pascal présent*, à l'occasion du tricentenaire de sa mort.

489 – STANTON, Donna, « Pascal's Fragmentary
Thoughts », dans *Semiotica*, 1984.

490 – STEINMANN, Jean, *Pascal*, Paris, Éd. du Cerf,
1954.

491 – STEWART, William, « L'éducation de Racine.
Le poète et ses maîtres », *Cahiers de l'AIEF*,
juillet 1953.

492 – STRAUDO, Arnoux, « Laplace, contradicteur

idéal de Pascal ? », in *Courrier du CIBP*,
n° 19.

493 – STROWSKI, Fortunat, *Histoire du sentiment religieux en France au XVIIᵉ siècle : Pascal et son
temps*, Paris, Plon-Nourrit, 1907, 3 vol.

494 – STROWSKI, Fortunat, *De Montaigne à Pascal*,
Paris, Plon-Nourrit, 1907.

495 – STROWSKI, Fortunat, *L'Histoire de Pascal*,
Paris, Plon-Nourrit, 1907.

496 – STROWSKI, Fortunat, *Pascal et son temps*, Paris,
1907.

497 – STROWSKI, Fortunat, « Une relique de Pascal »,
in *L'Illustration*, 13 juin 1908.

498 – SUARÈS, André, *Visite à Pascal*, Paris, 1909.

499 – TALLEMANT DES RÉAUX, *Les Historiettes*, Gallimard, coll. « La Pléiade », Paris, 1962.

500 – TAVENEAUX, René, *Jansénisme et politique*,
Paris, Armand Colin, coll. « U », 1965.

501 – TAVENEAUX, René, *La Vie quotidienne des
jansénistes aux XVIIᵉ-XVIIIᵉ siècles*, Paris,
Hachette, 1973.

502 – TAVENEAUX, René, *Thématique des Pensées*,
Paris, Vrin.

503 – THIROUIN, Laurent, *Le Hasard et les règles. Le
modèle du jeu dans la pensée de Pascal*, Paris,
Vrin, 1994.

504 – THIROUIN, Laurent, « Raison des effets, essai
d'explication d'un concept pascalien », in
XVIIᵉ siècle, n° 134.

505 – THIROUIN, Laurent, *A Critical Bibliography of
French Literature. The XVIIᵗʰ Century*, Syra-
cuse University Press.

506 – THIROUIN, Laurent, « La raison des effets », in
Courrier du CIBP, n° 20, 1998.

507 – TILLEMON (Le Nain de), Sébastien, *Lettre à
Antoine Arnauld*, Paris, Firmin-Didot, 1825.

508 – TOPLISS, Patricia, *The Rhetoric of Pascal*, Lei-
cester University Press, 1966.

509 – TOURNEUR, Zacharie, « Le massacre des *Pen-*

sées de Pascal », *Mercure de France*, n° 854, t. CCXLIX, 15 janvier 1934.

510 – TOURNEUR, Zacharie, « À propos des *Pensées* de Pascal. L'art d'interpréter les textes », *Mercure de France*, n° 862, t. CCLII, 15 mai 1934.

511 – TOURY, abbé, « Origines de la famille Pascal à Gerzat », in *Bull. hist. et scient. de l'Auvergne*, 1958.

512 – TRENARD, Louis, article in *Dictionnaire du Grand Siècle, op. cit.*

513 – TRILLAT, Jean-Jacques, « Pascal mathématicien », article paru à l'occasion du tricentenaire de la mort de Pascal, Clermont-Ferrand.

514 – UNAMUNO, Miguel de, *The spirit of Spain*, English-woman, London, Grant Richards, 1909.

515 – VALOT, Stephen, *Regardons vivre Blaise Pascal*, Paris, Grasset, 1945.

516 – VANINI, Giulio Cesare, *De admirantis...*, A. Périer, 1616.

517 – VAUVENARGUES, *Œuvres*, I, 416, Éd. Gilbert, 1857.

518 – VERENZIO, Fausto, *Les Machines volantes et le parachute*.

519 – VIAL, H., « Pascal et Clermont-Ferrand », in *Pensées*, Club des Libraires, 1958.

520 – VIALLANEIX, Paul, « la parole de Pascal », article paru in *Les Pensées de Pascal ont 300 ans*.

521 – VIALLANEIX, Paul, « Pascal, ou l'horreur du vide », article paru in *Pascal présent*, à l'occasion du tricentenaire de sa mort.

522 – VIEILLARD-BARON, J.-L., « Affinités et divergences entre Bergson et Pascal », *Pascal au miroir du XIXe siècle*, 1993.

523 – VIALATTE, Alexandre, « Pascal et Clermont-Ferrand », in *Pensées*, Club des Libraires, 1958.

524 – VILLARS, abbé de, *Traité de la délicatesse*, Paris, Claude Barbin.

525 – VIAU, Théophile de, *Œuvres complètes*, Paris, Champion, 1999, t. I, II, III.

526 – VIRCONDELET, Alain, *Le Roman de Jacqueline et Blaise Pascal*, Paris, Flammarion, 1989.

527 – VOLTAIRE, *Lettres philosophiques*, 25e lettre, Amsterdam, Lucas, 1734.

528 – WETSEL, D., *L'Écriture et le Reste. The Pensées of Pascal in the Exegetical Tradition of Port-Royal*, Columbus, Ohio University Press, 1981.

529 – WOODGATE, Mildred Violet, *Pascal and his sister Jacqueline*, London, Herder, 1945.

530 – WRIGHT, William, *Born that way*, Alfred A. Knopf, New York, 1998.

INDEX

REMERCIEMENTS

Jane Auzenet a vérifié la bibliographie de ce livre. Annabelle Dos Santos a contrôlé l'exactitude des citations. Jane Auzenet, Hélène Guillaume, Claude Durand et Denis Maraval ont relu le manuscrit final. Josseline Rivière a composé le cahier d'illustrations et établi le plan du Paris de Pascal. Qu'ils en soient remerciés.

Table

Le Livre de Poche s'engage pour
l'environnement en réduisant
l'empreinte carbone de ses livres.
Celle de cet exemplaire est de :
900 g éq. CO$_2$
Rendez-vous sur
www.livredepoche-durable.fr

PAPIER À BASE DE
FIBRES CERTIFIÉES

Achevé d'imprimer en France par
CPI BUSSIÈRE (18200 Saint-Amand-Montrond)
en octobre 2020
N° d'impression : 2053559
Dépôt légal 1ʳᵉ publication : octobre 2002
Édition 05 - octobre 2020
LIBRAIRIE GÉNÉRALE FRANÇAISE
21, rue du Montparnasse – 75298 Paris Cedex 06